COMMENTAIRE SUR ISAÏE

SOURCES CHRÉTIENNES

Fondateurs : H. de Lubac, s.j., † J. Daniélou, s.j., C. Mondésert, s.j.
Directeur : D. Bertrand, s.j.
Directeur-adjoint : J.-N. Guinot

N° 315

THÉODORET DE CYR

COMMENTAIRE SUR ISAÏE

TOME III
(Sections 14-20)

TEXTE CRITIQUE, TRADUCTION, NOTES ET INDEX

PAR

Jean-Noël GUINOT

Agrégé de l'Université, Docteur ès Lettres,
Chargé de Recherche au CNRS

*Ouvrage publié avec le concours
du Centre National des Lettres*

LES ÉDITIONS DU CERF, 29, Bd DE LATOUR-MAUBOURG, PARIS
1984

Ce volume a été préparé et mis au point pour l'impression
avec le concours de l'Institut des « Sources Chrétiennes »
(U.A. 993 du Centre National de la Recherche Scientifique)

BS
1515
.T4814
v. 3

© *Les Éditions du Cerf*, 1984
ISBN 2-204-02262-4
ISSN 0750-1978

Note bibliographique et sigles

BARDY = G. BARDY, *Recherches sur saint Lucien d'Antioche et son
    école*, Paris 1936.

BASILE 30 = Saint BASILE, *Commentaire sur Isaïe* (1-16), *PG* 30,
    117-668.

CANIVET, *Entr. apol.* = P. CANIVET, *Histoire d'une entreprise apolo-
    gétique au Vᵉ siècle* (thèse), Paris, Bloud et Gay, 1958.

—   *Thérap.* = THÉODORET DE CYR, *Thérapeutique des maladies
    helléniques*, éd. P. Canivet, *SC* 57 (2 vol.), Paris 1958.

CHRYSOSTOME 56 = Saint JEAN CHRYSOSTOME, *Commentaire sur
    Isaïe* (1 - 8, 10), *PG* 56, 11-94 et *SC* 304, Paris 1983.

—   M. = *In Isaiam prophetam interpretatio sancti Joannis
    Chrysostomi ex armenio in latinum sermonem a patribus
    Mekitharistis translata*, Venise 1887.

CYRILLE 70 = Saint CYRILLE D'ALEXANDRIE, *Commentaire sur
    Isaïe*, *PG* 70.

DEVREESSE, *Com. de Théodore sur les Ps.* = R. DEVREESSE, *Le com-
    mentaire de Théodore de Mopsueste sur les Psaumes (I-LXXX)*,
    Studi e Testi 93, Città del Vaticano 1939.

—   *Essai sur Théodore* = R. DEVREESSE, *Essai sur Théodore de
    Mopsueste*, *Studi e Testi* 141, Città del Vaticano 1948.

DIDYME, *In Zachar.* = DIDYME L'AVEUGLE, *Sur Zacharie*, éd.
    L. Doutreleau, *SC* 83, 84, 85, Paris 1962.

DTC = A. VACANT, E. MANGENOT, E. AMANN, *Dictionnaire de
    Théologie Catholique contenant l'exposé des doctrines catholiques,
    leurs preuves et leur histoire*, Paris, Letouzey, 1903-1950.

EUSÈBE, *H.E.* = EUSÈBE DE CÉSARÉE, *Histoire Ecclésiastique*, éd.
    G. Bardy, t. 1, *SC* 31, Paris (réempression 1964) ; t. 2, *SC* 41
    (réimpression 1983) ; t. 3, *SC* 55 (réimpression 1984) ; t. 4,
    SC 73 (réimpression 1971).

—   *GCS* = Joseph ZIEGLER, *Eusebius, Der Jesajakommentar*,
    GCS IX, Akademie-Verlag, Berlin 1975.

FIELD = F. FIELD, *Origenis Hexaplorum quae supersunt* (2 vol.)
    Oxford 1875 (réeimpression Hildesheim 1964).

FLAVIUS JOSÈPHE, *Ant. Jud.* = FLAVIUS JOSÈPHE, *Antiquités juives*,
    éd. B. Niese (4 vol.), Berlin 1975.

FLAVIUS JOSÈPHE, *Bell. Jud.* = FLAVIUS JOSÈPHE, *La guerre des Juifs*, éd. B. Niese, Berlin 1955.

GCS = *Die griechischen christlichen Schriftsteller der ersten Jahrhunderte*, Leipzig-Berlin.

JÉRÔME *(In Isaiam)* = Saint JÉRÔME, *Commentaire sur Isaïe*, *PL* 24.

JÜSSEN = Klaudius JÜSSEN, « Die Christologie des Theodoret von Cyrus nach seinem neuveröffentlichten Isaiaskommentar », *Theologie und Glaube* 27 (1935), p. 438-452.

JUSTER = J. JUSTER, *Les Juifs dans l'Empire Romain* (2 vol.), Paris 1914.

MÖHLE = August MÖHLE, *Theodoret von Kyros Kommentar zu Jesaia*, Mitteilungen des Septuaginta-Unternehmens 5, Berlin 1932.

PG = *Patrologia Graeca* (J.-P. Migne), Paris.

PHOTIUS, *Bibl.* = PHOTIUS, *Bibliothèque*, éd. R. Henry (8 vol.), Paris, Belles Lettres, 1959-1977.

PIROT = L. PIROT, *L'œuvre exégétique de Théodore de Mopsueste*, Rome 1913.

PL = *Patrologia Latina* (J.-P. Migne), Paris.

PW = PAULY-WISSOWA, *Realencyclopädie der class. Altert.*, Stuttgart.

QUASTEN = Johannes QUASTEN, *Patrology*, t. I, II, III, Utrecht-Anvers 1950, 1953, 1960 (trad. fr., éd. du Cerf, Paris 1955, 1957, 1963).

RAHLFS = Alfred RAHLFS, *Septuaginta, id est Vetus Testamentum graece juxta LXX interpretes*, 2 vol., Stuttgart 1935.

Rev. Sc. Rel. = Revue des Sciences Religieuses, Strasbourg.

RICHARD, « Activité littéraire de Théodoret » = M. RICHARD, « L'activité littéraire de Théodoret avant le concile d'Éphèse », *RSPT* 24 (1935), p. 82-106.

— « Évolution doctrinale de Théodoret » = M. RICHARD, « Notes sur l'évolution doctrinale de Théodoret de Cyr », *RSPT* 25 (1936), p. 459-484.

RSPT = Revue des Sciences Philosophiques et Théologiques, Paris

SC = Sources Chrétiennes, Paris.

SWETE, *An Introduction* = H. B. SWETE, *An Introduction to the old Testament in greek*, Cambridge 1902.

THÉODORE DE MOPSUESTE, *in XII proph.* = THÉODORE DE MOPSUESTE, *Commentaire sur les douze prophètes mineurs*, *PG* 66.

THÉODORET, *Correspondance* = THÉODORET DE CYR, *Correspondance*, éd. Y. Azéma, *SC* 40, 98, 111, Paris 1955, 1964, 1965.

VACCARI, La « théôria » = A. VACCARI, « La Θεωρία nella scuola esegetica di Antiochia », *Biblica* I (1920), p. 3-36.

ZIEGLER, *Isaias* = *Septuaginta, Vetus Testamentum graecum XIV Isaias*, éd. Joseph Ziegler, Göttingen 1939 (2ᵉ édition, 1967).

Sigles des manuscrits

K = Constantinopolitanus, Métochion n° 17 .... xive s.
  K* = Première main.
  K[corr] = Le correcteur de K.

Chaîne C

564 Parisinus graecus 155 (contient *Is.* 26, 13 à 66 avec des lacunes) .... xe s.
565 Parisinus graecus 156 (avec des lacunes) .... xe s.
87 Vaticanus, Chig. R. VIII 54 .... x[o] s.
309 Vaticanus graecus 755 .... x[e]-xie s.
377 Scorialensis, Υ-II-12 (contient *Is.* 1, 8 à 42, 9) ...... xie s.
90 Laurentianus V, 9 .... xie s.
91 Vaticanus, Ottob. gr. 452 .... xie s.
566 Parisinus graecus 157 (contient *Is.* 28, 9 à 32, 19 ; 33, 19 à 41, 24) .... xiie s.
736 Venetus, Marcianus graecus 25 (contient *Is.* 1, 1 - 17 ; 3, 13 - 10, 24 ; 11, 10 - 51, 21 ; 59, 5 - 63,9). xiie-xiiie s.
109 Vindobonensis, B.N., Theol. gr. 24 1235
  (les 5 derniers folios ont été complétés au xvie s.)
737 Venetus Marcianus graecus 87 (contient *Is.* 8, 5 à 19) .... xiiie s.

C[r] = Archétype reconstruit des mss romains C[87·91·309].
C[v] = Consensus des mss C[109] et C[736].

Chaîne N

614 Patmiacus, Ἰωάννου τοῦ Θεολόγου 214 (les quaternions 3, 4, 5 sont perdus, sauf le premier bifolium du 4e quaternion) .... xie s.
384 Laurentianus, V, 8 .... xiie s.
451 Ambrosianus, G. 79 sup. (le début et le commentaire de Théodoret jusqu'à κώμας manquent) .... xiie s.
450 Ambrosianus, D. 473 inf. .... xvie s.
479 Monacensis graecus 14 .... xvie s.

  N[i] = Consensus des mss italiens N[384] et N[451].
  N[k] = Patmiacus N[614].
  R = Réviseur de N[451] (circa xiiie s.).

E   E^r Vaticanus, Ottob. gr. 437.................. XIIIe-XIVe s.
     E^k Constantinopolitanus, Métochion, n° 17.......... XIVe s.
F = Laurentianus XI, 4.............................. XIe s.

Autres abréviations de l'apparat critique

Tht = Théodoret.
Br. = Brauckmann.
Ka. = Kappler.
Mö. = Möhle.
Po. = Pohlenz.
Ra. = Rahlfs.
Sch. = Schwartz.

Pour le sens à donner aux sigles divers qu'on trouvera dans le texte grec et l'apparat critique, voir tome I, p. 123 s.

Les sections 1-3 du *Commentaire sur Isaïe* figurent dans le t. I, *SC* 276 et les sections 4-13 dans le t. II, *SC* 295.

TEXTE ET TRADUCTION

²³ Εὐφράνθητε οὐρανοὶ καὶ ἀγαλλιάσθω ἡ γῆ, ὅτι ἠλέησεν
ὁ θεὸς τὸν Ἰσραήλ · σαλπίσατε θεμέλια τῆς γῆς, βοήσατε
τὰ ὄρη εὐφροσύνην, οἱ βουνοὶ καὶ πάντα τὰ ξύλα τὰ ἐν
5 αὐτοῖς, ὅτι ἐλυτρώσατο ὁ θεὸς τὸν Ἰακὼβ ⟨καὶ⟩ Ἰσραὴλ
δοξασθήσεται. Προσωποποιίᾳ πάλιν ὁ προφητικὸς ἐχρήσατο
λόγος καὶ ὥσπερ, ἡνίκα κατηγόρει τοῦ Ἰσραήλ, τὸν οὐρανὸν
καὶ τὴν γῆν εἰς μαρτυρίαν ἐκάλεσεν, οὕτως [πά]λιν τὰ
ἀγαθὰ προμηνύων τὴν κτίσιν εἰς κοινωνίαν τῆς εὐφροσύνης
10 καλεῖ, οὐκ ἐπειδὴ ἔμψυχα [τα]ῦτα, ἀλλ' ἐπειδὴ καὶ ἀθυ-
μούντων ἡμῶν σκυθρωπὰ δοκεῖ φαίνεσθαι καὶ γεγηθότων
εἰκότως φαιδρότερα, οὐκ αὐτὰ μεταβαλλόμενα ἀλλ' ἡμῖν
οὕτω φαινόμενα. Εἰ δέ τις καὶ τὰς ἐπουρανίους δυνάμεις
(διὰ) τῶν οὐρανῶν νοεῖν βούλοιτο καὶ θεμέλια τῆς γῆς
15 τοὺς ἁγίους προφήτας ὡς αὐτοὺς ταύτην (ἐρ)είδοντας, οὐκ
ἂν ἁμάρτοι τῆς ἀληθείας · καὶ γὰρ ὁ κύριος ἔφη · « Χαρὰ
γίνεται τοῖς ἀγγέλοις ἐφ' ἑνὶ ἁ(μ)αρτωλῷ μετανοοῦντι. »
Οὕτω καὶ τὰ ὄρη καὶ οἱ βουνοὶ καὶ τὰ ἐν αὐτοῖς νοηθήσεται

C : 13-16 εἰ — ἀληθείας
12 φαιδρότερα Ρο. : φανερ.·ερα Κ
16 Lc 15, 10

1. Cf. *Is.* 1, 2 ; Théodoret aime à rappeler que les éléments sont
en eux-mêmes inanimés, mais que l'homme leur prête ses états
d'âme (cf. *infra*, 14, 144-149 ; voir aussi *In Jer.*, 81, 532 CD ; 597 A ;
In Ez., 81, 1116 B ; 1132 CD ; *In XII proph.*, 81, 1645 C ; 1757 A ;
In Psal., 80, 1221 C).
2. Pour Eusèbe, ce sont également les puissances célestes que

Chant de joie

44, 23. *Réjouissez-vous, cieux, et que la terre soit dans l'allégresse, parce que Dieu a eu pitié d'Israël ! Sonnez de la trompette, fondements de la terre ; criez de joie, montagnes, collines et tous les arbres qui sont sur elles, parce que Dieu a racheté Jacob et qu'Israël sera glorifié.* De nouveau, le texte prophétique a usé d'une personnification : tout comme lorsqu'il accuse Israël, il a invité le ciel et la terre à servir de témoins[1], de même quand il fait l'annonce de biens, il invite de nouveau la création à partager la joie ; non que ces éléments soient animés, mais, quand nous sommes accablés, ils nous paraissent sombres et, quand nous sommes dans la joie, ils nous paraissent naturellement plus radieux : ce ne sont pas eux qui changent, mais c'est à nous qu'ils offrent cette apparence. Si, pourtant, on voulait par « les cieux » entendre les puissances célestes, et par « fondements de la terre » les saints prophètes[2], dans la pensée que ce sont eux qui la soutiennent, on ne s'écarterait pas de la vérité. De fait, le Seigneur a dit : « Il y a de la joie parmi les anges pour un seul pécheur qui se repent. » C'est ainsi qu'on entendra également les montagnes, les collines et

---

désigne le terme « cieux » (*GCS* 286, 20) ; de même, l'expression « fondements de la terre » peut désigner, selon lui, d'éventuelles puissances divines qui soutiendraient la terre, mais s'applique plus naturellement aux prophètes et même à tous les hommes justes et amis de Dieu (*id.*, 24-27). Cf. aussi CYRILLE (70, 940 A), selon qui l'expression « fondements de la terre » désigne ceux qui transmettent les oracles divins (οἱ τῶν εὐαγγελικῶν θεσπισμάτων ἱερουργοί).

ξύλα · μετὰ γὰρ [τὴν] ἐπάνοδον τοῦ Ἰσραὴλ γεωργούμενα
20 ἐτεθήλει καὶ εὐφροσύνην τοῖς ὄρεσι προὔξένει.
²⁴ Οὕτως λέγει (κύριος ὁ) λυτρούμενός σε καὶ ὁ πλάσας
σε ἐκ κοιλίας. Τρία κατὰ ταὐτὸν ὁ λόγος ἐδίδαξεν · ὅτι
καὶ (δημι)ουργός ἐστι καὶ δεσπότης καὶ κηδεμών. Τὸ μὲν
γὰρ κύριος τὴν δεσποτείαν δηλοῖ, τὴν δὲ κηδεμονίαν (ἡ
25 λύτρ)ωσις, τὴν δὲ δημιουργίαν ἡ πλάσις. Ἐγὼ κύριος ὁ
συντελῶν ταῦτα πάντα. Ἐγώ σοι καὶ τὰ σκυθρ[ωπὰ] ἐπήγαγον καὶ τὰ θυμήρη προσοίσω.
Εἶτα δείκνυσιν ἀπὸ τῶν ἤδη γεγενημένων τὸ δυνατόν ·
(Ἐξέτ)εινα τὸν οὐρανὸν μόνος καὶ ἐστερέωσα τὴν γῆν.
30 Ἱκανὰ καὶ ταῦτα διελέγξαι τὴν Ἀρείου καὶ Εὐνομίου παρα-
(πληξί)αν · Τίς γὰρ ὁ μόνος ταῦτα δημιουργήσας ; Ὁ
πατήρ ; οὐκοῦν οὐ δημιουργὸς ὁ υἱός · Ἀλλ' ὁ υἱός ; (οὐκ)οῦν
οὐ δημιουργὸς ὁ πατήρ · εἰ δὲ πατὴρ καὶ υἱός, πῶς τὸ
μόνος νοήσωμεν ; ἢ δηλονότι τὴν μίαν τῆς (τριάδ)ος θεότητα.
35 Ἀλλὰ ταῦτα καὶ ἐν ἑτέροις ἡμῖν ἱκανῶς ἀποδέδεικται · τῆς
ἑρμηνείας τοίνυν [ἐχώμ]εθα.
Τίς ἕτερος ²⁵ διασκεδάσει ; Ἐμοῦ φησι βουλομένου τι
πρᾶξαι τίς ἀντιπράξει ; Τίς ἀν[τιστῇ]ναι τολμήσει ; Διασκε-

C : 22-25 τρία — πλάσις ‖ 30-34 ἱκανὰ — θεότητα
24 γὰρ C : > K

1. Cf. l'interprétation d'EUSÈBE (GCS 286, 31-33) : les mots
« montagnes » et « collines » traduisent le degré plus ou moins grand
d'élévation des âmes vers Dieu et le mot « bois » désigne les âmes
qui portent du fruit. Pour CYRILLE, « montagnes » désigne les saints
apôtres et évangélistes (70, 940 C).
2. On peut hésiter sur la valeur exacte à donner au neutre ἐν
ἑτέροις. S'agit-il seulement des nombreux passages du commentaire
où Théodoret, à l'occasion de la polémique anti-arienne, a déjà
démontré la consubstantialité du Père et du Fils (cf. In Is., 3, 845-846.
852-855 ; 7, 571-576 ; 12, 592-598 ; 13, 167-176.313-318) ? Sans
compter que, dans ce cas, la formule ἐν τοῖς ἔμπροσθεν ἑρμηνευμένοις
serait plus attendue, l'emploi de ἕτερος semblerait indiquer qu'il

les bois qui sont sur elles[1] : après le retour d'Israël, parce qu'on les cultivait, ils avaient refleuri et ils étaient source de joie sur les montagnes.

Grandeur de Dieu 24. *Ainsi parle le Seigneur qui te rachète et qui t'a formé dès le sein maternel.* Le texte a présenté, dans le même temps, un triple enseignement : il est le créateur, le maître et le protecteur. Car le terme « Seigneur » fait bien voir la souveraineté, l'idée de « rachat » la protection, et celle de « formation » la création. *C'est moi le Seigneur qui ai fait tout cela.* C'est moi qui t'ai envoyé les chagrins et qui te procurerai les joies.

Puis il montre, à partir des événements qui se sont déjà produits, ce dont il est capable : *J'ai à moi seul déployé le ciel et affermi la terre.* Cela encore suffit à réfuter complètement la démence d'Arius et d'Eunomius : Qui est, en effet, celui qui, à lui seul, a créé ces éléments ? Est-ce le Père ? ainsi donc le Fils n'est pas créateur. Est-ce au contraire le Fils ? ainsi donc le Père n'est pas créateur. Mais, si ce sont le Père et le Fils, comment devons-nous comprendre le terme « seul » ? Assurément (on doit) de toute évidence (l'entendre) de l'unique Divinité que forme la Trinité. Mais cela, nous l'avons montré de manière suffisante en d'autres passages également[2] : tenons-nous en donc à notre commentaire.

Quel autre (que moi) 25. *détruira ?* Lorsque je veux accomplir quelque chose, dit-il, qui s'y opposera ? Qui osera se dresser contre moi ? *Je détruirai les signes des*

---

s'agit d'un ouvrage distinct du *Commentaire sur Isaïe* ; autant qu'aux autres commentaires de Théodoret, on pense naturellement à son traité, aujourd'hui perdu, contre les Ariens et les Eunomiens. Du reste, si le refus de prolonger la polémique relève de la volonté de concision, il peut aussi bien témoigner ici du souci de conserver à chaque genre — le commentaire et le traité polémique — son caractère propre.

δάσω σημεῖα ἐγγαστριμύθων καὶ μαντείας ἀπὸ καρδίας.
40 Τὰ μὲν γὰρ (ἐμὰ) οὐδεὶς διασκεδάσαι δυνήσεται, ἐμοὶ δὲ
ῥᾴδιον κατασβέσαι τὴν πλάνην. Ἀποστρέφων (φρ)ονίμους
εἰς τὰ ὀπίσω καὶ τὴν βουλὴν αὐτῶν μωραίνων. Οὐ μόνον δὲ
τοὺς τὰ [ἐσόμενα μαντευο]μένους ψευδομένους δείξω, ἀλλὰ
καὶ τῶν ἐπὶ σοφίᾳ βρενθυομένων τὴν [ἀφροσύν]ην ἐλέγξω.
45 Τοῦτο καὶ ὁ θεῖος ἀπόστολος ἔφη · « Οὐχὶ ἐμώρανεν ὁ
θεὸς τὴν σοφίαν τοῦ κόσμου τούτου ; » ²⁶ Καὶ ἱστῶν (ῥήματ)α
παιδὸς αὐτοῦ. Αὐτὸν τὸν προφήτην τὸν τοῖσδε τοῖς λόγοις
αὐτοῦ διακονοῦντα ἐνταῦθα (προσηγό)ρευσε παῖδα. Καὶ τὴν
βουλὴν τῶν ἀγγέλων αὐτοῦ ἀληθεύων. Οὐ μόνον δέ φησι
50 τούτου [ἀλλὰ καὶ τῶ]ν ἄλλων, ὅσοι τοὺς θείους διαπορ-
θμεύουσι λόγους. Τοῦτο δὲ ἐνταῦθα οὐχ ἁπλῶς εἴρηκεν
[ἀλλ' εἰς τὴν] τῶν ῥηθησομένων βεβαίωσιν · προθεσπίζει
γὰρ ἐν τοῖς ἑξῆς τοῦ τε Κύρου τοῦ πρώτου [Περσῶν]
βασιλεύσαντος ‹τὴν› βασιλείαν καὶ τοῦ λαοῦ τὴν ἐπάνοδον
55 καὶ τὴν τῆς Ἱερουσαλὴμ οἰκο[δομία]ν καὶ τὴν τῆς Βαβυλῶνος
πανωλεθρίαν. Διὰ τοῦτο προλαβὼν ἔφη · Ἱστῶν ῥήματα
(παιδὸς) αὐτοῦ.

Ὁ λέγων τῇ Ἱερουσαλήμ · Κατοικηθήσῃ, καὶ ταῖς πόλεσι
τῆς Ἰουδαίας · Οἰκοδομηθήσεσθε, (καὶ τὰ ἔρη)μα αὐτῆς
60 ἀναστήσω. Ἔδειξεν ὁ λόγος τὸ παντοδύναμον τοῦ ποιητοῦ ·
Λέγω γάρ φησι μόνον, (καὶ γίνεται ὃ) βεβούλευμαι · λόγῳ
γὰρ καὶ τὴν κτίσιν παρήγαγον. ²⁷ Ὁ λέγων τῇ ἀβύσσῳ ·
Ἐρημωθήσῃ, καὶ (τοὺς ποταμού)ς σου ξηρανῶ. Ἄβυσσον
ἐνταῦθα τὴν Βαβυλῶνα ὠνόμασε, ποταμοὺς δὲ |156 a| αὐτῆς

C : 40-41 τὰ — πλάνην ‖ 47-48 αὐτὸν — παῖδα ‖ 60-62 ἔδειξεν
— παρήγαγον ‖ 63-66 ἄβυσσον — κύματα

48 αὐτοῦ διακονοῦντα Κ : διακονούμενον C ‖ 61 βεβούλευμαι
Κᶜᵒʳʳ : βούλομαι Κ*Cⁿ¹ βουλεύομαι C⁸⁷·⁹⁰·³⁰⁹·⁵⁶⁴

45 I Cor. 1, 20

---

1. Pour Eusèbe (GCS 288, 10-11), il s'agit du Christ.

ventriloques et les oracles qui viennent du cœur. Personne ne pourra détruire mes œuvres, alors qu'il m'est facile de mettre fin à l'erreur. *En faisant retourner les hommes sensés en arrière et en frappant de folie leur dessein.* Je ne me contenterai pas de montrer que ceux qui révèlent l'avenir sont des menteurs, je dénoncerai aussi la folie de ceux que leur sagesse fait se rengorger. C'est ce qu'a dit aussi le divin Apôtre : « Dieu n'a-t-il pas frappé de folie la sagesse de ce monde ? » 26. *En confirmant les paroles de son serviteur.* C'est le prophète en personne qu'il a appelé ici du nom de « serviteur », lui qui est au service de ces paroles que Dieu va prononcer[1]. *Et en réalisant le dessein de ses messagers.* Non seulement celui de ce messager, dit-il, mais aussi celui de tous les autres qui transmettent la parole divine[2]. Or, ce n'est pas sans arrière-pensée qu'il a fait ici cette déclaration, mais pour donner force à ce qui va être dit : il prophétise, en effet, dans la suite du passage la royauté de Cyrus, qui fut le premier à régner sur les Perses, et le retour du peuple, la reconstruction de Jérusalem et la ruine totale de Babylone. C'est pourquoi il a pris les devants en disant : « En confirmant les paroles de son serviteur. »

Cyrus élu par Dieu pour être le libérateur du peuple juif
(Moi) qui dis à Jérusalem : Tu seras habitée, et aux cités de Juda : Vous serez reconstruites, et ses lieux déserts, je les relèverai. Le texte a montré la toute puissance du créateur : Je n'ai qu'à parler, dit-il, et se réalise ce que j'ai décidé : c'est par la parole, en effet, que j'ai également fait paraître la création. 27. *(Moi) qui dis à l'abîme : Tu seras désolé et j'assécherai tes fleuves.* Il a donné ici le nom d'« abîme » à Babylone et celui de

2. Eusèbe est plus précis : il s'agit, selon lui, des apôtres, des disciples et des évangélistes (*GCS* 288, 12).

65 τῶν οἰκητόρων τὰ πλήθη, οὓς δίκην ποταμῶν ὑποδεχομένη
τῆς θαλάττης ἐμιμεῖτο τὰ κύ(ματα). ²⁸ Ὁ λέγων Κύρῳ
φρονεῖν καὶ πάντα τὰ θελήματά μου ποιεῖσθαι. Ἐγώ φησι
τὸν Κῦρον παρασκευάσω το[ῦ σω]φρονεῖν καὶ τὸ ἐμὸν
πληροῦν βούλημα.

70 Καὶ δεικνὺς ποῖον βούλημα, ἐπήγαγεν · Ὁ λέγων
Ἱερουσαλήμ · Οἰκοδομ(ηθήσῃ), καὶ τὸν οἶκον τὸν ἅγιόν μου
θεμελιώσω. 45¹ Οὕτως λέγει κύριος ὁ θεὸς τῷ χριστῷ μου
Κύρῳ. Χριστοὺς ἡ θεία γραφὴ πρ(οσα)γορεύει οὐ μόνον
τοὺς χριομένους ἀλλὰ καὶ τοὺς εἴς τινα χρείαν ὑπὸ τοῦ
75 θεοῦ τῶν ὅλων ἀφοριζομένους. (Οὕ)τω καὶ τῶν πρὸ τοῦ
νόμου πατέρων μνημονεύσας ἔφη · « Μὴ ἅπτεσθε τῶν
χριστῶν μου. » Ἐνταῦθα μέντοι τὸν (Κῦρον) χριστὸν
ὠνόμασε διδάσκων ὡς αὐτὸς αὐτὸν ἐχειροτόνησε βασιλέα
ὥστε καὶ τὴν Βαβυλων(ίων) δυναστείαν καταλῦσαι καὶ τὴν
80 τῶν Ἰουδαίων αἰχμαλωσίαν λῦσαι καὶ τὸν θεῖον οἰκοδομῆσαι
νεώ(ν.

Οὗ) ἐκράτησα τῆς δεξιᾶς, ἐπακοῦσαι ἔμπροσθεν αὐτοῦ
ἔθνη, καὶ ἰσχὺν βασιλέων διαρρήξω, ἀνοί(ξω) ἔμπροσθεν
αὐτοῦ θύρας, καὶ πόλεις οὐ συγκλεισθήσονται · ² ἐγὼ
85 ἔμπροσθεν αὐτοῦ πορεύσομαι καὶ ὄρη ὁμαλιῶ, πύλας χαλκᾶς
συντρίψω καὶ μοχλοὺς σιδηροῦς συνθλάσω. Διὰ πάντων τῶν
εἰρημένων ἐδίδαξεν ὡς καὶ προὐβάλετο βασιλέα τὸν Κῦρον
καὶ ῥοπὴν αὐτῷ δέδωκεν εἰς τὴν τῆς δυναστείας κατόρθωσιν
[καὶ] πεποίηκεν εὐμαρῆ τὰ φαινόμενα δύσπορα, τὸ γάρ ·
90 Ὄρη ὁμαλιῶ καὶ πύλας χαλκᾶς συντρίψω, τοῦτο σημαίν[ει].

C : 73-81 χριστοὺς — νεών
65 ὑποδεχομένη K : δεχομένη C ‖ 79 καὶ¹ C : > K
76 Ps. 104, 15

---

1. Rapprocher de *In Ez.*, 81, 1072 CD. Eusèbe entend par
« abîme » l'erreur polythéiste (*GCS* 288, 18). L'interprétation de
Cyrille est tout à fait comparable à celle de Théodoret (70, 948 C) :
selon lui, c'est une habitude de l'Écriture que de comparer aux
fleuves, à la mer ou à l'eau la foule des nations.

« fleuves » à la foule de ses habitants : on aurait dit des
fleuves qu'elle recevait et elle imitait par là les flots de
la mer[1]. 28. *(Moi) qui dis à Cyrus d'être prudent et
d'accomplir toutes mes volontés.* C'est moi, dit-il, qui
disposerai Cyrus à se montrer avisé et à satisfaire entièrement ma volonté.

Et, pour montrer quelle est sa volonté, il a ajouté :
*(Moi) qui dis à Jérusalem : Tu seras reconstruite et j'assiérai
sur des fondements ma demeure sainte.* **45**, 1. *Ainsi parle
le Seigneur Dieu à Cyrus, mon oint.* La divine Écriture
désigne sous le nom d'«oints», non seulement ceux qui sont
consacrés par l'onction, mais aussi ceux que le Dieu de
l'univers a mis à part en vue de (remplir) une fonction
déterminée[2]. C'est ainsi qu'en faisant mention des patriarches qui ont vécu à une époque antérieure à la Loi,
il a dit : « Ne touchez pas à mes oints. » Ici, en tout cas,
il a donné à Cyrus le nom d'oint, pour enseigner que
c'est lui qui l'a élu comme roi, de façon à ruiner l'empire
des Babyloniens, à mettre fin à la captivité des Juifs et
à (re)construire le Temple de Dieu.

*(C'est lui) dont j'ai saisi la droite (pour que) les nations
obéissent devant lui, et je briserai la force des rois, j'ouvrirai
devant lui les portes et les villes ne seront pas fermées ;
2. moi, je marcherai devant lui et j'aplanirai les montagnes,
je briserai les portes de bronze et je romprai les verrous de fer.*
Par tout ce qui vient d'être dit, il a enseigné qu'il a investi
Cyrus comme roi, qu'il lui a donné le poids nécessaire
pour diriger avec bonheur son empire et qu'il a rendu
d'accès facile les passages apparemment difficiles à franchir ; c'est ce que signifie la phrase : « J'aplanirai les
montagnes et je briserai les portes de bronze. » 3. *Et je te*

2. Le terme χρείαν semble ici choisi à dessein par Théodoret pour
faire une espèce de jeu de mots avec χριομένους ; rapprocher de
In Hab., 81, 1832 C. L'interprétation de Cyrille va dans le même
sens que celle de Théodoret (70, 949 D - 952 A).

³ Καὶ δώσω σοι θησαυροὺς σκοτεινούς, ἀποκρύφους ἀοράτους
ἀνοίξω σοι. Τουτέστι τοὺς τῶν Βαβυλωνί(ων), οὓς ὁ Ναβουχοδονόσορ καὶ οἱ λοιποὶ συναθροίσαντες ἔκρυψαν βασιλεῖς.
Ἵνα γνῷς ὅτι ἐγὼ κύριος ὁ θεὸς (ὁ καλῶν) τὸ ὄνομά σου.
95 Ἄνωθεν καὶ πρὸ πολλῶν γενεῶν ἐγώ σοι τέθεικα τὴν
προσηγορίαν. Καὶ διδάσκων, τίς ὁ ταῦτα [ποιήσας], ἐπήγαγεν · Θεὸς τοῦ Ἰσραήλ. Ἐπειδὴ γὰρ πολλοὺς εἶναι θεοὺς
ὑπελάμβανον οἱ πλανώμενοι, δείκνυσιν ἑαυτὸν δ[ιὰ τῶν]
προσκυνούντων.
100 Εἶτα διδάσκει τὴν τῆς πολλῆς προμηθείας αἰτίαν ·
⁴ Ἕνεκεν τοῦ παιδός μου Ἰακὼβ καὶ (Ἰσραὴλ) τοῦ ἐκλεκτοῦ
μου ἐγὼ ἐκάλεσά σε τῷ ὀνόματί μου καὶ προσδέξομαί σε.
Τὸ ἐμόν σοί φησιν ἐπι[τεθήσεται ὄ]νομα καί, ὃ μέλλω
λαμβάνειν τὴν ἀνθρωπείαν φύσιν ἀναλαμβάνων, τούτῳ σὲ
105 πρῶτον ὠνόμασα. [Διδάσκει] δὲ ἡμᾶς ὁ προφητικὸς λόγος
σαφῶς ὡς <ἔστιν ὁ> μονογενὴς τοῦ θεοῦ λόγος ὁ ταῦτα
διαλεγόμενος · αὐτὸς γὰρ ἐ[ξαιρέτως] ὠνομάσθη χριστός.
Σὺ δὲ οὐκ ἔγνως με ⁵ ὅτι ἐγὼ κύριος ὁ θεὸς καὶ οὐκ ἔστι
πλὴν ἐμοῦ θεός. Ἐνίσχυσά σε, (καὶ οὐ)κ ᾔδεις με. Τῇ γὰρ
110 τῶν εἰδώλων καὶ αὐτὸς ἐδούλευε πλάνῃ · καὶ παρὰ τοῦ θεοῦ
τῶν ὅλων τὴν βασιλείαν δεξ[άμενος] καὶ τοσαύτης ἐπικουρίας
τυχὼν οὐκ ἔγνω τὸν τῶν ἀγαθῶν χορηγόν, ἀλλ᾽ ὅμως
αὐτὸν καὶ πλανώμενον τούτ[ων ἀπ]άντων ἠξίωσεν, ὑπουργὸν
αὐτὸν τῆς τῶν Βαβυλωνίων τιμωρίας καὶ τῆς τοῦ Ἰσραὴλ
115 ἐλευθερίας [χει]ροτ[ονήσας]. Ἔνια μέντοι τῶν ἀντιγράφων
οὕτως εὗρον ἔχοντα · « Σὺ δὲ Ἰσραὴλ οὐκ ἔγνως με. »
Ἀλλ᾽ οὔτε [παρὰ] τ[ῷ Ἑ]βραίῳ τὸ Ἰσραὴλ κείμενον
εὗρον οὔτε παρὰ τοῖς Ἄλλοις Ἑρμηνευταῖς οὔτε παρὰ
τοῖς Ἑβδομήκοντα ἐν τῷ Ἑξαπλῷ. Καὶ μάλα εἰκότως ·
120 οὐ γὰρ τοῦ Ἰσραὴλ ἐνταῦθα τὴν ἄγνοιαν ἀλλὰ τοῦ Κύρου
κατηγορεῖ.

C : 92-93 τουτέστι — βασιλεῖς
98 δ[ιὰ τῶν] coni. Po.

donnerai des trésors enfouis dans les ténèbres, j'ouvrirai pour toi les (trésors) cachés, invisibles. C'est-à-dire les trésors des Babyloniens, ceux que Nabuchodonosor et tous les autres rois ont rassemblés et cachés. *Afin que tu saches que c'est moi le Seigneur Dieu qui t'appelle par ton nom.* Depuis l'origine et bien des générations à l'avance, c'est moi qui t'ai imposé le nom que tu portes. Et, pour enseigner l'identité de celui qui a accompli ces œuvres, il a ajouté : *Le Dieu d'Israël.* Puisque les hommes qui étaient dans l'erreur pensaient qu'il y avait beaucoup de dieux, il se sert de ceux qui l'adorent pour se révéler.

Puis il indique la cause de ses nombreux égards : 4. *A cause de mon serviteur Jacob et d'Israël mon élu, je t'ai appelé par mon nom et je t'agréerai.* C'est mon nom qui te sera imposé, dit-il, et le nom que je vais prendre en assumant la nature humaine, c'est à toi que je l'ai donné le premier. Le texte prophétique nous enseigne donc clairement que c'est le Verbe Monogène de Dieu qui tient ces propos, car c'est lui par excellence qui a été nommé Oint (Christos).

Toi cependant tu ne m'as pas connu, 5. *(tu n'as pas connu) que c'est moi le Seigneur Dieu et qu'il n'y a pas de Dieu en dehors de moi. Je t'ai rendu fort et tu ne me connaissais pas.* (Cyrus) était lui aussi esclave de l'erreur des idoles : bien qu'il ait reçu du Dieu de l'univers la royauté et obtenu de lui une si grande assistance, il n'a pas connu le dispensateur de ces biens ; Dieu l'a néanmoins jugé digne, malgré son erreur, de tous ces bienfaits, il l'a désigné comme l'instrument du châtiment des Babyloniens et de la libération d'Israël. Toutefois, j'ai trouvé quelques exemplaires qui portent le texte suivant : « Toi, cependant, Israël, tu ne m'as pas connu. » Mais je n'ai trouvé la présence du mot « Israël » ni dans le texte hébreu, ni chez les autres interprètes, ni chez les Septante dans la version hexaplaire. Et c'est à très juste titre, car ce n'est pas Israël qu'il accuse ici de le méconnaître, mais Cyrus.

Εἶτα καὶ τὴν αἰτίαν τῆς τῶν ['Ιουδαίων] ἐλευθερίας
διδάσκει · ⁶'Ἵνα γνῶσιν οἱ ἀπὸ ἀνατολῶν ἡλίου καὶ οἱ ἀπὸ
δυσμῶν αὐτοῦ ὅτι οὐκ ἔστι (πλὴν) ἐμοῦ. Οἱ γὰρ ἀκούσαντες
125 τὴν καινὴν ἐκείνην καὶ παράδοξον ἄφεσιν καὶ τὴν ἔντιμον
ἐπά[νοδον] καὶ τῆς Ἱερουσαλὴμ τὴν οἰκοδομίαν καὶ τοὺς
περὶ ταύτης τοῦ Κύρου νόμους ἐμάνθανον μόνον ἀληθῶς
[ὄντα θεὸν] τὸν τῶν 'Ιουδαίων θεόν. Ἐγὼ κύριος ὁ θεὸς καὶ
οὐκ ἔστιν ἔτι. Μόνος γὰρ αὐτὸς δεσπότης.
130   ⁷'Εγὼ ὁ ποιήσας φ(ῶς) καὶ κατασκευάσας σκότος. Φῶς
ἐνταῦθα τὰ θυμήρη καλεῖ · τὴν τῆς δουλείας ἀπαλλαγὴν
(καὶ τὴν ἐ)λευθερίαν καὶ τὴν ἐπάνοδον, σκότος δὲ τὰ
σκυθρωπά · τὴν πολιορκίαν, τὸν ἀνδραπο(δισμόν), τὴν
δουλείαν. 'Αμφότερά φησιν ἐγὼ πεποίηκα, καὶ ταῦτα
135 κάκεῖνα · ἐγὼ καὶ τῷ Ναβουχοδονόσ(ορ εἰς) τιμωρίαν
ἐχρησάμην καὶ τὸν Κῦρον τῆς ἐλευθερίας ὑπουργὸν προεβαλόμην. Καὶ [ὡς καὶ] φωτός εἰμι καὶ σκότους δημιουργὸς
καὶ τούτων ἑκάτερον διὰ τὴν τῶν ἀνθρώπων παρήγαγον
χρείαν, [οὕτω] |156 b| καὶ τὴν δουλείαν τοῦ 'Ισραὴλ εἰς
140 ὠφέλειαν ἐπήγαγον καὶ τὴν ἐλευθερίαν διὰ φιλανθρωπίαν
ἐδωρησάμην. ('Ο ποι)ῶν εἰρήνην καὶ κτίζων κακά, ἐγὼ
κύριος ὁ θεὸς ὁ ποιῶν πάντα ταῦτα. Σαφῶς ἐδίδαξε
τί προσηγόρευσε σκότος καὶ φῶς · τὴν γὰρ εἰρήνην
φῶς ὠνόμασε, τὰ δὲ δοκοῦντα κακὰ σκότος. Κακὰ δὲ
145 αὐτὰ (κέ)κληκεν οὐχ ὡς φύσει κακὰ ἀλλ' ὡς οὕτως ὑπὸ
τῶν ἀνθρώπων νομιζόμενα. Εἰώθαμεν γὰρ λέγειν · Κακὴν
εἶδον σήμερον ἡμέραν, οὐκ ἐπειδὴ ἡ ἡμέρα εἰς ἑτέραν
τινὰ μετεβλήθη φύσιν, ἀλλ' ἐπειδὴ ἐν αὐτῇ (συνέ)βη τὰ
λυπηρά.

C : 130-137 φῶς — προεβαλόμην ‖ 142-149 σαφῶς — λυπηρά
126 τοὺς Μö. : τῆς Κ ‖ 146-147 κακὴν — ἡμέραν C : κακὴ εἰς
ὁδὸν ἡ σήμερον ἡμέρα Κ

———————

1. Sur cette interprétation, cf. supra, p. 13, n. 1 et infra, 14,
142-149.

Puis il indique aussi la cause de la

La libération des Juifs révèle la grandeur de Dieu libération des Juifs : 6. *Afin qu'ils connaissent, ceux qui sont du soleil levant et ceux qui sont du soleil couchant, qu'il n'y a pas (de Dieu) en dehors de moi.* Les hommes qui entendirent parler de cette délivrance inattendue et extraordinaire, du retour des Juifs au milieu des honneurs, de la (re)construction de Jérusalem et des lois établies par Cyrus à ce sujet, apprenaient que le Dieu des Juifs était en vérité seul à être Dieu. *C'est moi qui suis le Seigneur Dieu et il n'y en a pas en plus.* Il est, en effet, le seul à être souverain Maître.

7. *C'est moi qui ai fait la lumière et qui ai disposé les ténèbres.* Il appelle ici « lumière » les événements heureux — la cessation de l'esclavage, la libération et le retour —, et « ténèbres » les événements tristes — le siège, l'asservissement, l'esclavage[1]. C'est moi, dit-il, qui suis l'auteur de ces deux séries d'événements, de ceux-ci comme de ceux-là : c'est moi qui me suis servi de Nabuchodonosor pour infliger le châtiment et qui ai choisi Cyrus comme instrument de la libération. Et tout comme je suis le créateur de la lumière et des ténèbres, et que j'ai produit chacune d'elles pour qu'elles soient utiles aux hommes, j'ai infligé l'esclavage à Israël dans son intérêt et je lui ai fait don de la liberté en raison de ma bonté. *C'est moi qui fais la paix et qui crée les maux, c'est moi le Seigneur Dieu qui fais tout cela.* Il a clairement enseigné ce qu'il a désigné sous le nom de ténèbres et de lumière : c'est la paix qu'il a nommée « lumière » et les événements qui passent pour des maux, « ténèbres ». Or, il les a appelés des maux, non parce qu'ils sont des maux par nature, mais parce que les hommes les considèrent ainsi. Nous avons, en effet, l'habitude de dire : « Mauvais jour pour moi que le jour d'aujourd'hui », non parce que le jour s'est changé en quelque autre nature, mais parce que, au cours de ce jour, sont survenus des événements qui chagrinent.

150 Εἶτα δεικνὺς τὴν τῶν προηγορευμένων ἀλήθειαν πάλιν
τὴν κτίσιν εἰς κοινωνίαν τῆς εὐ[φρο]σύνης καλεῖ · ⁸ Εὐφραν-
θήτω ὁ οὐρανὸς ἄνωθεν, αἱ ἐπουράνιαι δυνάμεις αἱ τῇ
τῶν ἀνθρώπων συνηδόμεναι (σωτηρ)ίᾳ. Καὶ αἱ νεφέλαι
ῥανάτωσαν δικαιοσύνην. Ἀπειλῶν πρόσθεν ἔφη · « Ταῖς
155 νεφέλαις ἐντελοῦμαι τοῦ (μὴ) βρέξαι ἐπ' αὐτὸν ὑετόν »,
καὶ ἐδείξαμεν ἑρμηνεύοντες τοὺς προφήτας οὕτως ὠνο-
μασμένους. Ἐνταῦθα [τοίν]υν τούτους ὁ λόγος παρεγγυᾷ
καθάπερ τινὰ ὑετὸν τὸν περὶ τῆς δικαιοσύνης προσφέρειν
λόγον. [Ἑωρά]κασι δὲ μετὰ τὴν ἐπάνοδον προφήτας
160 Ἀγγαῖον καὶ Ζαχαρίαν καὶ Μαλαχίαν. Ἀνατειλάτω ἡ γῆ
(ἔλεο)ν καὶ δικαιοσύνην ἀνατειλάτω ἅμα. Προσήκει γὰρ καὶ
τοὺς τῆς τοιαύτης ἀρδείας ἀπολαύοντας προσφέρειν καρποὺς
τῇ ἀρδείᾳ συμβαίνοντας · ἡ δὲ ἀρδεία τοὺς περὶ δικαιοσύνης
προσέφερε λόγους · διὰ τοῦτο [αὐτοὺς κ]αρποὺς ἀπαιτεῖ
165 δικαιοσύνης καὶ ἔλεον. Γῆν γὰρ τοὺς τὴν γῆν κατοικοῦντας
ἐκάλεσεν.

Ἐγώ εἰμι κύριος ὁ κτίσας σε. [Ἐγὼ γάρ] σε καὶ τὴν
ἀρχὴν εἰς τὸ εἶναι παρήγαγον. ⁹ Ποιῶν βέλτιον κατεσκεύασά
σε ὡς πηλὸν κεραμέως. Καθάπερ φησὶν [ὁ κερ]αμεὺς τὸ
170 πήλινον σκεῦος συντριβόμενον ἀναπλάττει, οὕτως ἐγώ σε
ποιήσω τῆς προτέρας ἀμεί<ν>ονα. (Μὴ ὅλ)ην τὴν ἡμέραν ὁ
ἀροτριῶν ἀροτριάσει τὴν γῆν ; Ἀντὶ τοῦ · οὐ διὰ παντὸς
προσήκει τὴν παι(δείαν) προσφέρειν, οὐδὲ γὰρ ὁ γεωργὸς
ἀεὶ τὴν γῆν ἀνατέμνει.

C : 152-153 αἱ¹ — σωτηρίᾳ ‖ 172-174 ἀντὶ — ἀνατέμνει
174 τὴν γῆν / ἀνατέμνει Κ :∼ C
154 Is. 5, 6

---

1. Même interprétation chez Eusèbe (GCS 290, 5) et chez Cyrille
(70, 956 C).
2. Il s'agit de la vigne du Seigneur ; cf. Is. 5, 6.
3. Eusèbe et Cyrille mettent eux aussi ce verset en relation avec
Is. 5, 6 c. Pourtant Eusèbe ne reprend pas ici son interprétation de
« nuages = prophètes », si bien que les termes « ciel » et « nuages » ne

Puis, pour montrer la vérité de ce qui vient d'être annoncé, il appelle de nouveau la création à partager la joie : 8. *Que le ciel depuis les hauteurs se réjouisse*, les puissances célestes qui s'unissent aux hommes pour se réjouir de leur salut[1]. *Et que les nuées fassent pleuvoir la justice.* A l'occasion des menaces qu'il faisait précédemment, il a dit : « Je commanderai aux nuées de ne pas faire tomber sur elle[2] la pluie », et nous avons montré dans notre commentaire que c'étaient les prophètes qui étaient ainsi nommés. Ici donc, le texte les invite à présenter, comme une espèce de pluie, le discours traitant de la justice[3]. Or, (les Juifs) ont vu comme prophètes, après le retour d'exil, Aggée, Zacharie et Malachie. *Que la terre fasse germer la miséricorde et germer en même temps la justice.* Il convient, en effet, également que les hommes qui bénéficient d'une telle irrigation présentent des fruits en rapport avec cette irrigation. Or, l'irrigation apportait les discours traitant de la justice ; c'est pourquoi il leur réclame les fruits de la justice et la miséricorde. Il a, en effet, appelé « terre » les hommes qui habitent la terre.

Moi je suis le Seigneur qui t'ai créée.

Le pouvoir souverain de Dieu C'est moi qui dès l'origine également t'ai amenée à l'existence. 9. *En faisant mieux je t'ai façonnée comme argile de potier.* Tout comme le potier modèle de nouveau le vase d'argile brisé, dit-il, de mon côté, je te ferai meilleure que la première (terre). *Est-ce que le laboureur labourera la terre pendant la journée tout entière?* Ce qui revient à dire : il ne convient pas d'employer continuellement le châtiment, car le cultivateur non plus ne fend pas sans cesse la terre.

---

semblent désigner maintenant que les Puissances célestes (*GCS* 290, 5-6). Cyrille reprend également ce sens, mais « nuages » lui paraît désigner en outre « les saints mystagogues » et tous ceux qui sur la terre, à commencer par les « divins disciples », ont été des facteurs d'« irrigation » spirituelle (70, 956 D).

175   Οὐαὶ ὁ κρινόμενος μετὰ τοῦ πλάσαντος (αὐτόν). Μὴ ἐρεῖ
        ὁ πηλὸς τῷ κεραμεῖ · Τί ποιεῖς ; Τί οὐκ ἐργάζῃ καὶ τὸ ἔργον
        ⟨οὐκ ἔχεις⟩ εἰς χεῖρας ; Μὴ ἀποκρι(θήσεται) τὸ πλάσμα
        πρὸς τὸν πλάσαντα αὐτό ; Ἐπειδὴ γὰρ καὶ τηνικαῦτα ἦσαν
        πολλοὶ καὶ νῦν δὲ ὡσ[αύτω]ς εἰσὶ τὴν θείαν περιεργαζόμενοι
180   πρόνοιαν καὶ πολυπραγμονεῖν πειρώμενοι διὰ τί πόλεμοι
        [γίγνο]νται διὰ τί γῆς ἀκαρπίαι διὰ τί θάνατοι ἄωροι καὶ
        ὅσα τοιαῦτα, εἰκότως πρῶτον μὲν [ἐθρήνη]σε τοὺς εὐθύνας
        ἀπαιτοῦντας τῶν ὅλων τὸν ποιητήν, εἶτα τῇ εἰκόνι τοῦ
        πηλοῦ καὶ [τοῦ] κεραμέως ἱκανῶς αὐτοὺς ἐπεστόμισεν ·
185   ὥσπερ γὰρ ὁ πηλὸς τὸν πηλουργὸν ἀργίας καὶ ἐργασίας
        [εὐθύν]ας οὐκ ἀπαιτεῖ, οὕτως οὐδὲ ὑμᾶς προσήκει τὰ θεῖα
        περιεργάζεσθαι · ὅπερ γὰρ πηλός, τοῦ[το ὑ]μεῖς · ἐγὼ δὲ
        [πρὸς τὸν] κεραμέα πλείστην ὅσην ἔχω διαφοράν · ὁ μὲν
        γὰρ κεραμεύς, εἰ καὶ ποιητής ἐστι τοῦ [πηλίνου σκεύους,
190   ἀλλ᾽ αὐτὸς πρωτο]γενὴς τοῦ πηλοῦ · ἐγὼ δὲ ἄκτιστον ἔχω
        τὴν φύσιν. Ἀλλ᾽ ὅμως ὁ μὲν πηλὸς οὐ φθέγγεται, ἀλ[λ᾽ ἀνέ-
        χε]ται τὴν διάπλασιν ἣν ἂν ὁ κεραμεὺς ἐπιθεῖναι θελήσῃ ·
        ὑμεῖς δὲ τῆς ἐμῆς προνοίας κατα[φρονεῖτε].
        ¹⁰Οὐαὶ ὁ λέγων τῷ πατρί · Τί γεννήσεις ; καὶ τῇ μητρί ·
195   Τί ὠδίνεις ; Εἰς ἑτέραν πάλιν εἰκόνα μετέβα[λε τὸν λόγον,
        τῆς βλ]ασφημίας δεικνὺς τὴν ὑπερβολήν. Εἰ γὰρ ὁ τοῖς
        πατράσιν ἀντιλέγων παράνομός [ἐστι], ποία[ς τεύξεται
        τι]μωρίας ὁ κατὰ τοῦ ποιητοῦ τὴν γλῶτταν κινῶν ; ¹¹Ὅτι
        οὕτως λέγει κύριος ὁ θεὸς ὁ ἅγιος τοῦ (Ἰσραήλ, ὁ) πλάσας
200   αὐτόν, ὁ ποιήσας τὰ ἐπερχόμενα. Ἔδειξεν αὐτὸν πλάστην
        καὶ δημιουργόν, τοὺς ἀχαρί[στους ἐντρέ]πων. Διδάσκει δὲ

190 [αὐτὸς πρωτο]γενὴς coni. Po.

_____

1. On reconnaît là l'auteur des _Discours sur la Providence_ (cf.
Y. AZÉMA, _Théodoret de Cyr, Discours sur la Providence_, Belles
Lettres, Paris 1954), même si Théodoret n'y aborde pas aussi nette-
ment que Chrysostome le problème de l'existence du mal (cf.
A.-M. MALINGREY, _Jean Chrysostome, Sur la Providence de Dieu_, SC
79, Paris 1962, ch. 4, 12, etc.).

Malheur à qui dispute avec celui qui l'a formé! Est-ce que
l'argile dira au potier : Que fais-tu? Pourquoi ne travailles-tu
pas et ne prends-tu pas ton œuvre dans tes mains? Est-ce que
l'objet formé répliquera à celui qui l'a formé? Puisqu'ils
étaient nombreux à cette époque et qu'ils le sont maintenant tout autant, les hommes qui s'occupent inconsidérément de la Providence divine[1] et qui tentent de rechercher
indiscrètement la cause de l'existence des guerres, des
périodes de stérilité de la terre, des morts prématurées
et de toutes les choses de cette nature, c'est à juste titre
qu'il s'est en premier lieu lamenté sur ceux qui demandent
des comptes au créateur de l'univers, puis il leur a
habilement fermé la bouche par l'image de l'argile et du
potier : l'argile ne demande pas compte à l'homme qui la
travaille de son repos et de son travail; de même, à vous
non plus, il ne convient pas de vous occuper inconsidérément des affaires divines, car vous êtes ce qu'est précisément l'argile. Mais il y a de moi au potier la plus grande
différence qui soit : le potier, bien qu'il soit le créateur de
l'ustensile d'argile, est toutefois, de son côté, le premier né
de l'argile; tandis que moi, je possède une nature incréée.
Néanmoins, l'argile ne dit mot, mais supporte le modelage
que le potier veut lui imposer, tandis que vous, vous ne
faites aucun cas de ma Providence.

10. *Malheur à qui dit à son père : Pourquoi vas-tu*
engendrer? et à sa mère : Pourquoi enfantes-tu? Il a introduit
dans son propos de nouveau une autre image pour montrer
la grandeur excessive du blasphème. Si, en effet, l'homme
qui s'oppose en paroles à ses parents est criminel, quel
châtiment rencontrera celui qui remue sa langue contre
le Créateur ? 11. *Car ainsi parle le Seigneur Dieu, le Saint*
d'Israël, lui qui l'a formé, lui qui a fait les choses qui
arrivent. Il l'a montré en tant que créateur et en tant que
démiurge, pour la confusion des ingrats. Il enseigne d'autre

ὡς καὶ αὐτὸς ἄνωθεν προώρισε τὴν ἐσομένην τῶν αἰχμαλώτων
ἐλευθερίαν · [τοῦτο] γὰρ δηλοῖ τό · Ὁ ποιήσας τὰ ἐπερχόμενα. Ἐρωτήσατέ με περὶ τῶν υἱῶν μου καὶ τῶν θυγατέρων
205 μου, καὶ (περὶ τῶ)ν ἔργων τῶν χειρῶν μου ἐντείλασθέ με.
Κατ᾽ εἰρωνείαν ταῦτα τέθεικεν. Ἐπειδή φησι περιεργάζε[σθέ
μου] τὴν πρόνοιαν, δότε μοι βουλήν, εἰσενέγκατε εἰσήγησιν
περὶ τῆς τοῦ λαοῦ μου ἐλευθερίας. [Υἱοὺς δὲ] καὶ θυγατέρας
τὸν Ἰσραὴλ ὠνόμασεν.
210 Εἶτα διὰ τῆς κτίσεως τὴν οἰκείαν δείκνυσι σοφίαν καὶ
[δύναμιν] · ¹²Ἐγὼ ἐποίησα γῆν καὶ ἄνθρωπον ἐπ᾽ αὐτῆς,
ἐγὼ τῇ χειρί μου ἐστερέωσα τὸν οὐρανόν, ἐγὼ |157 a| πᾶσι
τοῖς ἄστροις ἐνετειλάμην φαίνειν. Ἴδετε τῶν ὁρωμένων τὸ
κάλλος, τὴν θέσιν, τὴν τάξιν, τὴν π(οι)κιλίαν · ἐγὼ τούτων
215 ἁπάντων δημιουργός. Τὴν δὲ χεῖρα θεοπρεπῶς νοήσωμεν
μὴ σωματικὸν μόριον ἀλλὰ τὴν θείαν ἐνέργειαν.
¹³Ἐγὼ ἤγειρα αὐτὸν μετὰ δικαιοσύνης βασιλέα, καὶ
πᾶσαι αἱ ὁδοὶ αὐτοῦ εὐθεῖαι · οὗτος οἰκοδομήσει τὴν πόλιν
μου καὶ τὴν αἰχμαλωσίαν τοῦ λαοῦ μου ἐπιστρέψει οὐ μετὰ
220 λύτρων οὐδὲ μετὰ δώρων, εἶπε κύριος Σαβαώθ. Ταῦτα οἱ
Τρεῖς οὕτως ἡρμήνευσαν · « Ἐγὼ ἐξήγειρα αὐτὸν ἐν
δικαιοσύνῃ καὶ πάσας τὰς ὁδοὺς αὐτοῦ εὐθυνῶ · αὐτὸς
οἰκοδομήσει τὴν πόλιν μου καὶ τὴν ἀποίκησίν μου ἐκπέμψει
οὐκ ἐν ἀλλάγματι οὐδὲ ἐν δώροις, λέγει κύριος τῶν δυνά-
225 μεων. » Περὶ τοῦ Κύρου καὶ ταῦτα ἔφη. Καὶ ἀκριβέστερον

C : 213-216 ἴδετε — ἐνέργειαν
216 τὴν Κ : > C ‖ 224 λέγει κύριος Μö. : ἐπιστρέψωΚ

---

1. Sur le soin mis par Théodoret à combattre toute conception
anthropomorphique de la Divinité, cf. t. II, SC 295, p. 404, n. 3.
2. Litt. : « qui fera revenir la captivité de mon peuple » ; cf. Ps.
125, 4. Les LXX, sans doute sous l'influence de l'hébreu, emploient
ici l'abstrait pour le concret ; de même, Aquila, Symmaque et
Théodotion, dont Théodoret cite plus bas la traduction, écrivent
litt. : « il renverra mon émigration », i.e. « mes émigrés ».

part que c'est également lui qui a prévu depuis l'origine
la libération future des prisonniers, comme le fait voir
clairement la phrase : « Lui qui a fait les choses qui
arrivent. » *Interrogez-moi sur mes fils et sur mes filles, et,
sur les œuvres de mes mains, donnez-moi vos ordres.* Il a
proposé cela sur le mode ironique. Puisque vous vous
occupez inconsidérément de ma Providence, dit-il,
donnez-moi un conseil, présentez-moi une proposition qui
ait trait à la libération de mon peuple. Quant au nom de
« fils » et de « filles », c'est à Israël qu'il l'a donné.

Puis il se sert de la création pour montrer sa propre
sagesse et sa propre puissance : 12. *C'est moi qui ai fait la
terre et l'homme qui l'habite, c'est moi qui, de ma main, ai
solidement établi le ciel, c'est moi qui ai donné à tous les
astres ordre de briller.* Voyez la beauté des choses visibles,
leur position, leur ordre, leur variété : c'est moi qui suis le
créateur de tout cela. Par « main » comprenons, comme il
convient à la Divinité, non pas un membre corporel,
mais la force agissante de Dieu[1].

13. *C'est moi qui l'ai suscité comme roi avec la justice, et
toutes ses routes (seront) droites : voici celui qui (re)cons-
truira ma cité et qui fera revenir mon peuple captif[2], sans
rançon et sans présents, dit le Seigneur Sabaoth.* De ce
passage les trois interprètes ont donné l'interprétation
suivante : « C'est moi qui l'ai suscité dans la justice et je
redresserai toutes ses routes ; c'est lui qui (re)construira
ma cité et qui renverra mes émigrés sans compensation et
sans présents, dit le Seigneur des Puissances. » C'est de
Cyrus qu'il a dit également cela[3]. Et les trois interprètes

---

3. Théodoret s'en tient à l'interprétation véréto-testamentaire.
Eusèbe fait un long commentaire de ce verset (*GCS* 292, 34-294, 2)
en montrant successivement qu'on peut rapporter la prophétie à
Cyrus (*id.*, 292, 34 s. : ὁ μέν τις ἐρεῖ τὸν τῶν Περσῶν βασιλέα
Κῦρον), à Zorobabel (*id.*, 293, 6 s. : ἄλλος δ' ἂν εἴποι ταῦτα λέγεσθαι
περὶ τοῦ Ζοροϐάϐελ) ou au Christ (*id.*, 293, 13 : ἕτερος δέ τις παρὰ

ἠκολούθησαν οἱ Τρεῖς τῇ τοῦ Ἑβραίου διανοίᾳ ὅτι · Τὰς
ὁδοὺς αὐτοῦ εὐθυνῶ, τουτέστι · Πολλὴν αὐτῷ παρέξω εἰς
κατόρθωσιν εὐκολίαν. Οὐ γὰρ τοῦ Κύρου πᾶσαι αἱ ὁδοὶ
εὐθεῖαι, ἀλλ᾽ [αὐτὸς] ὁ θεὸς ῥᾳδίαν αὐτῷ τὴν κατὰ τῶν
230 πολεμίων ἐποίησε νίκην · ἔμελλε γὰρ τῷ λαῷ τὴν ἐλευθερίαν
παρέξ[ειν] οὐ λύτρα τινὰ κομιζόμενος ἀλλὰ προῖκα ταύτην
δωρούμενος.

Οὕτω προθεσπίσας τοῦ Κύρου τὴν βασιλείαν καὶ τοῦ
λαοῦ τὴν ἐπάνοδον καὶ τὴν τῆς πόλεως οἰκοδομίαν προλέγει
235 καὶ τὴν ἐσομένην μετὰ τὴν ἐπάν[οδον] τῆς πόλεως εὐκληρίαν
καὶ τῶν ἐθνῶν τὴν ἐπιστροφὴν καὶ τὴν Αἰγυπτίων καὶ
Αἰθιόπων ἐπὶ τὸ κρεῖττον μεταβολὴν καὶ τῆς τοῦ μονογενοῦς
θεολογίας τὴν γνῶσιν · ¹⁴ **Οὕτως λέγει κύριος Σαβαώθ ·**
Ἐκοπίασεν Αἴγυπτος καὶ ἐμπορία Αἰθιόπων καὶ οἱ Σαβαΐμ
240 **ἄνδρες ὑψηλοὶ ἐπὶ σὲ διαβήσονται καὶ σοὶ ἔσονται δοῦλοι.**
Δει[ξάτωσαν] Ἰουδαῖοι Αἰγυπτίους καὶ Αἰθίοπας καὶ τοὺς
Σαβαΐμ καλουμένους δούλους αὐτῶν πώποτε γεγενη[μέ]νους
καὶ ὑπηκόους. Εἰ δὲ ταύτης ἀποροῦσι τῆς ἀποδείξεως —
οὐδεμία γὰρ ἱστορία τοῦτο διδάσκει —, [ὁμο]λογοῦσι δὲ
245 ἀληθῆ εἶναι τὴν προφητείαν, τὸν ἀληθῆ δεξάσθωσαν λόγον
καὶ λαβέτωσαν τοὺς ὀφθαλ[μοὺς] τῶν λεγομένων μάρτυρας.
Ὁρῶσι γὰρ ὑπ᾽ Αἰγυπτίων καὶ Αἰθιόπων καὶ πάντων
ἀνθρώπων τὸν ἐξ αὐτῶν κ[ατὰ] σάρκα βλαστήσαντα προσκυνούμενον κύριον. Οὐ γὰρ μόνον τοῦτό ἐστιν ὅπερ ἐξ αὐτῶν

τούτους ἀνοίσει τὰ προκείμενα ἐπὶ τὸν Χριστὸν τοῦ Θεοῦ) dont seul
les routes sont droites et qui seul a édifié la vraie cité de Dieu. Eusèbe
recourt alors à l'interprétation typologique — sous Zorobabel et
Cyrus s'est accompli historiquement (ἱστορικῶς) ce qui devait
s'accomplir spirituellement (πνευματικῶς) avec le Christ (id., 293,
25-28) —, avant de conclure en disant que la suite du texte s'applique
davantage au Christ qu'à Cyrus ou à Zorobabel (id. 293, 33-294, 2).
L'interprétation de Cyrille paraît dépendre de celle d'Eusèbe :
certains pourraient croire, dit-il, que ces paroles s'appliquent à
Cyrus, mais la suite montre qu'on ne peut les rapporter qu'au Christ
(70, 968 AB). Chrysostome pense au contraire que cela est dit de

ont suivi avec plus d'exactitude le sens du texte hébreu
sur ce point : « Je redresserai ses routes », c'est-à-dire :
Je lui procurerai une grande facilité pour diriger avec
bonheur ses entreprises[1]. Car toutes les routes de Cyrus
n'(étaient) pas droites, mais c'est Dieu en personne qui lui
a rendu aisée la victoire sur ses ennemis : il était, en effet,
destiné à procurer au peuple la liberté sans recevoir une
quelconque rançon, mais en faisant gratuitement présent
de cette liberté.

Période post-exilique et conversion des nations. Développement christologique Après avoir prophétisé de la sorte
la royauté de Cyrus, le retour du
peuple et la (re)construction de la
cité, il prédit également le sort heureux
dont jouira la cité après le retour
d'exil, la conversion des nations, le changement en bien
des Égyptiens et des Éthiopiens, et la connaissance de la
divinité du Fils unique : 14. *Ainsi parle le Seigneur
Sabaoth : l'Égypte a pris de la peine, le commerce des
Éthiopiens et les hommes de Sabaïm à la haute taille viendront
vers toi et seront tes esclaves.* Que les Juifs montrent que les
Égyptiens, les Éthiopiens et ceux qui sont appelés Sabaïm
ont été un jour leurs esclaves et leurs sujets ! Si, toutefois,
ils sont dans l'incapacité de faire cette démonstration —
aucune histoire n'apprend ce fait —, tout en reconnaissant
la vérité de la prophétie, qu'ils acceptent le véritable sens
et qu'ils prennent leurs yeux à témoins de ce qui est dit.
Ils voient, en effet, que les Égyptiens et les Éthiopiens
ainsi que tous les hommes adorent le Seigneur[2] qui, selon
la chair, est sorti du milieu d'eux. Car il n'est pas seulement

---

Zorobabel et de Cyrus, mais que rien ne s'oppose à ce que l'on rapporte
le verset au Christ comme le font d'autres exégètes : « Mais d'autres
affirment que cela a été dit du Christ ; rien ne nous empêche d'admettre
cette vue » (*M.*, p. 320, § 13-17).

1. Cf. *supra*, 14, 87-90.
2. Même interprétation chez Eusèbe (*GCS* 294, 6 s.).

250 ἔλαβεν, ἀλλὰ [καὶ τῶν] ἁπάντων ποιητής ἐστι καὶ θεός.
Τοῦτο γὰρ τὰ ἑξῆς ἡμᾶς διδάσκει σαφῶς · 'Οπίσω σου
ἀκολουθήσου(σι) δεδεμένοι χειροπέδαις καὶ διαβήσονται
πρός σε καὶ προσκυνήσουσί σοι καὶ ἐν σοὶ προσεύξοντ(αι),
ὅτι ἐν σοὶ θεός ἐστι καὶ οὐκ ἔστι θεὸς πλὴν σοῦ. 'Οράτωσαν
255 'Ιουδαῖοι δυάδα προσώπων κηρυττομένην ἐν [ἑνί · ἔστι] γὰρ
ἐν σοὶ θεὸς καὶ σὺ θεὸς καὶ οὐκ ἔστι θεὸς πλὴν σοῦ. 'Ελέγχει
δὲ ταῦτα καὶ τὴν 'Αρείου καὶ Εὐνομίου μανί[αν] · εἰ γὰρ
οὐκ ἔστι πλὴν αὐτοῦ, ὁ ἐν αὐτῷ θεὸς πῶς ἂν εἴη θεός ;
'Ο δὲ προφητικὸς διδάσκει λόγος · "Οτι ἐν σ(οὶ) θεός ἐστι
260 καὶ οὐκ ἔστι θεὸς πλὴν σοῦ. Δῆλον τοίνυν ὡς καὶ ἡ προφητεία
τὴν μίαν κηρύττει θεότητα [καὶ] ἀτεχνῶς [ἔοι]κε τῇ τῶν
εὐαγγελίων διδασκαλίᾳ. Καὶ γὰρ ἐν ἐκείνοις ὁ κύριος ἔφη ·
« 'Εγὼ ἐν τῷ πατρὶ καὶ (ὁ πατὴρ) ἐν ἐ(μοί), καὶ ἐγὼ
καὶ ὁ πατὴρ ἕν ἐσμεν, καὶ ὁ πατὴρ ὁ ἐν ἐμοὶ μένων αὐτὸς
265 ποιεῖ τὰ ἔργα.» ["Ηλεγ]ξε τοίνυν ὁ προφητικὸς λόγος καὶ
'Ιουδαίους εἰς ἓν πρόσωπον τὴν θεότητα περιγράφοντας καὶ
"Α[ρειον] καὶ Εὐνόμιον ἑτέραν φύσιν θεότητος εἰσαγαγεῖν
ἐπιχειροῦντας.
Καὶ τὰ ἐπαγόμενα δὲ τὴν μίαν κ[η]ρύττει θεότητα ·
270 ¹⁵ Σὺ γὰρ εἶ θεός, καὶ οὐκ ᾔδειμεν, ὁ θεὸς τοῦ 'Ισραήλ, σωτήρ.
Ταῦτά φησιν ἐροῦσιν οἱ προσκυνο[ῦντες] Αἰγύπτιοι καὶ
Αἰθίοπες καὶ οἱ Σαβαΐμ. Εἰσάγει δὲ διὰ τούτων ὁ λόγος
ἀλλόφυλα ἔθνη λέγον[τα] ὅτι μέχρι τοῦ νῦν ἐπλανώμεθα
καὶ οὐκ ἔγνωμέν σε τὸν ὄντως θεόν, τὸν ἀεὶ τοῦ 'Ισραὴλ
275 σωτῆρα γενόμ[ενον]. 'Επειδὴ δὲ οὐχ ἅπαντες ἔμελλον

263 Jn 14, 10 ; 10, 30

1. C'est-à-dire la nature humaine que le Christ a assumée en
s'incarnant ; par sa nature humaine, le Christ appartient stricto sensu
au peuple juif (cf. In Is., 13, 235-238), mais il ne saurait se réduire
(οὐ μόνον) à cette humanité : sa nature divine demeure en lui sans
changement et en fait le Dieu de tous les hommes. Le passage est
à la fois une réfutation des thèses ariennes et une affirmation du
dyophysisme antiochien.

ce qu'il a précisément pris d'eux[1], mais il est aussi le créateur et le Dieu de tous les hommes.

C'est ce que la suite du passage nous enseigne clairement : *Derrière toi, ils te suivront chaînes aux mains, ils viendront vers toi, t'adoreront et t'adresseront leurs prières, parce qu'en toi est Dieu et qu'il n'y a pas de Dieu en dehors de toi.* Qu'ils voient, les Juifs, que la dualité des personnes est proclamée à l'intérieur d'un seul (être)[2] : car Dieu est en toi et toi, tu es Dieu, et il n'y a pas de Dieu en dehors de toi. Voilà ce qui réfute également la folie d'Arius et d'Eunomius : si, en effet, il n'y a pas (de Dieu) en dehors de lui, comment le Dieu qui est en lui pourrait-il être Dieu ? Or, le texte prophétique enseigne : « Parce qu'en toi est Dieu et qu'il n'y a pas de Dieu en dehors de toi. » Il est donc évident que la prophétie proclame l'unicité de la Divinité et qu'elle ressemble absolument à l'enseignement que donnent les Évangiles. De fait, dans ces derniers, le Seigneur a dit : « Je (suis) dans le Père et le Père est en moi, et moi et le Père nous sommes un, et le Père qui demeure en moi, c'est lui qui accomplit lui-même les œuvres. » Le texte prophétique a donc réfuté à la fois les Juifs qui limitent à une seule personne la Divinité, et Arius et Eunomius qui entreprennent d'introduire une nature différente pour la Divinité.

Ce qu'il ajoute proclame également l'unicité de la Divinité : 15. *Car tu es Dieu, et nous ne le savions pas, le Dieu d'Israël, Sauveur.* Voilà dit-il, ce que diront en l'adorant, les Égyptiens, les Éthiopiens et les Sabaïm. Par ces mots le texte met en scène les nations étrangères qui déclarent : Jusqu'à maintenant nous étions dans l'erreur et nous n'avons pas reconnu que c'était toi le véritable Dieu, le continuel sauveur d'Israël. Mais, puisque

---

2. Le verset permet à la fois à Théodoret de combattre la conception judaïque de la Divinité et, du même coup, le sabellianisme (cf. *infra*, 15, 119-131) et de réfuter les thèses ariennes.

πιστεύειν τῷ σωτηρίῳ κηρύγματι, προλέγει καὶ περὶ τῶν
ἀπιστ[ούντων] · ¹⁶ Αἰσχυνθήσονται καὶ ἐντραπήσονται πάντες οἱ ἀντικείμενοι αὐτῷ καὶ πορεύσονται ἐν αἰσχ(ύνῃ). Καὶ
μαρτυρεῖ τῷ λόγῳ τὰ πράγματα · καὶ γὰρ οἱ ἐξ Ἰουδαίων
280 καὶ οἱ ἐξ ἐθνῶν ἀπιστήσαντες [αἰσχύ]νην ἔχουσι τῆς ἀπιστίας
καρπόν.
	Ἐγκαινίζεσθε πρός με νῆσοι. Πάλιν τὰ ἔθνη καλεῖ ·
ἐπει[δὴ] γὰρ τοὺς τὴν ἤπειρον οἰκοῦντας ἔδειξε προσκυνοῦντας, καὶ τοῖς νησιώταις εἰκότως ὑπισχνεῖται τὴν νεουργίαν.
285 Δωρεῖται δὲ ταύτην τοῖς ἀνθρώποις τὸ πανάγιον βάπτισμα.
	¹⁷ Ἰσραὴλ σῴζεται (ὑπὸ κυρίου) |157 b| σωτηρίαν αἰώνιον,
οὐκ αἰσχυνθήσονται οὐδὲ μὴ ἐντραπῶσιν ἕως τοῦ αἰῶνος.
Εἰπάτωσαν Ἰουδαῖοι, πῶς αὐτοῖς οὗτος ὁ λόγος ἁρμόττει.
Ὅτι γὰρ εἰς πᾶσάν εἰσι διεσπαρμένοι τὴν οἰκουμένην καὶ
290 δουλεύουσι Ῥωμαίοις, οὐκ ἂν ἀρνηθεῖεν κἂν λίαν ὄντες
ἀναίσχυντοι. Δῆλον τοίνυν ὡς τῶν εὐσεβῶν ὁ σύλλογος ὁ
ἐξ ἐκείνων κεκλημένος, οἷος ἦν ὁ θεσπέσιος Παῦλος καὶ
πρὸ τούτου ὁ τῶν ἀποστόλων χορὸς καὶ οἱ ἑβδομήκοντα
μαθηταὶ καὶ οἱ ἑκατὸν εἴκοσιν, ὧν συνειλεγμένων ὁ μακάριος
295 ἐδημηγόρησε Πέτρος, καὶ οἱ πεντακόσιοι, οἷς κατὰ ταὐτὸν ὁ
κύριος μετὰ τὴν ἀνάστασιν ὤφθη, καὶ οἱ τρισχίλιοι καὶ αἱ
πολλαὶ μυριάδες καὶ οἱ ἐν ἀπάσῃ πόλει ζωγρηθέντες ὑπὸ
τῶν ἱερῶν ἀποστόλων, Ἰσραὴλ χρηματίζουσιν · οὗτοι γὰρ
ἀληθῶς τῆς αἰωνίου σωτηρίας ἀπήλαυσαν.
300	¹⁸ Οὕτως λέγει κύριος ὁ ποιήσας τὸν οὐρανόν, οὗτος ὁ
θεὸς ὁ καταδείξας τὴν γῆν καὶ ποιήσας αὐτήν, αὐτὸς διώρισεν
αὐτήν, οὐκ εἰς κενὸν ἐποίησεν αὐτήν, ἀλλὰ κατοικεῖσθαι
ἔπλασεν αὐτήν. Συνεχῶς ἐντρέπει τοὺς ἀντιλέγοντας, ποιητὴν

294-297 cf. Act. 1, 15 ; I Cor. 15, 6 ; Act. 2, 41 ; 21, 20

---

1. Pour Eusèbe, le terme « îles » désigne les « Églises de Dieu »
(GCS 295, 8-9). Même interprétation chez Cyrille (70, 973 D-976 A)
qui reprend l'explication donnée en Is. 42, 10.15 (id., 861 C ; 869 C) :
de même que les îles dans la mer sont battues des flots, mais restent
inébranlables, et que les navires viennent s'y réfugier pour échapper

tous n'allaient pas croire au message du salut, il fait
également une prédiction qui concerne les incrédules :
16. *Ils rougiront de honte et seront dans la confusion tous*
ceux qui s'opposaient à lui, et ils marcheront dans la honte.
Et les faits viennent confirmer le texte : ceux qui parmi les
Juifs et parmi les nations ont été incrédules ont la honte
pour fruit de leur incrédulité.

Régénérez-vous (en venant) vers moi, îles. De nouveau,
il appelle les nations : puisqu'il a montré que les habitants
du continent adoraient (Dieu), c'est à juste titre qu'il
promet aussi aux habitants des îles le renouvellement[1].
Or, c'est le très saint baptême qui en fait don aux hommes.

17. *Israël est sauvé par le Seigneur d'un salut éternel, ils*
ne rougiront pas de honte et ne seront pas dans la confusion,
pour l'éternité. Que les Juifs disent comment ce texte
s'applique à eux ! Qu'ils ont été dispersés dans le monde
entier et qu'ils sont esclaves des Romains, ils ne sauraient
le nier malgré leur extrême impudence. Donc, à l'évidence,
c'est le rassemblement des hommes pieux, effectué à
l'appel lancé parmi eux — Paul l'inspiré en était et, avant
lui, le chœur des apôtres, les soixante-dix disciples et les
cent vingt qui s'étaient rassemblés et à qui le bienheureux
Pierre adressa la parole, les cinq cents à qui en même temps
le Seigneur s'est fait voir après sa résurrection, les trois
mille, les nombreux milliers et ceux qui dans l'ensemble de
la ville se firent capturer par les saints apôtres —, (ce sont
tous ceux-là qui) portent le nom d'Israël. Voilà ceux qui en
vérité ont bénéficié du salut éternel.

18. *Ainsi parle le Seigneur qui a*
Unicité de la Divinité *fait le ciel, c'est lui le Dieu qui a fait*
et satire de l'idolâtrie *paraître la terre et qui l'a faite, lui qui*
en a établi les limites, il ne l'a pas faite en vain, mais il l'a
formée pour qu'elle fût habitée. Il provoque continuellement

à la tempête, ainsi les Églises du Christ, au milieu des tourbillons de
la vie, accueillent les hommes, etc.

ἑαυτὸν τῶν ἀπάντων δεικνύς. Καὶ διδάσκει κατὰ ταὐτόν,
305 ὡς ἄνωθεν αὐτῷ προώριστο τῶν ἀνθρώπων ἡ σωτηρία ·
οὐ γὰρ εἰς κενὸν ἐποίησε τὴν γῆν, ἀλλ' ἠνέσχετο τῆς τῶν
ἀνθρώπων ἀσεβείας, τὴν μεταβολὴν προθέμενος. Ἐγώ εἰμι
κύριος, καὶ οὐκ ἔστιν ἔτι. Καὶ μὴν καὶ ὁ υἱὸς κύριος ·
« Εἶπε » γάρ φησιν « ὁ κύριος τῷ κυρίῳ μου » καί ·
310 « Ἔβρεξε κύριος παρὰ κυρίου. » Ἀλλὰ μία [ἡ κ]υριότης
ὥσπερ μία ἡ θεότης. Καὶ ταῦτα τοίνυν διελέγχει τῶν
αἱρετικῶν τὴν μανίαν.
19 Οὐκ ἐν κρυφῇ (λε)λάληκα οὐδὲ ἐν τόπῳ γῆς σκοτεινῷ.
Ταῦτα εἴρηκε τῶν εἰδώλων κωμῳδῶν τὴν ἀπάτην. Μαγγα-
315 νείαις [γάρ τ]ισιν οἱ ἐκείνων κεχρημένοι θεραπευταὶ καὶ
τὸν ζόφον ἐπίκουρον τῆς πλάνης λαμβάνοντες ἐξ ἀδύτων
[τιν]ῶν καὶ σκοτεινῶν χωρίων ἐλάλουν ὅπερ ἐβούλοντο καὶ
τοὺς ἀκούοντας ἐφενάκιζον, τὰ εἴδωλα [ταύ]την ἀφιέναι
λέγοντες τὴν φωνήν. Ἐγὼ δέ φησι καὶ νομοθετῶν καὶ
320 προθεσπίζων ἀναφανδὸν τοῦτο [εἴρηκα]. Οὐκ εἶπον τῷ
οἴκῳ Ἰακώβ · Μάταιον ζητήσατε. Ἀλλὰ πᾶν τοὐναντίον
παντελῶς ἀπηγόρευσα τοῦτο. [Ἐγὼ γ]ὰρ νομοθετῶν εἶπον ·
« Οὐ ποιήσεις σεαυτῷ εἴδωλον. » Ἐγώ εἰμι κύριος ὁ λαλῶν
δικαιοσύνην καὶ ἀναγγέλλων ἀ(λήθει)αν. Οὐδὲν ἄδικον,
325 οὐδὲν ψευδὲς παρ' ἐμοί · πάντα ἀληθῆ, πάντα δικαιοσύνῃ
κοσμούμενα.
20 Συνάχθητε καὶ (ἥκετε), βουλεύσασθε ἅμα οἱ σῳζόμενοι
ἀπὸ τῶν ἐθνῶν. Οὐκ ἔγνωσαν οἱ αἴροντες τὸ ξύλον γλύμματα
αὐτῶν (καὶ) προσευχόμενοι πρὸς θεούς, καὶ οὐ σώζουσιν
330 21 οὐδὲ ἀναγγέλ⟨λ⟩ουσιν. Παρεξετάζει τῇ ἀληθείᾳ τὸ ψεῦδος
καὶ δεί[κνυσι] καὶ τὴν φύσιν τῶν εἰδώλων καὶ τὴν ἐπικειμένην

C : 324-326 οὐδὲν — κοσμούμενα
305 αὐτῷ Ρο. : αὐτῶν Κ ‖ 327 συνάχθητε e tx.rec. : συνήχθητε Κ
309 Ps. 109, 1   310 Gen 19, 24   323 Ex. 20, 4 ; Deut. 5, 8

---

1. Il s'agit, bien entendu, de la « folie » d'Arius et d'Eunomius ;
cf. infra, 14, 360 (Is. 45, 23).

la confusion de ses adversaires, en montrant qu'il est le créateur de toutes choses. Et il enseigne en même temps qu'il avait depuis l'origine déterminé le salut des hommes : car « il n'a pas fait la terre en vain », mais il a supporté l'impiété des hommes, parce qu'il avait fixé par avance leur changement. *Moi je suis le Seigneur, et il n'y en a pas en plus.* Et en vérité le Fils aussi (est) Seigneur : « Mon Seigneur », dit (l'Écriture), « a dit à mon Seigneur » et « le Seigneur a fait pleuvoir d'auprès du Seigneur. » Eh bien, une est la souveraineté comme une est la Divinité. Ce passage dénonce donc également la folie des hérétiques[1].

19. *Je n'ai pas parlé en secret ni dans un endroit ténébreux de la terre.* Il a dit cela pour se moquer de la tromperie des idoles. Leurs serviteurs utilisaient, en effet, certaines pratiques de sorcellerie ; ils prenaient l'obscurité pour auxiliaire de l'erreur et, du fond de quelques lieux retirés et obscurs, ils racontaient ce qu'ils voulaient et trompaient leurs auditeurs, tout en disant que c'étaient les idoles qui faisaient entendre cette voix. Quant à moi, au contraire, dit-il, lorsque je donnais la Loi, comme lorsque je prophétisais, j'ai parlé ouvertement. *Je n'ai pas dit à la maison de Jacob : Cherchez ce qui est vain.* Mais tout au contraire, je (lui) ai absolument interdit cela. Lorsque je donnais la Loi, j'ai dit en effet : « Tu ne feras pas pour toi d'idole. » *Moi je suis le Seigneur qui dit la justice et qui annonce la vérité.* Il n'y a chez moi rien d'injuste, rien de mensonger : tout est vrai, tout a pour parure la justice.

20. *Rassemblez-vous et venez, tenez conseil ensemble, vous les sauvés des nations. Ils n'ont pas d'intelligence ceux qui brandissent le bois qu'ils ont sculpté et qui adressent leurs prières à des dieux qui ne sauvent pas* 21. *et qui n'annoncent pas (l'avenir).* Il compare le mensonge à la vérité et montre à la fois la nature des idoles, la forme qui leur est

μορφὴν καὶ τὴν ἐπιζήμιον θεραπείαν · ξύλον [γάρ φη]σίν
ἐστιν ὑπὸ τέκτονος εἰργασμένον οὔτε σῴζειν οὔτε διδάσκειν
ἢ προλέγειν δυνάμενον. Ἐγγισάτωσαν, (ἵνα γν)ῶσιν ἅμα,
335 τίς ἀκουστὰ ἐποίησε ταῦτα ἀπ' ἀρχῆς, ἔκτοτε ἀνηγγέλη
ὑμῖν. Καὶ γὰρ εὐθὺς νομοθετῶν [τοῦτο] πρῶτον ἐδίδαξεν.
Ἐγὼ θεός, καὶ οὐκ ἔστιν ἄλλος πλὴν ἐμοῦ, δίκαιος καὶ
σωτὴρ οὐκ ἔστι π(άρ)εξ ἐμοῦ. [Καὶ τ]αῦτα σαφῶς ἡμᾶς
διδάσκει τὸ ὁμοούσιον. Εἰ γὰρ καὶ ὁ πατὴρ θεὸς καὶ ὁ
340 υἱὸς θεὸς καὶ ὁ πατὴρ σ[ωτὴρ κ]αὶ ὁ [υἱ]ὸς [σωτήρ],
μοναδικῶς δὲ αὐτὰ ὁ προφητικὸς τέθεικε λόγος, λίαν
ἐναργῶς τὸ αὐτὸν τῆς οὐσίας δεδήλωκεν. [Εἰ γὰρ πλ]ὴν
αὐτοῦ οὐκ ἔστι θεὸς καὶ πάρεξ αὐτοῦ οὐκ ἔστι σωτήρ ·
εἴτε ὁ πατὴρ ταῦτα λέγει, ἐκβέβληται τούτων [ὁ υἱὸς
345 ὥσ]περ ἄρα οὐχ ὁμοούσιος · εἴτε ὁ υἱὸς εἴη πάλιν ὁ ταῦτα
λέγων, ἐστέρηται τούτων ὁ πατήρ. Εἰ δὲ καὶ [ὁ πατὴρ
θεὸ]ς καὶ ὁ υἱὸς θεὸς καὶ ὁ πατὴρ σωτὴρ καὶ ὁ υἱὸς σωτήρ,
ἑνικῶς δὲ εἴρηται πλὴν αὐτοῦ μήτε θεὸν εἶναι [μήτε σωτῆρ]α,
παραπαιόντων ἐστὶ καὶ φρενιτιώντων μὴ νοεῖν τὴν μίαν
350 θεότητα.
²²Ἐπιστράφητε ἐπ' ἐμὲ (καὶ σωθή)σεσθε οἱ ἀπ' ἐσχάτου
τῆς γῆς. Σαφῶς κἀνταῦθα τῶν ἐθνῶν τὴν κλῆσιν ὁ λόγος
δεδήλωκεν. (Ἐγώ) εἰμι θεός, καὶ οὐκ ἔστιν ἄλλος.
²³Κατ' ἐμαυτοῦ ὀμνύω · Ἦ μὴν ἐξελεύσεται ἐκ τοῦ στόματός
355 μου δικαιοσύνη, (οἱ λόγοι μου) οὐκ ἀποστραφήσονται, ὅτι
ἐμοὶ κάμψει πᾶν γόνυ καὶ ὀμεῖται πᾶσα γλῶσσα ²⁴τὸν θεὸν

335 ἀνηγγέλη e tx.rec. : ἀναγγέλη K

---

1. Bon exemple de ces développements contraignants propres à la
polémique anti-arienne de Théodoret (cf. Introd., t. I, SC 276, p. 86) :
la consubstantialité du Père et du Fils (τὸ ὁμοούσιον) est démontrée
grâce à deux syllogismes de nature presque identique s'articulant
autour d'un dilemme.
2. L'idée est que les paroles de Dieu ne reviendront pas vers lui
sans produire leur effet ; autrement dit, ses paroles se réaliseront
« à savoir que (ὅτι) tout genou fléchira... » Il serait sans doute plus
clair de traduire le verset de la manière suivante : « mes paroles ne

imposée et leur culte funeste : c'est un morceau de bois, dit-il, qu'un artisan a travaillé et qui n'est capable ni de sauver ni d'enseigner ou de prédire. *Qu'ils approchent, afin qu'ils connaissent ensemble qui a fait entendre ces choses dès le commencement, (par qui), depuis lors, elles vous ont été annoncées.* De fait, dès qu'il commence à donner la Loi, c'est la première chose qu'il a enseignée.

Moi (je suis) Dieu, et il n'y a pas d'autre Dieu en dehors de moi ; de juste et de sauveur, il n'y en a pas, excepté moi. Cela aussi nous enseigne clairement la consubstantialité. Si, en effet, le Père est Dieu tout comme le Fils est Dieu, si le Père est Sauveur tout comme le Fils est Sauveur, si pourtant le texte prophétique a décerné ces titres en les appliquant à un seul (être), il a fait voir très clairement l'identité de leur essence. Car, s'il n'y a pas de Dieu en dehors de lui et si, excepté lui, il n'y a pas de Sauveur : ou bien c'est le Père qui tient ces propos et le Fils est déchu de ces titres comme si alors il ne lui était pas consubstantiel ; ou bien, ce serait le Fils qui tiendrait ces propos et le Père reste privé de ces titres. Mais, si le Père est Dieu tout comme le Fils est Dieu, si le Père est Sauveur tout comme le Fils est Sauveur, si pourtant c'est au singulier qu'il a été dit qu'en dehors de lui il n'y avait ni Dieu ni Sauveur, c'est le propre de gens qui déraisonnent et qui sont en délire que de ne pas comprendre l'unicité de la Divinité[1].

22. *Tournez-vous vers moi et vous serez sauvés, vous qui êtes des confins de la terre.* Le texte a clairement fait voir ici encore l'appel des nations. *Moi je suis Dieu et il n'y en a pas d'autre.* 23. *Je le jure par moi-même : Oui vraiment, sortira de ma bouche la justice, mes paroles ne reviendront pas[2] : devant moi fléchira tout genou et toute langue jurera*

---

reviendront pas, (elles produiront leur effet) : devant moi fléchira tout genou », au prix d'une brève adjonction qu'autoriserait *Is.* 55, 10 (cf. *infra*, p. 183), mais nous avons pensé qu'il valait mieux garder

τὸν ἀληθινόν, (λέγων) · Δικαιοσύνη καὶ δόξα πρὸς αὐτὸν
ἥξει. Καὶ ταῦτα ὁμοίως καὶ τὴν Ἰουδαίων ἀπιστίαν ἐλέγχει
.... τῶν ἐθνῶν ἁπάντων ὁ λόγος τὴν θεογνωσίαν
360 ἐκήρυξε καὶ τῆς Ἀρείου καὶ Εὐνομίου [μανίας καὶ ἀσε]βείας
κατηγορεῖ · ἃ γὰρ ἐνταῦθα ὡς ἐκ προσώπου <τοῦ πατρὸς
ὁ προφήτης εἴρηκε, ταῦτα ὁ θεῖος ἀπόστολος τῷ τοῦ υἱοῦ
προσώπῳ> προσήρμοσεν, λέγει δὲ οὕτως · « Πάντες (παρα-
στησόμεθα) τῷ βήματι τοῦ Χριστοῦ. Γέγραπται γάρ · Ζῶ
365 ἐγώ, λέγει κύριος, ὅτι ἐμοὶ κάμψει πᾶν γόνυ. » |158 a| Ὁ
δὲ ταῦτα λέγων πολλάκις εἶπε πλὴν αὐτοῦ μὴ εἶναι θεόν ·
οὐκοῦν τὴν μίαν ὁ λόγος κηρύττει θεότητα. Καὶ μέντοι
καὶ τό · Κατ' ἐμαυτοῦ ὀμνύω, δείκνυσι τὸ ὁμοούσιον υἱοῦ
καὶ πατρός · καὶ μάρτυς ὁ θεῖος ἀπόστολος οὕτω λέγων ·
370 « Ἐπειδὴ κατ' οὐδενὸς ἄλλου μείζονος εἶχεν ὀμόσαι, εἶπεν ·
Κατ' ἐμαυτοῦ ὀμνύω. » Πῶς τοίνυν αὐτὸν ἐλάττονα λέγουσι
τοῦ πατρὸς τὸν οὐκ ἔχοντα μείζονα κατὰ τὸν θεῖον ἀπόστολον ;
Καὶ αἰσχυνθήσονται πάντες οἱ διορίζοντες ἑαυτοὺς ²⁵ ἀπὸ
375 κυρίου. Ταύτην ἔχουσι τὴν αἰσχύνην οἱ τὴν ἀπιστίαν τῆς
πίστεως προτιμήσαντες εἴτε Ἰουδαῖοι εἴτε Ἕλληνες. Ἐν
κυρίῳ δικαιωθήσονται καὶ ἐπὶ τῷ θεῷ ἐνδοξασθήσονται πᾶν
τὸ σπέρμα τῶν υἱῶν Ἰσραήλ. Οὐκ εἶπεν · Πᾶν τὸ σπέρμα
Ἰσραήλ — ἢ γὰρ ἂν ἥρπασαν Ἰουδαῖοι τὸν λόγον — ἀλλά ·
380 Πᾶν τὸ σπέρμα τῶν υἱῶν Ἰσραήλ. Υἱοὶ δὲ Ἰσραὴλ οἱ ἐξ
Ἰσραήλ, σπέρμα δὲ τούτων οἱ ἐν τοῖς ἔθνεσι τῆς σωτηρίας
ἠξιωμένοι · διὰ γὰρ τῶν ἐξ Ἰουδαίων πεπιστευκότων

---

363 Rom. 14, 10-11   370 Hébr. 6, 13

au texte son caractère un peu abrupt. Cf. encore Lc 10, 5, où l'on
retrouve cette même idée biblique de la parole qui revient vers son
auteur, si elle ne produit pas son effet.

1. C'est au moins le texte de la plupart des mss de la Koiné utilisée
à Antioche et à Constantinople ; d'autres mss ne portent pas Χριστοῦ
mais Θεοῦ (leçon retenue par Nestle-Aland, Novum Testamentum
graece, London 1981 ; voir aussi Aland, The Greek New Testament,
Münster/Westphalia 1975, p. 568, n. 4), ce qui n'autorisait pas la
même interprétation.

24. *par le Dieu véritable, en disant : Justice et gloire viendront vers lui.* Cela encore, de la même manière, confond à la fois l'incrédulité des Juifs (et)... (D'autre part), le texte a proclamé la connaissance de Dieu par toutes les nations ; il dénonce aussi la folie et l'impiété d'Arius et d'Eunomius. De fait, ce que le prophète a dit ici en le rapportant à la personne du Père, le divin Apôtre l'a attribué à la personne du Fils dans les termes suivants : « Tous nous comparaîtrons au tribunal du Christ[1]. Car il a été écrit : Moi je vis, dit le Seigneur : devant moi fléchira tout genou. » Or, celui qui dit cela a souvent déclaré qu'en dehors de lui il n'y avait pas de Dieu ; ainsi donc, le texte proclame l'unicité de la Divinité. Et naturellement, la phrase « Je le jure par moi-même » montre aussi la consubstantialité du Fils et du Père ; le divin Apôtre en est témoin, lui qui fait cette déclaration : « Puisqu'il ne pouvait jurer par personne d'autre qui fût plus grand, il a dit : ' Je le jure par moi-même '. » Comment donc disent-ils qu'il est inférieur au Père celui qui n'a pas plus grand (que lui), selon le divin Apôtre ?

Et ils rougiront de honte tous ceux qui se séparaient 25. *du Seigneur.* Voilà la honte qu'éprouvent, qu'ils soient Juifs ou Grecs, les hommes qui ont préféré l'incrédulité à la foi. *C'est dans le Seigneur qu'ils seront justifiés et c'est en Dieu qu'ils seront glorifiés, (eux) toute la descendance des fils d'Israël.* Il n'a pas dit : « Toute la descendance d'Israël », car assurément les Juifs se seraient emparés du texte, mais « Toute la descendance des fils d'Israël ». Or, les « fils d'Israël », ce sont les hommes issus d'Israël et leur « descendance », les hommes qui, parmi les nations, ont été jugés dignes du salut[2] : c'est, en effet, grâce à ceux des

---

2. Eusèbe fait la même remarque : « Il n'a pas dit ' Israël ' ni ' la descendance d'Israël ' ; or ' les fils d'Israël ', c'étaient les premiers hérauts du message du salut » (*GCS* 298, 16-18). Pour Cyrille également il s'agit des apôtres et des évangélistes (70, 988 C).

δεξάμενοι τῆς διδασκαλίας τὸ σπέρμα τὴν σωτηρίαν ἐδρέ-
ψαντο.

385 Οὕτως ὁ προφητικὸς θεολογήσας λόγος καὶ τοὺς πεπιστευκότας ἐπιδείξας καὶ [τοὺς] ἀπιστήσαντας διελέγξας,
καὶ τῶν εἰδώλων προλέγει τὸν ὄλεθρον · 46¹ Ἔπεσε Βήλ,
συνετρίβη Νεβώ. Ἔνια τῶν ἀντιγράφων « Δαγὼν » ἔχει.
Εἴδωλον δὲ ἦν τοῦτο τῶν Ἀλλοφύλων. Τὸν δὲ Βὴλ Κρόνον
390 ἔφασάν τινες εἶναι. Εἶτα καθολικῶς · Ἐγένετο τὰ γλυπτὰ
αὐτῶν εἰς θηρία καὶ κτήνη. Οὐ γὰρ μόνον ἀνθρωπόμορφα
κατεσκεύαζον εἴδωλα ἀλλὰ καὶ θηρίοις καὶ κτήνεσιν ἐοικότα ·
καὶ διαφερόντως Αἰγύπτιοι πιθήκων καὶ κυνῶν καὶ λεόντων
καὶ προβάτων καὶ κροκοδίλων προσεκύνουν ἰνδάλματα,
395 Ἀκαρωνῖται δὲ καὶ μυίας εἶχον εἰκόνα, ἄλλοι δὲ νυκτερίδων
προσεκύνουν εἰκάσματα · καὶ τούτων ἐν τοῖς προοιμίοις ὁ
προφητικὸς κατηγόρησε λόγος.

Τούτων ἁπάντων προλέγει τὸν ὄλεθρον · Αἴρετε αὐτὰ
καταδεδε(μένα) ὡς φορτίον κοπιῶντι ²καὶ οὐκ ἰσχύοντι,
400 πεινῶντι καὶ ἐκλελυμένῳ ἅμα, οἳ οὐ δυνήσονται σωθῆναι
ἀπὸ πολέμου, αὐτοὶ δὲ αἰχμάλωτοι ἤχθησαν. Ὥσπερ φησὶ
τἆλλα φορτία βαδίζειν οὐ δύναται ἀλλὰ φέρεται, οὕτω καὶ
ταῦτα ἀκίνητα ὄντα πονεῖν ἀναγκάζει τοὺς φέροντας.
Τοσαύτη δὲ αὐτῶν ἡ ἀσθ[ένεια] ὡς μηδὲ τοῖς ἀνθρώποις
405 παραπλησίως δύνασθαι φεύγειν ἐν πολέμου καιρῷ.

C : 388-390 ἔνια — εἶναι

390 τινες C : > K ‖ 403 πονεῖν Mö. : ποιεῖν K

---

1. Tel est le texte donné par Eusèbe et par Cyrille. Sur « Dagon »,
cf. In Dan., 81, 1273 A ; selon Eusèbe (GCS 298, 29-30) également,
Dagon est l'idole des Allophyles qui habitent Ascalon et Gaza ;
Cyrille donne la même explication (70, 989 B). Sur « Bèl », cf.
In Jer., 81, 740 A (Bèl = Jupiter ou Cronos) ; pour Eusèbe (GCS
298, 26-29) et pour Cyrille (70, 989 A), Bèl est aussi à assimiler à
Cronos dont ils rappellent l'anthropophagie.

Juifs qui ont eu la foi qu'ils ont reçu la semence de la doctrine et qu'ils ont cueilli le fruit du salut.

La ruine des idoles   Après avoir de la sorte traité de la Divinité, mis en évidence les croyants et confondu les incrédules, le texte prophétique prédit aussi la ruine des idoles : **46, 1.** *Bèl est tombé, Nébô a été brisé.* Quelques exemplaires portent « Dagon »[1]. C'était une idole des Allophyles. Quant à Bèl, d'aucuns ont prétendu que c'était Cronos. Puis il généralise : *Leurs images sculptées sont devenues des bêtes fauves et des bêtes de somme.* De fait, ils ne fabriquaient pas seulement des idoles anthropomorphes, mais aussi des idoles qui ressemblaient à des bêtes fauves et à des bêtes de somme. Les Égyptiens en particulier adoraient des représentations de singes, de chiens, de lions, de bestiaux et de crocodiles, tandis que les Akaronites avaient même pour dieu une image de mouche et que d'autres adoraient des figures de chauves-souris[2] ; ce sont des pratiques que le début du texte prophétique a déjà dénoncées[3].

Il prédit la ruine de toutes ces idoles : *Soulevez-les, après les avoir attachées comme un fardeau pour un homme qui peine 2. et qui est sans force, qui est affamé et épuisé tout ensemble, (vos dieux) qui ne pourront pas être sauvés de la guerre, mais qui ont été eux-mêmes emmenés comme prisonniers de guerre.* Au même titre, dit-il, que tous les autres fardeaux qui ne peuvent pas marcher, mais que l'on porte, les idoles, en raison de leur nature inanimée, contraignent à peiner les hommes qui les portent. Or, leur faiblesse est si grande qu'elles ne peuvent même pas, comme le font les hommes, prendre la fuite au moment de la guerre.

2. Sur ces divinités égyptiennes, cf. t. II, *SC* 295, p. 136, n. 2 ; voir notamment *Thérap.* X, 58 et la note 2 de P. CANIVET.
3. Cf. *Is.* 2, 20 (t. I, *SC* 276, p. 209).

³ Ἀκούσατέ μου οἶκος Ἰακ(ὼβ) καὶ πᾶν τὸ κατάλοιπον
τοῦ Ἰσραήλ, οἱ αἰρόμενοι ἐκ κοιλίας καὶ παιδευόμενοι ἐκ
παιδίου ⁴ ἕως γήρους. Τῆς ἀνοήτου διδασκαλίας ἐνταῦθα
τῶν Ἰουδαίων κατηγορεῖ · παιδόθεν γὰρ τὰ θεῖα παιδευόμενοι
410 πόρρω (τῆς ἀ)ληθείας ἐγένοντο. Ἐγώ εἰμι, καὶ ἕως ἂν
καταγηράσητε ἐγώ εἰμι. Ὑμεῖς φησι πολλὰς ἔχετε μετα-
βολάς, ἐγὼ δὲ ἀναλλοίωτον ἔχω τὴν φύσιν · ὑμεῖς καὶ
γῆρας καὶ θάνατον δέχεσθε, ἐγὼ δὲ ἄφθαρτός εἰμι καὶ
ἀ(θά)νατος. Ἐγὼ ἀνέχομαι ὑμῶν, ἐγὼ ἐποίησα καὶ ἐγὼ
415 ἀνήσω καὶ ἐγὼ ἀναλήψομαι καὶ σώσω ὑμ(ᾶς). Φέρω ὑμῶν
τὴν ἀχαριστίαν, ἀνέχομαι τῆς παρανομίας, ἀναμένω τὴν
μεταμέλειαν · ἐγὼ γὰρ ὑμᾶς καὶ (εἰς τὸ) εἶναι παρήγαγον.
⁵ Τίνι με ὡμοιώσατε ; Ἴδετε τεχνάσασθε οἱ πλανώμενοι.
⁶ Καὶ οἱ συμβαλλόμενοι χρυσίον ἐκ μαρσίππου καὶ ἀργύριον
420 ἐν ζυγῷ στήσουσιν ἐν σταθμῷ καὶ μισθωσάμενοι χρυσοχ(όον)
ἐποίησαν χειροποίητον καὶ κύψαντες προσκυνοῦσιν αὐτό.
⁷ Αἴρουσιν αὐτὸ ἐπὶ τοῦ ὤμου, (καὶ) πορεύεται · ἐὰν δὲ
θῶσιν αὐτό, ἐπὶ τοῦ τόπου μένει, οὐ μὴ κινηθῇ · καὶ ὃς ἐὰν
βοήσῃ πρὸς (αὐτόν), οὐ μὴ εἰσακούσῃ, ἀπὸ κακῶν οὐ μὴ
425 σώσῃ αὐτόν. Σαφῶς τῶν εἰδώλων ἐκωμῴδησε τὴν [ἀσθέ-
ν]ειαν. Καὶ ἐπειδὴ τῆς ἐκ ξύλων δημιουργίας ἐν τοῖς πρόσθεν
ἐμνήσθη, ἡ δὲ τοῦ χρυσοῦ καὶ τοῦ ἀ[ργύρου] ὕλη τιμιωτέρα
τῶν ξύλων, πολλοὶ δὲ τῇ ὕλῃ προσέχοντες πλείονα τιμὴν
προσέφερον τοῖς χρυσ[οῖς] καὶ ἀργυροῖς θεοῖς, ἀναγκαίως
430 καὶ περὶ τούτων διδάσκει ὡς χρυσὸν καὶ ἄργυρον ἐξ ἐράνου
συ[νά]γοντες καὶ χρυσοχόον μισθούμενοι καὶ σταθμῷ τοῦτον
παραδιδόντες τὸν ὑπὸ τούτου τεκταινόμ[ενον] ἀνδριάντα
θεοποιοῦσιν, ὃς ἀλλοτρίοις μὲν χρῆται ποσίν, εἰ δὲ τούτων

C : 408-410 τῆς — ἐγένοντο ‖ 411-414 ὑμεῖς — ἀθάνατος ‖ 415-
417 φέρω — παρήγαγον
409 παιδόθεν K : παιδιόθεν C ‖ 412 ὑμεῖς K : +δὲ C

---

1. Cf. supra, 14, 332-334 (sur Is. 45, 20).

3. *Écoutez-moi, Maison de Jacob, et (vous) tout le reste d'Israël, (vous) qui êtes portés depuis le sein maternel et instruits depuis votre petite enfance* 4. *jusqu'à votre vieillesse.* Il dénonce ici la stupide formation des Juifs : alors qu'ils étaient instruits depuis leur enfance des choses divines, ils se sont écartés de la vérité. *Moi je suis, et jusqu'à ce que vous soyez devenus vieux, moi je suis.* Vous êtes sujets, dit-il, à de nombreux changements, tandis que moi je possède une nature immuable : vous, vous subissez la vieillesse et la mort, tandis que moi je suis incorruptible et immortel. *C'est moi qui vous soutiens, c'est moi qui vous ai faits, moi qui vous abandonnerai, moi qui vous reprendrai et qui vous sauverai.* Je supporte votre ingratitude, je tolère votre iniquité, j'attends votre repentir : car c'est moi qui vous ai aussi amenés à l'existence.

5. *A qui m'avez-vous assimilé? Voyez, employez votre art, vous qui façonnez!* 6. *Ceux qui recueillent de l'or en le tirant d'une bourse et de l'argent sur un plateau de balance (le) pèseront sur une balance; ils ont loué les services d'un orfèvre et (en) ont fait un objet créé de main d'homme, ils se sont prosternés et l'adorent.* 7. *Ils le chargent sur l'épaule et il avance; mais, s'ils le posent, il reste sur place, il ne se déplacera nullement; et si quelqu'un crie vers lui, il ne l'entendra nullement, il ne le sauvera nullement de ses maux.* Il a clairement raillé la faiblesse des idoles. Et, puisqu'il a fait mention dans un précédent passage de leur création à partir du bois[1], mais que la matière que représentent l'or et l'argent est plus précieuse que le bois, et que bien des hommes, prenant en considération la matière, traitaient avec de plus grands égards les dieux d'or et d'argent, il se voit contraint de donner aussi à leur sujet l'enseignement suivant : c'est en rassemblant de l'or et de l'argent à la suite d'une collecte, en louant les services d'un orfèvre, en livrant à une balance la statue qu'il a fabriquée, que (les hommes) font (d'elle) un dieu ; il se sert des pieds d'autrui (pour se mouvoir), mais s'ils lui font défaut, il reste

ἀπορήσοι, ἀκίνητος μένει, [φέρει] δὲ τοῖς προσκυνοῦσιν
435 οὐδεμίαν βοήθειαν.

Μετὰ τοῦτον τὸν ἔλεγχον εἰσφέρει παραίνεσιν · ⁸ Μνή-
(σθητε) |158 b| ταῦτα καὶ στενάξατε, μετανοήσατε οἱ
πεπλανημένοι, ἐπιστρέψατε τῇ καρδίᾳ ⁹ καὶ μνήσθητε τὰ
πρότερα ἀπὸ τοῦ αἰῶνος, ὅτι ἐγώ εἰμι ὁ θεὸς καὶ οὐκ ἔστιν
440 ἔτι πλὴν ἐμοῦ, ¹⁰ ἀναγγέλλων πρότερον τὰ ἔσχατα πρὶν
αὐτὰ γενέσθαι, καὶ ἅμα συνετελέσθη. Διὰ τῶν ἤδη παρ' ἐμοῦ
γεγενημένων μάθετε ὡς μόνος εἰμὶ θεός · ἐγὼ γὰρ καὶ
πρὸ πολλῶν γενεῶν τὰ ἐσόμενα προλέγω καὶ πληρῶ ἃ
προλέγω.

445 Καὶ εἶπον · Πᾶσά μου ἡ βουλὴ στήσεται, καὶ πάντα ὅσα
βεβούλευμαι ποιήσω · ¹¹ καλῶ⟨ν⟩ ἀπὸ ἀνατολῶν πετεινὸν
καὶ ἀπὸ γῆς πόρρωθεν περὶ ὧν βεβούλευμαι. Ἐλάλησα καὶ
ἤγαγον, ἔκτισα καὶ ἐποίησα αὐτό. Πάντα ῥάδια τῷ τῶν
ὅλων θεῷ · οὐ γὰρ μόνον τὰ λογικὰ ἀλλὰ καὶ τὰ ἄλογα
450 τῷ θείῳ νεύματι εἴκει. Διὰ μέντοι τοῦ πετεινοῦ τὸ ταχὺ
τῆς ἐπανόδου δεδήλωκεν.

¹² Ἀκούσατέ μου οἱ ἀπολωλεκότες τὴν καρδίαν, οἱ μακρὰν
ἀπὸ τῆς δικαιοσύνης · ¹³ ἤγγισα τὴν δικαιοσύνην μου, οὐ
μὴ μακρυνθῇ, καὶ τὴν σωτηρίαν τὴν παρ' ἐμοῦ οὐ βραδύνω.
455 Εἰ γὰρ καὶ ὑμεῖς τῆς σωτηρίας ἀνάξιοι πόρρω τῆς δικαιοσύνης
διὰ τὴν παρανομίαν γενόμενοι, ἀλλ' ἐγὼ παρέξω τὴν
σωτηρίαν καὶ δικαίαν τιμωρίαν τοῖς Βαβυλωνίοις ἐπάξω.

C : 448-451 πάντα — δεδήλωκεν ‖ 455-457 εἰ — ἐπάξω

448-449 ῥᾴδια τῷ ... θεῷ C : γὰρ διὰ τοῦ ... θεοῦ Κ ‖ 452
ἀπολωλεκότες e tx. rec. : ἀπολελωκότες Κ (Mö. falso) ‖ 457 τοῖς —
ἐπάξω Κ : τῶν Βαβυλωνίων ποιήσομαι C

1. Même interprétation chez CHRYSOSTOME (M., p. 329, l. 1-2) :
« Il appelle ' oiseaux ' les Israélites à cause de la rapidité de leur
retour », etc. Pour CYRILLE, au contraire, le terme désigne le roi de
Babylone qui a incendié toute la Judée, pris Jérusalem et détruit le
Temple (70, 997 B). Il cite à l'appui de cette interprétation Éz. 17,
2-6 : « L'aigle aux grandes ailes », etc. (id., 997 C).

immobile ; il n'apporte d'autre part à ses adorateurs aucun secours.

Exhortation à reconnaître le seul vrai Dieu

Après cette réfutation, il introduit une exhortation : 8. *Souvenez-vous de cela et lamentez-vous, changez d'esprit, vous les égarés, convertissez-vous en votre cœur* 9. *et souvenez-vous des choses passées depuis le commencement des âges : (souvenez-vous) que je suis Dieu et qu'il n'y en a pas en plus en dehors de moi,* 10. *moi qui annonce dès l'origine les derniers événements avant qu'ils ne soient arrivés, et en même temps ils ont été accomplis.* Grâce à ce que j'ai déjà réalisé, apprenez que je suis seul à être Dieu : c'est moi qui, bien des générations à l'avance, prédis les événements futurs et accomplis ce que je prédis.

Et j'ai dit : Toute ma résolution sera inébranlable, et tout ce que j'ai résolu, je le ferai ; 11. *moi qui appelle du levant et d'une terre lointaine l'oiseau pour les choses que j'ai résolues. J'ai parlé et j'ai conduit (à terme), je l'ai conçu et je l'ai réalisé.* Tout est facile pour le Dieu de l'univers : non seulement les êtres doués de raison, mais même ceux qui en sont dépourvus se plient à l'autorité divine ; et, de plus, par le terme « oiseau » il a clairement fait voir la rapidité du retour (des exilés)[1].

12. *Écoutez-moi, vous qui avez perdu votre cœur[2], vous qui êtes éloignés de la justice ;* 13. *j'ai fait approcher ma justice, elle ne tardera nullement, et le salut qui vient de moi, je ne le retarde pas.* Bien que vous soyez, en effet, indignes du salut, puisque vous vous êtes éloignés de la justice en raison de votre iniquité, je (vous) procurerai néanmoins le salut et j'infligerai aux Babyloniens un juste châtiment.

---

2. Il s'agit de ceux qui ont perverti leur cœur, qui l'ont « perdu » (ἀπολωλεκότες), au sens où l'on dit « perdre son âme ». Dans la Bible, le cœur est souvent considéré comme le siège de la vie morale, de la vertu ; la suite du verset renforce ici cette interprétation (justice = vertu, sainteté).

Δέδωκα ἐν Σιὼν σωτηρίαν τῷ Ἰσραὴλ εἰς δόξασμα. Μαθήσονται γὰρ ἅπαντες διὰ τῆς τοῦ Ἰσραὴλ σωτηρίας τὴν
460 ἐμὴν δύναμιν καὶ γνώσονται ὅτι ἀληθῶς ὑπάρχω θεός.
[Οὕτω] ταῦτα τῷ Ἰσραὴλ προθεσπίσας εἰς τὴν Βαβυλῶνα
μεταφέρει τὸν λόγον · 47¹ Κατάβηθι κάθισον ἐπὶ τὴν γῆν
παρθένος θυγάτηρ Βαβυλῶνος. Παρθένον αὐτὴν καλεῖ οὐχ
ὡς ἀδιάφθορον — ἐναγὴς γὰρ ἦν (καὶ ἀ)κόλαστος — ἀλλ' ὡς
465 παρθένῳ παραπλησίως καλλωπιζομένην. Κάθισον εἰς τὴν γῆν,
οὐκ ἔστι θρόνος. Ἐ(στέ)ρησαί φησι τῆς βασιλείας, τὴν
δουλικὴν ἀντέλαβες τάξιν. Εἴσελθε εἰς τὸ σκότος (θυ)γάτηρ
Χαλδαίων, οὐκέτι προστεθήσῃ κληθῆναι ἁπαλὴ καὶ τρυφερά.
Ἀπέβαλες τὴν [πρ]οτέραν εὐημερίαν, οὐκ ἐντρυφᾷς τοῖς
470 ἀλλοτρίοις κακοῖς.
² Λάβε μύλον, ἄλεσον ἄλευρον. [Ἔστι] ταῦτα δουλείας
τεκμήρια. Ἀποκάλυψαι τὸ κατα⟨κά⟩λυμμά σου. Γυμνώθητι
τῆς βασιλικῆς στολῆς, [ἀπόβαλε] τὰ σημεῖα τῆς βασιλείας.
Ἀνακάλυψαι τὰς πολιάς. Διὰ τῆς πολιᾶς τὸ πολυχρόνιον
475 τῆς [βασι]λείας ᾐνίξατο · ἡ γὰρ Ἀσσυρίων βασιλεία τετρα-
κόσια καὶ δισχίλια ὀλίγου δέοντα κεκρατη[κέναι λέγετ]αι ἔτη.
Ἀνάσυραι τὰς κνήμας, διάβηθι ποταμούς · ³ ἀνακαλυφθήσεται
ἡ αἰσχύνη σου. Καὶ (διὰ) τούτων τὴν αἰχμαλωσίαν σημαίνει ·
αἰχμαλώτων γὰρ τὸ γυμνοῖς ποσὶ τοὺς ποταμοὺς (δι)αβαί-
480 νειν.
Φανήσονται οἱ ὀνειδισμοί σου, τὸ δίκαιον ἐκ σοῦ λήψομαι,
οὐκέτι σε μὴ παραδῶ ἀνθρώποις. ⁴ Ὁ ῥυσάμενός σε κύριος
Σαβαὼθ ὄνομα αὐτῷ, ἅγιος Ἰσραήλ. Καὶ ταῦτα ὁ Σύμμαχος
[οὕ]τως [ἡρ]μήνευσεν · « Καὶ γε φανήτω τὸ ὄνειδός σου ·
485 ἐκδίκησιν λήψομαι, καὶ οὐκ ἀντιστήσεταί μοι ἄνθρωπος.
(Λυ)τρωτὴς ἡμῶν κύριος τῶν δυνάμεων ὄνομα αὐτῷ, ἅγιος

C : 463-465 παρθένον — καλλωπιζομένην ‖ 478-480 καὶ — διαβαίνειν
476 ὀλίγου Br. : ὀλίγον Κ

---

1. Interprétation similaire chez Eusèbe (GCS 301, 11-12) : διὰ
τοῦ ὡραΐζεσθαι καὶ καλλωπίζεσθαι παρθένου δίκην.

J'ai donné en Sion le salut à Israël pour (ma) glorification.
De fait, tous apprendront à connaître, grâce au salut
d'Israël, ma puissance et reconnaîtront que je suis vraiment
Dieu.

La ruine de Babylone   Après avoir de la sorte fait ces
prophéties à Israël, il change de
propos et se tourne vers Babylone : **47,** 1. *Descends,*
assieds-toi sur la terre, vierge, fille de Babylone. Il l'appelle
« vierge » non parce qu'elle était chaste — elle était en
effet, corrompue et intempérante —, mais parce qu'elle
était parée à la manière d'une vierge[1]. *Assieds-toi sur*
la terre, il n'y a pas de trône. Tu as été privée de la royauté,
dit-il, tu as pris en échange la place d'une esclave.
Enfonce-toi dans les ténèbres, fille des Chaldéens, on ne
t'appellera plus délicate et voluptueuse. Tu as perdu ton
bonheur de jadis, tu ne te complais pas dans les malheurs
d'autrui.

2. *Prends la meule, mouds la farine.* Telles sont les
marques de l'esclavage. *Ôte ton voile.* Dépouille-toi de la
robe royale, défais-toi des insignes de la royauté. *Découvre*
tes cheveux blancs. Par le terme de « cheveux blancs »,
il a fait allusion à la longue durée de sa royauté : la royauté
des Assyriens s'est exercée, dit-on, près de deux mille
quatre cent ans. *Mets à nu tes jambes, traverse des fleuves ;*
3. *ta honte sera dévoilée.* Par ces mots également il annonce
(sa) captivité, puisque c'est le propre de prisonniers de
guerre de franchir les fleuves les pieds nus.

Ton opprobre sera manifeste, je tirerai justice de toi,
je ne te livrerai plus aux hommes. 4. *Celui qui t'a soustrait*
au danger a pour nom le Seigneur Sabaoth, le Saint d'Israël.
De ce passage Symmaque a donné l'interprétation suivante : « Et que paraisse du moins ta honte ; je tirerai
vengeance (de toi) et il n'y aura pas d'homme pour
s'opposer à moi. Notre rédempteur a pour nom le Seigneur
des armées, le Saint d'Israël. » Je te ferai payer, dit-il,

Ἰσραήλ.» Δίκας σέ φησι τῆς εἰς τὸν Ἰα[κὼβ] ὠμότητος
πράξομαι. Οὐκέτι σε μὴ παραδῶ ἀνθρώποις · σύντομον γὰρ
σοι πανωλεθρίαν ἐ[ποίσω] καὶ οὐ δέομαι δευτέρας πληγῆς.
490 Εἶτα πρὸς τὸν Ἰσραήλ · Ὁ ῥυσάμενός σε κύριος Σαβαὼθ
ὄ(νομα) αὐτῷ. Εἰ δὲ καὶ ἐπ᾽ αὐτῆς βούλοιτό τις λαβεῖν τὸ
ῥητὸν τῆς Βαβυλῶνος, συνίδοι ἂν καὶ [αὐτὴν πλ]ειόνων
ἁμαρτημάτων ἀπαλλαγεῖσαν διὰ τῆς τιμωρίας · οὐκέτι γὰρ
ἔχουσα τὴν δυναστείαν [οὐκέτι ἡ]μάρτανε, καὶ αὐτὴ τοίνυν
495 ὠφέλειαν ἐδέξατο μειζόνων ἁμαρτημάτων ἀπαλλα[γεῖσα].
⁵ Κάθισον κατανενυγμένη, τουτέστι θρηνοῦσα. Εἴσελθε εἰς
τὸ σκότος θυγάτηρ Χαλδαίων. Τοῖς γὰρ ἐν σ[οὶ κατοικοῦσι]
σκότος ἐστὶ καὶ τὸ φῶς. Οὐκέτι μὴ κληθήσῃ ἰσχὺς βασιλείας. Δουλείᾳ γὰρ ἀντὶ [β]ασιλεία[ς συ]γκληρωθή[σῃ].
500 ⁶ Παρωξύνθην ἐπὶ τῷ λαῷ μου διότι ἐμίαναν τὴν κληρονο-
μί(αν μου. Ἐνέπρησαν γὰρ) τὸν θεῖον νεὼν καὶ τὰ ἱερὰ
σκεύη τοῖς εἰδώλοις ἀνέθεσαν καὶ ὠμότητι |159 a| κατὰ
τῶν δορυαλώτων ἐχρήσαντο. Καὶ ἐγὼ ἔδωκα αὐτοὺς εἰς τὴν
χεῖρά σου. Οὐ γὰρ ἂν ἐνίκ[ησας] μὴ βουληθέντος ἐμοῦ.
505 Προὔδωκα δὲ αὐτοὺς παιδεῦσαι βουλόμενος, οὐ παντελῶς
ἀπολέσ[αι]. Σὺ δὲ οὐκ ἔδωκας αὐτοῖς ἔλεος οὐθέν, τοῦ
πρεσβυτέρου ἐβάρυνας τὸν ζυγὸν σφόδρα. Οὐδὲ τὸ γῆρας
αἰδέσιμον ὤφθη σοι. Ἐντεῦθεν γὰρ αὐτῶν τὴν πολλὴν
ἀπήνειαν ἔδειξεν. ⁷ Καὶ εἶπα⟨ς⟩ · Εἰς τὸν αἰῶνα ἔσομαι
510 ἄρχουσα. Οὐκ ἐνόησας ταῦτα ἐν τῇ καρδίᾳ σου οὐδὲ ἐμνήσθης τὰ ἔσχατά σου. Μεταβολήν φησι τῆς εὐημερίας οὐ
προσεδόκησας, διὰ παντὸς σχήσειν τὸ κράτος ὑπέλαβες.
⁸ Νῦν δὲ ἄκουε ταῦτα ἡ τρυφερά, ἡ καθημένη, ἡ πεποιθυῖα,
ἡ λέγουσα ἐν καρδίᾳ αὐτῆς · Ἐγώ εἰμι καὶ οὐκ ἔστιν ἑτέρα,

C : 501-503 ἐνέπρησαν — ἐχρήσαντο ‖ 511-512 μεταβολήν — ὑπέλαβες

---

1. Cf. supra, p. 13, n. 1.

le prix de ta cruauté à l'égard de Jacob. « Non, je ne te livrerai plus aux hommes » : car elle sera expéditive la ruine totale que je t'infligerai sans avoir besoin de (frapper) un second coup. Puis (il s'adresse) à Israël : « Celui qui t'a soustrait au danger a pour nom le Seigneur Sabaoth. » Si l'on voulait toutefois comprendre le passage en l'appliquant également à la ville même de Babylone, on reconnaîtrait que son châtiment lui a permis, à elle aussi, d'échapper à un plus grand nombre de fautes : parce qu'elle n'exerçait plus la domination, elle n'a plus commis de fautes ; donc, elle aussi, elle a retiré un avantage du fait d'avoir échappé à des fautes plus grandes.

5. *Assieds-toi en proie à la douleur*, c'est-à-dire en pleurant. *Enfonce-toi dans les ténèbres, fille des Chaldéens.* Pour ceux qui habitent en toi, même la lumière est ténèbres[1]. *Non, tu ne seras plus appelée force du royaume.* L'esclavage remplacera la royauté et sera ton lot.

6. *Je me suis irrité contre mon peuple, parce qu'ils ont profané mon héritage.* De fait, ils ont incendié le Temple de Dieu, ils ont consacré aux idoles les vases sacrés et ils ont usé de cruauté contre les prisonniers. *Et c'est moi qui les ai livrés entre tes mains.* Tu n'aurais pas remporté la victoire, si je ne l'avais pas voulu. Or, je les ai livrés, parce que je voulais les corriger, non pas les exterminer totalement. *Mais toi, tu ne leur as accordé aucune espèce de miséricorde; sur le vieillard tu as fait peser ton joug lourdement.* Même la vieillesse ne t'a pas semblée digne d'égards. Il a par ce trait montré l'étendue de leur dureté.
7. *Et tu as dit : Pour toujours je serai souveraine. Tu n'as pas compris cela dans ton cœur et tu n'as pas songé à ta fin.* Tu ne t'es pas attendue, dit-il, à (éprouver) un changement dans ta prospérité, tu as cru que tu conserverais toujours ton pouvoir.

8. *Mais maintenant écoute ceci, voluptueuse, toi qui es assise, qui es confiante, qui dis dans ton cœur : Moi je suis et il n'y en a pas d'autre, je ne m'assiérai pas veuve et je ne*

515 οὐ καθιῶ χήρα οὐδὲ γνώσομαι ὀρφανίαν. Ἀξίως αὐτῆς τὸν
πολὺν ἐκωμῴδησε τῦφον · ἐτόπασε γὰρ μόνη τῆς οἰκουμένης
κρατήσειν. ⁹ Νῦν δὲ ἥξει ἐπὶ σὲ τὰ δύο ταῦτα ἐν ἡμέρᾳ μιᾷ
χηρεία καὶ ἀτεκνία, ἥξει ἐξαίφνης ἐπὶ σέ. Χηρείαν καλεῖ
τῆς βασιλείας τὴν στέρησιν, ἀτεκνίαν δὲ τῶν ὑπηκόων τὴν
520 ἀλλοτρίωσιν · ἀμφότερα δὲ κατὰ ταὐτὸν ὑπέμεινεν.
Στῆθι νῦν ἐν τῇ πολλῇ σου φαρμακείᾳ, ἐν τῇ ἰσχύι τῶν
ἐπαοιδῶν σου σφόδρα, ¹⁰ ἐν τῇ ἐλπίδι τῆς πορνείας σου
σφόδρα. Σὺ γὰρ εἶπας · Ἐγώ εἰμι, καὶ οὐκ ἔστιν ἑτέρα.
Ἔνια τῶν ἀντιγράφων οὐ πορνείαν ἀλλὰ « πονηρίαν » ἔχει,
525 οὕτω δὲ καὶ οἱ περὶ τὸν Ἀκύλαν ἡρμήνευσαν. Καὶ ἡ πορνεία
δὲ τῆς πολλῆς αὐτῶν ἀκολασίας κατηγορεῖ. Τούτων [δὲ] τῶν
ἐπαοιδῶν καὶ φαρμακῶν καὶ ὁ θεσπέσιος μέμνηται Δανιήλ.
Γνῶθι δὲ ὅτι ἡ σύνεσις τούτων καὶ ἡ πονηρία σου ἔσται σοι
εἰς αἰσχύνην. Καὶ εἶπας ἐν τῇ καρδίᾳ σου · Ἐγώ εἰμι καὶ
530 οὐκ ἔστιν ἑτέρα. ¹¹ (Καὶ) ἥξει ἐπὶ σὲ ἀπώλεια, καὶ οὐ μὴ
γνῷς. Ἐξαίφνης φησὶ τὸν ὄλεθρον δέξῃ καὶ ἀπροσδοκ[ήτοις]
περιπαρήσῃ κακοῖς. Βόθυνος καὶ ἐμπεσῇ εἰς αὐτόν, καὶ ἥξει
ἐπὶ σὲ ταλαιπωρία, καὶ ο(ὐ δυνήσῃ) καθαρὰ γενέσθαι. Ὁ δὲ
Σύμμαχος καὶ ὁ Ἀκύλας τοῦτο οὕτως ἡρμήνευσαν · « Καὶ
535 ἐπιπεσεῖται [σοὶ] συμφορὰ ἣ<ν> οὐ δυνήσῃ ἐξιλάσασθαι »,
τουτέστιν · Ἀφύκτοις σε περιβαλῶ κακοῖς, καὶ οὐ [τεύξῃ]
συγγνώμης, πέρα γὰρ συγγνώμης ἐξήμαρτες. Καὶ ἥξει ἐπὶ
σὲ ἐξάπινα ἀπώλεια καὶ οὐ γν(ώσῃ). Οὐ γὰρ ἤλπισε μεταβολὴν οὐδὲ προσεδέχετο τὴν τῶν πραγμάτων ἐναλλαγήν.
540 ¹² Στῆθι νῦν ἐν ταῖς (ἐ)παοιδαῖς σου καὶ ἐν τῇ πολλῇ

C : 518-520 χηρείαν — ὑπέμεινεν ‖ 538-539 οὐ — ἐναλλαγήν
526-527 cf. Dan. 2, 2

---

1. Cf. *infra*, 15, 452-453. L'interprétation de CYRILLE est très
proche : « veuvage » = la perte de son roi, « absence d'enfants »
= la perte d'une foule de combattants (70, 1008 D).

connaîtrai pas la privation d'enfants. Il a raillé, comme il convient, son grand orgueil : elle a, en effet, supposé qu'elle dominerait à elle seule le monde. 9. *Mais maintenant viendront sur toi ces deux (malheurs) en un seul jour : le veuvage et l'absence d'enfants ; ils viendront soudainement sur toi.* Il appelle « veuvage » la privation de sa royauté et « absence d'enfants » la perte de ses sujets[1] ; or, elle a supporté simultanément l'une et l'autre chose.

Vanité des pratiques de sorcellerie *Tiens-toi maintenant au milieu de tes nombreuses pratiques de sorcellerie, au milieu de la grande force de tes enchantements,* 10. *au milieu de la grande espérance de ta prostitution. Car tu as dit : Moi je suis et il n'y en a pas d'autre.* Quelques exemplaires ne portent pas « prostitution », mais « perversité » ; or, telle est aussi l'interprétation d'Aquila et des autres. Le terme « prostitution » dénonce également la grande licence de ses habitants. Quant à ces enchantements et sortilèges, Daniel l'inspiré en a également fait mention.

Mais *sache que l'intelligence de ceux-ci et ta perversité tourneront à ta honte. Et tu as dit dans ton cœur : Moi je suis et il n'y en a pas d'autre.* 11. *Et viendra sur toi la perte et tu ne l'auras point su.* C'est soudainement, dit-il, que tu recevras la ruine et que tu éprouveras des malheurs que tu n'attendais pas. *(Il y aura) un abîme et tu y tomberas, et viendra sur toi la misère et tu ne pourras pas te purifier.* Symmaque et Aquila ont donné de ce passage l'interprétation suivante : « Et tombera sur toi un malheur que tu ne pourras pas conjurer », c'est-à-dire : je te précipiterai dans des malheurs inévitables, et tu n'obtiendras pas de pardon, car tu as péché au-delà de ce qui peut être pardonné. *Et viendra sur toi une perte soudaine et tu n'en sauras rien.* De fait, elle ne s'est pas attendue à un changement (de fortune) et ne redoutait pas de voir se renverser sa situation.

12. *Tiens-toi maintenant au milieu de tes enchantements et*

φαρμακεία σου ἃ ἐμάνθανες ἐκ νεότητός σου, εἰ δυνήσῃ
ὠφεληθῆναι (καὶ) εἴ πως δυνήσῃ ἰσχῦσαι. Εἰρωνικῶς ταῦτα
ὁ προφητικὸς αὐτῇ λέγει λόγος · Χρῆσαι τῇ συνήθει γοητείᾳ,
χρῆσαι ταῖς ἐξ ἔθους ἐπῳδαῖς, εἰκός σε διαφυγεῖν τὰ
545 περιστοιχίσαντά σε κακά. Εἶτα τὸ τούτων μάται[ον ἐλέγχει] · ¹³ Κεκοπίακας ἐν
ταῖς βουλαῖς σου. Στήτωσαν δὴ καὶ σωσάτωσάν σε οἱ
ἀστρολόγοι τοῦ οὐρανοῦ (οἱ) ὁ(ρῶν)τες τοὺς ἀστέρας,
ἀναγγειλάτωσάν σοι τί μέλλει ἐπὶ σὲ ἔρχεσθαι. Μετὰ τοὺς
550 ἐπαοιδοὺς [καὶ] τοὺς γόητας τὴν τῶν γενεθλιαλόγων ἄνοιαν
ἐξελέγχει. ¹⁴ Ἰδοὺ πάντες ὡς φρύγανα ὑπὸ (πυρὸς) οὕτως
κατακαυθήσονται, καὶ οἱ ἐξαπατῶντες καὶ οἱ ἐξαπατώμενοι.
Καὶ οὐ μὴ ἐξέλωνται (τὴν) ψυχὴν αὐτῶν ἐκ φλογός. Οἱ τοῖς
ἄλλοις προλέγειν τὰ ἐσόμενα νεανιευόμενοι σφᾶς [αὐτοὺς]
555 τῆς τῶν πολεμίων οὐκ ἐλευθερώσουσι φλογός. Ὅτι ἔχεις
ἄνθρακας πυρὸς καθίσ(αι ἐπ' αὐτούς). Ἀντὶ τοῦ · Σὺ
καθ' ἑαυτὴν ἐξῆψας τὴν φλόγα διὰ τῆς ἀσεβείας καὶ τῆς
πολλῆς παρα[νομίας σου].

Εἶτα κατ' ἐρώτησιν · ¹⁵ Οὗτοι ἔσονταί σοι βοήθεια ; Οἱ
560 φησιν ἑαυτοῖς ἐπικουρεῖν μὴ δυν[άμενοι ἐ]πῳδοὶ καὶ γενεθλια-
λόγοι καὶ γόητες σὲ τῶν ἐπερχομένων ἀπαλλάξουσι συμ-
φο[ρῶν] ; Ἐκοπίασας ἐν τῇ μεταβολῇ σου ἐκ νεότητος.
Μεταβολὴν τὴν ἐμπορίαν καλεῖ · [οὕτω δὲ] καὶ οἱ Τρεῖς
ἡρμήνευσαν · « Ἐκοπίασαν οἱ ἔμποροί σου ἀπὸ νεότητος. »
565 Ἐμπόρ[ους] δὲ το[ὺς] αὐτοὺς προσηγόρευσεν. Ἄνωθέν φησι
καὶ ἐξ ἀρχῆς ἕως αὐτῆς τῆς πανωλεθρίας το[ύτοις διε]-
|159 b|τέλεσας κεχρημένη συμβούλοις καὶ ἐπικούροις.

Ἄνθρωπος καθ' ἑαυτὸν ἐπλανήθη, σοὶ δὲ οὐκ ἔσται

---

1. Cf. In Is., 7, 19-21.
2. C'est-à-dire aux enchanteurs, tireurs d'horoscopes et magiciens.

de tes nombreuses pratiques de sorcellerie, que tu as appris dès ta jeunesse, (pour voir) si tu pourras en tirer avantage et si tu pourras en quelque façon y trouver de la force. Le texte prophétique lui adresse ces paroles de manière ironique : Sers-toi de ta magie habituelle, sers-toi de tes incantations coutumières, il est naturel que tu échappes aux malheurs qui t'assiègent !

Puis il dénonce la vanité de ces pratiques : 13. *Tu t'es fatiguée en tes desseins. Qu'ils se lèvent donc et qu'ils te sauvent les observateurs du ciel, eux qui observent les astres, qu'ils t'annoncent ce qui va t'arriver !* Après l'avoir fait pour les enchanteurs et les magiciens, il dénonce la sottise des tireurs d'horoscopes. 14. *Voici qu'(ils seront) tous comme broussailles (et) qu'ils seront ainsi brûlés par le feu,* (c'est-à-dire) à la fois ceux qui trompent et ceux qui sont trompés. *Et ils ne sauveront pas leur vie de la flamme.* Ceux qui se flattent imprudemment de prédire au reste des hommes l'avenir ne se soustrairont pas eux-mêmes à la flamme des ennemis. *Car tu as des charbons enflammés pour t'asseoir dessus.* Ce qui revient à dire : c'est toi qui as allumé contre toi-même la flamme, en raison de ton impiété et de ta grande iniquité.

Puis, sous forme interrogative : 15. *Ceux-ci seront-ils pour toi un secours ?* Ceux qui ne peuvent pas, dit-il, se porter secours à eux-mêmes — les enchanteurs, les tireurs d'horoscopes et les magiciens —, te délivreront-ils des malheurs qui surviennent ? *Tu t'es fatiguée dans l'échange que tu pratiquais dès ta jeunesse.* Il appelle « échange » le commerce[1] ; les trois interprètes ont de leur côté donné l'interprétation suivante : « Tes marchands se sont fatigués dès la jeunesse. » Or, ce sont aux mêmes hommes[2] qu'il a donné le nom de « marchands ». Depuis le début et depuis l'origine, dit-il, jusqu'au moment même de la ruine totale, tu as continué à utiliser ces gens-là comme conseillers et comme auxiliaires.

L'homme s'est égaré pour son propre compte, mais pour

σωτηρία. Εἰσὶ μέν φησι καὶ ἐν τοῖς ἄλλοις ἔθνεσι παράνομον
570 αἱρούμενοι νόμον, ἀλλ' οὐ ταύτην ἅπαντες τὴν πολιτείαν
ἀσπάζονται · σὺ δὲ νόμῳ τὴν παρανομίαν μετῄεις καὶ τὴν
ἐσχάτην ἀσέβειαν ἐπετήδευες ὡς ἄκραν εὐσέβειαν · οὗ δὴ
χάριν σωτηρίας οὐκ ἀπολαύσῃ.
      Ἡμεῖς δὲ ἐκ τῆς τούτων τιμωρίας καρπωσώμεθα σωτη-
575 ρίαν, καὶ γένοιτο ἡμῖν ὁ τούτων ὄλεθρος πρόξενος ὠφελείας.
Ὁρῶντες γὰρ οἵ<α> τῆς κακίας τἀπίχειρα καὶ τὴν ἐναντίαν
ὁδεύοντες πολιτείαν καὶ καθάπερ ἄγκυραν ἱερὰν τὴν εἰς
τὸν <τῶν> ὅλων θεὸν ἐλπίδα ἔχοντες, καὶ κατὰ τὸν παρόντα
βίον τῆς αὐτοῦ κηδεμονίας τευξόμεθα καὶ ἐν τῷ μέλλοντι
580 τῶν αἰωνίων ἀπολαύσομεν ἀγαθῶν χάριτι τοῦ σωτῆρος ἡμῶν
Χριστοῦ, μεθ' οὗ τῷ πατρὶ ἡ δόξα σὺν τῷ παναγίῳ πνεύματι
νῦν καὶ ἀεὶ καὶ εἰς τοὺς αἰῶνας τῶν αἰώνων. Ἀμήν.

---

1. C'est-à-dire comme « dernier recours, suprême point d'appui »
(cf. fr. « planche de salut »). Cette valeur métaphorique du mot
« ancre » — notamment dans les expressions ἄγκυρα ἱερά, ἄγ.
ἐσχατή, ἄγ. ἀγαθή — déjà attestée chez les auteurs profanes (cf.
EURIPIDE, Héc. 80 ; Hél. 276 ; PLUTARQUE, Moralia 815 d ; LUCIEN,
Jup. Trag. 51) est constante chez les Pères (cf. CLÉMENT D'ALEX.,
Stromate IV, 23, PG 8, 1361 A ; ATHANASE, Contra Arianos 3, 58,
PG 26, 445 A ; ÉPIPHANE, Adversus haereses 69, 27, PG 42, 245 C,
etc.). Facteur de stabilité ou dernier espoir de salut pour le navire
en détresse, l'ancre devint, dès le IIᵉ s., dans l'iconographie chrétienne, un symbole privilégié de l'espérance. Théodoret se souvient

toi il n'y aura pas de salut. Dans les autres nations également, il y a des hommes qui choisissent une loi d'iniquité,
dit-il, mais ils ne sont pas tous à embrasser ce mode de
conduite. Tandis que toi, tu te faisais une loi de rechercher
l'iniquité et tu pratiquais la dernière impiété, comme si
elle avait été le sommet de la piété ; c'est bien pourquoi
tu ne bénéficieras pas du salut.

Parénèse Quant à nous, instruits par leur
châtiment, procurons-nous le salut,
et puisse leur ruine tourner à notre avantage ! En voyant
quel salaire est réservé à la malice, en empruntant le
mode de conduite opposé et en ayant comme ancre sacrée[1]
l'espérance dans le Dieu de l'univers, nous obtiendrons
pendant la vie présente sa sollicitude, tout comme nous
jouirons dans la vie à venir des biens éternels par la grâce
du Christ notre Sauveur. Gloire au Père, en union avec
lui, dans l'unité du très saint Esprit, maintenant et
toujours, et pour les siècles des siècles. Amen.

---

ici sans aucun doute d'*Hébr.* 6, 19 (ἣν ὡς ἄγκυραν ἔχομεν τῆς
ψυχῆς, ἀσφαλῆ τε καὶ βεβαίαν) qu'il a commenté ainsi (*PG* 82,
721 C) : « Nous espérons ces biens, dit-il, nous tenons fermement
cette espérance comme une ancre sacrée. De fait, ancre cachée dans
les profondeurs de la mer, elle ne permet pas que nos âmes soient
ballottées. » Cf. aussi *In Psal.*, *PG* 80, 953 A.

48[1] Ἀκούσατε ταῦτα οἶκος Ἰακὼβ καὶ οἱ κεκλημένοι ἐπὶ τῷ ὀνόματι Ἰσραὴλ καὶ ἐξ ὕδατος Ἰούδα ἐξελθόντες. Τὴν κατὰ σάρκα συγγένειαν αὐτοῖς τοῦ Ἰακὼβ καὶ τοῦ Ἰσραὴλ

5 καὶ τοῦ Ἰούδα διὰ τῶν εἰρημένων προσεμαρτύρησεν · κεκλῆσθαι γὰρ [αὐ]τοὺς εἶπεν ἐπὶ τῷ ὀνόματι Ἰσραήλ, οὐ τὴν ἐκείνου πίστιν ἔχειν · καὶ οἶκον Ἰακώβ, οὐκ εὐσεβείας [κλη]ρονόμον · καὶ ἐξ ὕδατος, ἀλλ᾽ οὐκ ἐκ φρονήματος Ἰούδα ἐξεληλυθέναι · ὕδωρ δὲ τὸ σπέρμα [ἐκ]άλεσεν.

10 Οἱ ὀμνύοντες τῷ ὀνόματι κυρίου θεοῦ Ἰσραὴλ καὶ ἐν τῷ θεῷ μιμνησκόμενοι οὐ μετὰ ἀληθείας (οὐδ)ὲ μετὰ δικαιοσύνης [2] καὶ ἀντεχόμενοι τῷ ὀνόματι τῆς πόλεως τῆς ἁγίας καὶ ἐπὶ τῷ θεῷ τοῦ (Ἰσραὴλ) ἀντιστηριζόμενοι, κύριος Σαβαὼθ ὄνομα αὐτῷ. Τούτοις ἔοικε τὰ ὑπὸ τοῦ ἀποστόλου περὶ

15 [τινων] εἰρημένα · « Ἔχοντες μόρφωσιν εὐσεβείας, τὴν δὲ δύναμιν αὐτῆς ἠρνημένοι.» Καὶ γὰρ [Ἰουδαῖοι] μέγα μὲν ἐφρόνουν ἐπὶ τῇ Ἱερουσαλήμ, ἐμεγαλαυχοῦντο δὲ καὶ ὡς ὑπὸ τοῦ θεοῦ τῶν [ὅλ]ων ἐκλεγέντες καὶ τὸ θεῖον ὄνομα διηνεκῶς ἐν τῷ στόματι περιέφερον οὐκ ἀληθείᾳ τοῦτο

20 γε[ραί]ροντες ἀλλὰ τῷ ψεύδει καθυβρίζοντες. Οὗ δὴ χάριν δεικνὺς ὁ προφητικὸς λόγος σεπτὸν [τοῦ]το καὶ φοβερὸν τοὔνομα ἐπήγαγεν · Κύριος Σαβαὼθ ὄνομα αὐτῷ. Οὐ γὰρ

15 II Tim. 3, 5

1. Cf. l'interprétation voisine d'Eusèbe (*GCS* 303, 23-29) et de Cyrille (70, 1013 D).

48, 1. *Écoutez ceci, maison de Jacob,*

Iniquité du peuple
et châtiment divin

vous qui êtes appelés du nom d'Israël
et vous qui êtes sortis de l'eau de Juda.
C'est de la parenté selon la chair qui les unit à Jacob, à
Israël et à Juda qu'il a témoigné par ces mots. Il a dit, en
effet, qu'ils avaient été appelés du nom d'Israël, non qu'ils
possédaient sa foi ; (il a dit) « maison de Jacob », non pas
héritière de sa piété ; (il a dit) qu'ils sont issus de l'eau de
Juda, mais non pas de l'esprit de Juda[1] ; or, il a appelé
« eau » la semence[2].

Vous qui jurez par le nom du Seigneur Dieu d'Israël et
qui vous souvenez de Dieu, (mais) sans vérité et sans justice,
2. vous qui vous attachez au nom de la cité sainte et qui vous
appuyez sur le Dieu d'Israël, qui a pour nom le Seigneur
Sabaoth. Les paroles qu'a prononcées l'Apôtre au sujet de
quelques hommes ressemblent à celles-ci : « Ils ont l'apparence de la piété, mais renient ce qui en fait la puissance. »
Et, de fait, les Juifs s'enorgueillissaient de Jérusalem,
ils se vantaient même d'avoir été choisis par le Dieu de
l'univers et avaient continuellement à la bouche le nom
de Dieu : loin de l'honorer en vérité, ils l'outrageaient par
leur mensonge. C'est bien pourquoi le texte prophétique,
pour montrer que ce nom est auguste et redoutable, a
ajouté : « Il a pour nom Seigneur Sabaoth. » Car il n'est

---

2. Le texte commenté par CHRYSOSTOME porte du reste *semen*, et
l'exégète signale comme une variante le texte donné par Théodoret :
« Mais d'autres disent : de l'eau de Juda » (*M.*, p. 332, § 1-5).

τῶν ἀνθρώπων μόνον [ἀλλὰ] καὶ τῶν ἐπουρανίων δεσπόζει
δυνάμεων.

25 ³Τὰ πρότερα ἔκτοτε ἀνήγγειλα, καὶ ἐκ τοῦ στό(μα)τός
μου ἐξῆλθε καὶ ἀκουστόν σοι ἐγένετο. Τὰς ἐπενεχθείσας σοι
συμφορὰς προηγόρευσα πρότερον, ἵνα σε φοβήσας ταῖς
ἀπειλαῖς εἰς μεταμέλειαν διεγείρω, καὶ μὴ λάβῃς πεῖ(ραν)
τῶν (ἀλγ)εινῶν · ἐπειδὴ δὲ τοῖς λόγοις ἠπίστησας, δείξω
30 τοῖς ἔργοις τὴν τῶν λόγων ἀλήθειαν. Τοῦτο γὰρ [ἐπ]ήγαγεν ·
Ἐξάπινα ἐποίησα καὶ ἐπῆλθον. Ἃς γὰρ οὐ προσεδόκησας
συμφορὰς ἐθεάσω.

⁴(Γι)νώσκω ὅτι σκληρὸς εἶ καὶ νεῦρον σιδηροῦν ὁ τράχηλός
σου καὶ τὸ μέτωπόν σου χαλκοῦν. [Τοῦτο] δεδιδαγμένος καὶ
35 ὁ θεῖος Στέφανος ἔλεγε τοῖς Ἰουδαίοις · « Σκληροτράχηλοι
καὶ ἀπερίτμητοι (τῇ καρδίᾳ) καὶ τοῖς ὠσίν, ὑμεῖς ἀεὶ τῷ
πνεύματι τῷ ἁγίῳ ἀντιπίπτετε, ὡς οἱ πατέρες ὑμῶν (καὶ
ὑ)μεῖς » · καὶ διὰ τοῦ προφήτου Ἱερεμίου πάλιν ὁ τῶν ὅλων
θεὸς ἔφη πρὸς αὐτούς · « Ὄ(ψις πόρ)νης ἐγένετό σοι,
40 ἀπηναισχύντησας πρὸς πάντας. » Ταύτην τὴν ἀναίδειαν καὶ
τὸ χαλκοῦν [αἰνί]ττεται μέτωπον · ὥσπερ γὰρ τὸ τοῦ
χαλκοῦ ἀνδριάντος οὐκ αἰσχύνεται μέτωπον, οὕτως [οὐδὲ
ὑ]μεῖς ἐρυθριᾶτε παρανομοῦντες, οὔτε ἐλεγχόμενοι οὔτε
κολαζόμενοι.

45 ⁵Καὶ ἀνήγγειλά σοι παλαι(ὰ πρὶν) ἐλ(θεῖν) ἐπὶ σέ,
ἀκουστόν σοι ἐποίησα, μήποτε εἴπῃς ὅτι τὰ εἴδωλά μοι
ἐποίησε καὶ (ἵ)να (μὴ εἴπῃς) ὅτι τὰ γλυπτὰ καὶ τὰ χωνευτὰ
ἐνετείλατό μοι. Πάντα σοι προηγόρευσα, καὶ |160 a| τὴν
αἰχμαλωσίαν καὶ τὴν ἐλευθερίαν, ἵνα μὴ τὰς τούτων αἰτίας
50 ἀναθῇς τοῖς εἰδώλοις, ἀλλὰ γνῶς ὡς ἑκάτερα ἐγὼ δέδρακα,
τὸ μὲν διὰ τὴν σὴν παρανομίαν, τὸ δὲ διὰ τὴν ἐμὴν φιλανθρωπίαν. ⁶Ἠκούσατε ταῦτα καὶ ὑμεῖς οὐκ ἔγνωτε · ἀλλὰ καὶ

C : 26-30 τὰς — ἀλήθειαν

35 Act. 7, 51   39 Jér. 3, 3

1. Théodoret commente de cette manière le terme « Sabaoth » ;
cf. In Is., 1, 348-354.

pas seulement le maître des hommes, mais il est aussi celui des puissances célestes[1].

3. *Les événements antérieurs, depuis longtemps je les ai annoncés, de ma bouche ils sont sortis et il t'a été donné de l'entendre.* Les malheurs qui t'ont frappée, je les ai annoncés à l'avance, afin de t'effrayer par les menaces, de te pousser au repentir et de t'éviter de faire l'expérience d'événements douloureux. Mais, puisque tu n'as pas cru à mes paroles, je vais montrer par mes actes la vérité de mes paroles. Voici, en effet, ce qu'il a ajouté : *J'ai agi tout soudain et ils sont arrivés.* Tu ne t'es pas attendue aux malheurs que tu as contemplés.

4. *Je sais que tu es dur, que ton cou est une chaîne de fer et que ton front est d'airain.* Instruit de ce passage, le divin Étienne disait à son tour aux Juifs : « Nuques raides, cœurs et oreilles incirconcis ! Vous, toujours, vous résistez à l'Esprit-Saint ! Tels ont été vos pères, tels êtes-vous ! » Et par l'intermédiaire du prophète Jérémie, de nouveau, le Dieu de l'univers leur a déclaré : « Tu as eu l'apparence d'une prostituée et tu as rejeté toute pudeur devant tous. » C'est à cette impudence que fait également allusion « le front d'airain » : le front de la statue d'airain ne rougit pas ; de la même manière, vous non plus, vous ne devenez pas écarlates quand vous commettez l'iniquité, que l'on vous confonde ou que l'on vous châtie.

5. *Je t'ai annoncé les événements anciens avant qu'ils ne fussent arrivés sur toi, je te l'ai fait entendre, pour t'empêcher de dire : Ce sont mes idoles qui me l'ont fait, et de peur que tu ne dises : Ce sont mes images sculptées et mes statues fondues qui me l'ont prescrit.* Je t'ai tout annoncé par avance, la captivité comme la libération, afin que tu n'attribues pas aux idoles la cause de ces événements, mais que tu saches que c'est moi qui les ai accomplis l'un et l'autre, l'un en raison de ton iniquité, l'autre en raison de ma bonté. **6.** *Vous avez entendu cela et vous ne l'avez pas connu ; mais je t'ai fait entendre les choses nouvelles à partir*

ἀκουστὰ ἐποίησα τὰ καινὰ ἀπὸ τοῦ νῦν ἃ μέλλει γίνεσθαι,
καὶ οὐκ ἔγνως αὐτά · ⁷ καὶ νῦν γίνεται καὶ οὐ πάλαι καὶ οὐ
55 προτέραις ἡμέραις, καὶ οὐκ ἤκουσας αὐτά. Διὰ πάντων τὸ
ἀσύνετον αὐτῶν καὶ ἀνόητον καὶ τῆς γνώμης τὸ ῥάθυμον
ἔδειξεν. Μὴ εἴπῃς · Ναί, γινώσκω αὐτά. ⁸ Οὔτε ἤκουσα⟨ς⟩
οὔτε ἠπίστω, οὔτε ἀπ' ἀρχῆς ἤνοιξά σου τὰ ὦτα. Σαφέστερον διὰ τ(ούτ)ων τὸ ἀπειθὲς αὐτῶν ἔδειξεν · ἑκόντες
60 γὰρ ἔβυον τὰ ὦτα οὐδὲ ἀκούειν τῶν θείων λόγων βουλόμενοι.
Ἐ(γνων) γὰρ ὅτι ἀθετῶν ἀθετήσεις καὶ ἄνομος ἔτι ἐκ
κοιλίας κληθήσῃ. Ἐμὲ δὲ οὐκ ἔλαθεν ὁ παράνομός σου
σκοπός · προῄδειν γάρ σου τὴν ἀχάριστον γνώμην καὶ ὅτι
εὐθὺς τῆς Αἰγυπτίων δουλείας ἀπαλλαγεὶς τῶν μὲν εὐεργεσιῶν
65 ἐπιλήσῃ, δυσσεβείᾳ δὲ προσέξεις. Κοιλίαν γὰρ τὴν Αἴγυπτον
καλεῖ καὶ τόκον τὴν ἐκεῖθεν ἔξοδον. Ἀλλ' ὅμως καὶ ταῦτα
εἰδὼς εὐεργετῶν ὑμᾶς διετέλουν, ἐπεὶ λαὸς ἐμὸς ὀνομάζεσθε.
Τοῦτο γὰρ τὰ ἑξῆς δηλοῖ · ⁹ Ἕνεκεν τοῦ ἐμοῦ ὀνόματος
δείξω σοι τὸν θυμόν μου καὶ τὰ ἔνδοξά μου ἐπάξω ἐπὶ σέ,
70 ἵνα μὴ ἐξολοθρεύσω σε. Θυμὸν δὲ ἐκάλεσε τὴν αἰχμαλωσίαν,
ἔνδοξα δὲ τὴν παράδοξον ἐλευθερίαν.
¹⁰ Ἰδοὺ πέπρακά σε οὐχ εἴνεκ(εν) ἀργυρίου, ἐξειλόμην δέ
σε ἐκ καμίνου πτωχείας. Οὐ χρημάτων δεόμενος ἀπεδόμην
σε Βαβ(υλωνίοις) ἀλλὰ δίκας σε τῆς παρανομίας πραττό-
75 μενος, ἀλλ' ὅμως πάλιν σοι τὴν ἐλευθερίαν δωρήσομ(αι).
Κάμινον γὰρ πτωχείας τὴν δουλείαν ἐκάλεσεν · καθάπερ

C : 58-60 σαφέστερον — βουλόμενοι ‖ 70-71 θυμὸν — ἐλευθερίαν
‖ 73-76 οὐ — ἐκάλεσεν

58 ἠπίστω e tx.rec. : ἠπίστευσα K ‖ 74 πραττόμενος K : εἰσπραττό-
μενος C ‖ 76 γὰρ K : δὲ C

---

1. Litt. : « Je savais, en effet, que violant (la loi) tu la violerais »
(cf. t. II, SC 295, p. 193 en Is. 24, 16), i.e. « je savais que tu violerais
certainement (la loi) ». Les LXX traduisent, tant bien que mal, par
le participe + la forme personnelle (ἀθετῶν ἀθετήσεις), un hébraïsme
(infinitif absolu+forme personnelle du verbe) exprimant une très

de maintenant, celles qui vont arriver, et tu ne les as pas connues; 7. c'est maintenant qu'elles se produisent et non jadis et non dans les jours passés, et tu n'en as pas entendu parler. Par tous (ces termes) il a montré leur inintelligence, leur sottise et leur lenteur d'esprit. *De peur que tu ne dises : Oui, je les connais !* 8. *Tu n'en as pas entendu parler, tu ne le savais pas et je ne t'(y) avais pas ouvert les oreilles dès le commencement.* Par là il a montré avec plus de clarté leur esprit de désobéissance : c'est volontairement qu'ils se bouchaient les oreilles, parce qu'ils ne voulaient pas même entendre les paroles de Dieu.

Je savais, en effet, que, puisque tu prévariquais, tu prévariquerais[1] *et que tu serais appelé criminel dès le sein maternel.* Le but inique que tu poursuivais ne m'a pas échappé : je connaissais par avance l'ingratitude de ton caractère et (je savais) qu'aussitôt délivré de l'esclavage des Égyptiens, tu oublierais mes bienfaits et que tu t'attacherais à l'impiété. Car c'est l'Égypte qu'il appelle « sein maternel » et la sortie de ce pays « enfantement ». Néanmoins, bien que je le susse, je ne cessais de vous dispenser mes bienfaits, puisque vous vous nommez « mon peuple ». C'est ce que fait voir, en effet, la suite du passage : 9. *A cause de mon nom je te montrerai ma colère et, mes hauts faits, je les dirigerai vers toi de peur que je ne t'extermine.* Il a appelé « colère » leur captivité et « hauts faits » leur extraordinaire libération.

10. *Voici que je t'ai vendu, (mais)*
La cause de l'exil *non pour de l'argent, et que je t'ai*
et celle de la libération *retiré d'une fournaise de pauvreté.*
Ce n'est pas le manque de richesses qui m'a fait te livrer aux Babyloniens, mais la volonté de te faire expier ton iniquité ; néanmoins, de nouveau, je vais te faire présent de la liberté. Il a, en effet, appelé « fournaise de pauvreté »

forte certitude (cf. *Gen.* 2, 17 « moth thamouth » : « pour ce qui est de mourir, tu mourras » = « tu mourras certainement »).

γὰρ ἐν καμίνῳ τὸ μὲν πῦρ ἐστι κεκ[ρυμ]μένον, ὁ δὲ καπνὸς ἄνωθεν φαίνεται μόνος, οὕτως οἱ δορυάλωτοι θρηνεῖν μὲν προφανῶς οὐ [τολ]μῶσιν, ἔνδοθεν δὲ <τῇ> τῆς ἀθυμίας
80 φλογὶ πυρπολούμενοι οἷόν τινα καπνὸν τὸν στεναγμ[ὸν] ἀναπέμπουσιν. 11 Ἕνεκεν ἐμοῦ ποιήσω σοι, ὅτι τὸ ἐμὸν ὄνομα βεβηλοῦται, καὶ τὴν δό(ξαν μου) ἑτέρῳ οὐ δώσω. Ἐπειδὴ γὰρ νομίζουσιν οἱ πολέμιοι μὴ μόνον ὑμῶν ἀλλὰ καὶ ἐμο(ῦ περι)γενέσθαι καὶ διὰ τὴν ἐμὴν ἀσθένειαν κεκρατηκέναι
85 ὑμῶν, τῆς πικρᾶς ὑμᾶς ἐκ(είνης) ἐλευθερώσω δουλείας, ἵνα καὶ οἱ ἀγνοοῦντές με τὴν ἐμὴν καταμάθωσι δύναμιν. 12 (Ἄκουέ μου Ἰ)ακὼβ καὶ Ἰσραὴλ ὃν ἐγὼ καλῶ · Ἐγώ εἰμι πρῶτος καὶ ἐγώ εἰμι εἰς τὸν αἰῶνα. Εἰ[πὼν γάρ] · Τὴν δόξαν μου ἑτέρῳ οὐ δώσω, εἰκότως ταῦτα ἐπήγαγε διδάσκων
90 ὡς αὐτὸς [καὶ] τιμωρεῖται καὶ σῴζει. Αὐτὸς τὸν Ἀβραὰμ ἐκ γῆς Χαλδαίων ἐξήγαγεν, αὐτὸς αὐτοὺς τοῖς Βαβυλωνίοις παρέδωκεν, αὐτὸς τῆς ἐκείνων δυναστείας ἀπήλλαξεν, αὐτὸς δώ[σει] καὶ τὴν καινὴν διαθήκην. 13 Καὶ ἡ χείρ μου ἐθεμελίωσε τὴν γῆν, καὶ ἡ δεξιά μου ἐστερέωσε (τὸν)
95 οὐρανόν. Καλέσω αὐτοὺς ἐγώ, καὶ στήσονται ἅμα 14 καὶ συναχθήσονται πάντες καὶ ἀκούσο(νται), τίς αὐτοῖς ἀνήγγειλε ταῦτα. Καὶ δημιουργός εἰμι πάντων καὶ δεσπότης καὶ μάλα μοι (ῥᾴδιον) καὶ τὴν ἄψυχον καλέσαι καὶ παραστῆσαί μοι κτίσιν.
100 Κύριος ἀγαπῶν σε ἐποίησε τὸ θέλ(ημα) αὐτοῦ ἐπὶ Βαβυλῶνα τοῦ ἆραι σπέρμα Χαλδαίων. Διὰ τὴν περὶ σέ φησι φιλοστ(οργίαν) πανωλεθρίαν ἐποίσω Βαβυλωνίοις καὶ πρόρριζον αὐτῶν ἀνασπάσω τὸ κράτ(ος). 15 Ἐγὼ ἐλάλησα καὶ ἐγὼ ἐκάλεσα, ἤγαγον αὐτὸν καὶ εὐόδωσα τὴν ὁδὸν

C : 82-86 ἐπειδὴ — δύναμιν ‖ 97-99 καὶ¹ — κτίσιν ‖ 101-103 διὰ — κράτος

79 τῇ add. Ka. ‖ 84 περιγενέσθαι K : περιγεγενῆσθαι C ‖ 85 ὑμᾶς K : > C ‖ 98 μάλα K : > C ‖ 99 μοι C : σοι K

90-91 cf. Gen. 12, 1

l'esclavage : dans un four, le feu reste caché et la fumée qui s'en dégage est seule visible ; de la même manière, les prisonniers de guerre n'osent pas se lamenter ouvertement, mais du fond d'eux-mêmes, parce que la flamme du découragement les consume, ils font monter, comme une espèce de fumée, leur gémissement[1]. 11. *C'est à cause de moi que j'agirai en ta faveur, parce que mon nom est profané ; et je ne donnerai pas ma gloire à un autre.* Puisque les ennemis pensent qu'ils ont triomphé non seulement de vous, mais encore de moi, et que c'est ma faiblesse qui leur a permis de se rendre maîtres de vous, je vous libérerai de cet amer esclavage, afin que même ceux qui ne me connaissent pas apprennent ma puissance.

12. *Écoute-moi, Jacob, et (toi), Israël, que j'appelle : Moi, je suis le premier et moi, je suis pour l'éternité.* Puisqu'il vient de dire : « Je ne donnerai pas ma gloire à un autre », c'est à juste titre qu'il a ajouté ces mots pour enseigner que c'est lui qui châtie et lui qui sauve. C'est lui qui a fait sortir Abraham de la terre de Chaldée, lui qui les a livrés aux Babyloniens, lui qui les a délivrés de la domination de ces derniers, lui qui donnera aussi le Nouveau Testament. 13. *C'est aussi ma main qui a fondé la terre et ma droite qui a affermi le ciel. C'est moi qui les appellerai et ils se tiendront ensemble ; 14. ils se rassembleront tous et entendront dire qui leur a fait ces annonces.* Je suis à la fois le créateur et le maître de tout. Aussi m'est-il très facile d'appeler et de faire paraître devant moi même la création inanimée.

Le Seigneur qui t'aime a accompli son bon plaisir contre Babylone pour supprimer la semence des Chaldéens. La vive affection que j'ai pour toi, dit-il, est cause que j'infligerai aux Babyloniens une ruine totale et que j'extirperai leur force jusqu'à la racine. 15. *C'est moi qui ai parlé et moi qui ai appelé, je l'ai conduit et j'ai fait prospérer sa*

---

1. Sur cette interprétation, cf. *In Is.*, 6, 511-513.

105 αὐτοῦ. Περὶ τοῦ Κύρου ταῦτα (λέγει) · οὗτος γὰρ (καὶ)
τὴν Βαβυλωνίων δυναστείαν κατέλυσε καὶ τοὺς Ἰουδαίους
δουλείας (ἀπήλ)λαξεν.

¹⁶ Προσαγάγετε πρός με καὶ ἀκούετε ταῦτα · Οὐκ ἀπ' ἀρχῆς
ἐν κρυφῇ λελά(ληκα οὐδὲ ἐν) |160 b| τόπῳ γῆς σκοτεινῷ ·
110 ἡνίκα ἐγίνετο, ἐκεῖ ἤμην. Ἐπειδὴ ταῖς σκυθρωπαῖς προρρή-
σεσιν ἠπιστήσατε, ταῖς γοῦν θυμήρεσι προφητείαις πιστεύ-
σατε. Οὐ γὰρ τοῖς εἰδώλοις παραπλησίως ἐν σκοτεινοῖς τισι
καὶ ἀδύτοις τόποις τὰ ψευδῆ προθεσπίζω ἀλλ' οὕτως αὐτὰ
καὶ πρὸ τῆς ἐκβάσεως οἶδα σαφῶς ὡς αὐτοῖς παρὼν τοῖς
115 πράγμασι καὶ ἕκαστον θεωρῶν.
Καὶ νῦν κύριος ἀπέσταλκέ με καὶ τὸ πνεῦμα αὐτοῦ. Ὁ
προφήτης τοῦτο ἔφη. Οὐκ ἀπ' ἐμαυτοῦ φησι φθέγγομαι
ἀλλ' ὑπὸ τοῦ θεοῦ τῶν ὅλων καὶ τοῦ παναγίου πνεύματος
ἐκπεμφθείς. Σαφῶς δὲ ἡμῖν ἐνταῦθα ἕτερον ἔδειξε παρὰ τὸ
120 τοῦ θεοῦ πρόσωπον, τὸ τοῦ πνεύματος πρόσωπον, εἰς
ἔλεγχον καὶ τῶν Ἰουδαίων καὶ τῶν τὰ Σαβελλίου νοσούντων.
Ἔφη γάρ · Κύριος ἀπέσταλκέ με καὶ τὸ πνεῦμα αὐτοῦ.
Ἐπειδὴ γὰρ πολλάκις περὶ τῆς μιᾶς διελέχθη θεότητος νῦν
μὲν λέγων · « Ἐγώ εἰμι πρῶτος καὶ ἐγώ εἰμι εἰς τὸν
125 αἰῶνα », νῦν δέ · « Ἔμπροσθέν μου οὐκ ἐγένετο ἄλλος
θεὸς καὶ μετ' ἐμὲ οὐκ ἔσται », καὶ τὰς ἰδιότητας τῶν

C : 105-107 περὶ — ἀπήλλαξεν ‖ 116-121 ὁ — νοσούντων

117 φησι K : +ταῦτα C ‖ 119 τὸ K : > C ‖ 120 τὸ — πρόσωπον
K : > C

124 Is. 48, 12   125 Is. 43, 10

---

1. C'est aussi l'interprétation de CHRYSOSTOME (M., p. 335, l. 20) et
celle de CYRILLE (70, 1025 D).
2. L'hérésie de Sabellius a pris successivement plusieurs formes,
selon le degré de subtilité de ceux qui la professaient ; on peut la
résumer de la manière suivante : Sabellius et ses adeptes, par désir
de sauvegarder l'unicité de la Divinité, en arrivent à nier la réalité
des trois personnes divines ; selon eux, la même et unique personne
agirait tour à tour en tant que Père, Fils et Esprit. Théodoret utilise

route. Il dit c^l^ de Cyrus[1] : c'est lui qui a ruiné la domination babylonienne et qui a délivré les Juifs de l'esclavage.

**Rappel
du projet de Dieu
pour son peuple**

16. *Approchez-vous de moi et écoutez
ceci : Dès le commencement je n'ai pas
parlé en secret ni en un lieu obscur de
la terre : lorsque (les événements) se
sont produits, j'étais là.* Puisque vous n'avez pas cru aux
prédictions porteuses de tristesse, croyez du moins aux
prophéties porteuses de joie. Car ce ne sont pas des
mensonges que je prophétise, comme le font les idoles
en des lieux ténébreux et inaccessibles, mais, avant
même leur accomplissement, je connais avec clarté les
événements, tout comme si j'assistais à leur réalisation
même et si je contemplais chacun (d'eux).

*Et maintenant le Seigneur m'a envoyé ainsi que son
Esprit.* C'est le prophète qui a fait cette déclaration.
Je ne parle pas de mon propre chef, dit-il, mais parce que
le Dieu de l'univers et le très saint Esprit m'ont envoyé.
Or, il nous a clairement montré ici une autre (personne)
à côté de la personne de Dieu, celle de l'Esprit, pour
réfuter à la fois les Juifs et ceux qui souffrent de la maladie
de Sabellius[2]. Car il a dit : « Le Seigneur m'a envoyé
ainsi que son Esprit. » Puisqu'il a souvent traité de l'unicité
de la Divinité — tantôt en ces termes : « Moi je suis le
premier et je suis pour l'éternité », tantôt en ceux-ci :
« Avant moi il n'y eut pas d'autre Dieu, et après moi il
n'y en aura pas » —, il enseigne nécessairement aussi les

donc ce verset pour prouver l'existence de la personne de l'Esprit
à côté de celle du Père et pour affirmer la singularité des trois hypostases qui composent la Trinité (τὰς ἰδιοτήτας τῶν ὑποστάσεων).
De fait, il passe du rapport « Père/Esprit » au rapport « Père/Fils » en
citant *Is.* 45, 14 ; ce verset prend du même coup une portée anti-
sabellienne : Théodoret ne l'utilisait précédemment (cf. *supra*, 14,
254-268) qu'à des fins de polémique anti-juive. Sur Sabellius et le
sabellianisme, cf. art. « Monarchianisme », *DTC* 2e partie, Paris 1929,
c. 2201-2208.

ὑποστάσεων ἀναγκαίως διδάσκει ποτὲ μὲν υἱοῦ καὶ πατρὸς
ποτὲ δὲ πατρὸς καὶ πνεύματος ἁγίου. Καὶ περὶ μὲν υἱοῦ
καὶ πατρὸς ἔφη · « ("Ο)τι ἐν σοὶ ὁ θεός ἐστι καὶ οὐκ ἔστι
130 θεὸς πλὴν σοῦ », περὶ δὲ τοῦ πατρὸς καὶ πνεύματος ·
« Κύριος ἀπέσταλκέ με καὶ τὸ (πνεῦμ)α αὐτοῦ. »
¹⁷ Οὕτως λέγει κύριος ὁ ῥυσάμενός σε ὁ ἅγιος 'Ισραήλ ·
'Εγώ εἰμι κύριος ὁ θεός σου, δέδειχά σοι εἰς ὠφέλειαν (τοῦ)
εὑρεῖν σε τὴν ὁδόν μου, ἐν ᾗ πορεύσῃ ἐν αὐτῇ. Οὐκ εἴασά
135 σε πλανᾶσθαι, ἀλλὰ τὴν εὐθεῖάν σοι πορείαν [ὑπ]έδειξα.
Δηλοῖ δὲ διὰ ταύτης τὸν νόμον. Καὶ σαφέστερον τοῦτο διὰ
τῶν ἐπιφερομένων διδάσκει · ¹⁸ (Καὶ) εἰ ἤκουσας τῶν ἐντο-
λῶν μου, ἐγένετο ἂν ὡς ποταμὸς ἡ εἰρήνη σου καὶ ἡ δικαιοσύνη σου ὡς κύματα (θαλ)άσσης. Εἰ κατὰ τοὺς ἐμοὺς
140 ἐπολιτεύσω νόμους, οὐκ ἂν ἐγεύσω πολεμικῶν συμφορῶν
ἀλλ' εἰ[ρήνη]ς ἀπήλαυες ἀενάου ποταμοῦ ῥεύματα μιμου-
μένης καὶ μηδέποτε διακοπτομένης. 'Εν [εἰρ]ήνῃ δὲ
βιοτεύουσα καὶ τοῖς ἐμοῖς ἑπομένη προστάγμασι τῆς
δικαιοσύνης ἂν ἐκτήσω τὸν [πλοῦ]τον πλημμυροῦντα καὶ
145 τοῖς θαλαττίοις παραβαλλόμενον κύμασιν. 'Επειδὴ δὲ τούτοις
προσέχειν [οὐκ ἤ]θελον 'Ιουδαῖοι, σαρκικῷ δὲ φρονήματι
προστετηκότες καὶ τὴν πολυγονίαν εὐδαιμο[νίαν ἐ]νόμιζον,
καὶ ταῦτα εἰκότως ὁ προφητικὸς προστίθησι λόγος ·
¹⁹ Καὶ ἐγένετο ἂν ὡς ἡ ἄμμος (τῆς) θαλάσσης τὸ σπέρμα
150 σου καὶ τὰ ἔκγονά σου ὡσεὶ χοῦς τῆς γῆς.
Εἶτα τὴν ὑπερβολὴν τῆς [ἀγαθ]ότητος δείκνυσιν · Καὶ
οὐδὲ νῦν ⟨οὐ μὴ⟩ ἐξολοθρευθῇς, οὐδὲ ἀπολεῖται τὸ ὄνομά
σου ἐναντίον (ἐμοῦ). 'Αλλ' ὅμως καὶ τῶν ἐμῶν καταφρονή-
σαντας νόμων φειδοῦς ἀξιώσω, καὶ πά(λιν) ἐμὸς χρηματίσεις
155 λαός. Τοῦτο γὰρ δεδήλωκεν εἰρηκώς · Οὐδὲ ἀπολεῖται τὸ

C : 153-155 ἀλλ' — λαός
154 φειδοῦς ἀξιώσω Κ : ∼ C
129 Is. 45, 14

propriétés des hypostases[1], tantôt celle du Fils et celle du Père, tantôt celle du Père et celle de l'Esprit-Saint. Ainsi, au sujet du Fils et du Père, il a dit : « Parce que Dieu est en toi et qu'il n'y a pas de Dieu en dehors de toi », et au sujet du Père et de l'Esprit : « Le Seigneur m'a envoyé ainsi que son Esprit. »

17. *Ainsi parle le Seigneur qui t'a racheté, le Saint d'Israël : Moi je suis le Seigneur ton Dieu, je t'ai montré dans ton intérêt comment trouver ma route, sur laquelle tu marcheras.* Je ne t'ai pas laissé errer, mais je t'ai indiqué le droit chemin. Or, par le mot « chemin » il désigne la Loi. Il enseigne cela plus clairement encore par ce qu'il ajoute : 18. *Si tu avais écouté mes commandements, ta paix aurait été comme un fleuve et ta justice comme les vagues de la mer.* Si tu t'étais conduit selon mes lois, tu n'aurais pas goûté aux malheurs de la guerre, mais tu jouirais d'une paix qui imiterait les flots d'un fleuve intarissable et qui ne serait jamais interrompue. A vivre dans la paix et à suivre mes commandements, tu aurais acquis la richesse de la justice, débordante et comparable aux vagues de la mer. Mais, puisque les Juifs n'ont pas voulu prêter attention à ces commandements et que, en raison de leur attachement à une manière de penser charnelle, ils considéraient l'abondance d'enfants comme un bonheur, le texte prophétique, avec raison, ajoute encore ceci : 19. *Et ta semence serait devenue comme le sable de la mer et tes descendants comme la poussière de la terre.*

Puis il montre l'excès de sa bonté : *Et maintenant tu ne seras pas exterminé et ton nom ne disparaîtra pas devant moi.* Néanmoins, bien que vous ayez méprisé mes lois, je vous jugerai dignes de ménagement et, de nouveau, tu seras appelé « mon peuple ». C'est ce qu'il a fait voir en disant :

---

1. La propriété du Père est d'être inengendré ; celle du Fils est d'être engendré ; celle du Saint-Esprit est de procéder.

ὄνο(μά σου ἐνώ)πιον ἐμοῦ · ὄνομα γὰρ αὐτοῦ τὸ λαὸς θεοῦ
χρηματίζειν.
Εἶτα προστακτικῶς · ²⁰ ᵛΕξ(ελθε ἐκ Β)αβυλῶνος φεύγων
ἀπὸ τῶν Χαλδαίων. Ἔπειτα τὴν ἐντεῦθεν ἐσομένην προλέγει
160 ε[ὐθυ]μίαν · Φωνὴν εὐφροσύνης ἀναγγείλατε, καὶ ἀκουστὸν
γενέσθω τοῦτο, ἀναγγείλατε ἕως (ἐσχ)άτου τῆς γῆς, λέγετε
ὅτι ἐρρύσατο κύριος τὸν δοῦλον αὐτοῦ Ἰακὼβ ²¹ καὶ οὐκ
εἴασεν αὐτὸν δι(ψῆσ)αι δι' ἐρήμου ἀγαγὼν αὐτόν, ὕδωρ ἐκ
πέτρας ἐξάξει αὐτοῖς, σχισθήσεται πέτρα καὶ (ρυ)ήσεται
165 ὕδωρ, καὶ πίεται ὁ λαός μου. Ἀναμιμνήσκει αὐτοὺς τῆς
προτέρας ἐλευθερίας (καὶ ὅπ)ως τῶν Αἰγυπτίων ἀπαλλαγέντες καὶ τὴν ἔρημον διοδεύοντες ξένων καὶ παραδόξων
(να)μά(τ)ων ἀπήλαυσαν. Ἐν γὰρ τῇ ἀπὸ Βαβυλῶνος
ἐπανόδῳ οὐδὲν τοιοῦτον γεγενημένον (ἐμά)θομεν. Καὶ οἱ
170 Τρεῖς δὲ ὁμοίως Ἑρμηνευταὶ ὡς ἤδη γεγενημένον τοῦτο
τεθείκασιν · « Ὕδωρ » γάρ φασιν « [ἐκ πέτρ]ας ὠχέτευσας
αὐτοῖς, καὶ ἔρρηξε πέτραν στερεάν, καὶ ἔρρευσεν ὕδατα. »
Καὶ κατὰ τοὺς Ἑβδομήκοντα δὲ [τὴν] προφητικὴν ὁ λόγος
αἰνίττεται χάριν, ἧς κἂν τῇ Βαβυλῶνι ἀπήλαυον τὰ θεῖα
175 πίνοντες [ῥεῖθρα] διὰ τῶν ἁγίων προφητῶν Δανιὴλ καὶ
Ἰεζεκιήλ, καὶ ὅτι ὡς ἐν ἐρήμῳ τῇ τῶν Βαβυ[λωνί]ων
δυσσεβείᾳ οἷόν τινα πέτραν ἔσχον τὴν προφητείαν ὀρέγουσαν
αὐτοῖς τὸ σωτήριον |161 a| πόμα. Καὶ μέντοι καὶ μετὰ
τὴν ἐπάνοδον Ἀγγαῖος καὶ Ζαχαρίας καὶ Μαλαχίας ταῦτα
180 αὐτοῖς τὰ ῥ[εῖθρα] προσέφερον, καὶ ὁ θαυμάσιος δὲ Ζοροβάβελ
καὶ Ἰησοῦς ὁ τοῦ Ἰωσεδέκ, ὁ ἱερεὺς ὁ μέγας, εὐσεβείᾳ
κοσμούμενοι τὴν θείαν αὐτοῖς διδασκαλίαν καθάπερ ὕδωρ
διψῶσι προὐτίθεσαν. ²² Οὐκ ἔ(σ)τι χαίρειν τοῖς ἀσεβέσι,
λέγει κύριος. Ταῦτα τοίνυν εἰδότες τὴν τῶν ἀσεβῶν φύγετε
185 κοινωνίαν.

C : 165-169 ἀναμιμνήσκει — ἐμάθομεν
167 διοδεύοντες Κ : διοδεύσαντες C ‖ 171 φασιν Μὅ. : φησι Κ

1. Pour Eusèbe également (GCS 307, 30 s.), la prophétie ne s'est

« Et ton nom ne disparaîtra pas devant ma face » : car
son nom, c'est d'être appelé « peuple de Dieu ».

Le retour d'exil   Puis, de façon impérative : 20. *Sors
de Babylone, fuis loin des Chaldéens!*
Il prédit ensuite l'allégresse qui en découlera : *Annoncez
une parole de joie et qu'on fasse entendre cela, annoncez-le
jusqu'à l'extrémité de la terre, dites que le Seigneur a racheté
son serviteur Jacob* 21. *et qu'il ne l'a pas laissé endurer la
soif, lorsqu'il l'a conduit à travers le désert; il fera pour eux
sortir l'eau d'un rocher, le rocher sera fendu et l'eau coulera,
et mon peuple boira.* Il leur rappelle leur première libération,
comment, après avoir été délivrés des Égyptiens, ils ont,
au cours de leur traversée du désert, bénéficié de sources
étranges et extraordinaires. Lors du retour de Babylone,
en effet, rien de tel ne s'est produit, à notre connaissance[1].
Quant aux trois interprètes, de manière identique, ils ont
rendu ce passage comme si la chose s'était déjà produite :
« Tu as fait sourdre pour eux, disent-ils, l'eau d'un
rocher, les eaux ont brisé le rocher dur et elles ont coulé. »
Selon les Septante, le texte fait allusion à la grâce prophétique dont ils bénéficiaient même à Babylone, puisqu'ils
buvaient les flots divins grâce aux saints prophètes Daniel
et Ézéchiel ; et, parce qu'ils se trouvaient comme en un
désert en raison de l'impiété des Babyloniens, ils ont eu
une espèce de rocher dans la prophétie qui leur présentait
la boisson du salut[2]. Et, de plus, même après le retour
d'exil, c'étaient Aggée, Zacharie, Malachie qui leur présentaient ces flots (divins), tandis que l'admirable Zorobabel
et le grand prêtre Josué, fils de Josédek, qui avaient la
piété pour parure, leur offraient l'enseignement divin
comme l'eau à des assoiffés. 22. *Il n'y a point de joie pour
les impies, dit le Seigneur.* Étant donné que vous savez cela,
fuyez donc le commerce des hommes impies.

pas réalisée καθ' ἱστορίαν à l'époque du retour de Babylone : elle se
réalise de manière spirituelle avec le Christ, véritable rocher.
  2. Sur cette métaphore, cf. t. I, *SC* 276, p. 140, n. 1.

Ἐνταῦθ[α ταύτην] συμπεράνας τὴν προφητείαν τοῖς
ἔθνεσι διὰ τῶν ἑξῆς προαγορεύει τὴν σωτηρίαν · 49¹
Ἀκούσατε αἱ νῆσοι καὶ προσέχετε ἔθνη διὰ χρόνου πολλοῦ.
Τό · διὰ χρόνου πολλοῦ, ὁ μὲν Σύμμαχος ἔφη · « Ἀκροᾶσθε
190 ἔθνη μακρόθεν.» Καλεῖ δὲ ὁ λόγος καὶ νησιώτας καὶ
ἠπειρώτας καὶ αὐτοὺς τὰς ἐσχατιὰς οἰκοῦντας εἰς τὴν
τῶν θεσπιζομένων ἀκρόασιν. Καὶ κατὰ τοὺς Ἑβδομήκοντα
δὲ οὕτω νοητέον τὸ διὰ χρόνου πολλοῦ · Τῷ Ἀβραὰμ
ὑπέσχετο τῶν ὅλων ὁ κύριος ἐν τῷ σπέρματι αὐτοῦ εὐλογήσειν
195 πάντα τὰ ἔθνη · ταύτην δὲ καὶ τῷ Ἰσαὰκ καὶ τῷ Ἰακὼβ
ἔδωκε τὴν ἐπαγγελίαν, ταύτην καὶ ὁ Ἰακὼβ τῷ Ἰούδᾳ
δέδωκεν εὐλογίαν · « Οὐκ ἐκλείψει ἄρχων ἐξ Ἰούδα καὶ
ἡγούμενος ἐκ τῶν μηρῶν αὐτοῦ, ἕως ἂν ἔλθῃ ᾧ ἀπόκειται,
καὶ αὐτὸς προσδοκία ἐθνῶν », πλεῖστος δὲ διελήλυθει
200 ἐτῶν ἀριθμὸς ἐκ τῆς δοθείσης τῷ Ἀβραὰμ ἐπαγγελίας
μέχρι τῆς κλήσεως τῶν ἐθνῶν · διὰ τοῦτό φησιν ὁ προφητικὸς
λόγος · Προσέχετε ἔνθη διὰ χρ(όνου) πολλοῦ. Εἶτα ἐπάγει ·
Στήσεται, λέγει κύριος, τουτέστι τῆς ἐπαγγελίας ὁ λόγος ·
ἀψευδὴς γὰρ ἡ θεία ὑπόσχεσις.
205 Ἐκ γαστρὸς ἐκάλεσέ με καὶ ἐκ κοιλίας μητρός μου
ἐκάλεσε τὸ ὄνομά μου. Ταῦτα (ἐκ) προσώπου εἴρηται
τοῦ δεσπότου Χριστοῦ, ὅς ἐστι σπέρμα τοῦ Ἀβραὰμ κατὰ
σάρκα, δι' οὗ τὰ ἔ(θ)νη (τὴν) ἐπαγγελίαν ἀπέλαβεν. Καὶ
διδάσκει ὡς πρὸ τοῦ τόκου τὴν προσηγορίαν ἐδέξα(το) ·
210 ὁ γὰρ ἅγιος Γαβριὴλ ταύτην ἐκόμισεν ἄνωθεν καὶ τῇ
παρθένῳ ἔφη · « Τέξῃ υἱὸν καὶ καλέ(σεις) τὸ ὄνομα αὐτοῦ

C : 193-197 τῷ — εὐλογίαν ‖ 206-213 ταῦτα — αὐτοῦ

191 καὶ αὐτοὺς Κ : = καὶ τούτους ? Μδ. + τοὺς Ρο. ‖ 194 τῶν
ὅλων / ὁ κύριος Κ : ~ C ‖ 196 ἔδωκε ΚC⁹¹ : δέδωκε C praeter C⁹¹
‖ 209 ὡς πρὸ τοῦ C : ὅτι τοῦ πρώτου Κ

197 Gen. 49, 10   211 Lc 1, 31 ; Matth. 1, 21

1. EUSÈBE (GCS 308, 13 s.) et CYRILLE (70, 1036 A) ne s'en
tiennent pas comme Théodoret au sens littéral, mais voient dans

Ici s'achève cette prophétie. Dans
Le salut le passage suivant, il annonce aux
annoncé aux nations nations le salut : **49,** 1. *Écoutez, vous
les îles, et soyez attentives, nations, après un long temps.*
Au lieu de « après un long temps », Symmaque a dit :
« Prêtez l'oreille, nations (qui venez) de loin. » Le texte
appelle donc à la fois les insulaires, les continentaux et
ceux-là mêmes qui habitent les extrémités (de la terre)
à écouter ce qui est prophétisé[1]. Selon les Septante, il
faut entendre de la manière suivante l'expression « après
un long temps » : le Seigneur de l'univers a promis à
Abraham de bénir toutes les nations dans sa descendance ;
cette promesse, il l'a faite aussi à Isaac et à Jacob ; Jacob
à son tour l'a donnée à Juda en bénédiction[2] : « Le pouvoir
ne sortira pas de Juda ni le bâton de commandement
d'entre ses pieds, jusqu'à ce que vienne celui à qui il est
réservé, lui qui est aussi l'attente des nations » ; or, un très
grand nombre d'années s'était écoulé depuis la promesse
faite à Abraham jusqu'à l'appel des nations ; c'est pourquoi
le texte prophétique dit : « Soyez attentives, nations, après
un long temps. » Puis il ajoute : *Elle demeurera, dit le
Seigneur,* c'est-à-dire la parole de la promesse, car l'enga-
gement de Dieu n'est pas mensonger.

Dès le ventre de ma mère il m'a
Prophétie messianique *appelé et dès le sein de ma mère il a
appelé mon nom.* Ces paroles sont dites au nom de notre
Maître le Christ qui est descendance d'Abraham selon la
chair ; c'est grâce à lui que les nations ont reçu la promesse.
Et il enseigne comment, avant d'être enfanté, il a reçu le
nom qu'on lui donnerait : Saint Gabriel l'apporta du ciel
et dit à la Vierge : « Tu enfanteras un fils et tu l'appelleras

« îles », comme plus haut en *Is.* 45, 16, une manière de désigner les
Églises répandues à travers les nations.
2. Cf. t. II, *SC* 295, p. 50, n. 2.

Ἰησοῦν, ὅτι αὐτὸς σώσει τὸν λαὸν αὐτοῦ ἀπὸ τῶν ἁμαρτιῶν αὐτοῦ. »

² Καὶ (ἔ)θηκε τὸ στόμα μου ὡς μάχαιραν ὀξεῖαν καὶ ὑπὸ
215 τὴν σκέπην τῆς χειρὸς αὐτοῦ ἔκρυψέ με. Τοιοῦτος γὰρ ὁ
διακριτικὸς λόγος ὁ ὑπ' αὐτοῦ πᾶσιν ἀνθρώποις προσε-
νεχθείς, οὕτω δὲ καὶ αὐτ[ὸς] ἔφη · « Οὐκ ἦλθον βαλεῖν
εἰρήνην ἐπὶ τὴν γῆν ἀλλὰ μάχαιραν διχάσαι ἄνθρωπον
ἀπὸ τοῦ πλη(σίον) αὐτοῦ, υἱὸν ἀπὸ τοῦ πατρὸς αὐτοῦ,
220 θυγατέρα ἀπὸ τῆς μητρὸς αὐτῆς καὶ νύμφην ἀπὸ (τῆς)
πενθερᾶς αὐτῆς. » Καὶ μὲν δὴ καὶ ὁ θεῖος ἀπόστολός
φησιν · « Ζῶν γὰρ ὁ λόγος τοῦ θεοῦ καὶ ἐνερ(γὴς)
καὶ τομώτερος ὑπὲρ πᾶσαν μάχαιραν δίστομον καὶ
διικνούμενος ἄχρι μερισμοῦ ψυχ(ῆς καὶ) πνεύματος,
225 ἁρ(μῶ)ν τε καὶ μυελῶν καὶ κριτικὸς ἐνθυμήσεων καὶ
ἐννοιῶν καρδίας. » Ἔθη(κέ με) ὡς βέλος ἐκλεκτὸν καὶ ἐν
τῇ φαρέτρᾳ αὐτοῦ ἔκρυψέ με. Ὁμοίως καὶ ταῦτα τροπικῶς
κ(έκ)ληκε, βέλος μὲν αὐτὸν τὸν τιτρώσκοντα τὰς ἐρώσας
αὐτοῦ ψυχάς, ὧν ἑκάστη βοᾷ · « (Τετρ)ωμέν(η ἀγά)πης
230 ἐγώ » · φαρέτραν δὲ τὸ τῆς οἰκονομίας μυστήριον.

³ Καὶ εἶπέ μοι · Δοῦλός (μου) εἶ σὺ Ἰσραήλ ⟨, καὶ ἐν
σοὶ δοξασθήσομαι⟩. Κατὰ τὸ ἀνθρώπειον καὶ ταῦτα νοητέον ·
κατὰ γὰρ τὸ ἀνθρώπειον καὶ Ἰσραὴλ ὀνομάζεται καὶ

C : 227-230 ὁμοίως — μυστήριον ‖ 232-235 κατὰ — τοιαῦτα
232-233 κατὰ — Ἰσραὴλ C : > K

217 Matth. 10, 34-35   222 Hébr. 4, 12   229 Cant. 2, 5 ; 5, 8

1. Dans son commentaire du verset, Eusèbe cite également *Matth.*
10, 34 (*GCS* 309, 5-7).

2. Il s'agit du mystère de l'Incarnation ; cette manière figurée de
désigner la divinité (flèche) et l'humanité (carquois) du Christ ne
traduit pas une union relâchée des deux natures dans le Christ et
ne saurait faire suspecter la christologie de Théodoret. Elle fait
fait partie des images traditionnelles (temple, tabernacle, etc.)
utilisées par les Pères et par Théodoret (cf. *In Is.*, 4, 361-362 ; 6, 203-
204) pour désigner l'Incarnation. Du reste, il suffit de comparer

du nom de Jésus, parce que c'est lui qui sauvera son peuple de ses péchés. »

2. *Il a disposé ma bouche comme un glaive acéré et, sous l'ombre de sa main, il m'a caché.* Telle est la parole, source de division, qu'il a présentée à tous les hommes ; c'est ainsi qu'à son tour il a lui-même déclaré[1] : « Je ne suis pas venu apporter la paix sur la terre, mais le glaive, pour séparer l'homme de son voisin, le fils de son père, la fille de sa mère et la bru de sa belle-mère. » Et en outre, le divin Apôtre déclare de son côté : « Elle est vivante, en effet, la parole de Dieu, efficace et plus incisive que tout glaive à double tranchant, elle pénètre jusqu'au point de séparation de l'âme et de l'esprit, des articulations et des moelles, et peut juger les sentiments et les pensées du cœur. » *Il m'a établi comme une flèche choisie et, dans son carquois, il m'a caché.* De la même manière il a dit cela encore de façon figurée en s'appelant lui-même « flèche », parce qu'il blesse les âmes qui l'aiment — et chacune d'elles s'écrie : « Je suis blessée d'amour » —, et en appelant « carquois » le mystère de l'économie[2].

3. *Et il m'a dit : Tu es mon esclave[3], Israël, et en toi je me glorifierai.* Il faut entendre cela aussi selon la nature humaine : car, selon la nature humaine, il est

---

l'interprétation de Théodoret à celle d'Eusèbe (*GCS* 309, 17-18) — le « carquois » désigne la chair assumée par le Verbe de Dieu — pour constater qu'elle n'est pas personnelle à notre exégète. L'interprétation de Cyrille est un peu différente : selon lui, la « flèche » c'est le Christ caché dans la prescience du Père comme dans un « carquois » ; Cyrille, comme Théodoret, cite *Cant.* 4, 9, mais ajoute que cette flèche est aussi celle qui tue Satan et les puissances du mal (70, 1040 AB).

3. La traduction ordinaire de ce verset d'Isaïe emploie le mot « serviteur » (δοῦλος), dans la mesure où toute la tradition chrétienne parle du « Serviteur de Yahvé » ; mais le rapprochement que Théodoret fait avec le texte de *Phil.* 2, 7 oblige à traduire par « esclave ».

Ἰακὼβ καὶ Δαυὶδ καὶ υἱὸς Δαυὶδ καὶ σπέρμα Ἀβραάμ
235 καὶ ὅσ(α τοι)αῦτα. Δοῦλον δὲ αὐτὸν καλεῖ, ἐπειδὴ ἐκ
δουλικῆς φύσεως ἢ τοῦ δούλου μορφὴ ἦν ὁ θεὸς λόγος
ἀνέλα[βεν]. Δηλοῖ δὲ οὐ τὴν ἀξίαν ἀλλὰ τὴν φύσιν ὁ λόγος ·
οὐ γὰρ ἡ τοῦ δούλου μορφὴ δοῦλος. « Ἐχαρίσατο » [γὰρ]
« (αὐτῷ) ὄνομα τὸ ὑπὲρ πᾶν ὄνομα », τουτέστι τὸ εἶναι
240 υἱός. Ὥσπερ γὰρ ὡς θεὸς ὁ δεσπότης Χριστὸς ἀεὶ ἦν [υἱός,
οὕ]τω λαμβάνει ὡς ἄνθρωπος τὸ εἶναι υἱός. Οὐ γὰρ ἄλλος
υἱὸς ἐκεῖνος καὶ ἄλλος οὗτος ἀλλ' ὁ αὐτός [ἐστιν] υἱὸς
ὡς θεὸς καὶ λαμβάνει τὸ εἶναι υἱὸς ὡς ἄνθρωπος.

⁴Καὶ ἐγὼ εἶπον · Κενῶς ἐκοπίασα εἰ(ς μάταιον) καὶ εἰς
245 οὐθὲν ἔδωκα τὴν ἰσχύν μου. Ἐκ προσώπου καὶ ταῦτα εἴρηται
τοῦ δεσπότου Χριστοῦ τὴν Ἰουδαίων (δυσ)χεραίνοντος
ἀπιστίαν. Οὐδὲν γάρ φησι τῆς τοσαύτης ἀπώναντο ταπεινώ-
σεως, οὐδεμίαν (γὰρ ὄνησιν) ἐκ τῶν θαυμάτων ἐδέξαντο.
Διὰ τοῦτο ἡ κρίσις μου παρὰ κυρίῳ, καὶ ὁ πόνος (μου
250 ἐνώπιον τοῦ) |161 b| θεοῦ μου. Οἱ Τρεῖς Ἑρμηνευταὶ ἀντὶ
τοῦ πόνου « τὸ ἔργον » τεθείκασιν. Δῆλον τοίνυν ὡς καὶ
<οἱ> Ἑβδομήκοντα πόνον τὸ ἔργον, [οὐ] τὴν ὀδύνην ἐνόησαν.
Λέγει δὲ ὅτι εἰ καὶ οὗτοι οὐδεμίαν ὠφέλειαν ἐδέξαντο,
ἀλλ' οὖν ἐγὼ τὸ οἰκεῖον ἔργον πεπλήρωκα καὶ τοῦτο δῆλόν
255 ἐστι τῷ θεῷ. Χρὴ μέντοι εἰδέναι ὅτι ὡς ἄνθρωπος ταῦτα

C : 245-248 ἐκ — ἐδέξαντο ‖ 253-255 λέγει — θεῷ
234 καὶ υἱὸς Δαυὶδ K : > C ‖ 247 τοσαύτης K : τοιαύτης C
238 Phil. 2, 9

---

1. En réfutant ainsi l'hérésie des « deux Fils », Théodoret échappe
du même coup à toute accusation de nestorianisme. On sait, en
effet, que Nestorius distinguait dans le Christ « l'homme assumé » et
« le Verbe assumant », et que CYRILLE (ep. XL, *PG* 77, 193 D) voyait
sous ces expressions une manière d'affirmer non plus l'existence de
deux natures distinctes, mais bien celle de deux personnes (δύο
πρόσωπα) ; de la même manière, par son refus d'attribuer à la Vierge
le titre de θεοτόκος sans lui adjoindre celui d' ἀνθρωποτόκος,
Nestorius laissait entendre, selon CYRILLE (*id.*, 189 D), qu'il y avait

appelé Israël, Jacob, David, fils de David, descendant
d'Abraham et de tous les noms de cette espèce. Or, il
l'appelle « esclave », puisque c'est d'une nature servile que
vient la forme de l'esclave que le Dieu-Verbe a assumée.
Mais le texte fait bien voir (qu'il en a assumé) non pas la
condition, mais la nature : car la forme de l'esclave n'est
pas l'esclave. Car « il lui a donné le nom qui est au-dessus
de tout nom », c'est-à-dire le fait d'être Fils. De même,
en effet, qu'en tant que Dieu, notre Maître le Christ était
toujours Fils, de même il reçoit en tant qu'homme le
fait d'être Fils. Car le premier n'est pas un Fils et le
second un autre, mais c'est le même qui est Fils en tant
que Dieu et qui reçoit le fait d'être Fils en tant qu'homme[1].

4. *Et moi j'ai dit: En vain je me suis fatigué pour*
n'obtenir aucun résultat et c'est pour rien que j'ai dépensé
mes forces. Ces paroles également sont dites au nom de
notre Maître le Christ qui supportait avec peine l'incrédulité
des Juifs. Car ils n'ont, dit-il, nullement tiré profit d'un si
grand abaissement, ils n'ont retiré aucun avantage des
miracles. *C'est pourquoi mon jugement est auprès du Seigneur*
et ma peine devant la face de mon Dieu. Les trois interprètes
au lieu de « peine » ont écrit « le travail ». Les Septante,
de leur côté, ont donc évidemment entendu par « peine »
le travail et non la douleur. Même si, pour leur part,
ils n'en ont retiré aucun profit, dit-il, j'ai néanmoins,
pour la mienne, accompli le travail qui m'était propre,
et cela est évident pour Dieu. Toutefois, il faut savoir

---

deux « fils » dans le Christ : le fils de Dieu et le fils de l'homme.
Théodoret rejette donc ici très nettement cette erreur par l'affirmation de l'unicité de la personne du Christ (ὁ αὐτός) ; en outre, l'expression οὐκ ἄλλος ... καὶ ἄλλος semble répondre directement à celle
qu'emploie Cyrille dans sa lettre à Acace (ἕτερον μὲν ... ἕτερον δὲ)
pour exposer la conception de Nestorius (*id.*, 189 D). Sur cette question, on se reportera utilement au commentaire de M. Aubineau sur
Hésychius de Jérusalem, *Homélies pascales, Hom.* II, 3 (*SC* 187,
p. 124-125 et n. 25).

λέγει · καὶ γὰρ ἐν τοῖς ἱεροῖς εὐαγγελίοις ὡς ἄνθρωπος
πλεῖστα ἐφθέγξατο ταπεινά. Τοιοῦτόν ἐστι τό · « Πορεύομαι
πρὸς τὸν θεόν μου καὶ θεὸν ὑμῶν », καὶ · « Ἐντολὴν
ἔλαβον τί εἴπω καὶ τί λαλήσω », καί · « Οὐδὲν ἀπ' ἐμαυτοῦ
260 ποιῶ », καὶ ὅσα τοιαῦτα.

⁵ Καὶ νῦν οὕτως λέγει κύριος ὁ πλάσας με ἐκ κοιλίας
δοῦλον ἑαυτῷ τοῦ συναγαγεῖν τὸν Ἰακὼβ πρὸς αὐτόν, καὶ
Ἰσραὴλ συναχθήσεται πρὸς αὐτόν. Τό δέ · Ἰσραὴλ συναχθήσεται πρὸς αὐτόν, ὁ Θεοδοτίων οὕτως ἡρμήνευσεν · « Καὶ
265 Ἰσραὴλ οὐκ ἐπισυναχθήσεται », καὶ ὁ Σύμμαχος · « Καὶ
Ἰσραὴλ μὴ προστεθῇ. » Ἐπὶ τούτῳ γάρ φησιν ἐγὼ διεπλά-
σθην ὥστε τὸν πλανώμενον Ἰσραὴλ διασῶσαι · οὗτος δὲ
τῇ πονηρίᾳ προσμένει. Ταῦτα καὶ ὁ κύριος ἐν τοῖς ἱεροῖς
εὐαγγελίοις φησίν · « Οὐκ ἀπεστάλην εἰ μὴ εἰς τὰ πρόβατα
270 τὰ ἀπολωλότα οἴκου Ἰακώβ », καὶ πάλιν τοῖς ἀποστόλοις ·
« Πορεύεσθε δὲ μᾶλλον πρὸς τὰ πρόβατα τὰ ἀπολωλότα
οἴκου Ἰακώβ. » Ταῦτα μὲν οὖν ἔλεγε τὴν οἰκείαν φιλανθρωπίαν δεικνύς, τὴν δὲ [ἐκ]είνων ἀπείθειαν ἐλέγχων. Καὶ
ταῦτα ἐν ἑτέρῳ ἔφη χωρίῳ · « Ὑμεῖς οὔκ ἐστε ἐκ τῶν
275 προβάτων (τῶν) ἐμῶν · τὰ γὰρ πρόβατα τὰ ἐμὰ τῆς φωνῆς
μου ἀκούει. » Πάλιν δὲ δοῦλον ἑαυτὸν ὀνομάζει [τὴν] φύσιν
τὴν ληφθεῖσαν δεικνύς. Φύσεως οὖν ἐνταῦθα ἀλλ' οὐκ ἀξίας
ἡ τοῦ δούλου προσηγορία [ση]μαντική. Εἰ γὰρ ἡμεῖς διὰ
τὴν ἀπαρχὴν οὐ δοῦλοι, πολλῷ μᾶλλον ἐκείνη τῷ θεῷ

257 Jn 20, 17　　258 Jn 12, 49　　259 Jn 8, 28　　269 Matth.
15, 24　　271 Matth. 10, 6　　274 Jn 10, 26-27

1. Ce passage montre encore (cf. t. II, SC 295, p. 436, n. 1) le soin
que prend Théodoret de rapporter à l'humanité du Christ les ταπεινά,
i.e. tout ce qui est indigne de sa nature divine. Par cette remarque
qui reflète bien ses conceptions dyophysites, Théodoret prévient
peut-être du même coup l'utilisation que les hérétiques, ariens
notamment, pouvaient faire du verset en prétendant que le Christ
n'est qu'un dieu inférieur ou un homme particulièrement méritant
adopté par Dieu.

qu'il dit cela en tant qu'homme : de fait, dans les saints Évangiles, c'est en tant qu'homme qu'il a fait un très grand nombre de déclarations humbles. Par exemple, celle-ci : « Je vais vers mon Dieu et votre Dieu », ou celle-là : « J'ai reçu instruction de ce que je devais dire et faire entendre », ou cette autre : « Je ne fais rien de moi-même », et toutes les déclarations de cette espèce[1].

5. *Et maintenant ainsi parle le Seigneur qui m'a formé dès le sein maternel pour être son esclave, pour rassembler Jacob près de lui, et Israël sera rassemblé près de lui.* De la phrase : « Israël sera rassemblé près de lui », Théodotion a donné l'interprétation suivante : « Et Israël ne sera pas rassemblé », et Symmaque : « Et Israël ne sera pas réuni. » C'est pour cela, dit-il, que j'ai été formé, pour sauver Israël qui errait ; mais lui persévère dans sa perversité. C'est également ce que dit le Seigneur dans les saints Évangiles : « Je n'ai été envoyé que pour les brebis perdues de la maison de Jacob » et, de nouveau, aux apôtres : « Allez plutôt vers les brebis perdues de la maison de Jacob. » Il disait donc cela pour montrer la bonté dont il faisait preuve et pour dénoncer leur désobéissance. Il a encore dit cela en un autre passage : « Vous, vous n'êtes pas de mes brebis : car mes brebis écoutent ma voix. » D'autre part, il se nomme à nouveau « esclave » pour montrer la nature qu'il a revêtue. Ici donc le titre d'esclave est significatif de la nature, mais non de la condition. Car, si nous devons à sa nature humaine offerte en prémices[2] de n'être pas esclaves, à bien plus forte raison

---

2. Le terme ἀπαρχή est une manière abstraite de désigner la nature humaine assumée par le Logos : l'humanité du Christ, « fleur » de tout le genre humain, est considérée ici comme les « prémices » de notre race. On comprendra mieux ce sens d'ἀπαρχή si on le rapproche de l'emploi qui en est fait en d'autres commentaires à l'intérieur de développements christologiques : cf. *In Cant.*, 81, 157 C ; *In Psal.*, 80, 1009 BC ; 1036 A (ὁ ἐνανθρωπήσας Θεὸς Λόγος, τὴν ἡμετέραν ἀναλαβὼν ἀπαρχήν) et surtout *id.*, 917 D-920 A où sont mis sur le

280 συναφθεῖσα [λόγ]ῳ δεσπόζει πάντων ἀλλ' οὐ δουλεύει, δι' ἥν
καὶ ἡμεῖς τῆς ἐλευθερίας τετυχήκαμεν.

Καὶ δοξασθήσομαι ἐναντίον κυρίου, καὶ ὁ θεός μου ἔσται
μου ἰσχύς. ⁶Καὶ εἶπέ μοι· Μέγα σοί ἐστι τοῦ κληθῆναί σε
(παῖ)δά μου, τοῦ στῆσαι τὰς φυλὰς τοῦ Ἰακὼβ καὶ τὴν
285 διασπορὰν τοῦ Ἰσραὴλ ἐπιστρέψαι. Καὶ ταῦτα [πάλ]ιν
ἀνθρωπίνως νοητέον · οὐδὲ γὰρ ὁ θεὸς λόγος μεγίστην εἶχε
τιμὴν τὸ κληθῆναι δοῦλος τοῦ θεοῦ [καὶ] πατρός · τὸ γὰρ
παῖδά μου « δοῦλον » καὶ ἡ Ἑβραίων φωνὴ καὶ οἱ Τρεῖς
λαλοῦσιν Ἑρμηνευταί.

290 Εἶτα τὴν [Ἰουδ]αίων ἀπείθειαν καὶ τῶν ἐθνῶν τὴν
σωτηρίαν προλέγων · Ἰδού φησι δέδωκά σε εἰς διαθήκην
(γέν)ους, εἰς φῶς ἐθνῶν τοῦ εἶναί σε εἰς σωτηρίαν ἕως ἐσχάτου τῆς γῆς. Γένος κατὰ σάρκα τοῦ κυρίου (κοιν)ὸν μὲν
ἅπασα τῶν ἀνθρώπων ἡ φύσις, ἴδιον δὲ καὶ πελάζον ὁ
295 Ἰσραήλ. Ἐπειδὴ τοίνυν πρὸς μὲν τὸν (Ἰσραὴλ παρ)εγένετο
τὰ δὲ ἔθνη διὰ τῶν ἀποστόλων ἐφώτισε, δέδωκά σέ φησι
τούτοις διὰ τὴν πρὸς (τοὺς) πατέρας αὐτῶν γεγενημένην
ἐπαγγελίαν, φωτιῶ δὲ διὰ σοῦ τὰ ἔθνη καὶ πᾶσιν (ἀνθρώ-

C : 293-302 γένος — ἡρμήνευσαν

280 λόγῳ restitui : ...ω ΚΜδ. ‖ 293 κατὰ σάρκα / τοῦ κυρίου
Κ : ∼ C ‖ 296 δὲ C : > Κ ‖ 298 φωτιῶ C : φωτίσω Κ

---

même plan les termes « prémices », « temple » et « chair » pour désigner
la nature humaine du Christ (τὴν δὲ ἡμετέραν ἀπαρχὴν ὁ Θεῖος
Λόγος ἀνειληφώς, καὶ ναὸν ἀποφήνας οἰκεῖον, καὶ σάρκα οἰκείαν
προσαγορεύσας) ; en outre, dans ces deux derniers exemples est
affirmée, comme ici, la maîtrise absolue du Christ sur l'univers ; cf.
encore De sancta et vivifica Trinitate (PG 75, 1157 A : οὐ γὰρ ἦν
ἀεὶ ἡ ἐξ ἡμῶν ληφθεῖσα ὑπὸ τοῦ Θεοῦ Λόγου ἀπαρχή, ἀλλὰ πρὸς
τῷ τέλει αἰώνων ἐγένετό τε καὶ ἀνελήφθη ὑπὸ τοῦ Θεοῦ Λόγου).
Cette évolution sémantique du terme ἀπαρχή, depuis son sens originel
et ses emplois pauliniens (I Cor. 15, 20 ; Rom. 11, 16) jusqu'à cette
acception spécifiquement christologique (ἀπαρχή = nature humaine
du Christ) est achevée à l'époque de Théodoret. Ἀπαρχή fait
désormais partie du vocabulaire christologique reconnu et légitimé

cette (nature) qui s'est unie au Dieu-Verbe, loin d'être
esclave, est maîtresse de tout, elle grâce à qui nous avons,
nous aussi, obtenu la liberté.

*Je serai glorifié en face du Seigneur et mon Dieu sera ma
force. 6. Et il m'a dit : C'est beaucoup pour toi d'avoir été
appelé mon enfant pour établir les tribus de Jacob et ramener
Israël dispersé.* Cela aussi, de nouveau, il faut l'entendre de
façon humaine[1] : pour le Dieu-Verbe ce n'était pas, en
effet, une très grande marque d'honneur que d'être appelé
esclave de Dieu et du Père ; car ce n'est pas « mon enfant »,
mais « mon esclave » que disent le texte hébreu et les
trois interprètes[2].

**Désobéissance
des Juifs
et salut des nations**

Puis il prédit la désobéissance des
Juifs et le salut des nations, en ces
termes : *Voici que je t'ai donné pour
être l'alliance d'une race, pour être la
lumière des nations, pour que tu sois un instrument de salut
jusqu'aux extrémités de la terre.* C'est toute la nature
humaine qui constitue la race commune du Seigneur
selon la chair, mais c'est Israël (qui constitue sa race)
particulière et proche (par le sang). Donc, puisqu'il est
venu secourir Israël et qu'il a illuminé les nations par
l'intermédiaire des apôtres, il dit : Je t'ai donné à eux en
raison de la promesse faite à leurs pères, mais j'illuminerai
grâce à toi les nations, je procurerai le salut à tous les

---

par la tradition (Eusèbe, Athanase, Grégoire de Nysse, Grégoire de
Naz., etc.) ; cf. l'article de E. D. MOUTSOULAS, « Ἀπαρχή. Ein
kurzer Überblick über die wesentlichen Bedeutungen des Wortes in
heidnischer, jüdischer und christlicher Literatur », *Sacris Erudiri*
15 (1964), p. 5-14, auquel on peut utilement ajouter la référence à
Théodoret.

1. C'est-à-dire du Christ considéré « en tant qu'homme » (ὡς
ἄνθρωπος), car c'est seulement dans ce cas qu'on peut lui rapporter
ces ταπεινά (cf. *supra*, p. 79, n. 1).

2. La remarque est confirmée par EUSÈBE (*GCS* 310, 23), selon
qui « le reste des interprètes » a traduit par « esclave ».

ποις παρ)έξω τὴν σωτηρίαν — τοῦτο γὰρ σημαίνει τὸ ἕως
300 ἐσχάτου τῆς γῆς — καὶ πέρας ἐπιθήσω ταῖς (πρὸς τοὺς)
πατέρας αὐτῶν γεγενημέναις μοι συνθήκαις · τὴν γὰρ
διαθήκην « συνθήκην » οἱ Λοιποὶ ἡρμήνευσαν.
⁷(Οὕτ)ως λέγει κύριος ὁ ῥυσάμενός σε, ὁ θεὸς Ἰσραήλ.
Ταῦτα πρὸς τοὺς τῆς σωτηρίας ἀξιωθέντας ὁ τῶν ὅλων
305 λέγει θεός, οἳ ἐξ ἐθνῶν καὶ ἐξ Ἰουδαίων ἐκλεγέντες εἰς
μίαν ἐκκλησίαν ἐτέλουν. Ἁγιά(σατε) τὸν φαυλίζοντα ἑαυτόν,
ἁγιάσατε τὸν φαυλίζοντα τὴν ψυχὴν αὐτοῦ. Τὸν φαυλίζοντα
« ἐξου(θενη)μένον » οἱ Τρεῖς ἡρμήνευσαν · « Ἐν μορφῇ γὰρ
θεοῦ ὑπάρχων ἐκένωσεν ἑαυτὸν μορφὴν δούλου (λαβὼν) καὶ
310 ἐταπείνωσεν ἑαυτὸν ὑπήκοος γενόμενος μέχρι θανάτου,
θανάτου δὲ σταυροῦ.» Τοῦτον (ὑμνεῖν) καὶ ἁγιάζειν παρακελεύεται τοῖς τῆς σωτηρίας τετυχηκόσιν · τὸ γὰρ ἁγιάσατε
ἀντὶ τοῦ ὑμνήσατε τέθεικεν · οὕτω γὰρ καὶ προσευχόμενοι λέγομεν · « Ἁγιασθήτω τὸ ὄνομά σου » ἀντὶ τοῦ δο-
315 (ξασθ)ήτω.
Τὸν βδελυσσόμενον ὑπὸ τῶν ἐθνῶν τῶν δούλων τῶν
ἀρχόντων. « Ὁ γὰρ λόγος ὁ τοῦ σταυροῦ (τοῖς) μὲν ἀπολλυ-
μένοις μωρία ἐστίν », καὶ πάλιν ὁ αὐτὸς ἀπόστολος ·
« Ἡμεῖς δὲ κηρύσσομεν Χριστὸν ἐσταυρωμένον (Ἰουδαίοις
320 μὲν) σκάνδαλον, Ἕλλησι δὲ μωρίαν.» Τοῦτο κἀνταῦθα ἡ
προφητεία προλέγει, ὅτι |162 a| καταγέλαστον ἐδόκει τοῖς
ἀπιστοῦσι τὸ κήρυγμα καὶ οἱ ἀνθρώποις ἄρχουσι δου-
λεύον[τες τὸν] τῶν ἁπάντων κύριον δεσπότην ἔχειν οὐ

C : 307-315 τὸν — δοξασθήτω ‖ 317-321 ὁ¹ — προλέγει
318 αὐτὸς C : > K ‖ 320 Ἕλλησι K : ἔθνεσι C

308 Phil. 2, 6-8   317 I Cor. 1, 18   319 I Cor. 1, 23

1. Litt. : « Il se vida de lui-même ». Il est bien évident que le
Logos ne s'est pas dépouillé de sa nature divine, mais de la gloire qui
s'y attache et qui aurait dû naturellement transparaître dans son
humanité. Sur la « kénose » et ses formes modernes, cf. A. GAUDEL,
art. « Kénose », *DTC* 8, Paris 1925, c. 2339-249.

hommes — c'est ce que laissent entendre les mots « jusqu'aux extrémités de la terre » —, et je mettrai un terme
aux conventions que j'ai passées avec leurs pères ; le
reste des interprètes a, en effet, traduit le mot « alliance »
par « convention ».

7. *Ainsi parle le Seigneur qui t'a racheté, le Dieu d'Israël.*
Voilà ce que dit le Dieu de l'univers à l'adresse de ceux
qui ont été jugés dignes du salut, eux qui, choisis parmi
les nations et parmi les Juifs, faisaient partie d'une unique
Église. *Sanctifiez celui qui s'est méprisé lui-même, sanctifiez
celui qui a méprisé son âme.* Les trois interprètes ont
traduit « celui qui a méprisé » par « celui qui a été méprisé » :
« Car alors qu'il se trouvait dans la forme de Dieu, il se
dépouilla de lui-même[1] en prenant la forme de l'esclave
et il s'est abaissé lui-même en se faisant obéissant jusqu'à
la mort, et à la mort de la croix. » Il invite les hommes
qui ont obtenu le salut à le célébrer dans des hymnes et
à le sanctifier ; de fait, il a écrit « sanctifiez » au lieu de
« célébrez dans des hymnes » ; ainsi, de notre côté, lorsque
nous prions, nous disons : « Que ton nom soit sanctifié »
au lieu de « qu'il soit glorifié ».

*Celui qui est un objet de dégoût pour les nations esclaves
des puissants.* « Le langage de la croix est, en effet, folie
pour ceux qui se perdent » et, en un autre passage, le
même Apôtre (déclare) : « Mais nous proclamons, quant à
nous, un Christ crucifié, scandale pour les Juifs et folie
pour les Grecs. » C'est ce que prédit ici également la
prophétie : la proclamation (évangélique) paraissait
ridicule aux incrédules, et ceux qui étaient esclaves
d'hommes puissants[2] n'acceptaient pas d'avoir pour

---

2. De qui s'agit-il exactement? On est en droit de penser que par
« hommes puissants » Théodoret vise notamment les philosophes
grecs : cela s'accorderait assez bien avec la citation de S. Paul (*I Cor.*
1, 23) et avec divers passages de la *Thérapeutique* (I, 9-11 ; II, 5-6) où
Théodoret dénonce la suffisance des lettrés et leur mépris des Écri-

κατεδέχοντο. Ἀλλ᾽ ὅμως μετὰ τὴν ἀπιστίαν καὶ τὴν πίστιν
325 προθεσπίζει · Βασιλεῖς ὄψονται αὐτόν, καὶ ἀναστήσονται
ἄρχοντες καὶ προσκυνήσουσιν αὐτῷ ἕνεκεν κυρίου, ὅτι
πιστός ἐστιν ὁ ἅγιος τοῦ Ἰσραὴλ καὶ ἐξελέξατό σε. Ταῦτα
τῆς παρ᾽ ἡμῶν ἑρμηνείας οὐ δεῖται · ὁρῶμεν γὰρ καὶ
βασιλέας καὶ ἄρχοντας τὸν δεσπότην προσκυνοῦντας Χριστόν,
330 ὃς τοὺς πιστεύοντας εἰς αὐτὸν ἐξελέξατο.

⁸ Οὕτως λέγει κύριος · Καιρῷ δεκτῷ ἐπήκουσά σου καὶ ἐν
ἡμέρᾳ σωτηρίας ἐβοήθησά σοι καὶ ἔπλασά σε καὶ ἔδωκά σε
εἰς διαθήκην ἐθνῶν τοῦ καταστῆσαι τὴν γῆν καὶ κληρονομῆ-
(σαι) κληρονομίαν ἐρήμου ⁹ λέγοντα τοῖς ἐν δεσμοῖς ·
335 Ἐξέλθατε, καὶ τοῖς ἐν τῷ σκότει · Ἀνακαλύφθητε. Μεγίστης
ἀνοίας τὸ ταῦτα προσαρμόζειν τῷ Ζοροβάβελ · Ἰουδαίους
γὰρ ἐκεῖνος ἐκ Βαβυλῶνος ἐπανήγαγεν, οὐ τὰ ἔθνη τῆς
πλάνης ἀπήλλαξεν οὐδὲ τὴν καινὴν τοῖς ἔθνεσι προσενήνοχε
διαθήκην. Περὶ τοῦ δεσπότου τοίνυν καὶ ταῦτα προλέγει
340 Χριστοῦ · αὐτὸς γὰρ τὴν εὐσεβείας ἔρημον οἰκουμένην φυτῶν
πεπλήρωκε θείων, αὐτὸς γὰρ τὴν διεφθαρμένην κατέστησε
γῆν, αὐτὸς τοὺς ταῖς ἁμαρτίαις πεπεδημέν[ους] τῶν δεσμῶν
ἠλευθέρωσεν, αὐτὸς τοὺς ἐν σκότει καθημένους τῷ φωτὶ
τῆς θεογνωσίας ἐφώτισεν. Πρὸς αὐτὸν τοίνυν κατὰ τὸν τῆς
345 οἰκονομίας λόγον φησὶν ὁ πατήρ · καιρῷ δεκτῷ ἐπήκουσά
(σου) καὶ ἐν ἡμέρᾳ σωτηρίας ἐβοήθησά σοι.

Εὑρίσκομεν δὲ κἀν τοῖς θείοις εὐαγγελίοις τὸν δεσπότην
Χριστὸν ἀνθρωπίνως προσευχόμενον καὶ νῦν μὲν λέγοντα ·
« Θεέ μου, θεέ μου, ἱνατί με ἐγκατέλιπες ; », νῦν δέ ·

C : 327-330 ταῦτα — ἐξελέξατο
330 πιστεύοντας / εἰς αὐτὸν Κ : ∼ C
349 Matth. 27, 46

---

tures, ou encore la manière dont les philosophes recommandent de
croire aux poètes et exigent de leurs disciples une foi aveugle (id.,
I, 59-70). Eusèbe entend ces mots au sens figuré : ces « puissants »
sont pour lui les démons malfaisants (GCS 311, 8).

maître le Seigneur de toute chose. Néanmoins, après l'incrédulité, il prophétise également la foi : *Des rois le verront, des puissants se lèveront et l'adoreront à cause du Seigneur, parce qu'il est fidèle le Saint d'Israël et qu'il t'a choisi.* Ce passage n'a pas besoin de notre interprétation : nous voyons, en effet, des rois et des puissants adorer notre Maître le Christ qui a choisi ceux qui croient en lui.

8. *Ainsi parle le Seigneur : au moment favorable je t'ai exaucé et au jour du salut je t'ai secouru, je t'ai formé et je t'ai donné pour alliance des nations pour relever la terre et pour répartir l'héritage du désert,* 9. *afin que tu dises à ceux qui étaient dans les liens : « Sortez ! » et à ceux qui étaient dans les ténèbres : « Montrez-vous ! »* Appliquer ce passage à Zorobabel est le comble de la sottise[1] : s'il a ramené les Juifs de Babylone, il n'a pas délivré les nations de l'erreur et n'a pas présenté aux nations la nouvelle alliance. C'est donc au sujet de notre Maître le Christ qu'il prédit également cela : c'est lui qui a rempli de plants divins le monde désertique sous le rapport de la piété, c'est lui qui a relevé la terre qui avait été corrompue, c'est lui qui a délivré de leurs liens les hommes enchaînés par leurs péchés, c'est lui qui a illuminé de la lumière de la connaissance de Dieu les hommes qui vivaient dans les ténèbres. C'est donc à lui que le Père déclare, en fonction du plan de l'économie : « Au moment favorable je t'ai exaucé et au jour du salut je t'ai secouru. »

Or, nous trouvons aussi dans les divins Évangiles[2] que notre Maître le Christ prie de manière humaine, tantôt en ces termes : « Mon Dieu, mon Dieu, pourquoi m'as-tu

---

1. Encore un refus de l'interprétation vétéro-testamentaire, même à titre de figure, d'où l'intention polémique ne paraît pas absente ; il est probable que Théodoret s'écarte ici encore de l'interprétation de Théodore de Mopsueste.

2. EUSÈBE, dans le commentaire de ce verset, cite également tour à tour *Matth.* 27, 46 et 26, 39 (*GCS* 311, 25 s.).

350 « (Πάτερ), εἰς χεῖράς σου παραθήσομαι τὸ πνεῦμά μου »,
καί · « Πάτερ, εἰ δυνατόν, παρελθέτω τὸ ποτήριον τοῦτο
ἀπ᾽ ἐμοῦ », [καὶ] ἀλλαχοῦ · « Δόξασόν σου τὸν υἱόν, ἵνα
καὶ ὁ υἱός σου δοξάσῃ σε. » Ὅτι δὲ καὶ ἐπήκουσε, μαρτυρεῖ
τῶν [εὐα]γγελίων ἡ ἱστορία · « Ἦλθε γάρ » φησι « φωνὴ
355 ἐκ τοῦ οὐρανοῦ λέγουσα · Καὶ ἐδόξασα καὶ πάλιν δο(ξάσω). »
Εἶτα διδάσκων ὁ κύριος τοὺς Ἰουδαίους, ὡς οἰκονομικῶς
προσήνεγκε τὴν εὐχήν, ἔφη · « Οὐ δι᾽ ἐ(μὲ) ἡ φωνὴ αὕτη
ἐγένετο ἀλλὰ δι᾽ ὑμᾶς, ἵνα ὑμεῖς πιστεύσητε. » Εἰ δὲ
δι᾽ αὐτοὺς ἡ φωνὴ ἐγέν[ετο, δι᾽] αὐτοὺς καὶ ἡ εὐχὴ ἐγένετο.
360 Καὶ οὐ σμικρύνει ταῦτα τοῦ μονογενοῦς τὴν θεότητα · δῆλος
γὰρ τῆς ο[ἰκο]νομίας ὁ λόγος.

Ὁ μέντοι προφητικὸς λόγος προαγορεύσας τοῖς πεπεδη-
μένοις τὴν λύσιν καὶ [τοῖς] ἐν σκότει καθημένοις τοῦ φωτὸς
τὴν ἀπόλαυσιν, καὶ τὴν εὐαγγελικὴν προθεσπίζει χάριν ·
365 Ἐν πάσαις (ταῖς) ὁδοῖς βοσκηθήσονται καὶ ἐν πάσαις ταῖς
τρίβοις ἡ νομὴ αὐτῶν. Οὐδὲ γάρ, καθάπερ τὴν παλ(αιὰν)
λατρείαν τῷ ἐν Ἱεροσολύμοις ναῷ περιέγραψεν, οὕτω καὶ
τὴν καινὴν λειτουργίαν ἑνὶ περιορί(ζει) χω(ρίῳ), ἀλλὰ καὶ
ἐν πόλεσι καὶ ἐν ἀγροῖς καὶ ἐν ὄρεσι καὶ ἐν παντὶ τόπῳ
370 τοῖς θείοις προβάτοις τὴν τρο(φι)μωτάτην προσφέρει νομήν.

¹⁰ Οὐ πεινάσουσιν οὐδὲ διψήσουσιν, οὐδὲ πατάξει αὐτοὺς
ὁ καύσων ο(ὐδὲ) ὁ ἥλιος, ἀλλ᾽ ὁ ἐλεῶν αὐτοὺς παρακαλέσει
καὶ διὰ πηγῶν ὑδάτων ἄξει αὐτούς. Τῷ μὲν Ἰσραὴλ ἠπ[εί-
λησε] τὸν τοῦ λόγου λιμὸν καὶ τὴν τῶν νεφελῶν ἀνυδρίαν ·

C : 366-370 οὐδὲ — νομήν

367 ἐν C : > K ‖ 370 τοῖς θείοις προβάτοις / τὴν τροφιμωτάτην
K : ∼ C

350 Lc 23, 46   351 Matth. 26, 39   352 Jn 17, 1   354 Jn
12, 28   357 Jn 12, 30 ; 19, 35

1. Établir que ce comportement du Christ relève d'une raison
« économique » — il s'agit ici de la « pédagogie » divine —, c'est
ruiner du même coup la thèse des ariens qui utiliseraient ce passage
pour prétendre que le Christ n'est qu'un dieu inférieur.
2. En renvoyant à *Is.* 5, 6, Théodoret se dispense de répéter ici

abandonné ? », tantôt en ceux-là : « Père, entre tes mains
je vais remettre mon esprit » ou « Père, si c'est possible,
que ce calice s'éloigne de moi », et ailleurs : « Glorifie ton
Fils, pour que ton Fils aussi te glorifie. » Or, que le Père
également l'a exaucé, le récit des Évangiles en témoigne :
« Une voix, dit-il, vint, en effet, du ciel, qui disait : Je l'ai
glorifié et je le glorifierai de nouveau. » Puis le Seigneur,
pour enseigner aux Juifs qu'il a présenté sa prière dans
un but d'économie, a déclaré : « Ce n'est pas pour moi que
cette voix s'est fait entendre, mais pour vous, afin que
vous croyiez. » Or, si la voix s'est fait entendre pour eux,
c'est pour eux aussi que la prière a été faite. Et cela ne
diminue pas la divinité du Fils unique : car le plan de
l'économie est évident[1].

La grâce évangélique répandue à travers le monde   Du reste, le texte prophétique,
après avoir annoncé aux hommes qui
étaient enchaînés la délivrance et à
ceux qui vivaient dans les ténèbres
la jouissance de la lumière, prophétise aussi la grâce de
l'Évangile : *Sur toutes les routes ils paîtront et sur tous les
chemins sera leur pâture.* De fait, contrairement à l'ancien
culte qu'il a circonscrit au temple de Jérusalem, il ne
limite pas à son tour le nouveau service divin à un seul
endroit, mais c'est dans les villes, dans les champs, sur
les montagnes et en tout lieu qu'il présente aux divines
brebis la pâture la plus nourrissante.

10. *Ils ne seront pas affamés ni assoiffés, la canicule ne
les frappera pas, non plus que le soleil, mais celui qui a
pitié d'eux les consolera et les conduira au milieu de sources
d'eau.* Il a menacé Israël (de ressentir) la faim de la Parole
et la sécheresse des nuages[2] : J'enverrai, dit-il, « la faim

---

son interprétation métaphorique de « nuages » (= prophètes), mais
ce rappel suffit à donner tout son sens à son commentaire de « sources
d'eau » (= boisson divine, source de salut). CYRILLE, en revanche, note
à nouveau qu'il faut entendre par « sources » les saints prophètes,
les apôtres et les évangélistes (70, 1060 D).

375 Ἐπάξω γάρ φησι « λιμὸν τοῦ ἀκοῦσαι λόγον κ(υρίου) »,
[καὶ] πάλιν · « Ταῖς νεφέλαις ἐντελοῦμαι τοῦ <μὴ> βρέξαι
ἐπ' αὐτὸν ὑετόν.» Ἐνταῦθα δὲ τὴν ἀφθονίαν (τοῖς) εἰς
αὐτὸν πεπιστευκόσι τῆς θείας τροφῆς καὶ τῆς θείας πόσεως
ἐπαγγέλλεται καὶ τῶν σωτηρί(ων πηγῶν) τὴν ἀέναον
380 χορηγίαν. ¹¹ Καὶ θήσω πᾶν ὄρος εἰς ὁδὸν καὶ πᾶσαν τρίβον
εἰς βόσκημα αὐτ(οῖς). [Κατὰ] ταὐτὸν καὶ τὴν εὐκολίαν
ἐσήμανε καὶ τὴν ἄδειαν τῆς νομῆς.
¹² Ἰδοὺ οὗτοι πόρρωθεν ἥξουσι καὶ (οὗτοι ἀπὸ) βορρᾶ καὶ
θαλάσσης, ἄλλοι δὲ ἐκ γῆς Περσῶν. Τὰ τέσσαρα τῆς
385 οἰκουμένης δεδήλωκε τμήματα · [διὰ μὲν γὰρ] τῶν Περσῶν
τὸ ἑῷον, διὰ δὲ τῆς θαλάττης τὸ ἑσπέριον, εἶτα τὸ βόρειον
ἐναργῶς καὶ αἰνιγμα[τωδῶς] τὸ νότιον · τοῦτο γὰρ διὰ τοῦ
πόρρωθεν κέκληκεν. Ἄδηλα γὰρ ἡμῖν τὰ νοτιώτερα, ἐπειδὴ
μᾶλλον [τοῖς βο|162 b|ρειοτέ]ροις πελάζομεν. ¹³ Εὐφραίνεσθε
390 οὐρανοί, καὶ ἀγαλλιάσθω ἡ γῆ, ῥηξάτω τὰ ὄρη εὐφροσύνην
(καὶ) οἱ βουνοὶ δικαιοσύνην, ὅτι ἠλέησε κύριος τὸν λαὸν
αὐτοῦ καὶ τοὺς ταπεινοὺς τοῦ λαοῦ αὐτοῦ παρεκάλεσεν.
Ἐπιστῆσαι δεῖ ὡς ἐνταῦθα οὔτε τοῦ Ἰσραὴλ οὔτε τοῦ
Ἰακὼβ ἐμνημόνευσεν ἀλλὰ λαὸν ὠνόμασεν οὓς πανταχόθεν
395 συνήγαγε καὶ τῆς σωτηρίας ἠξίωσεν. Ἐκάλεσε δὲ πάλιν
τὴν κτίσιν εἰς κοινωνίαν τῆς εὐφροσύνης, ἐπειδὴ καὶ ἐπὶ
ἑνὶ ἁμαρτωλῷ μετανοοῦντι χαίρειν ὁ κύριος ἔφη τῶν ἀγγέλων
τοὺς δήμους.
¹⁴ Εἶπε δὲ Σιών · Ἐγκατέλιπέ με κύριος, καὶ ὁ θεὸς
400 ἐπελάθετό μου. Ταῦτα μὲν [οὖν] φησι μακροῖς ἔσται χρόνοις,

---

C : 377-380 ἐνταῦθα — χορηγίαν ‖ 381-382 τὴν — νομῆς
377 δὲ K : > C ‖ εἰς C : δὴ K
375 Amos 8, 11   376 Is. 5, 6   396-398 cf. Lc 15, 7

1. Il s'agit de la vigne du Seigneur, cf. *Is.* 5, 6.
2. Même interprétation chez EUSÈBE (*GCS* 313, 8-17) et chez
CYRILLE (70, 1061 A).

d'entendre la parole du Seigneur », et ailleurs : « Je commanderai aux nuages de ne pas faire pleuvoir la pluie sur elle[1]. » Ici, au contraire, il promet aux hommes qui ont cru en lui qu'ils auront en abondance la nourriture divine et qu'ils disposeront éternellement des sources du salut. 11. *Je transformerai toute montagne en route et tout chemin en pâturage pour eux.* Simultanément il a fait savoir la commodité et la sécurité de la pâture.

12. *Voici que ceux-ci viendront de loin et que ceux-là viendront du Nord et de la mer, et que d'autres viendront de la terre des Perses.* Il a clairement fait voir les quatre parties de la terre[2] : par « les Perses » l'Orient et par « la mer » le couchant ; puis le nord, de façon évidente et, de façon énigmatique, le sud ; c'est lui qu'il a désigné par le mot « de loin ». Les contrées du sud sont, en effet, pour nous inconnues, puisque nous sommes plutôt voisins des contrées du nord. 13. *Cieux, criez de joie et toi, terre, bondis d'allégresse ! Montagnes, éclatez de joie et vous, collines, de justice, parce que le Seigneur a eu pitié de son peuple et qu'il a consolé ceux de son peuple qui étaient humiliés.* Il faut noter avec attention qu'il n'a fait mention ici ni d'Israël ni de Jacob, mais qu'il a donné le nom de « peuple » à ceux qu'il a rassemblés de toute part et qu'il a jugés dignes du salut. De nouveau, il a appelé la création à s'unir à la joie, puisque même pour un seul pécheur qui se repent, selon la parole du Seigneur, les assemblées des anges se réjouissent[3].

La tendresse de Dieu   14. *Mais Sion a dit : Le Seigneur m'a abandonnée et Dieu m'a oubliée.* Voici donc ce qui se produira, dit-il, en des temps éloignés

---

3. L'allusion à *Lc* 15, 17 — également cité par Eusèbe (*GCS* 313, 21-22) — montre que Théodoret entend bien « cieux » en un sens spirituel, comme le fait encore plus clairement Cyrille en rappelant que le terme désigne « les Puissances, les Trônes et les Dominations » (70, 1061 C).

καὶ ποιήσει ταῦτα ὁ ἐξ Ἰουδαίων κατὰ σάρκα βλαστήσας.
Οἱ δὲ τοῦτον τὸν θησαυρὸν ἐν ἑαυτοῖς ἔτι κεκρυμμένον
ἔχοντες ἐγκαταλελεῖφθαι νομίζουσι καὶ τῆς ἐμῆς ἐστερῆσθαι
προνοίας. Σιὼν γὰρ τοὺς ἐν Σιὼν οἰκοῦντας καλεῖ. Εἶτα
405 παραβολικῶς · ¹⁵ Μὴ ἐπιλήσεται γυνὴ τοῦ παιδίου αὐτῆς ἢ
τοῦ μὴ ἐλεῆσαι τὰ ἔκγονα τῆς κοιλίας αὐτῆς ; Ἔδειξε διὰ
τῆς συγκρίσεως, [ἣν] ἔχει φιλοστοργίαν. Διὰ μέντοι τῶν
ἐπαγομένων τὴν ὑπερβολὴν διδάσκει · Εἰ δὲ καὶ ἐπιλά(θοι)το
ταῦτα γυνή, ἀλλ' ἐγὼ οὐκ ἐπιλήσομαι, λέγει κύριος. Οὐ γὰρ
410 μόνον μιμοῦμαι μητέρας ἀλλὰ καὶ νικῶ (μητέρ)ας τῇ
εὐσπλαγχνίᾳ.
¹⁶ Ἰδοὺ ἐπὶ τῶν χειρῶν μου ἐζωγράφησά σου τὰ τείχη,
καὶ ἐνώπιόν μου εἶ διὰ παντός. (Βα)βυλώνιοι τὴν πόλιν
ἑλόντες τὰ τείχη κατέλυσαν. Τούτων τὴν οἰκοδομίαν προλέγει
415 καὶ δι(δά)σκει ὡς αὐτὸς οἷόν τις ἀρχιτέκτων διαγράφει
τὴν τῶν περιβόλων οἰκοδομίαν. Ἀντὶ γὰρ [τοῦ] ἐζωγράφησα
ὁ μὲν Σύμμαχος « ἐχάραξα » τέθεικεν, ὁ δὲ Θεοδοτίων
« διέγραψα », ὁ δὲ Ἀκύλας « ἠκρί(βω)σα ». ¹⁷ Καὶ ταχὺ
οἰκοδομηθήσῃ ὑφ' ὧν καθῃρέθης. Ὁ Βαβυλωνίων κατέλυσε
420 βασιλεύς, (ὁ δὲ) Περσῶν οἰκοδομηθῆναι προσέταξεν. Ἀλλὰ
καὶ οὗτοι πάλαι τοῖς Ἀσσυρίοις ὑπακούοντες (σὺν) αὐτοῖς
εἶλον τὴν πόλιν. Ὅθεν τοὺς αὐτοὺς καὶ καταλῦσαι καὶ
οἰκοδομῆσαι ἔφη. Καὶ οἱ (ἐρημ)ώσαντές σε ταχὺ ἐκ σοῦ
ἐξελεύσονται. Ἁμαρτημάτων τίνοντες δίκας ταῖς τῶν πολε-

C : 409-411 οὐ — εὐσπλαγχνίᾳ ‖ 413-416 βαβυλώνιοι — οἰκοδομίαν
‖ 419-423 ὁ — ἔφη ‖ 424-428 ἁμαρτημάτων — ἀπαλλαγήν
420 Περσῶν Κ : +Κῦρος C

1. Théodoret semble s'en tenir à une interprétation historique.
En revanche, Eusèbe pense qu'il s'agit là de la construction de la
« Sion véritable » dans les âmes des hommes et de l'édification de
l'Église (GCS 314, 9-21) ; de manière assez proche, Cyrille considère
que les « murs » de Sion sont les saint apôtres et les évangélistes
(70, 1068 C).

et ce qu'accomplira celui qui est issu des Juifs selon la chair. Or, ceux qui possèdent ce trésor encore caché en eux-mêmes pensent qu'ils ont été abandonnés et privés de ma Providence. Car il appelle « Sion » ceux qui habitent en Sion. Puis (il prend) une parabole : 15. *Une femme oubliera-t-elle son petit enfant, ou bien oubliera-t-elle d'avoir pitié des fruits de son sein?* Il s'est servi de la comparaison pour montrer la tendresse qu'il possède. Du reste, par les mots qu'il ajoute, il en enseigne l'ampleur excessive : *Même si une femme les oubliait, pour moi du moins, je ne t'oublierai pas, dit le Seigneur.* Car je ne fais pas que ressembler aux mères, je l'emporte aussi sur elles en miséricorde.

16. *Voici que sur mes mains j'ai peint tes murs et tu es sans cesse devant ma face.* Les Babyloniens prirent la ville et détruisirent ses murs. Il prédit leur reconstruction et il enseigne comment il trace lui-même, à la manière d'un architecte, le plan de la reconstruction des remparts[1]. Car, au lieu de « j'ai peint », Symmaque a mis « j'ai gravé », Théodotion « j'ai dessiné » et Aquila « j'ai tracé d'un trait précis ». 17. *Et rapidement te reconstruiront ceux qui t'ont détruite.* C'est le roi de Babylone qui l'a détruite et c'est celui des Perses qui a ordonné sa reconstruction. Mais, comme ces derniers étaient eux aussi jadis sujets des Assyriens, ils ont pris la ville en leur compagnie. Ce qui lui a fait dire que ce sont les mêmes qui ont détruit la ville et qui l'ont reconstruite[2]. *Et ceux qui t'ont désolée s'en iront rapidement de chez toi.* C'est pour payer le châtiment de

2. Théodoret, pour rester fidèle à l'interprétation historique donnée au verset 16, s'efforce de justifier la lettre de la prophétie. De leur côté, Eusèbe (*GCS* 314, 25-34) et Cyrille (70, 1068 D-1069 A) s'en tiennent à l'interprétation spirituelle : ce sont les Juifs qui ont été la cause de la ruine de la Sion terrestre et ce sont encore des Juifs — les apôtres, les disciples et les évangélistes — qui ont été les artisans d'une nouvelle reconstruction, celle d'une Sion spirituelle — l'Église — dans la foi au Christ.

425 μίων (χερσὶ) παρεδόθησαν. Αἴτιοι δὲ τῶν ἁμαρτημάτων οἱ
δαίμονες οἷς ἐλάτρευον ἀποκαλοῦντες αὐτοὺς (θε)ούς.
Προλέγει τοίνυν καὶ τῆς τῶν εἰδώλων θεραπείας τὴν παῦλαν
καὶ τὴν τῆς πλάνης ἀπα(λλα)γήν.
¹⁸ Ἆρον κύκλῳ τοὺς ὀφθαλμούς σου καὶ ἴδε πάντας τοὺς
430 υἱούς σου, ἰδοὺ συνήχθησαν (καὶ) ἦλθον πρὸς σέ. Ζῶ ἐγώ,
λέγει κύριος, ὅτι πάντας αὐτοὺς ἐνδύσῃ ὡς στολὴν καὶ
περιθήσῃ αὐτοὺς (ὡς) κόσμον νύμφης. Ὅρκῳ βεβαιοῖ τὴν
πρόρρησιν ὁ δεσπότης πείθων τοὺς ἀπειθεῖς ὡς ἀκο[λ]ουθήσει
τῷ λόγῳ τὸ ἔργον. Προεῖπε δὲ τὴν τῶν αἰχμαλώτων
435 ἐπάνοδον πρὸς τὴν τῆς [πόλεως δι]αλεγόμενος ἐρημίαν καὶ
διδάσκων ὅτι πάλιν τὸν οἰκεῖον ἀπολήψεται κό(σμ)ον ·
(κοσ)μοῦσι δὲ (πόλ)ιν οἱ ἐνοικοῦντες. ¹⁹ Ὅτι τὰ ἔρημά σου
καὶ τὰ διεφθαρμένα καὶ τὰ πεπτωκότα νῦν στενοχωρήσει
(ἀπὸ) τῶν οἰκούντων, καὶ μακρυνθήσονται ἀπὸ σοῦ οἱ κατα-
440 πίνοντές σε. Τῶν μὲν γὰρ πολεμίων πόρ[ρω γ]ενήσῃ, τῶν
δὲ οἰκητόρων ὑποδέξῃ τὸ πλῆθος ὡς τὴν νῦν ἔρημον
φαινομένην πρὸς [τοὺς ἐ]νοικοῦντας ὀφθῆναι σμικράν.
²⁰ Ἐροῦσι γὰρ εἰς τὰ ὦτά σου οἱ υἱοί σου ο(ὓς) ἀπώ(λε-
σας) · Στενός (μοι ὁ) τόπος, ποίησόν μοι τόπον ἵνα κατοικήσω.
445 Προσωποποιίᾳ πάλιν ὁ προφητικὸς κέχρηται (λόγος) εἰς
πλείονα σαφήνειαν τῶν λεγομένων. ²¹ Καὶ ἐρεῖς τῇ καρδίᾳ
σου · Τίς ἐγέννησέ μοι σὺν τούτοις ; (Ἐγὼ δὲ) ἄτεκνος καὶ

C : 436-437 διδάσκων — ἐνοικοῦντες ‖ 445-446 προσωποποιίᾳ —
λεγομένων
436 διδάσκων Κ : διδάσκει C

1. CHRYSOSTOME (M., p. 351, l. 10) attire également l'attention
du lecteur sur cette formule de serment : « Moi, je vis. »
2. EUSÈBE ne prend pas le texte au sens historico-littéral comme
Théodoret, mais l'entend du grand nombre d'hommes qui forment
l'Église rassemblée de toutes les nations (GCS 315, 14-16).
3. Les éditions des LXX écrivent : τίς ἐγέννησέ μοι τούτους ;
« Qui a engendré pour moi ceux-ci? » La variante σὺν τούτοις attestée
par Théodoret est signalée par J. ZIEGLER dans son édition d'Isaïe

leurs fautes qu'ils ont été livrés aux mains des ennemis.
Mais ce sont les démons qui sont cause de leurs fautes,
eux qu'ils servaient en leur donnant le nom de dieux.
Il prédit donc à la fois la fin du culte des idoles et la
délivrance de l'erreur.

**Renaissance
de Jérusalem
après l'exil**

18. *Lève tes yeux alentour et vois tous
tes fils, voici qu'ils se sont rassemblés et
qu'ils sont venus vers toi. Moi je vis, dit
le Seigneur : d'eux tous tu te revêtiras
comme d'un vêtement et tu t'en ceindras comme de la parure
d'une fiancée.* Le Maître renforce sa prédiction par un
serment pour persuader les indociles que l'acte suivra la
parole[1]. Il prédit donc le retour des prisonniers tout en
notant la désolation de la ville et en enseignant qu'à
nouveau elle recouvrera sa parure : or, la parure d'une
ville, ce sont ses habitants. 19. *Car tes déserts, tes ruines,
tes éboulis seront maintenant trop étroits compte tenu de tes
habitants et ils s'éloigneront de toi ceux qui te dévoraient.*
Tu seras loin, en effet, de tes ennemis et tu accueilleras
des habitants en foule[2], et, de la sorte, toi qui sembles
maintenant un désert, tu apparaîtras petite eu égard au
nombre de tes habitants.

20. *Car ils diront à tes oreilles, les fils que tu as perdus :
La place est étroite pour moi, fais-moi place pour que je
m'installe un toit.* Le texte prophétique s'est à nouveau
servi d'une personnification, pour donner une plus grande
clarté à ce qui est dit. 21. *Et tu diras dans ton cœur :
Qui a engendré pour moi ceux-ci[3]? Moi, j'étais sans enfants*

comme appartenant à un groupe de mss « lucianiques ». Or, σὺν
τούτοις est une bévue des traducteurs grecs du texte hébreu : ils
ont confondu la particule « éth » qui sert à introduire le complément
direct d'un verbe avec une préposition qu'ils ont rendue par σύν.
Théodoret, qui connaissait l'hébreu, a sans doute compris que σὺν
τούτοις ne signifiait pas autre chose que τούτους (voir toutefois
infra, 20, 780, p. 351, n. 1), mais il est curieux qu'il ne le fasse pas

χήρα, πάροικος καὶ ἐκκεκλεισμένη · τούτους δὲ τίς ἐξέθρεψέ
(μοι) ; Ἐγὼ δὲ (κατελεί)φθην μόνη, οὗτοι δέ μοι ποῦ ἦσαν ;
450 Τὸ ἐκκεκλεισμένη « αἰχμάλωτος » ὁ Σύμμαχος [ἡρμήν]ευ-
σεν · εἰώθασι δὲ τοὺς αἰχμαλώτους καθείργειν καὶ φρουρεῖν.
Χηρείαν δὲ καλεῖ τῆς (βασιλ)είας τὴν στέρησιν, ἀτεκνίαν
δὲ τοῦ ἄλλου πλήθους τὴν ἐρημίαν.

²² Οὕτως |163 a| λέγει κύριος · Ἰδοὺ ἀρῶ εἰς τὰ ἔθνη τὴν
455 χεῖρά μου καὶ εἰς τὰς νήσους ἀρῶ σύσσημόν μου, καὶ ἄξουσι
τοὺς υἱούς σου ἐν κόλπῳ, τὰς δὲ θυγατέρας σου ἐπ' ὤμων
ἀροῦσιν · ²³ καὶ ἔσονται βασιλεῖς τιθηνοί σου, αἱ δὲ ἄρχουσαι
αὐτῶν τροφοί σου. Ταῦτα οὐδαμῶς ἁρμόττει τοῖς ἀπὸ
Βαβυλῶνος ἐπανελθοῦσιν · οὐδὲ [γὰρ] βασιλεῖς ἐκείνων καὶ
460 ἄρχοντες ἐγένοντο τιθηνοὶ καὶ τροφοί. Προσθέθεικε τοίνυν
ὁ προφητικὸς λόγος τοῖς ἤδη τεθεσπισμένοις τὰ μετὰ τὴν
τοῦ σωτῆρος ἡμῶν ἐνανθρώπησιν γεγενημένα. Διὰ γὰρ τῶν
ἱερῶν ἀποστόλων καὶ οἱ τὰς νήσους καὶ οἱ τὰς ἠπείρους
οἰκοῦντες τὸ σωτήριον ἐδέξαντο κήρυγμα. Σύσσημον δὲ
465 αὐτοῦ καλεῖ τοῦ σωτηρίου σταυροῦ τὸ σημεῖον · τοῦτο γὰρ
πανταχοῦ κηρύξαντες οἱ θεῖοι ἀπόστολοι οὐ μόνο[ν] τοὺς
ἐξ ἐθνῶν ἀλλὰ καὶ τοὺς ἐξ Ἰουδαίων πιστεύοντας τῷ δεσπότῃ
προσέφερον. Καὶ πάντες μέχρι καὶ τήμερον εἰς τὴν
Ἱερουσαλὴμ συντρέχουσι, τοῦ σταυροῦ καὶ τῆς ἀναστάσεως
470 καὶ τῆς ἀναλήψεως τοὺς τριποθήτους τόπους ἰδεῖν ἱμειρό-
μενοι. Ταύτης τοίνυν τῆς ἐκ πάσης γῆς καὶ θαλάττης
συνειλεγμένης ἐκκλησίας ἐγένοντο βασιλεῖς τιθηνοὶ καὶ οἱ
ἄρχοντες τροφοί, οἱ μὲν ἀπαρχὰς οἱ δὲ δεκάτας προσφέροντες.

C : 452-453 χηρείαν — ἐρημίαν

---

remarquer. Sur cette valeur explétive de σύν, cf. les remarques de
Théodore de Mopsueste (R. DEVREESSE, Le Commentaire de Théodore
de Mopsueste sur les Psaumes, Città del Vaticano, 1939, p. 239, 15 :
ὡς καὶ τὸ σὺν ἐν τῷ ἑβραϊκῷ ἀπό τινος ἰδιώματος πρόσκειται, οὐκ
εἰς διάνοιαν συντελοῦν, et p. 322, 8).
1. Sur cette interprétation, cf. supra, p. 53, n. 1.

*et veuve, étrangère et exclue; mais ceux-ci, qui les a élevés
pour moi? Moi, j'ai été abandonnée à ma solitude, mais
ceux-ci où étaient-ils pour moi?* Symmaque a traduit le
terme « exclue » par « captive » ; or, on a coutume d'enfer-
mer les captifs et de les tenir sous bonne garde. D'autre
part, il appelle « veuvage » la privation de la royauté et
« manque d'enfants » l'absence de peuple[1].

**La conversion
des nations**

22. *Ainsi parle le Seigneur: Voici
que je vais lever ma main sur les nations
et que, sur les îles, je vais lever mon
étendard, ils conduiront tes fils sur leur sein et tes filles, ils les
lèveront sur leurs épaules; 23. des rois seront tes nourriciers
et leurs princesses, tes nourrices.* Cela ne s'applique en
aucune manière à ceux qui sont revenus (d'exil) de Babylone[2] : ils n'ont pas eu dans leurs rois et dans leurs princes
des nourriciers et des nourrices. Le texte prophétique a
donc ajouté à ce qui vient d'être prophétisé (l'annonce)
des événements qui se sont produits après l'incarnation
de notre Sauveur. C'est grâce aux saints apôtres, en
effet, que les insulaires tout comme les continentaux ont
reçu le message du salut. Il appelle, d'autre part, « son
étendard » le signe de la croix du salut : pour l'avoir
proclamé en tout lieu, les divins apôtres présentaient au
Maître non seulement les croyants venus des nations,
mais aussi ceux venus des Juifs. Et tous, jusqu'à nos
jours, accourent à Jérusalem, poussés par le désir de voir
les lieux trois fois désirés de la croix, de la résurrection
et de l'ascension. C'est donc de cette Église, rassemblée de
toute la terre et de toute la mer, que des rois sont devenus
les nourriciers et les princes les nourrices, puisque les uns
offrent des prémices, les autres des dîmes. Ces rois, pour

2. Chrysostome à l'inverse rapporte le verset à l'époque de
Cyrus et au retour des Juifs au milieu des honneurs (*M.*, p. 352,
l. 17-20).

Αὐτοὶ δὲ οὗτοι οἱ βασιλεῖς καὶ σιτηρέσιον ἀπένειμαν τοῖς
475 ἀφιερωμένοις τῷ τῶν ὅλων θεῷ.

Καὶ τὰ ἑξῆς δὲ σαφέστερον ταῦτα διδάσκει · Ἐπὶ πρόσωπον
τῆς γῆς προσκυνήσουσί σ(οι) καὶ τὸν χοῦν τῶν ποδῶν σου
λείξουσι, καὶ γνώσῃ ὅτι ἐγὼ κύριος, καὶ οὐκ αἰσχυνθήσονται
οἱ ὑπομένοντές με. Ταῦτα καθ' ἑκάστην ἡμέραν ὁρῶμεν
480 γιγνόμενα · ἐν γὰρ ἁπάσαις ταῖς ἐκκλησίαις τὰ μέτωπα
[τῷ] ἐδάφει πελάζοντες καὶ τὰ χείλη τοῖς προθύροις προσφέροντες δηλοῦσιν, ἣν περὶ τὸν θεὸν ἔχουσι [τιμήν]. Διαφερόντως δὲ ἔστιν ἰδεῖν πληρουμένην τὴν προφητείαν ἐν τοῖς
Ἱεροσολύμοις, ἔνθα καὶ τὸν χοῦν ὡ[ς οὐ]ράνιον ἁρπάζουσι
485 δῶρον καὶ τοῦτον περιλιχμῶνται καὶ φάρμακον ψυχῆς
ἡγοῦνται καὶ σώ[ματος].

Εἶτα διδάσκει πῶς τοῖς πεπιστευκόσι τῆς σωτηρίας
μετέδωκε καὶ ὅπως αὐτοὺς τῆς τοῦ διαβόλου δ[ου]λείας
ἀπαλλάξας τῆς ἐλευθερίας ἠξίωσεν · ²⁴ Μὴ λήψεταί τις παρὰ
490 γίγαντος σκῦλα ; Καὶ ἐὰν αἰχ(μαλωτεύσῃ) τις ἀδίκως, εἰ
σωθήσεται ; Γίγαντα καλεῖ τὸν διάβολον ὡς τύραννον. Οὗτος
ἡμᾶς δουλωσάμενος παν[οπλίαν] οἰκείαν εἰργάσατο · διὰ
γὰρ τῶν ἡμετέρων ἡμῖν πολεμεῖ μελῶν. Ἀδίκως δὲ ἡμᾶς
ἠχμαλώτευσεν [οὐ]δεμίαν ἐγκαλῶν ἀδικίαν. ²⁵ Οὕτως λέγει
495 κύριος · Ἐάν τις αἰχμαλωτεύσῃ γίγαντα, λήψεται σκῦλα ·
(λα)μβάνων δὲ παρ' ἰσχύοντος, εἰ σωθήσεται ; Ἐγὼ δὲ τὴν
κρίσιν σου κρινῶ καὶ ἐγὼ τοὺς υἱούς σου ῥύσομαι. Ὁ περι-

488 τῆς Μö. : τοὺς Κ
478-479 cf. Ps. 24, 3

1. Le passage apporte un témoignage sur la situation matérielle
de l'Église et sur ses rapports avec le pouvoir à l'époque de Théodoret.
Cf. l'interprétation voisine d'Eusèbe (GCS 316, 10-16) qui voit également cette prophétie réalisée à la lettre (κατὰ λέξιν) pour l'Église.
2. Ces gestes de piété respectueuse témoignent des manifestations
de la foi à l'époque de Théodoret et subsistent encore de nos jours
dans certaines Églises orientales. On comprend qu'à Jérusalem où
le Christ a vécu, la terre qu'il a foulée de ses pas soit l'objet d'une

leur part, ont même accordé une allocation alimentaire à ceux qui sont consacrés au Dieu de l'univers[1].

La suite du passage également enseigne cela avec une clarté plus grande : *La face contre terre ils se prosterneront devant toi et lécheront la poussière de tes pieds ; tu connaîtras que je suis le Seigneur et ils ne rougiront pas, ceux qui mettent leur attente en moi.* Chaque jour nous voyons cela se produire : dans toutes les églises (les fidèles) approchent leur front du sol et appliquent leurs lèvres sur les portes pour manifester le respect qu'ils ont pour Dieu. Mais il est possible de voir tout particulièrement s'accomplir la prophétie à Jérusalem où ils s'emparent de la poussière comme d'un présent du ciel, la baisent avec tendresse et la considèrent comme un remède pour l'âme et pour le corps[2].

Victoire du Christ sur le diable Puis il enseigne comment il a donné, à ceux qui ont cru, d'avoir part au salut, comment il les a délivrés de l'esclavage où les tenait le diable et les a jugés dignes de la liberté : 24. *Est-ce que quelqu'un prendra au géant ses dépouilles ? Et, si quelqu'un fait un prisonnier de manière injuste, sera-t-il sauvé ?* Il appelle « géant » le diable en tant qu'il est un tyran[3]. Après nous avoir asservis, ce dernier s'est confectionné son armement personnel : il se sert de nos membres pour nous faire la guerre. Et c'est injustement qu'il nous a faits prisonniers, puisqu'il n'avait aucune injustice à nous reprocher. 25. *Ainsi parle le Seigneur : Si quelqu'un fait prisonnier le géant, il prendra ses dépouilles ; mais qui prend à l'homme fort, sera-t-il sauvé ? Or, c'est moi qui instruirai ton procès et c'est moi qui*

espèce de vénération au même titre que des reliques. On rapprochera ici encore l'interprétation de Théodoret de celle d'Eusèbe (*GCS* 316, 17-22), pour qui la prophétie se réalise à la lettre (κατὰ λέξιν καὶ πρὸς ἱστορίαν) dans les attitudes de respect religieux que sont la génuflexion et le fait de toucher du front le sol des églises.

3. Même interprétation chez Eusèbe (*GCS* 316, 28 s.) et chez Cyrille (70, 1077 AC).

γενόμενός φησι τοῦ γίγαντος δύναται αὐτὸν σκυλεῦσαι καὶ
τῆς πανοπλίας γυμνῶσαι. Οὐ παντὶ δὲ τοῦτο ῥᾴδιον δρᾶσαι ·
500 ἐγὼ δὲ μόνος αὐτὸν εὐπετῶς καταλύσω καὶ τοὺς ἀδίκως
ὑπ' αὐτ[οῦ] κατεχομέν[ους σώσ]ω. Ταῦτα καὶ ἐν τοῖς θείοις
εὐαγγελίοις ὁ κύριος ἔφη · « Ἐὰν μή τις εἰσέλθῃ εἰς τὴν
οἰκίαν τοῦ ἰσχυροῦ καὶ δήσῃ τὸν ἰσχυρόν, πῶς τὰ σκεύη
τοῦ ἰσχυροῦ διαρπάσει ; »
505 ²⁶ Καὶ φάγονται οἱ θλίβοντές σε τὰς σάρκας αὐτῶν καὶ
πίονται ὡς οἶνον νέον τὸ αἷμα αὐτῶν καὶ μεθυσθ(ή)σονται.
Ἐκπεσόντες γὰρ τῆς προτέρας δυναστείας οἱ δαίμονες καὶ
βλάψαι μηκέτι τοὺς ἀν[θρώπους] ὁμοίως δυνάμενοι σφᾶς
αὐτοὺς κατεσθίουσιν ὡς ἐξ ἀνοίας ἐκπεσόντες τῆς τυ[ραν-
510 νίδος]. Τὸν γὰρ σωτῆρα τῷ σταυρῷ προσηλώσαντες τοῖς
ὑπ' αὐτῶν κατασκευασθεῖσιν ἀνῃρέθ[ησαν ὅ]πλοις.
Καὶ γνώσεται πᾶσα σὰρξ ὅτι ἐγώ εἰμι κύριος ὁ ῥυσάμενός
σε καὶ ἀντιλαμβανό(μενος) ἰσχύ(ος) σῆς Ἰακώβ. Τούτου
δὲ γενομένου δήλη πᾶσιν ἀνθρώποις ἡ ἐμὴ γενήσεται πρό-
515 [νοια, καὶ] πάντες τὴν ἐμὴν δεσποτείαν μαθήσονται. Τὸ δέ ·
ἀντιλαμβανόμενος ἰσχύος σῆς Ἰα(κώβ), οὕτως ὁ Σύμμαχος
ἡρμήνευσεν · « Καὶ γνώσεται πᾶσα σὰρξ ὅτι ἐγὼ κύριος
σῴζων σε καὶ ὁ λυ[τρούμενός σε] δυνάστης Ἰακώβ » ·
ὡσαύτως δὲ καὶ ὁ Θεοδοτίων καὶ ὁ Ἀκύλας. Οὐ τοίνυν
520 [πρὸς τοὺς ἐξ] |163 b| Ἰακὼβ ταῦτ[α] λέγει, ἀλλὰ πρὸς
τοὺς ἐξ ἀλλοφύλων συνειλεγμένους ἐθνῶν, οὓς σκῦλα τοῦ
διαβόλου γεγενημένους ἥρπασε καὶ τῆς σωτηρίας ἠξίωσεν.
Γνώσονται τοίνυν φησὶν ἅπαντες ὅτι ἐγὼ ταῦτα εἰργασάμην

502 Matth. 12, 29

---

1. Il s'agit évidemment des hommes, véritables « dépouilles » du
diable conquises par la ruse (cf. In Is., 3, 524-526 et infra, 15, 521-522).
Cyrille rapporte également le passage au Christ et à sa venue dans
le monde : c'est lui qui a dépouillé le diable et nous apprend à le faire
(70, 1080 AC).
2. Variante en partie confirmée par Eusèbe qui donne ἰσχυρός

rachèterai tes fils. Celui qui s'est rendu maître du géant peut le dépouiller et le priver de son armement. Mais c'est ce que tout homme ne saurait accomplir avec facilité ; tandis que moi, je l'abattrai aisément, à moi seul, et je sauverai ceux qu'il possède injustement[1]. C'est ce qu'a dit également le Seigneur dans les divins Évangiles : « A moins qu'on ne soit entré dans la maison de l'homme fort et que l'on n'ait ligoté l'homme fort, comment s'emparera-t-on des biens de l'homme fort ? »

26. *Ils mangeront leurs propres chairs, ceux qui t'accablent, et ils boiront comme un vin nouveau leur sang et seront ivres.* Une fois déchus de leur ancienne domination et dans l'incapacité de nuire désormais de la même manière aux hommes, les démons se dévorent eux-mêmes, à la pensée qu'ils doivent à leur sottise d'être déchus de leur pouvoir tyrannique. Car, pour avoir cloué le Sauveur à la croix, ils ont été exterminés par les armes qu'ils avaient eux-mêmes préparées.

Et toute chair saura que je suis le Seigneur, moi qui t'ai racheté et qui soutiens la force, Jacob. Quand cela se sera produit, ma Providence deviendra évidente pour tous les hommes et tous apprendront à connaître ma souveraineté. Symmaque a interprété les mots « moi qui soutiens ta force, Jacob » de la manière suivante : « Et toute chair connaîtra que je suis le Seigneur, moi qui te sauve, et que celui qui donne rançon pour toi est le souverain de Jacob » ; l'interprétation de Théodotion et d'Aquila est identique[2]. Ce n'est donc pas à ceux qui sont issus de Jacob qu'il dit cela, mais à ceux qui ont été rassemblés des nations étrangères ; alors qu'ils étaient devenus les dépouilles du diable, il les lui a enlevés et les a jugés dignes du salut. Tous les hommes, dit-il, connaîtront donc que c'est moi

et non δυνάστης : « Au lieu de ' le Dieu de Jacob ', le reste des interprètes a donné la version : ' le fort (ἰσχυρός) de Jacob ' » (*GCS* 319, 28-29).

ὁ δυνάστης τοῦ Ἰακώβ, ὁ ἐξ Αἰγύπτου τοῦ Ἰακὼβ τοὺς
525 ἀπογόνους [ἐξ]αγαγών, ὁ τὴν Ἐρυθρὰν Θάλατταν διελών,
ὁ τὰ μυρία θαύματα ἐργασάμενος. « Ἐγὼ » γάρ εἰμί φησι
« θεὸς πρῶτος καὶ εἰς τὰ ἐπερχόμενα ἐγώ εἰμι. »

Τοῦτον ἡμεῖς ὑμνήσωμεν · οὗτος γὰρ ἡμᾶς τῆς σωτηρίας
ἠξίωσεν, οὗτος ἡμᾶς τῆς προτέρας ἠλευθέρωσε πλάνης,
530 οὗτος ἡμῖν καὶ τὴν τῶν [οὐραν]ῶν ὑπέσχετο βασιλείαν,
ἧς ἡμᾶς ἀπολαῦσαι γένοιτο αὐτοῦ χάριτι τοῦ σεσωκότος,
ᾧ πρέπει δόξα εἰς τοὺς αἰῶνας τῶν αἰώνων · Ἀμήν.

526 Is. 41, 4

qui ai accompli cela, moi le souverain de Jacob, moi qui ai
ramené d'Égypte les descendants de Jacob, qui ai partagé
la mer Rouge, moi qui ai accompli des milliers de prodiges.
Car « c'est moi », dit-il, qui suis « Dieu le premier, et c'est
moi qui le suis pour le temps à venir. »

Parénèse   Quant à nous, chantons-le dans un
hymne : c'est lui qui nous a jugés
dignes du salut, c'est lui qui nous a délivrés de l'erreur
d'autrefois, c'est lui qui nous a promis le Royaume des
cieux. Puissions-nous en jouir par la grâce de celui qui
nous a sauvés et à qui revient la gloire pour les siècles des
siècles. Amen.

50[1] Οὕτως λέγει κύριος · Ποῖον τὸ βιβλίον τοῦ ἀποστασίου
τῆς μητρὸς ὑμῶν, ἐν ᾧ ἐξαπέστειλα αὐτήν ; Τὴν τελευταίαν
πολιορκίαν προλέγει καὶ τὴν ἐσχάτην τοῦ ναοῦ ἐρημίαν ἣν
5 Ῥωμαίων αὐτοῖς ἐπιστρατευσάντων ὑπέμειναν. Καὶ παντελῶς
τῆς θείας ἐγυμνώθησαν προμηθείας τὸν δεσπότην ἐσταυρω-
κότες. Κέχρηται δὲ πάλιν προσωποποιίᾳ καὶ ἑαυτὸν μὲν
ἄνδρα καλεῖ, τὴν δὲ πόλιν γυναῖκα, αὐτοὺς δὲ υἱοὺς οὐκέτι
(αὐ)τοῦ ἀλλ' ἐκείνης · βιβλίον δὲ ἀποστασίου, ὃ καλεῖν
10 εἰώθασιν οἱ πολλοὶ ῥεπούδιον, ὀνομάζει. Ἐρευνή[σα]τέ φησι
καὶ μάθετε τὴν αἰτίαν τοῦ χωρισμοῦ. Ἢ τίνι ὑπόχρεως ὢν
πέπρακα ὑμᾶς ; Ἄρα [χρέ]ος ὀφείλων ἀπεδόμην ὑμᾶς, ὅπερ
τινὲς ποιεῖν εἰώθασιν ἑτέρωθεν ἐκτῖσαι [οὐ δ]υνάμενοι ;
Ταῦτα κατ' ἐρώτησιν εἰρηκὼς διδάσκει αὐτὸς τὰς αἰτίας ·
15 Ἰδοὺ ταῖς ἁ(μαρ)τίαις ὑμῶν ἐπράθητε καὶ ταῖς ἀνομίαις
ὑμῶν ἐξαπέστειλα τὴν μητέρα ὑμῶν. Διὰ τὴν (ὑμε)τέραν
ἀσέβειαν καὶ παρανομίαν καὶ ἡ ὑμετέρα μήτηρ, τουτέστιν
ἡ πόλις καὶ ὁ νεώς, τὴν (ἐρημί)αν ὑπέμειναν, καὶ ὑμεῖς
τῆς ἐμῆς γυμνωθέντες κηδεμονίας Ῥωμαίοις δουλεύετε.

C : 3-10 τὴν — ὀνομάζει ‖ 16-19 διὰ — δουλεύετε
4 ἐσχάτην Κ : > C

---

1. La remarque de Théodoret montre à quel point, dans le domaine
juridique, l'influence de la langue latine se fait sentir au ve s. :
ῥεπούδιον *(repudium)* semble avoir supplanté des formules plus
habituelles à la langue grecque (ἡ τοῦ γάμου διάλυσις, ἡ ἀπόπεμψις).
En réalité, le mot ῥεπούδιον est déjà employé par Justin au IIe s.,
mais précisément dans son *Apologia secunda pro christianis ad
senatum Romanum* (P G 6, 444 B : τὸ λεγόμενον παρ' ὑμῖν ῥεπούδιον)
et on le retrouve chez Nil d'Ancyre (ive-ve s.) qui ne paraît pas

SEIZIÈME SECTION

50, 1. *Ainsi parle le Seigneur: Quel*
La ruine de Jérusalem *est l'acte de déclaration de divorce donné*
à l'époque romaine *à votre mère, par lequel je l'ai renvoyée?*
(Le prophète) prédit le siège final de la ville et l'ultime
dévastation du Temple que (les Juifs) subirent, lorsque les
Romains firent campagne contre eux. Ils ont été alors
totalement dépouillés de la sollicitude divine pour avoir
crucifié le Maître. De nouveau il a usé d'une personnification : il appelle sa propre personne « homme », la ville
« femme » et eux « fils », non plus de lui, mais d'elle. Il
donne, d'autre part, le nom d'« acte de déclaration de
divorce » à ce que la plupart des hommes ont coutume
d'appeler « répudiation »[1]. Cherchez, dit-il, et apprenez
la cause de cette séparation. *Ou bien auquel de mes*
créanciers vous ai-je vendus? Est-ce donc pour couvrir une
dette que je vous ai livrés, comme d'aucuns ont coutume
de le faire quand ils ne peuvent autrement acquitter leurs
dettes ?

Après avoir dit cela de manière interrogative, il indique
lui-même les raisons (de cette attitude) : *Voici que c'est*
pour vos péchés que vous avez été vendus et que c'est pour vos
iniquités que j'ai renvoyé votre mère. Votre impiété et
votre iniquité ont fait que votre mère — c'est-à-dire la
ville et le Temple —, a subi la dévastation et que de
votre côté, après avoir été dépouillés de ma sollicitude,
vous êtes esclaves des Romains.

---

toutefois le juger aussi répandu que Théodoret : « L'acte de déclaration de divorce (τὸ τοῦ ἀποστασίου βιβλίον) que précisément
d'aucuns appellent ' répudiation ' (ῥεπούδιον) (*PG* 79, 293 C).

20 [Δι]δάσκει δὲ τῆς παρανομίας τὸ εἶδος · ²Διότι ἦλθον
καὶ οὐκ ἦν ἄνθρωπος, ἐκάλεσα καὶ οὐκ ἦν ὁ ὑπακου(σό)μενος.
῍Ηνεγκα πολλάκις ὑμᾶς εἰδώλοις πεπιστευκότας, μυρία
ἕτερα παράνομα δεδρα(κότας) · ἀλλὰ τὸ νῦν ὑφ' ὑμῶν
τολμηθὲν οὐδεμίαν ἔχει συγγνώμην, ἀνήκεστον δέ ἐστι καὶ
25 ἀνί(ατον). Οὐκέτι γὰρ διὰ τῶν προφητῶν εἰργασάμην ἀλλὰ
καὶ δούλου μορφὴν ἀναλαβὼν συνεπολιτευ(σά)μην ὑμῖν ὡς
ἄνθρωπος καὶ πολλάκις ὑμᾶς καλέσας καὶ παρακαλέσας οὐκ
ἔπεισα. Μαρτυρεῖ τούτοις καὶ τῶν θείων εὐαγγελίων ἡ
ἱστορία · ᾿Ιησοῦς γάρ φησιν ἔκραξε καὶ ἔλεγεν · « Εἴ τις
30 διψᾷ, ἐρ(χέσ)θω πρός με καὶ πινέτω », καὶ πάλιν · « Δεῦτε
πρός με πάντες οἱ κοπιῶντες καὶ πεφορτισμένοι, (κἀ)γὼ
ἀναπαύσω ὑμᾶς », καὶ πολλὰ τοιαῦτα ἕτερα οἱ θεῖοι διδάσκουσιν ἡμᾶς εὐαγγελισταί. [Οὕτω τοι]γαροῦν ἡμᾶς ὁ
προφητικὸς ἐδίδαξε λόγος ὡς τὴν ἐσχάτην αὐτοῖς πανω-
35 λεθρίαν ἡ κατὰ τοῦ [δεσ]πότου μανία προύξένησεν.
Εἶτα πάλιν κατ' ἐρώτησιν · Μὴ οὐκ ἰσχύει ἡ χείρ μου
τοῦ ῥύσασθαι ; (ἢ οὐκ) ἰσχύω τοῦ ἐξελέσθαι ; ῾Υπολαμβά-
νετέ μέ φησι δι' ἀσθένειαν ἡττηθῆναι ὑπὸ τῶν πολεμίων ;
[Οὐκ ἔστιν οὐ]δενὶ συνιδεῖν ὡς ῥάδιον ἦν μοι καὶ εὐπετὲς
40 πάντων ὑμᾶς ἀποφῆναι κρείττους ;
῎Επειτα [αὐτοὺς] τῶν ὑπ' αὐτοῦ γεγενημένων ἀναμιμνήσκει · ᾿Ιδοὺ τῷ ἐλεγμῷ μου ἐξερημώσω (τὴν θάλ)ατταν
καὶ θήσω ποταμοὺς ἐρήμους, καὶ ξηρανθήσονται οἱ ἰχθύες
αὐτῶν ἀπὸ τοῦ μὴ εἶναι (ὕδωρ) καὶ ἀπολοῦνται ἐν δίψει.
45 Ταῦτα δὲ ὁ Σύμμαχος ὡς ἤδη γεγενημένα τέθεικεν · « ᾿Ιδοὺ

C : 22-28 ἤνεγκα — ἔπεισα

22 πεπιστευκότας K : δεδουλευκότας C ‖ 23 ὑφ' C : ἀφ' K ‖ 25
τῶν K : > C ‖ ἀλλὰ C : > K ‖ 26 ἀναλαβὼν Mö. : ἀνέλαβον K
λαβὼν C

26-27 cf. Phil. 2, 7   29 Jn 7, 37   30 Matth. 11, 28

_____

1. Nouvelle réminiscence de *Phil.* 2, 6-7 pour évoquer l'Incarnation
(cf. *In Is.*, 3, 391 ; 4, 362 ; 15, 235 s. 308-311 ; etc.). Les expressions
fréquemment utilisées par Théodoret pour désigner la nature

Il enseigne, d'autre part, la forme qu'a revêtue leur iniquité : 2. *Car je suis venu et il n'y avait personne; j'ai appelé et il n'y avait personne pour obéir.* J'ai maintes fois supporté votre croyance aux idoles et le nombre infini des autres iniquités que vous avez accomplies ; mais ce que vous avez osé maintenant n'est susceptible d'aucun pardon : c'est (un mal) irrémédiable et incurable. Car ce n'est plus par l'intermédiaire des prophètes que j'ai agi, mais j'ai assumé la forme de l'esclave et j'ai vécu avec vous en homme[1] ; et, malgré la fréquence de mes appels et de mes exhortations, je ne vous ai pas persuadés. C'est ce que confirme à son tour le récit des divins Évangiles, en ces termes : Jésus éleva la voix et disait : « Si quelqu'un a soif, qu'il vienne à moi et qu'il boive », et ailleurs : « Venez à moi, vous tous qui peinez et qui ployez sous le fardeau, et moi je vous soulagerai » ; les divins évangélistes nous font connaître encore bien d'autres déclarations de ce genre. Ainsi donc, le texte prophétique nous a enseigné que la ruine totale qu'ils subirent en dernier lieu leur a été procurée par leur folie contre le Maître.

Puis, de nouveau, sous forme interrogative, (il déclare) : *Est-ce que ma main n'a pas la force de racheter? ou bien n'ai-je pas la force de vous soustraire (au danger)?* Pensez-vous, dit-il, que les ennemis m'ont vaincu en raison de ma faiblesse ? N'est-il possible à personne de voir combien il m'était facile et aisé de vous faire paraître supérieurs à tous ?

Les prodiges divins au temps de l'exode Puis il leur rappelle ce qu'il a accompli : *Voici que par mon blâme je ferai un désert de la mer et que je rendrai les fleuves déserts ; leurs poissons se dessécheront faute d'eau et ils mourront de soif.* Symmaque a rendu ce passage comme s'il s'agissait d'événements déjà accomplis :

humaine du Christ (ἡ τοῦ δούλου μορφή, ὡς ἄνθρωπος) trouvent là leur légitimité (cf. Introd., t. I, SC 276, p. 94 s.).

ἐν τῇ (ἐπιτι)μήσει μου ἐξήρανα θάλατταν, ἐποίησα ποταμοὺς
ἔρημον, καὶ ἐσάπησαν οἱ ἰχθύες αὐτῶν [ἀπὸ τοῦ] μὴ εἶναι
ὕδωρ. » Ταῦτα δὲ πεποίηκεν ὁ τῶν ὅλων θεὸς τῆς Αἰγυπτίων
αὐτοὺς ἀπαλλά(ξας δ)ουλείας · τότε γὰρ καὶ τὴν Ἐρυθρὰν
50 διεῖλε Θάλατταν καὶ τὸν Ἰορδάνην διέκοψε ποταμὸν καὶ
τοὺς (κατὰ) τὸν πόρον εὑρεθέντας ἰχθύας νεκροὺς ἔδειξεν
ὡς τῶν τροφίμων γυμνωθέντας ὑδάτων. |164 a| Εἰ δὲ καὶ
ἐπὶ μέλλοντος χρόνου ταῦτα κατὰ τοὺς Ἑβδομήκοντα
νοηθείη, οὐδὲν λυμανεῖται τῇ διανοίᾳ · διδάσκει γὰρ ἀπὸ
55 τῶν μειζόνων ὅτι καὶ τὰ ἐλάττω ποιῆσαι δυνήσεται · ῥᾴδιον
γάρ μοί φησι καὶ τὴν θάλατταν ξηρᾶναι καὶ τῶν ποταμῶν
ἀφανίσαι τὰ ῥεύματα, πολλῷ δὲ τούτων ῥᾴδιον ἦν τὴν
[ἐπελ]θοῦσαν ὑμῖν στρατιὰν καταλῦσαι.
³ Ἐνδύσω τὸν οὐρανὸν σκότος καὶ ὡς σάκκον θήσω τὸ
60 περιβόλαιον αὐτοῦ. Τοῦτο καὶ πεποίηκε καὶ ποιήσει.
Πεποίηκε μὲν ἡνίκα ἐσταυρώθη · « Ἀπὸ γὰρ ἕκτης ὥρας
ἕως ἐνάτης σκότος ἐγένετο ἐφ' ὅλην τὴν οἰκουμένην »,
ποιήσει δὲ τοῦτο πάλιν κατὰ τὸν τῆς συντελείας καιρόν ·
« Ὁ ἥλιος » γάρ φησι « σκοτισθήσεται, καὶ ἡ σελήνη οὐ
65 δώσει τὸ φέγγος αὐτῆς. »
Οὕτω διὰ [τούτων] ὑποδείξας τὴν δύναμιν διδάσκει τὴν
αἰτίαν δι' ἣν αὐτὸς οὐκ ἐπήμυνεν · ⁴ Κύριος κύριος δίδωσί
(μοι) γλῶσσαν παιδείας τοῦ γνῶναι ἡνίκα δεῖ εἰπεῖν λόγον,
ἔθηκέ με πρωὶ νοεῖν, πρωὶ προσέθηκέ μοι ὠτίον ἀκούειν,
70 καὶ ἡ παιδεία ⁵ κυρίου ἀνοίγει μου τὰ ὦτα. Ταῦτα ἀνθρω-

C : 48-52 ταῦτα — ὑδάτων ‖ 60-63 τοῦτο — καιρόν ‖ 70-75 ταῦτα —
ἐδίδαξεν

50 θάλατταν K : θάλασσαν C ‖ διέκοψε K : ἀνέκοψε C ‖ 61 γὰρ K :
+τῆς C ‖ 67 ἐπήμυνεν · κύριος κύριος e tx.rec. : ἐπήμυνε κ̅ς̅ : ὁ κ̅ς̅ K

61 Matth. 27, 45   64 Matth. 24, 29 ; Mc 13, 24

---

1. Malgré son application à justifier la lettre du texte qu'il utilise,
Théodoret préfère à l'évidence entendre le verset en le rapportant
au passé, comme le prouvent la phrase d'introduction et l'appel à la

« Voici qu'à ma réprimande j'ai asséché la mer, que j'ai fait
des fleuves un désert et que leurs poissons se sont putréfiés
faute d'eau. » Or, le Dieu de l'univers a accompli cela,
lorsqu'il les a délivrés de l'esclavage des Égyptiens : c'est
alors qu'il partagea la mer Rouge, sépara en deux le
Jourdain et montra à l'état de cadavres les poissons qui
se trouvaient dans son lit, étant donné qu'ils avaient été
privés de ses eaux nourricières. Pourtant, si l'on entendait
également ce passage (en le rapportant) au futur, comme
le veulent les Septante, on ne fera en rien violence au
sens[1] ; car il fait référence à de grands prodiges pour
enseigner qu'il pourra aussi en accomplir de petits : s'il
m'a été facile d'assécher la mer, dit-il, et d'interrompre le
cours des fleuves, il m'était beaucoup plus facile encore
d'anéantir l'armée qui a marché contre vous.

3. *Je revêtirai le ciel de ténèbres et je changerai en sac sa
couverture.* C'est ce qu'il a fait et ce qu'il fera. Il l'a fait
lorsqu'il a été crucifié : « A partir de la sixième heure
jusqu'à la neuvième, les ténèbres se firent sur la terre tout
entière »; et il le fera de nouveau au moment de la fin des
temps : « Le soleil s'obscurcira, est-il dit, et la lune ne
donnera plus son éclat. »

Après avoir fait entrevoir par là
La raison de la ruine sa puissance, il indique la raison pour
de Jérusalem : laquelle il ne leur a pas personnelle-
l'incrédulité du peuple ment porté secours : 4. *Le Seigneur,
le Seigneur me donne une langue d'homme instruit, afin
que je sache lorsqu'il faut parler ; il m'a mis en état de
comprendre dès le matin, dès le matin il a mis mon oreille
en état d'entendre, et l'instruction* 5. *(que donne) le Seigneur*

version de Symmaque ; on sait, du reste, que Théodoret considère
l'énallage comme un tour habituel à l'Écriture. De la même manière,
Cyrille applique le verset au passage de la mer Rouge par les
Hébreux en déclarant qu'il faut comprendre θήσω comme s'il y avait
τέθεικα (70, 1088 BC).

πίνως ὁ δεσπότης λέγει Χριστός. Πολλὰ δὲ τοιαῦτα καὶ
ἐν τοῖς θείοις εὐαγγελίοις εὑρίσκομεν · « Ἰησοῦς » γάρ
φησι « προέκοπτεν ἡλικίᾳ καὶ σοφίᾳ καὶ χάριτι παρὰ θεῷ
καὶ ἀνθρώποις.» Πρωὶ δὲ καλεῖ τῆς ἡλικίας τὸ νέον ·
75 τοῦτο δὲ καὶ ἐν τοῖς πρόσθεν ὁ προφήτης ἐδίδαξεν, τῆς
γὰρ παρθένου προαγορεύσας τὸν τόκον ἐπήγαγεν · « Πρὶν
ἢ γνῶναι αὐτὸν ἀγαθὸν ἢ κακὸν ἀπειθεῖ πονηρίᾳ τοῦ
ἐκλέξασθαι τὸ ἀγαθόν », καὶ ὁ εὐαγγελιστὴς δὲ ὡσαύτως ·
« Τὸ παιδίον » φησὶν « ηὔξανε καὶ ἐκραταιοῦτο πνεύματι,
80 καὶ χάρις θεοῦ ἦν ἐπ᾽ αὐτῷ.» Τὸ δέ · ῾Η παιδεία κυρίου
ἀνοίγει μου τὰ (ὦτα), οὐ περὶ ἑαυτοῦ οἶμαι εἰρῆσθαι ἀλλὰ
περὶ τῶν πεπιστευκότων αὐτῷ μαθητῶν · ὦτα γὰρ αὐτοῦ
τ[οὺς] ἀκροατὰς ὀνομάζει, οἷς τοὺς θείους λόγους προσέφερε,
πρὸς οὓς ἔλεγεν ὡς ἐκ τῶν ἱερῶν εὐαγγε[λίων] μανθάνομεν ·
85 « Ὁ ἔχων ὦτα ἀκούειν ἀκουέτω.»
     Ἐγὼ δὲ οὐκ ἀπειθῶ οὐδὲ ἀντιλέγω. Ἑαυτὸν [γὰρ] τοῖς
ὡς αὐτὸν παραγενομένοις παρέδωκεν εἰρηκώς · « Ἐγώ εἰμι
ὃν ζητεῖτε.» ⁶ Τὸν νῶτόν μου δέδ(ωκα) εἰς μάστιγας, τὰς
δὲ σιαγόνας μου εἰς ῥαπίσματα, τὸ δὲ πρόσωπόν μου οὐκ
90 ἀπέστρεψα ἀπὸ αἰ(σχύνης) ἐμπτυσμάτων. Ταῦτα πάντα
διδάσκει τῶν θείων εὐαγγελίων ἡ ἱστορία. Ὁ μὲν γὰρ τοῦ
ἀρχιερ(έως) οἰκέτης ἐπὶ κόρρης αὐτὸν ἐπάταξεν, οἱ δὲ
« ἐκολάφιζον αὐτὸν λέγοντες · Προφήτευσον ἡμῖν Χριστέ,
τίς ἐστιν ὁ παίσας σε ; Οἱ δὲ ἐνέπτυσαν εἰς τὸ πρόσωπον
95 αὐτοῦ », ὁ δὲ Πιλᾶτος φραγελλώσας αὐτὸν παρέδωκε
σταυρωθῆναι. Ταῦτα δὲ πάντα διὰ τῆς προφητείας προλέγει
τὴν οἰκείαν διδάσκων μακροθυμίαν. ⁷ Καὶ κύριος ἐγενήθη

C : 90-97 ταῦτα — μακροθυμίαν

71 ὁ δεσπότης / λέγει K : ∼ C ‖ 72 εὑρίσκομεν K : εὑρήσομεν C
72 Lc 2, 52   76 Is. 7, 16   79 Lc 2, 40   85 Matth. 11, 15 ;
13, 9 ; Lc 8, 8   87 Jn 18, 5.4   91-92 cf. Jn 18, 22 ; Matth.
27, 26   93 Matth. 26, 67-68

1. C'est-à-dire « en tant qu'homme », cf. supra, p. 79, n. 1 ;
voir aussi infra, 16, 100.

m'ouvre les oreilles. Notre Maître le Christ dit cela de
façon humaine[1]. Nous trouvons, du reste, bien des propos
de ce genre dans les divins Évangiles : « Jésus grandissait
en âge », est-il dit, « en sagesse et en grâce devant Dieu et
devant les hommes. » Il appelle « matin » la jeunesse de
l'âge ; or, le prophète en un précédent passage a également
enseigné cela quand, après avoir annoncé son enfantement
de la Vierge, il a ajouté : « Avant qu'il connaisse le bien
ou le mal, il s'écarte de la perversité pour choisir le bien » ;
de son côté, l'évangéliste déclare de la même manière :
« L'enfant grandissait, se fortifiait en esprit et la grâce de
Dieu était sur lui. » Quant à la phrase : « L'instruction
que donne le Seigneur m'ouvre les oreilles », elle n'a pas,
à mon avis, été prononcée à son sujet, mais au sujet des
disciples qui ont cru en lui[2] ; il donne, en effet, le nom
d'« oreilles » à ses auditeurs : c'est à eux qu'il présentait
les paroles divines, c'est à eux qu'il déclarait, comme nous
l'apprenons à la lecture des saints Évangiles : « Que celui
qui a des oreilles pour entendre, entende. »

   Pour moi, je ne désobéis pas et je ne contredis pas. Il s'est
livré à ceux qui s'étaient approchés de lui, en leur disant :
« Je suis celui que vous cherchez. » 6. *J'ai présenté mon
dos aux verges, mes joues aux coups, et je n'ai pas dérobé ma
face à la honte des crachats.* Tout cela le récit des divins
Évangiles l'enseigne. De fait, le serviteur du grand-prêtre
le frappa sur la joue ; les uns « le souffletaient en disant :
' Prophétise-nous, Christ, qui est celui qui t'a frappé ? ',
d'autres lui crachaient au visage » ; quant à Pilate, il le
fit flageller et le livra pour être crucifié. Or, tout cela
il le prédit dans la prophétie pour enseigner sa propre
patience. 7. *Et le Seigneur a été mon secours. C'est pourquoi*

---

   2. Contrairement à ce que fait Théodoret, Cyrille rapporte la
totalité des versets 4-5 aux apôtres et, de manière plus large, à tous
ceux qui accueillent les enseignements du Christ (70, 1089 AB).

βοηθός μου. Διὰ τοῦτο οὐκ ἐνετράπην, ἀλλ' ἔθηκα τὸ πρόσω-
(πόν μου) ὡς στερεὰν πέτραν καὶ ἔγνω⟨ν⟩ ὅτι οὐ μὴ
100 αἰσχυνθῶ, ⁸ὅτι ἐγγίζει ὁ δικαιώσας με. Καὶ ταῦτα ἀν(θρω-
πίνως) εἴρη(κεν) · ἀνθρωπίνης γὰρ ἀρετῆς φιλοσοφία καὶ
καρτερία καὶ μέντοι καὶ ἡ ἐπὶ τὸν δίκαιον κριτὴν ἐλπίς.
Τίς (ὁ) κρινόμενός μοι ; Ἐγγισάτω μοι. ⁹Ἰδοὺ κύριος
βοηθεῖ μοι · τίς κακώσει με ; Τοῦτο κἂν τοῖς ἱεροῖς εὐαγγε-
105 λίοις ὁ κύριος ἔφη · « Ἐγὼ τιμῶ τὸν πατέρα μου, καὶ
ὑμεῖς ἀτιμάζετέ με. Ἐγὼ οὐ ζητῶ τὴν δόξαν (μου) · ἔστιν
ὁ ζητῶν καὶ κρίνων », καὶ ἐν ἑτέρῳ δὲ χωρίῳ πρὸς αὐτοὺς
ἔφη · « Πολλὰ ἔργα ἔδειξα ὑμῖν πα(ρὰ τοῦ) πατρός μου ·
διὰ ποῖον αὐτῶν λιθάζετέ με ; » Οὕτως ἔοικε τοῖς εὐαγγε-
110 λικοῖς λογίοις τὰ προφητι[κὰ θεσ]πίσματα. Ἰδοὺ πάντες
ὑμεῖς ὡς ἱμάτιον παλαιωθήσεσθε, καὶ ὡς σὴς καταφάγεται
ὑμᾶς. (Λίαν πρόσ)φορος ἡ παραβολή · ὁ γὰρ σὴς ἐκ τῶν
ἱματίων τικτόμενος ἀναλίσκει ταῦτα, καὶ ἡ ἁμαρτία ἐξ
(ἡμῶν) τικτομένη διαφθείρει τοὺς φύσαντας.
115 ¹⁰Τίς ἐν ὑμῖν ὁ φοβούμενος τὸν κύριον ; Ὑπακουσάτω
τῇ φωνῇ (τοῦ παιδὸς) αὐτοῦ. Παῖδα ἑαυτὸν πάλιν ὡς
ἄνθρωπον ὀνομάζει · ἐν μορφῇ γὰρ θεοῦ ὑπάρχων μορφὴν
ἔλαβε (δούλου). Οὕτω καὶ ἐν τοῖς θείοις εὐαγγελίοις ἐντολὴν
εἰληφέναι λέγει τί εἴπῃ καὶ τί λαλήσῃ. Οἱ πορευ(όμενοι ἐν
120 σκότει), καὶ οὐκ ἔστιν αὐτοῖς φῶς. Καὶ γὰρ ἀνατείλαντος
τοῦ φωτὸς αὐτοὶ τὸ σκότος ἠγάπησαν. Πεποίθατε (ἐπὶ τῷ
ὀνόματι) |164 b| κυρίου καὶ ἀντιστηρίζεσθε ἐπὶ τῷ θεῷ ὑμῶν.

C : 100-102 καὶ — ἐλπίς ‖ 112-114 λίαν — φύσαντας ‖ 116-119
παῖδα — λαλήσῃ ‖ 120-121 καὶ² — ἠγάπησαν

102 ἡ C : > K ‖ 118 οὕτω C : οὕτως K

105 Jn 8, 49-50   108 Jn 10, 32   117-118 cf. Phil. 2, 6-7
118-119 cf. Jn 12, 49

---

1. Cf. In Is., 9, 522-523.
2. Cf. In Is., 12, 526-529.559-560 ; 13, 150-154 ; 15, 235-238.
276-278.285-289. L'interprétation d'Eusèbe est différente : « En
se disant ' enfant (παῖδα) de Dieu ', il laisse entendre que, même après

je n'ai pas été confondu, mais j'ai rendu mon visage comme une pierre dure et j'ai su que je n'aurai pas à rougir, 8. parce qu'il est près (de moi) celui qui m'a justifié. Cela encore il l'a dit de façon humaine, car c'est d'un courage humain que relèvent la philosophie, la force d'âme et à plus forte raison l'espérance que l'on met dans le juste Juge.

Quel est celui qui veut m'intenter un procès? Qu'il s'approche de moi. 9. Voici que le Seigneur vient à mon secours; qui me maltraitera? C'est ce que le Seigneur a dit également dans les saints Évangiles : « Moi, j'honore mon Père et vous, vous cherchez à me déshonorer. Moi, je ne cherche pas ma gloire : il y a quelqu'un qui la cherche et qui juge » ; il leur a dit encore en un autre passage : « Je vous ai fait voir quantité de (bonnes) œuvres venant de mon Père : pour laquelle me lapidez-vous ? » Ainsi les prédictions prophétiques ressemblent aux déclarations évangéliques. *Voici que vous tous, vous allez vieillir comme un vêtement et, pour ainsi dire, un ver vous dévorera.* La comparaison est tout à fait adéquate, car le ver qui naît des vêtements les détériore, et le péché qui naît de nous corrompt ceux qui l'ont engendré[1].

10. *Qui parmi vous craint le Seigneur? Qu'il écoute la voix de son serviteur.* C'est en tant qu'homme qu'il se nomme de nouveau «serviteur»[2] ; car, «alors qu'il se trouvait dans la forme de Dieu, il a pris la forme de l'esclave.» C'est ainsi que, dans les divins Évangiles également, il dit qu'il a reçu instruction de ce qu'il devait dire et proclamer. *Ils marchent dans les ténèbres, et il n'y a pas de lumière pour eux.* Bien que la lumière se fût levée, ils ont quant à eux chéri les ténèbres. *Mettez votre confiance dans le nom du Seigneur et appuyez-vous sur votre Dieu.*

être devenu homme, il est le fils véritable du Dieu et Père » (*GCS* 320, 15-17). CYRILLE reprend presque mot pour mot cette interprétation (70, 1097 D).

Εἰ τῷ ὄντι φησὶν εἰλικρινῆ καὶ γνησίαν ἔχετε πρὸς τὸν
θεὸν τὴν [ἐλ]πίδα, αὐτὸς ἐρειδέτω καὶ στηριζέτω.
125 ¹¹ Ἰδοὺ πάντες ὑμεῖς πῦρ καίετε καὶ κατισχύετε φλόγα.
(Καὶ) τὸ ʻΡωμαϊκὸν πῦρ ὑμεῖς καθ' ἑαυτῶν ἐπισπᾶσθε
καὶ τῆς γεέννης τὴν φλόγα κατισχῦσαι ὑμῶν (παρα)-
σκευάζετε. Πορεύεσθε τῷ φωτὶ τοῦ πυρὸς ὑμῶν καὶ τῇ φλογὶ ῇ
ἐξεκαύσατε. Ἐπειδὴ τὸ ἐμὸν οὐχ ὑπεδέξασθε φῶς, τὸ
130 τῶν πολεμίων ὑποδέξασθε πῦρ, ὧπερ ὑμεῖς κεχορηγήκατε
τὴν τροφήν. [Εἶ]τα σαφέστερον · Δι' ἐμὲ ἐγένετο ταῦτα
ὑμῖν, ἐν λύπῃ κοιμηθήσεσθε. Καὶ τὴν αἰτίαν ἔδειξε τῶν
κακῶν καὶ τὸ τούτων διηνεκές · μέχρι γὰρ θανάτου ταῖς
προειρημέναις παραδοθήσεσθε συμφοραῖς.
135 51¹ Ἀκούσατέ μου οἱ διώκοντες τὸ δίκαιον καὶ ζητοῦντες
τὸν κύριον. Τοὺς ἀπιστήσαντας ἐνταῦθα καταλιπὼν τοῖς
πεπιστευκόσι προσφέρει τοὺς λόγους · τούτους γὰρ καὶ
τοῦ θεοῦ καὶ τῆς δικαιοσύνης ἐραστὰς ὀνομάζει. Ψυχαγωγεῖ
δὲ αὐτοὺς ὡς ὀλίγους ὄντας καὶ ἀποβλέπειν εἰς τοὺς προγό-
140 νους παρα[κελ]εύεται καὶ τοῦ Ἀβραὰμ καὶ τῆς Σάρρας
ἀναμιμνήσκει καὶ τῶν πολλῶν ἐξ ἐκείνων βλα[στου]σῶν
μυριάδων. Τοῦτο δὲ κἂν τοῖς θείοις εὐαγγελίοις πεποίηκεν ·
« Μὴ φοβοῦ » γάρ φησι « τὸ μικρὸν ποίμνιον, ὅτι εὐδόκησεν
ὁ πατὴρ ὑμῶν δοῦναι ὑμῖν βασιλείαν. » Οὕτω κἀνταῦθα.
145 Ἐμβλέψατε (εἰς) τὴν στερεὰν πέτραν ἐξ ἧς ἐλατομήθητε
καὶ εἰς τὸν βόθυνον τοῦ λάκκου ἐξ οὗ ὠρύχθητε. Στερεὰν

C : 126-128 καὶ — παρασκευάζετε ‖ 129-131 ἐπειδὴ — τροφήν ‖
146-151 στερεὰν — ἐθνῶν
130 ὑποδέξασθε Κ*Cᵉᵒ·³ᵒ⁹ : ὑπεδέξασθε ΚᶜᵒʳʳCᵉ⁷·⁹¹
143 Lc 12, 32

---

1. Conformément à l'interprétation donnée au début du chapitre
50, Théodoret continue de rapporter le texte à la prise de Jérusalem
par les Romains, mais sans refuser l'interprétation spirituelle.
CHRYSOSTOME s'en tient uniquement à l'interprétation spirituelle :
ceux qui commettent des fautes allument un feu qui, loin de les
éclairer, les brûle et les consume (M., p. 357, l. 24-29). De la même

Si vous mettez réellement, dit-il, une espérance absolue et véritable en Dieu, que ce soit lui qui vous soutienne et qui vous affermisse.

11. *Voici que vous tous, vous allumez un feu et que vous attisez la flamme.* C'est vous qui attirez contre vous-mêmes le feu des Romains, tout comme vous disposez la flamme de la géhenne à l'emporter sur vous[1]. *Marchez à la lumière de votre feu et à (la lueur) de la flamme dont vous l'avez enflammé.* Puisque vous n'avez pas accueilli ma lumière, accueillez le feu des ennemis, auquel vous avez vous-mêmes fourni l'aliment. Puis (il ajoute) de façon plus claire : *C'est à cause de moi que cela vous est arrivé, vous serez couchés dans le chagrin.* Il a montré à la fois la cause de leurs malheurs et la prolongation de ces derniers : c'est jusqu'à ce que mort s'ensuive que vous serez livrés aux calamités qui viennent d'être prédites.

51, 1. *Écoutez-moi, vous qui pour-*

Mettre son espérance dans la puissance de Dieu *suivez la justice et qui cherchez le Seigneur.* Il laisse ici de côté les incrédules pour s'adresser à ceux qui ont cru : c'est à eux qu'il donne le nom d'hommes épris de Dieu et de la justice. Il les réconforte, parce qu'ils sont peu nombreux et les invite à tourner leurs regards vers leurs ancêtres : il leur rappelle Abraham et Sarra, et les nombreux milliers d'hommes qui sortent d'eux. C'est ce qu'il a fait également dans les divins Évangiles, en ces termes : « Sois sans crainte, petit troupeau, car il a plu à votre Père de vous donner le Royaume. » Ainsi fait-il ici également.

Tournez les yeux vers le roc d'où vous avez été taillés et vers la cavité de la citerne d'où vous avez été tirés. Il donne le

---

manière, CYRILLE entend en priorité le verset de la flamme éternelle qui consumera les Juifs qui ont tué les prophètes et le Christ, et se contente d'évoquer à la fin de son commentaire la dévastation de leur pays et l'incendie du Temple (70, 1101 D-1103 AB).

(πέτρ)αν τοῦ Ἀβραὰμ τὸ γῆρας ὀνομάζει, τὴν δὲ Σάρραν
οὐ λάκκον ἀλλὰ βόθυνον λάκκου διὰ τὸ ἄ(νυ)δρον · « Ἐξέ-
λιπε » γάρ φησι « Σάρρᾳ γίνεσθαι τὰ γυναικεῖα. » Οὕτω
150 καὶ ὁ θεῖος ἀπόστολος ἔφη · « Ὃς παρ' ἐλπίδα ἐπ' ἐλ(πίδ)ι
ἐπίστευσεν εἰς τὸ γενέσθαι αὐτὸν πατέρα πολλῶν ἐθνῶν »,
παρ' ἐλπίδα μὲν διὰ τὸ γῆρας καὶ τὴν φύσιν [τῆς Σ]άρρας
— στερίφη γὰρ ἦν —, ἐπ' ἐλπίδι δὲ τῆς θείας ἐπαγγελίας.
Καὶ πάλιν · « Οὐ κατενόησε τὸ ἑαυτοῦ (σῶμα νε)νεκρω-
155 μένον ἑκατονταετής που ὑπάρχων καὶ τὴν νέκρωσιν τῆς
μήτρας Σάρρας · εἰς δὲ τὴν (ἐπ)αγγελίαν τοῦ θεοῦ οὐ
διεκρίθη τῇ ἀπιστίᾳ, ἀλλ' ἐν<ε>δυναμώθη τῇ πίστει δοὺς
δόξαν τῷ θεῷ καὶ πληροφορηθεὶς ὅτι ὃ ἐπαγγέλλεται
δυνατός ἐστι καὶ ποιῆσαι.» Οὕτω κἀνταῦθα εἰρηκὼς ὁ
160 προφητικὸς λόγος · Ἐμβλέψατε εἰς τὴν στερεὰν πέτραν
ἐξ ἧς ἐλατομήθητε καὶ εἰς τὸν βόθυνον τοῦ λάκκου ἐξ οὗ
ὠρύχθητε, σαφέστερον τὸν λόγον διὰ τῶν ἐπαγομένων
πεποίηκεν · ² Ἐμβλέψατε (εἰς) Ἀβραὰμ τὸν πατέρα ὑμῶν
καὶ Σάρραν τὴν ὠδίνουσαν ὑμᾶς, ὅτι εἷς ἦν καὶ ἐκάλεσα
165 (αὐ)τὸν καὶ ηὐλόγησα αὐτὸν καὶ ἠγάπησα αὐτὸν καὶ ἐπλή-
θυνα αὐτόν. Οὐδὲν ἐμποδὼν τῇ ἐμῇ [δ]υνάμει ἐγένετο ·

147 τὸ γῆρας / ὀνομάζει Κ : ∼ C ‖ 149 φησι Κ : > C ‖ Σάρρᾳ Κ :
Σάρρας C

148 Gen. 18, 11   150 Rom. 4, 18   154 Rom. 4, 19-21

1. Pour Eusèbe, il s'agit dans un premier temps du roc dans lequel
Joseph d'Arimathie avait fait creuser un tombeau et où fut déposé
le corps du Sauveur ; l'histoire d'Abraham et de Sarra n'intervient
selon lui qu'à titre de comparaison : malgré leur stérilité, comparable
à celle du roc, Dieu leur a donné une descendance nombreuse; de
même, du tombeau sortira l'espérance du salut pour toute l'humanité
(*GCS* 321, 9-19). Puis, en s'autorisant de *I Cor.* 10, 4, Eusèbe fait
de ce roc le Christ lui-même dont le corps, au moment de la passion et
de la crucifixion, a été outragé, et pense que les mots « cavité de la
citerne » pourraient faire allusion à son côté transpercé (*id.*, 19-28).
L'interprétation de Chrysostome est très proche de celle de
Théodoret (*M.*, p. 360. l. 3 s.).

nom de « roc » à la vieillesse d'Abraham, et à Sarra, non
pas celui de « citerne », mais de « cavité de la citerne »,
en raison de sa sécheresse : « Ce qui est propre aux femmes »,
dit (l'Écriture), « avait cessé d'exister pour Sarra[1]. » De
même, à son tour, le divin Apôtre a déclaré : « Lui qui
contre toute espérance a cru en l'espérance qu'il deviendrait
père d'un grand nombre de peuples » ; (il a cru) « contre
toute espérance », à cause de sa vieillesse et de la nature
de Sarra — elle était stérile —, et (il a cru) « en l'espérance »
de la promesse divine. Et (il dit) encore : « Il ne considéra
pas son corps déjà mort, puisqu'il était âgé d'environ
cent ans, non plus que la mort du sein de Sarra ; devant
la promesse de Dieu, il n'hésita pas par incrédulité, mais
sa foi le remplit de puissance ; il rendit gloire à Dieu et
fut pleinement convaincu que, ce que Dieu promet, il est
assez puissant pour l'accomplir. » De même ici également
le texte prophétique, après avoir dit : « Tournez les yeux
vers le roc d'où vous avez été taillés et vers la citerne
d'où vous avez été tirés », a rendu le sens plus évident en
ajoutant[2] : 2. *Tournez les yeux vers Abraham votre père et
vers Sarra qui vous a enfantés dans la douleur, parce qu'il
était seul et que je l'ai appelé, je l'ai béni, je l'ai chéri et je l'ai
multiplié.* Rien n'est venu faire obstacle à ma puissance :

---

2. Aux yeux de Théodoret, ce passage, mieux que tout autre
peut-être, prouve le bien-fondé de son interprétation figurée, puisque
le prophète dit maintenant en clair (σαφέστερον) ce qu'il avait
énoncé de manière voilée. Il fait la même remarque à propos d'*Is.*
5, 7 (*In Is.*, 2, 521). C'est du reste à l'occasion d'*Is.* 5, 7 que JEAN
CHRYSOSTOME développe longuement l'idée que l'Écriture ne laisse
pas chacun libre d'user à sa guise de l'interprétation allégorique ;
quand elle recourt à ce mode d'expression, l'Écriture d'ordinaire
s'interprète elle-même (JEAN CHRYSOSTOME, *Commentaire sur
Isaïe*, SC 304, V, 3, 28-74) : « C'est la règle constante de l'Écriture,
quand elle use de l'allégorie, d'en donner aussi l'interprétation, de
telle sorte que le désir intempérant des amateurs d'allégories ne puisse
errer n'importe où et sans but en se portant de tous côtés » (trad.
J. DUMORTIER).

οὐ τὸ μόνον εἶναι τὸν κληθέντα, οὐ τὸ ἐπικείμενον γῆρας,
οὐχ ἡ φυσικὴ τ[ῆς] Σάρρας [ἀσθέν]εια · ἀλλ' ηὐξήθη
τὸ γένος ὡς ἠβουλήθην. Μηδὲ ὑμεῖς τοίνυν ἀπιστήσητε ·
170 εὐαρ[ιθμή]τους γὰρ [ὑμᾶς] ὄντας ἀριθμοῦ κρείττους ἐργά-
σομαι.

Τοῦτο γὰρ ἐπήγαγεν · ³Καὶ σὲ νῦν παρακαλέσω Σιὼν
(καὶ) παρακαλέσω πάντα τὰ ἔρημα αὐτῆς ⟨καὶ θήσω πάντα
τὰ ἔρημα αὐτῆς⟩ ὡς τὸν παράδεισον τρυφῆς καὶ τὰ πρὸς
175 δυσμαῖς (αὐτῆς) ὡς τὸν παράδεισον κυρίου. Οὐ τὰ οἰκού-
μενα ἀλλὰ τὰ ἔρημα, οὐδὲ τὰ πρὸς ἔω ἀλλὰ τὰ πρὸς
[ἑσπέρ]αν κείμενα. Ἴσασι δὲ οἱ αὐτόπται τῆς πόλεως ὡς
ὁ μὲν Ἰουδαίων νεὼς πρὸς ἔω [ἔκειτο] τῆς πόλεως, ὁ δὲ
σταυρὸς καὶ ἡ ἀνάστασις πρὸς ἑσπέραν. Καὶ αὐτὰ δὲ ταῦτα
180 πάλαι ἔξω [τῶν] περιβόλων ὄντα ἐτύγχανεν · καὶ μάρτυς
ὁ θεῖος ἀπόστολος λέγων · « Διὸ καὶ Ἰησοῦς ἔξω τῆς
πύλης (ἔπαθε)ν. Ἐξερχώμεθα τοίνυν πρὸς αὐτὸν ἔξω τῆς
παρεμβολῆς τὸν ὀνειδισμὸν αὐτ(οῦ) φέροντες.» [Προλέγ]ει
τοίνυν · Ὅσαπερ ἦν τῆς πόλεως ἔρημα καὶ πρὸς ἑσπέραν
185 διακείμενα, ταῦτα τῷ τοῦ θεοῦ [παρ]αδείσῳ προσόμοια
ἔσται · ταῦτα γὰρ ἀληθῶς ἔχει τὸ ξύλον τῆς ζωῆς.

Εὐφροσύνην καὶ ἀ(γαλλίαμα) εὑρήσουσιν ἐν αὐτῇ, ἐξομολόγησιν καὶ φωνὴν αἰνέσεως. Καὶ ταῦτα ὁρῶμεν κα[τὰ
ταύτην] τὴν ἡμέραν πληρούμενα · ἀντὶ γὰρ τοῦ καπνοῦ καὶ
190 τῆς κνίσης καὶ τῆς κατὰ νόμον |165 a| λατρείας, ἣν οὐδὲ
πάλαι καταθύμιον ἔσχε τῶν ὅλων ὁ κύριος, νύκτωρ καὶ

177 ἑσπέραν coni. Sch.

181 Hébr. 13, 12-13

1. Alors que précédemment Théodoret évoquait les lieux (τόπους)
de la crucifixion et de la résurrection (In Is., 15, 468-471), il semble
désigner ici plus précisément la croix commémorative dressée à l'em-
placement du Calvaire et l'église rotonde édifiée sur le sépulcre,
l'Anastasis (cf. P. MARAVAL, Égérie, Journal de Voyage, SC 296,
p. 60-66).
2. Tandis que Théodoret, en homme qui a visité Jérusalem, s'en

ni le fait que l'appelé fut unique, ni la vieillesse qui le
pressait, ni l'incapacité physique de Sarra ; mais sa race
a été augmentée, comme je l'ai voulu. Vous non plus, ne
soyez donc pas incrédules : alors que vous êtes faciles à
dénombrer, je vous rendrai supérieurs à tout nombre.

Voici, en effet, ce qu'il a ajouté : 3. *Et maintenant je
te consolerai, Sion, et je consolerai tous ses lieux déserts,
je transformerai tous ses lieux déserts en jardin de délices
et ses régions du couchant, en jardin du Seigneur.* Il n'est
pas question des lieux habités, mais des lieux déserts,
non des régions sises au levant, mais de celles sises au
couchant. Or, les gens qui ont vu la ville de leurs yeux
savent que le Temple des Juifs se trouvait dans la partie
orientale de la ville, tandis que la croix et (le lieu) de la
résurrection (se trouvent) dans sa partie occidentale[1].
Qui plus est, ces lieux mêmes se trouvaient situés autrefois
hors les murs ; le divin Apôtre en est témoin quand il dit :
« C'est pourquoi Jésus a souffert hors de la porte. Sortons
donc pour aller à lui hors du camp en portant son opprobre. » Il fait donc cette prédiction : tous les lieux de la
ville qui étaient déserts et tous ceux qui se trouvaient au
couchant seront semblables au jardin de Dieu[2], car ils
possèdent en vérité l'arbre de la vie[3].

*On trouvera en elle joie et allégresse, action de grâces et voix
de louange.* Cela encore, nous le voyons s'accomplir en ce
jour : au lieu de la fumée, de l'odeur de graisse qui monte
des victimes, et du culte rendu selon la Loi, que le Seigneur
de l'univers, même jadis, n'a pas tenu pour agréable,

tient à une interprétation qui relève de la topographie, Eusèbe
reprend ici l'interprétation, fréquente chez lui (il renvoie du reste à
Is. 54, 1) comme chez Théodoret, selon laquelle cette transformation
du « désert » est une manière de désigner l'Église que forment les
nations (*GCS* 322, 2-5).

3. C'est-à-dire le bois (ξύλον) de la croix qui, en quelque sorte,
dans ce nouveau « paradis », réalise pleinement (ἀληθῶς) la « figure »
qu'est l'arbre de la connaissance dans le jardin d'Éden (*Gen.* 2, 17).

μεθ᾽ ἡμέραν ὕμνους ἡ Σιὼν ἀναπέμπει τῷ τῶν ὅλων θεῷ ·
τῶν γὰρ ὑμνούντων πεπλήρωται.

⁴ Ἀκούσατέ μου ἀκούσατέ μου λαός μου, καὶ οἱ βασιλεῖς
195 πρός με ἐνωτίζεσθε, ὅτι νόμος παρ᾽ ἐμοῦ ἐξελεύσεται καὶ ἡ
κρίσις μου εἰς φῶς ἐθνῶν. Καὶ ταῦτα τῷ νέῳ προθεσπίζει
λαῷ καὶ δηλοῖ τῶν βασιλέων τὸ πλῆθος · πρὸς πολλοὺς
γὰρ ἀλλ᾽ οὐ πρὸς ἕνα διαλέγεται. Δηλοῖ δὲ καὶ τοῦ καινοῦ
νόμου ἡ μνήμη, ὃν οὐκ Ἰουδαίοις ἀλλὰ τοῖς ἔθνεσιν ἐπαγγέλ-
200 λεται δώσειν καθάπερ ἡλιακὴν αὐτοῖς καταπέμπων ἀκτῖνα
καὶ τῆς ἀγνοίας ἀφανίζων τὸ σκό[τος]. ⁵ Ἐγγίζει ταχὺ ἡ
δικαιοσύνη μου, καὶ ἐξελεύσεται ὡς φῶς τὸ σωτήριόν μου,
καὶ ἐν τῷ βραχίονί μου ἔθνη ἐλπιοῦσιν · ἐμὲ νῆσοι ὑπομε-
νοῦσι καὶ εἰς τὸν βραχίονά μου ἐλπιοῦσιν. Βραχίονα τὴν
205 δύναμιν καλεῖ · μεγίστη γὰρ ἀπόδειξις αὕτη τῆς θείας
δυνάμεως τὸ διὰ σταυροῦ καὶ ἀτιμίας καὶ θανάτου τῆς
οἰκουμένης κρατῆσαι, τὸ ἁλιέας καὶ τελώνας καὶ σκυτοτόμους
διδασκάλους ἐπιστῆσαι φιλοσόφοις καὶ ῥήτορσι, τὸ δι᾽ ἀνδρῶν
δυοκαίδεκα πᾶσαν γεωργῆσαι τὴν οἰκουμένην καὶ δι᾽ ἀνθρώ-
210 πων οὕτως εὐαριθμήτων πᾶσαν γῆν καὶ θάλατταν ἐμπλῆσαι
τοῦ θείου κηρύγματος.

⁶ Ἄρατε εἰς τὸν οὐρανὸν τοὺς ὀφθαλμοὺς ὑμῶν καὶ
ἐμβλέψατε εἰς τὴν γῆν κάτω, ὅτι ὁ οὐρανὸς ὡς καπνὸς
ἐστερεώθη, ἡ δὲ γῆ ὡς ἱμάτιον παλαιωθήσεται, οἱ δὲ κατοι-

C : 204-211 βραχίονα² — κηρύγματος
207 σκυτοτόμους C : +τῆς οἰκουμένης K

---

1. C'est-à-dire « pour le peuple chrétien ». C'est aussi l'interprétation d'EUSÈBE (GCS 322, 23-26).
2. Interprétation constante chez Théodoret, par souci d'éviter
toute espèce d'anthropomorphisme (v.g. In Is., 12, 147-148 ; 16,
331-332.478-479, etc.). Pour CYRILLE, ce « bras » est « le bras du
Père », i.e. le Fils, selon un mode d'expression habituel à l'Écriture ;
pourtant, si l'on voulait, dit-il, l'entendre comme étant « le bras du
Fils », ce serait une manière de désigner sa puissance divine par
laquelle il a sauvé les nations en remportant la victoire sur Satan

nuit et jour, Sion fait monter des hymnes en l'honneur du Dieu de l'univers, car elle s'est remplie d'hommes qui chantent des hymnes.

La loi nouvelle :
l'Évangile

4. *Écoutez-moi, écoutez-moi, mon peuple, et vous les rois, prêtez-moi l'oreille, parce que la loi sortira de moi et que mon jugement sera la lumière des nations.* Cela encore, il le prophétise pour le nouveau peuple[1], et il fait bien voir le grand nombre des rois : il s'adresse, en effet, à de nombreux rois et non pas à un seul. D'autre part, ce qui le fait également bien voir, c'est la mention de la nouvelle loi qu'il promet de donner non pas aux Juifs, mais aux nations, pour leur envoyer comme un rayon de soleil et dissiper les ténèbres de l'ignorance. 5. *Ma justice s'approche avec rapidité, mon salut jaillira comme une lumière, et dans mon bras les nations espéreront ; les îles mettront leur attente en moi, et dans mon bras elles espéreront.* Il appelle « bras » sa puissance[2] : ce qui constitue la plus grande preuve de la puissance divine, c'est d'avoir vaincu le monde par la croix, par l'ignominie et par la mort ; c'est d'avoir donné des pêcheurs, des publicains et des cordonniers pour maîtres à des philosophes et à des rhéteurs ; c'est d'avoir, grâce à douze hommes, cultivé le monde entier et, grâce à un aussi petit nombre d'hommes, rempli entièrement la terre et la mer du message divin.

6. *Levez vos yeux vers le ciel et regardez en bas vers la terre, parce que le ciel comme une fumée s'est solidifié, que la terre vieillira comme un vêtement et que ses habitants*

---

et les puissances du mal (70, 1113 CD). Pour ces mêmes raisons, Cyrille place ce verset dans la bouche du Père et voit dans le mot « justice » une manière de désigner le Fils (70, 1112 D-1113 A), tout en admettant que ces paroles puissent être prononcées par le Christ ; dans ce cas, « justice » serait à entendre soit de sa grâce qui justifie (τὴν παρ' αὐτοῦ δικαιοῦσαν χάριν), soit de la prédication évangélique et du message divin qui procurent le salut (*id.*, 1113 AB).

215 κοῦντες αὐτὴν ὥσπερ ταῦτα ἀπολοῦνται. Καὶ ἀπὸ τοῦ
οὐρανοῦ καὶ ἀπὸ τῆς γῆς καὶ ἀπὸ τῶν ἄνω καὶ ἀπὸ τῶν
κάτω τὴν ἐμὴν καταμάθετε δύναμιν. Μετὰ πολλῆς γὰρ
εὐκολίας καὶ παρήγαγον ταῦτα καὶ πάλιν ἀφανιῶ. Τὸ δὲ
σωτήριόν μου εἰς τὸν αἰῶνα ἔσται, καὶ ἡ δικαιοσύνη μου οὐ
220 μὴ ἐκλείπῃ. Τοῦτο καὶ ἐν τοῖς ἱ[εροῖς] εὐαγγελίοις ὁ κύριος
ἔφη · « Ὁ οὐρανὸς καὶ ἡ γῆ παρελεύσονται, οἱ δὲ λόγοι
μου οὐ μὴ παρέλθωσιν. »
⁷ Ἀκούετέ μου οἱ ἰδόντες κρίσιν, λαός μου ⟨οὗ⟩ ὁ νόμος
μου ἐν τῇ καρδίᾳ ὑμῶν. Ἔτι τοῖς εἰς αὐτὸν πεπιστευ[κόσι]
225 διαλέγεται παρεγγυῶν φυλάττειν ὃν ἐδέξαντο νόμον. Τούτου
δὲ καὶ πρὸ βραχέος ἐμνήσθη · « Νόμος » γὰρ ἔφη « παρ᾽ ἐμοῦ
ἐξελεύσεται καὶ ἡ κρίσις μου εἰς φῶς ἐθνῶν. » Οὕτω κἂν
τοῖς ἱεροῖς εὐαγγελίοις ὁ κύριος ἔφη · « Θέσθε ὑμεῖς τοὺς
λόγους τούτους εἰς τὴν διάνοιαν ὑμῶν. »
230 Μὴ φοβεῖσθε ὀνειδισμὸν ἀνθρώπων καὶ ἐν τῷ φαυλισμῷ
αὐτῶν μὴ ἡττᾶσθε. ⁸ Ὡς γὰρ ἱμάτιον βρωθήσονται ὑπὸ
χρόνου καὶ ὡς (ἔρια) καταβρωθήσονται ὑπὸ σητός, ἡ δὲ
δικαιοσύνη μου εἰς τὸν αἰῶνα ἔσται, τὸ δὲ σωτήριόν μου εἰς
γενε(ὰς) γενεῶν. Ταῦτα καὶ ἐν τοῖς θείοις εὐαγγελίοις ὁ
235 κύριος ἔφη · « Μὴ φοβεῖσθε ἀπὸ τῶν ἀποκτενόντων τὸ
σῶμα, τὴν δὲ ψυχὴν μὴ δυναμένων ἀποκτεῖναι », καὶ πάλιν ·
« Μὴ οὖν φοβηθῆτε αὐτούς », καὶ ἑτέρωθι · « Μακάριοί
ἐστε, (ὅταν) ὀνειδίσωσιν ὑμᾶς καὶ διώξωσι καὶ εἴπωσι πᾶν
πονηρὸν ῥῆμα καθ᾽ ὑμῶν ψευδόμενο(ι ἕ)νεκεν ἐμοῦ · χαίρετε
240 καὶ ἀγαλλιᾶσθε, ὅτι ὁ μισθὸς ὑμῶν πολὺς ἐν τοῖς οὐρανοῖς. »
Οὕτω κἀνταῦ[θα] ὁ προφητικὸς ἔδειξε λόγος τοὺς ὀνειδί-
ζοντας καὶ προπηλακίζοντας τῆς ἀληθείας τοὺς κ[ήρυκας]
ἱματίοις καὶ ἐρίοις ἐοικότας ὑπὸ σητὸς δαπανωμένοις, τὴν
δὲ τῶν ὀνειδιζομένων σωτηρί[αν] καὶ δικαιοσύνην ἄπειρον
245 καὶ ἀνώλεθρον.

C : 215-218 καὶ — ἀφανιῶ

218 καὶ παρήγαγον C : ἐπαρήγαγον K

221 Matth. 24, 35   226 Is. 51, 4   228 Lc 9, 44   235 Matth.
10, 28   237 Matth. 10, 26   237-240 Matth. 5, 11-12

périront pareillement. A partir du ciel et de la terre, à partir des choses d'en haut et de celles d'en bas, apprenez ma puissance. C'est avec une grande facilité que j'ai produit au jour ces éléments et que, inversement, je les ferai disparaître. *Mais mon salut sera pour l'éternité et ma justice ne disparaîtra pas.* C'est ce que le Seigneur a dit également dans les saints Évangiles : « Le ciel et la terre passeront, tandis que mes paroles ne passeront pas. »

7. *Écoutez-moi, vous qui voyez le jugement, vous mon peuple qui avez dans le cœur ma loi.* C'est encore à ceux qui ont cru en lui qu'il s'adresse, en les invitant à garder la loi qu'ils ont reçue. Il en a fait mention déjà un peu plus haut : « La loi sortira de moi », a-t-il dit, « et mon jugement sera la lumière des nations. » De même, dans les saints Évangiles également, le Seigneur a dit : « Pour vous, mettez-vous bien ces paroles dans l'esprit. »

Ne craignez pas les outrages des hommes et ne soyez pas vaincus sous leurs insultes. 8. *Car ils seront mangés comme un vêtement par l'effet du temps et, comme la laine, ils seront dévorés par le ver, mais ma justice sera pour l'éternité, et mon salut, pour les générations des générations.* C'est ce que le Seigneur a dit aussi dans les divins Évangiles : « Ne craignez rien de ceux qui tuent le corps, mais qui ne peuvent pas tuer l'âme », et encore : « Ne les craignez donc pas », et en un autre endroit : « Heureux êtes-vous, lorsqu'on vous outrage, lorsqu'on vous persécute, lorsqu'on dit toute espèce de paroles méchantes contre vous et qu'on vous calomnie à cause de moi ; soyez dans la joie et dans l'allégresse, parce que votre salaire sera grand dans les cieux. » De même ici également, le texte prophétique a montré que les hommes qui outragent et foulent aux pieds les hérauts de la vérité sont semblables aux vêtements et à la laine que ronge le ver, tandis que le salut et la justice de ceux que l'on outrage n'ont pas de fin et échappent à la mort.

Ἐνταῦθα συμπεράνας τὴν περὶ τοῦ νέου λαοῦ πρό[ρρησιν]
εἰς ἑτέραν ὑπόθεσιν μεταφέρει τὸν λόγον καὶ προλέγει τῇ
Ἱερουσαλὴμ τὴν ἀπὸ Βαβυλῶνος [ἐπάνοδον]. Ἰστέον μέντοι
ὡς οὐχ ὁμοῦ ταῦτα κἀκεῖνα προηγόρευτο ἀλλὰ ποτὲ μὲν
250 ἐκεῖνα ποτὲ δὲ ταῦτ[α καὶ ὕ]στερον συντ[εθέ]ντα μία βίβλος
ἐγένετο.

9 Ἐξεγείρου ἐξεγείρου Ἱερουσαλὴμ καὶ ἔνδυσαι τὴν ἰσχὺν
το(ῦ βρα)χίονός σου. Ὡς πεπτωκυίᾳ καὶ κειμένῃ ταῦτα
προσφέρει τὰ ῥήματα καὶ παρεγγυᾷ τὴν προτέραν ἀ(να)λαβεῖν
255 δύναμιν. Ἐξεγείρου ὡς ἐν ἀρχῇ ἡμερῶν, ὡς γενεὰ αἰῶνος.
Ἀνακαινίσθητί [φησι] καὶ γενοῦ πάλιν οἷάπερ ἦσθα λαμπρὰ
καὶ περίβλεπτος.

Οὐ σὺ εἶ ἡ κατακόψασα ἀλαζο(νείαν, |165 b| ἡ κατ)α-
στρώσασα δράκοντα ; Ἔνια τῶν ἀντιγράφων ἀντὶ τοῦ · ἡ
260 κατακόψασα ἀλαζονείαν, « ἡ λατομήσασα πλάτος » [ἔχει],
οὕτω δὲ καὶ ὁ Θεοδοτίων ἐξέδωκεν, ὁ δὲ Ἀκύλας · « Μήτι
οὐ σὺ εἶ αὐτὸς ὁ λατομήσας ὅρμημα ; » Μετήνεγκε γὰρ
ἀπὸ τῆς πόλεως πρὸς τὸν λαὸν τὸν λόγον. Ἀλαζονείαν δὲ
καὶ ὅρμημα καὶ δράκοντα τὸν Φαραὼ καλεῖ. Καὶ τὸν
265 Σενναχηρὶμ δὲ εἴ τις νοήσοι, οὐκ ἂν ἁμάρτοι τῆς ἀληθείας ·
καὶ γὰρ ἐκεῖνος ἔλεγεν · « Οὐκ οἶδα τὸν κύριον καὶ τὸν
Ἰσραὴλ οὐκ ἐξαποστελῶ », καὶ οὗτος πάλιν μεμηνὼς ἐβόα ·
« Μή σε ἀπατάτω ὁ θεός σου <ἐφ' ᾧ σὺ πέποιθας>

C : 253-255 ὡς — δύναμιν
254 προσφέρει C : φέρει K ‖ ἀ(να)λαβεῖν K : λαβεῖν C
266 Ex. 5, 2   268 Is. 37, 10

1. A plusieurs reprises dans son commentaire (cf. t. I, SC 276,
p. 188, n. 1), Théodoret s'intéresse à la structure du livre d'Isaïe.
S'il est loin, naturellement, d'imaginer l'existence de « plusieurs
Isaïe », il porte sur l'ensemble prophétique qui s'offre à lui un regard
critique assez aigu pour s'apercevoir que l'ordre actuel des prophéties
ne correspond pas toujours à un ordre chronologique ou même
simplement logique ; cf. sa remarque sur l'organisation du Psautier

Après avoir achevé ici la prédiction

**Prédiction
du retour de Babylone**

qui concerne le nouveau peuple, (le prophète) passe à un autre sujet et prédit à Jérusalem le retour d'exil de Babylone. Il faut savoir, toutefois, que ces annonces n'ont pas été faites en même temps les unes et les autres, mais que les premières datent de telle époque, les secondes de telle autre, et qu'elles ont été réunies plus tard pour former un seul livre[1].

9. *Lève-toi, lève-toi, Jérusalem, et revêts la force de ton bras.* Il (lui) adresse ces paroles comme si elle était tombée et gisait à terre, et il l'invite à reprendre sa puissance d'autrefois[2]. *Lève-toi comme au commencement des jours, comme la génération du siècle.* Renouvelle-toi, dit-il, et redeviens telle que tu étais quand ta splendeur attirait tous les regards.

N'est-ce pas toi qui as mis en pièces la jactance, qui as transpercé le dragon? Quelques exemplaires, au lieu de « toi qui as mis en pièces la jactance », portent « toi qui as coupé la largeur » ; telle est aussi la traduction de Théodotion, tandis qu'Aquila (a dit) : « N'est-ce donc pas toi qui as coupé l'élan ? » Il a cessé de s'adresser à la ville pour s'adresser au peuple. Par « jactance », « élan » et « dragon », il désigne le Pharaon[3]. Si, toutefois, on entendait aussi (par là) Sennachérim, on ne s'écarterait pas de la vérité ; car, si le Pharaon disait : « Je ne connais pas le Seigneur et je ne renverrai pas Israël », Sennachérim à son tour s'écriait dans sa folie : « Que ton Dieu ne te trompe pas, lui en qui

---

(*PG* 80, 865 A) ou sur l'ordre de composition des épîtres de Paul (*PG* 82, 37 B).

2. Théodoret ne fait pas remarquer ici, comme le font Eusèbe (*GCS* 323, 29 s.) et Chrysostome (*M.*, p. 371, § 9), que « Jérusalem » n'est donné ni par l'hébreu ni par les autres interprètes, mais seulement par les Septante.

3. Pour Eusèbe également, le terme « dragon » désigne le Pharaon dont les chars et la puissance se sont abîmés dans la mer Rouge (*GCS* 324, 13-15).

ἐπ' αὐτῷ », ὅτι ῥύσεται τὸν Ἰσραὴλ ἐκ χειρός μου.
270 Ἀλλ' ὅμως κἀκεῖνον καὶ τοῦτον τιμωρίᾳ παρέδωκεν. Καὶ
τὸ πλάτος δὲ τὴν ἀλαζονείαν σημαίνει · καὶ γὰρ ὁ αὐτὸς
προφήτης περὶ τοῦ Ἀσσυρίου ἐκ προσώπου τοῦ θεοῦ ἔφη ·
« Ἐπισκέψομαι ἐπὶ τὸν νοῦν τὸν μέγαν, τὸν βασιλέα τῶν
Ἀσσυρίων. »
275 ¹⁰ Οὐ σὺ εἶ ἡ ἐρημώσασα θάλασσαν, ὕδωρ ἀβύσσου
πλῆθος ; Θάλασσαν τὸ τῶν Αἰγυπτίων πλῆθος καλεῖ. Εἰ
δὲ καὶ τοὺς Ἀσσυρίους τις οὕτω ὠνομάσθαι βούλοιτο, οὐ
πόρρω τῆς ἀληθείας ὁ λόγος. Ἡ θεῖσα τὰ βάθη τῆς θαλάσσης,
ὁδὸν διαβάσεως ἐρρυσμένοις ¹¹ καὶ λελυτρωμένοις ; Περὶ τῆς
280 Ἐρυθρᾶς Θαλάττης ταῦτα ἔφη, ἧς διχῇ διαιρεθείσης ὁ
Ἰσραὴλ τῆς σωτηρίας ἀπήλαυσεν. Ἀναμι[μν]ήσκει δὲ τούτων
αὐτούς, θαρρῆσαι περὶ τῶν μελλόντων παρεγγυῶν. Τοῦτο
γὰρ δηλοῖ τὰ ἑξῆς · (Ὑ)πὸ γὰρ κυρίου ἀποστραφήσονται
καὶ ἥξουσιν εἰς Σιὼν μετ' εὐφροσύνης καὶ ἀγαλλιάματος
285 αἰωνίου · ἐπὶ γὰρ (τῆς) κεφαλῆς αὐτῶν αἴνεσις, καὶ εὐφροσύνη καταλήψεται αὐτούς, ἀπέδρα ὀδύνη καὶ λύπη καὶ
στεναγμός. Καὶ τὴν ἐπάνοδον προεδήλωσε καὶ τὴν καταλη-
ψομένην τοὺς πιστεύοντας ἀγαλλίασιν καὶ εὐφρο[σύν]ην μετὰ
τὴν τοῦ σωτῆρος ἡμῶν ἐνανθρώπησιν. Ἀπὸ γὰρ τῶν εἰς
290 αὐτὸν γνησίως πεπιστευκότων ἀ[πέ]δρα ὀδύνη καὶ λύπη καὶ
στεναγμός.
Εἶτα ἀπὸ τῆς τοῦ προσώπου ποιότητος τὸ θάρσος
ἐντίθησιν. ¹² (Ἐγώ) εἰμι ἐγώ εἰμι ὁ παρακαλῶν σε αὐτός,
ὁ τὰ πρότερα ἐκεῖνα πεποιηκὼς τὰ παράδοξα, ὁ τὸν Φαραὼ

C : 294-296 δ² — κατακοντίσας
273 Is. 10, 12

1. Interprétation fréquente chez Théodoret (cf. In Is., 6, 492-494 ;
7, 34-35.265).

2. La possibilité présentée plus haut d'une double interprétation
du terme « dragon » (Is. 51, 9) commande logiquement l'interprétation
de ce verset et celle du verset 12 ; cela témoigne de la cohérence
(ἀκολουθία) recherchée par Théodoret dans son exégèse.

tu as mis ta confiance », en disant qu'il tirera Israël de ma
main. Néanmoins, il les a livrés l'un et l'autre au châtiment.
Quant au mot « largeur », il traduit aussi l'idée de jactance ;
et, en effet, le même prophète a dit de l'Assyrien, au nom
de Dieu : « Je jetterai les yeux sur l'esprit orgueilleux,
le roi des Assyriens. »

10. *N'est-ce pas toi qui as asséché la mer, l'eau abondante
de l'abîme?* Il appelle « mer » le grand nombre des Égyptiens[1]. Si, toutefois, on voulait voir aussi sous ce nom les
Assyriens, l'explication ne s'écarterait guère de la vérité[2].
*(N'est-ce pas toi) qui as fait des profondeurs de la mer une
voie de passage pour ceux qui ont été sauvés* 11. *et rachetés?*
Il a dit cela de la mer Rouge : parce qu'elle a été partagée
en deux, Israël bénéficia du salut. Or, il leur rappelle ces
événements pour les inviter à avoir confiance au sujet des
événements futurs. La suite du passage le fait bien voir :
*Car ils seront ramenés par le Seigneur et ils arriveront dans
Sion pleins d'une joie et d'une allégresse éternelles ; car sur
leur tête (sera) la louange, et la joie les saisira ; douleur,
chagrin et gémissement ont fui.* Il a fait voir par avance le
retour des exilés, ainsi que l'allégresse et la joie qui
s'empareront des croyants après l'incarnation de notre
Sauveur[3]. C'est, en effet, loin de ceux qui ont cru en lui
sincèrement qu'ont fui douleur, chagrin et gémissement.

Puis, d'après l'état de sa face[4], il (leur) inspire la
confiance : 12. *C'est moi, c'est moi en personne qui te
console*, moi qui ai accompli dans le passé ces actions
extraordinaires, qui ai livré Pharaon à la mer ainsi que

---

3. Eusèbe se contente de rapporter le verset à l'entrée des
croyants dans la Sion céleste (*GCS* 324, 23-31), tandis que Cyrille,
comme Théodoret, y voit d'abord l'annonce du retour des exilés,
puis celle de l'entrée des croyants dans la Sion spirituelle (70, 1124 BC).

4. L'expression bienveillante de la « face » de Dieu redonne
confiance aux exilés ; réminiscence probable du *Ps.* 33, 16-17, où il
est dit que Dieu présente deux « visages » différents, l'un pour les
méchants, l'autre pour les justes.

295 σὺν τῇ στρατιᾷ παραδεδωκὼς τῇ θαλάττῃ, ὁ τὰς πολλὰς
τῶν Ἀσσυρίων μυριάδας δι᾽ ἑνὸς ἀγγέλου κατακοντίσας.

Εἶτα τῆς εὐγενείας αὐτὴν ἀναμιμνήσκει καὶ τὴν θείαν
κηδεμονίαν [εἰς] νοῦν λαβεῖν παρεγγυᾷ καὶ ἀπορρῖψαι τὸ
δέος · Γνῶθι τίς οὖσα ἐφοβήθης ὑπὸ ἀνθρώπου θνητοῦ καὶ
300 ἀπὸ υἱοῦ (ἀνθρώπου), οἳ ὡσεὶ χόρτος ἐξηράνθησαν, ¹³ καὶ
ἐπελάθου τὸν θεὸν τὸν ποιήσαντά σε, τὸν ποιήσαντα τὸν
οὐρανὸν καὶ τὴν γῆν θεμελιώσαντα, καὶ ἐφοβοῦ ἀεὶ πάσας
τὰς ἡμέρας τὸ πρόσωπον τοῦ θυμοῦ τοῦ θλίβοντός σε, ὃν
τρόπον ἐβουλεύσατο τοῦ ἆραί σε. Σύ φησι συνήργησας
305 τοῖς πολεμίοις καὶ τὸν ἐκείνων πεπλήρωκας σκοπόν, ἐκείνους
μὲν δείσασα ἐμοῦ δὲ ἀμνημονήσασα ὃς τῶν ἁπάντων ὑπάρχω
δημιουργός, παρ᾽ οὗ μυρί[α] τῆς δυ[νά]μεως ἐνέχυρα δέδεξαι.
Καὶ ἄνθρωπον μὲν θνητὸν καὶ φθαρτὸν ἐφοβήθης, εἰς δὲ
τὴν οἰκεία[ν οὐ]κ ἀπ[έ]βλε[ψας] ἀξίαν οὐδὲ τὴν ἐμὴν
310 ἐπικουρίαν ἐζήτησας.

Καὶ νῦν ποῦ ὁ θυμὸς τοῦ θλίβοντός σε ; ¹⁴ Ἐν γὰρ τῷ
σῴζεσθαί σε (οὐ) στήσεται οὐδὲ χρονιεῖ. Σοὶ μὲν γὰρ ὀρέξω
τὴν σωτηρίαν, ἐκεῖνον δὲ παραδώσω πανωλεθρίᾳ. Καὶ οὐ
θανατώσει εἰς (δι)αφθοράν. Οὐ γὰρ συγχωρήσω παντελεῖ σε
315 τιμωρίᾳ παραδοθῆναι, ἀλλ᾽ ἐγὼ « πατάξω κἀγὼ ἰάσομαι ».
Καὶ (οὐ) μὴ ὑστερήσῃ ὁ ἄρτος αὐτοῦ, ¹⁵ ὅτι ἐγώ εἰμι κύριος
ὁ θεός σου ὁ ταράσσων τὴν θάλασσαν καὶ ἠχῶν τὰ κύματα
αὐτῆς, (κύριος) Σαβαὼθ ὄνομά μοι. Τό · οὐχ ὑστερήσει ὁ
ἄρτος αὐτοῦ, παρὰ μὲν τοῖς Ἑβδομήκοντα μετὰ ἀστερίσκου
320 πρόσκειται. Ση[μαίνει] δὲ ὁ λόγος ὅτι καὶ ἐν αὐτῇ τῇ
αἰχμαλωσίᾳ τῆς θείας κηδεμονίας ἀπήλαυον, ἀνενδεῶς
αὐτοῖς [τοῦ θεοῦ] τὰς χρείας πορίζοντος. Ἐγὼ γάρ φησι

---

295 θαλάττῃ C : θαλάσσῃ K ‖ 319 τοῖς Μο. : τοὺς K
315 Deut. 32, 39

---

1. L'interprétation d'Eusèbe est toute différente : la prophétie
s'applique, selon lui, à ceux qui, dans l'Église, font preuve de

son armée, qui ai mis à mort de nombreux milliers d'Assyriens grâce à un seul ange.

Puis il rappelle à la ville sa noblesse d'origine et l'invite à prendre en considération la sollicitude divine et à rejeter la crainte : *Sache qui tu es pour avoir été effrayée par un homme mortel et par un fils d'homme, qui comme l'herbe verte ont été desséchés,* 13. *pour avoir oublié le Dieu qui t'a faite, qui a fait le ciel et établi les fondements de la terre, et pour t'effrayer sans cesse, tous les jours, devant la fureur de ton oppresseur en voyant de quelle manière il avait médité de te supprimer.* C'est toi, dit-il, qui as prêté aide à tes ennemis et accompli leur but : tu les a craints[1] et tu m'as oublié, moi qui suis le créateur de toutes choses, celui de qui tu as reçu d'innombrables gages de puissance. Un homme mortel et corruptible t'a effrayé, mais tu n'as pas eu égard à ta propre dignité et tu n'as pas recherché mon assistance.

Dieu assure le salut de son peuple *Et maintenant où est la fureur de ton oppresseur?* 14. *Car, pour te sauver, il ne s'arrêtera pas et il ne tardera pas.* A toi je procurerai le salut, tandis que lui, je le livrerai à une ruine totale. *Et il ne te fera pas mourir jusqu'à extermination.* Je ne permettrai pas que tu sois livrée à un châtiment complet, mais c'est moi « qui frapperai et moi qui guérirai. » *Et son pain ne fera pas défaut,* 15. *parce que moi je suis le Seigneur ton Dieu, qui agite la mer et fais mugir ses flots, le Seigneur Sabaoth est mon nom.* La phrase « son pain ne fera pas défaut » se trouve chez les Septante accompagnée d'un astérisque[2]. Le texte laisse entendre qu'au sein même de la captivité, ils jouissaient encore de la sollicitude divine, puisque Dieu leur fournissait largement ce dont ils avaient besoin. C'est moi qui agite la mer,

lâcheté et de faiblesse et n'ont pas le courage des martyrs pour confesser leur foi (*GCS* 325, 4-9).

2. Sur la présence d'astérisques dans le texte biblique de Théodoret, cf. t. I, *SC* 276, Introd., p. 43.

καὶ τὴν θάλατταν ταράττω καὶ τὰ κύματα διεγείρω. Ὁ δὲ
[ταῦ]τα ποιῶν καὶ τῶν Βαβυλωνίων κυκήσω τὴν θάλατταν
325 καὶ ἐπαναστήσω αὐτοῖς τῶν πολεμίων τὰ κύματα.
¹⁶ Θήσω τοὺς λόγους μου εἰς τὸ στόμα σου. Ἔργοις σε
διδάξω τὴν τῶν λόγων ἀλήθειαν. Καὶ ὑπὸ τὴν σκιὰν (τῆς)
χειρός μου σκεπάσω σε, ἐν ᾗ ἔστησα τὸν οὐρανὸν καὶ
ἐθεμελίωσα τὴν γῆν, καὶ ἐρῶ τῇ Σιών · λαός μου |166 a| εἶ
330 σύ. Ἱκανὴ τῆς δημιουργίας ἡ μνήμη δεῖξαι τῆς ἐνεργείας
τὴν δύναμιν, ἧς μεταδώσειν αὐτοῖς ἐπηγγείλατο · χεῖρα γὰρ
τὴν ἐνέργειαν κέκληκεν.
¹⁷ Ἐξεγείρου ἐξεγείρου ἐξανάστηθι Ἰερουσαλὴμ ἡ πιοῦσα
ἐκ χειρὸς κυρίου τὸ ποτήριον τοῦ θυμοῦ αὐτοῦ · τὸ γὰρ
335 ποτήριον τῆς πτώσεως, τὸ κόνδυ τοῦ θυμοῦ μου ἐξέπιες καὶ
ἐξεκένωσας, ¹⁸ καὶ οὐκ ἦν ὁ παρακαλῶν σε ἀπὸ πάντων
τῶν τέκνων σου ὧν ἔτεκες, καὶ οὐκ ἦν ὁ ἀντιλαμβανόμενος
(τῆς) χειρός σου ἀπὸ πάντων τῶν υἱῶν σου ὧν ὕψωσας.
Ποτήριον τὴν τιμωρίαν καλεῖ · καρωτικὴ γὰρ καὶ αὐτὴ
340 καθάπερ ἡ μέθη. Τοῦ ποτηρίου τούτου καὶ ὁ μακάριος
μέμνηται Δαυίδ, φησὶ δὲ οὕτως · « Ὅτι ποτήριον ἐν χειρὶ
κυρίου οἴνου ἀκράτου, πλῆρες κεράσματος · καὶ ἔκλινεν ἐκ
τούτου εἰς τοῦτο » — ποτὲ γὰρ τούτους κολάζει ποτέ δὲ
ἐκείνους —, « π(λὴν) ὁ τρυγίας αὐτοῦ οὐκ ἐξεκενώθη ·
345 πίονται πάντες οἱ ἁμαρτωλοὶ τῆς γῆς. » Μέμνηται ταῦτα
καὶ ὁ θεῖος Ἱερεμίας · « Εἶπε » γάρ φησι « κύριος ὁ θεὸς
πρός με · λάβε τὸ ποτήριον τοῦ οἴνου τοῦ ἀκράτου τούτου

C : 330-332 ἱκανὴ — κέκληκεν ‖ 339-340 ποτήριον — μέθη
335 πτώσεως e tx.rec. : πίστεως Κ
341 Ps. 74, 9   345-358 Jér. 32, 1-4

---

1. Pour cette interprétation de « mer » et de « flots », cf. supra,
p. 125, n. 1.
2. Cf. supra, p. 119, n. 2.
3. Même interprétation chez CHRYSOSTOME : « Les Écritures
appellent toujours ' coupe ' (calicem) le châtiment » (M., p. 377,
§ 17-23). Théodoret, par les références qu'il donne aux Psaumes et à

dit-il, et qui excite les flots. Or, puisque je fais cela, je
bouleverserai la mer que forment les Babyloniens[1] et
je ferai se lever contre eux les flots des ennemis.

16. *Je placerai mes paroles dans ta bouche.* C'est par des
actions que je t'enseignerai la vérité de mes paroles. *Et
sous l'ombre de ma main je t'abriterai; par son action, j'ai
établi le ciel et affermi les fondements de la terre, et je dirai à
Sion : Tu es mon peuple.* Il suffit du rappel de la création
pour montrer la puissance de sa force agissante qu'il a
promis de leur communiquer ; car il a appelé « main » sa
force agissante[2].

17. *Lève-toi, lève-toi, dresse-toi, Jéru-*
Rappel du châtiment *salem, toi qui as bu de la main du*
de Jérusalem *Seigneur la coupe de sa colère ! car la
coupe de la chute, le vase de ma colère, tu les as bus et tu les as
vidés ;* 18. *il n'y avait personne pour te consoler, de tous les
enfants que tu as enfantés, et il n'y avait personne pour te
prendre par la main, de tous les fils que tu as élevés.* Il appelle
« coupe » le châtiment[3] : il monte lui aussi à la tête comme
l'ivresse. De cette coupe, le bienheureux David a également
fait mention, dans les termes suivants : « Car le Seigneur
tient dans sa main une coupe d'un vin pur, pleine d'un
mélange (d'aromates) ; et il l'a inclinée d'un côté et de
l'autre » — il châtie, en effet, tantôt les uns, tantôt les
autres — ; « sa lie, toutefois, n'a pas été vidée : ils boiront,
tous les pécheurs de la terre. » Le divin Jérémie, à son tour,
a fait mention de cela en ces termes : « Le Seigneur Dieu
m'a dit : Prends de ma main la coupe de ce vin et fais-la

Jérémie, laisse bien entendre lui aussi qu'il s'agit d'une constante de
l'Écriture (cf. *In Jer.*, 81, 637 A ; 748 B ; *In Ez.*, 81, 1044 C ; *In Abd.*,
81, 1716 BC ; *In Hab.*, 81, 1824 A). Cyrille se contente ici de
reprendre l'expression en parlant de « coupe de la ruine », mais il fait
de κόνδυ une manière figurée de dire « le jugement » (70, 1133 D) ;
plus loin (*Is.* 51, 22-23), rencontrant encore le mot ποτήριον, il note
que l'Écriture a l'habitude de nommer ainsi le sort échu à chacun,
qu'il soit contraire ou bon (*id.*, 1137 C).

ἐκ χειρός μου καὶ ποτιεῖς αὐτὸ σύμπαντα τὰ ἔθνη, πρὸς
ἃ ἐγὼ ἐξαποστελῶ σε πρὸς αὐτά, καὶ πίονται καὶ ἐξεμοῦντ(αι)
350 καὶ ἐκμανήσονται.» Καὶ διδάσκων τί προσαγορεύει ποτήριον, ἐπήγαγεν · «Ἀπὸ προσώπου τῆς μαχαίρας μ(ου) ἧς
ἀποστελῶ ἀνὰ μέσον αὐτῶν.» Εἶτα ἐπάγει ὅτι «ἔλαβον
τὸ ποτήριον ἐκ χειρὸς κυρίου καὶ ἐπότισα πάντα τὰ ἔθνη,
πρὸς ἃ ἀπέστειλέ με κύριος πρὸς αὐτά, τὴν Ἱερουσαλὴμ
355 καὶ τὰς πόλεις Ἰούδα καὶ τοὺς βασιλεῖς αὐτῆς καὶ τοὺς
ἄρχοντας αὐτῆς τοῦ θεῖναι αὐτὴν εἰς ἐρήμωσιν καὶ εἰς
ἄβατον καὶ εἰς συριγμὸν καὶ εἰς κατάραν κατὰ τὴν ἡμέραν
ταύτην» καὶ τὰ ἑξῆς. Κἀνταῦθα τοίνυν ὁ θεὸς διὰ τοῦ
προφήτου φησίν · Τὸ ποτήριον τῆς πτώσ(εως) ἐξέπιες καὶ
360 ἐξεκένωσας, τουτέστι · Μεγίστην τιμωρίαν ὑπέμεινας καὶ
οὐδὲν ὤνησάν σε οὐ βασιλ[εῖς], οὐ στρατηγοί, οὐ τῆς
στρατιᾶς τὸ πλῆθος, οἷς διετέλεις θαρροῦσα.

[19] Δύο ταῦτα ἀντικείμενά σοι · τίς σοι συλλυπηθήσεται ;
Δύο καλεῖ τῶν πολεμίων τὴν ἀνδρείαν καὶ τῶν ἐπικουρούντων
365 τὴν ἐρημίαν · οἱ μὲν γὰρ γενναίως ἐπίασιν, οἱ δὲ ἀνάνδρως
φεύγουσιν. Πτῶμα καὶ σύντριμμα. Πάλιν δύο εἰσήγαγε, καὶ
τὸ πεσεῖν καὶ τὸ συντριβῆ(ναι). Ἔστι γὰρ ὅτε καταπίπτει
μέν τις, οὐ πλήττεται δέ. Λιμὸς καὶ μάχαιρα. Πάλιν διπλῆ
τιμωρία · οἱ μὲν γὰρ ἔξ(ωθεν) ἐπολιόρκουν, τῶν δὲ πολεμίων
370 χαλεπώτερος ἦν ὁ λιμὸς ἔνδοθεν αὐτοὺς διαφθείρων.
Τίς σε παρακαλέσει ; [20] Οἱ υἱοί σου οἱ ἀπορούμενοι οἱ
καθεύδοντες ἐπ' ἄκρου πάσης ἐξόδου ὡς σεῦτλον ἡμίεφθον ;
Ἔδειξεν αὐτῶ(ν διὰ) μὲν τοῦ ὕπνου τὸ ῥάθυμον διὰ δὲ τοῦ
λαχάνου τὸ ἄνανδρον. Τῶν δὲ προειρημένων τὰ ἐπαγόμενα

C : 364-366 δύο — φεύγουσιν ‖ 366-368 πάλιν — δέ ‖ 368-370 πάλιν
— διαφθείρων ‖ 373-374 ἔδειξεν — ἄνανδρον

357 ἄβατον e tx.rec. : ἄροτρον K ‖ 365 ἀνάνδρως K : ἀνδρείως C

---

1. Malgré le caractère relativement imprécis de cette remarque,
il est clair, si on la rapporte à l'ensemble de l'interprétation, qu'elle
concerne le siège de Jérusalem par Nabuchodonosor : la famine éprou-

boire à toutes les nations vers lesquelles je vais t'envoyer ;
elles (la) boiront, elles vomiront et deviendront folles. »
Et, pour enseigner ce qu'il désigne du nom de coupe, il a
ajouté : « devant la face de mon glaive que je vais envoyer
au milieu d'elles. » Puis il ajoute : « J'ai pris la coupe de la
main du Seigneur et la fis boire à toutes les nations vers
lesquelles le Seigneur m'avait envoyé, à Jérusalem et aux
villes de Juda, à ses rois et à ses chefs, pour la transformer
en désolation et en lieu inaccessible, en sifflement et en
imprécation, comme c'est le cas aujourd'hui » et la suite. Ici
aussi, Dieu déclare donc par l'intermédiaire du prophète :
«Tu as bu la coupe de la chute et tu l'as vidée», c'est-à-dire :
tu as enduré un très grand châtiment, et ils ne t'ont été
d'aucune utilité les rois, les généraux et les soldats si
nombreux, eux en qui tu ne cessais de mettre ta confiance.

19. *Ces deux circonstances t'(ont été) contraires: Qui
s'attristera sur toi?* Par « deux (circonstances) », il entend
la bravoure des ennemis et la désertion des auxiliaires :
tandis que les uns attaquent avec courage, les autres
fuient lâchement. *Chute et broyage.* Il a présenté à nouveau
deux malheurs : celui de tomber et celui d'être broyé.
Car il arrive qu'un homme tombe et ne soit pas blessé.
Famine et glaive. A nouveau double châtiment : si les uns
faisaient à l'extérieur le siège de la ville, plus dure à
supporter que les ennemis était la famine qui, à l'intérieur,
les anéantissait[1]. *Qui te consolera? 20. Tes fils qui sont sans
ressource, qui dorment au bout de chaque rue comme bette à
moitié cuite?* Par le sommeil, il a montré leur indolence et
par la plante potagère leur lâcheté[2]. Mais ce qu'il ajoute est
encore plus difficilement supportable que ce qui vient

---

vée alors par les habitants de Jérusalem est ailleurs (*In Ez.*, 81,
865 B) présentée comme tout à fait comparable, jusque dans les
atrocités qu'elle provoque, à celle qu'a imposée le siège de Titus.

2. A rapprocher de l'interprétation de CYRILLE (70, 1137 AB) :
παρειμένοι τε οὕτως τὰς φρένας, καὶ ἐκλελυμένοι τὸν νοῦν, ὡς σευτλίον
ἡμίεφθον.

375 χαλεπώτ[ερα] · Οἱ πλήρε⟨ι⟩ς θυμοῦ κυρίου, ἐκλελυμένοι
διὰ κυρίου τοῦ θεοῦ σου. Διὰ μὲν γὰρ τῆς παρανομίας τὴν
ὀργὴν ἐπισπῶνται, [διὰ] δὲ τὴν ὀργὴν ἔρημοι τῆς ἐμῆς
γινόμενοι προμηθείας πάσης ἰσχύος γυμνοῦνται.
²¹ Διὰ τοῦτο ἄκουε τεταπεινωμένη καὶ μεθύουσα οὐκ ἀπὸ
380 οἴνου. Μείζων ἡ κατηγορία · χαλεπωτέρα γὰρ τῆς ἀσεβείας
ἡ μέθη. ²² Οὕτως λέγει κύριος (ὁ) θεός σου ὁ κρίνων τὸν
λαὸν αὐτοῦ. Διὰ τῶν τῆς οἰκειότητος ὀνομάτων ψυχαγωγεῖ.
Ἰδοὺ εἴληφα ἐκ τῆς χειρός σου τὸ ποτήριον τῆς πτώσεως,
τὸ κόνδυ τοῦ θυμοῦ μου, καὶ οὐ προσθήσῃ ἔτι πιεῖν αὐτό.
385 (Τὴν) τῶν Βαβυλωνίων καθαίρεσιν προδηλοῖ. Ἐπειδὴ γὰρ
τετράκις αὐτοῖς ἐπῆλθεν ὁ Ναβου(χοδονό)σορ — πρῶτον
μὲν ἐν τῷ τρίτῳ ἔτει Ἰωακὶμ τοῦ υἱοῦ Ἰωσίου, δεύτερον
δὲ ἐν τῷ ἑνδεκάτῳ τοῦ αὐτοῦ βασιλέως, τρίτον δὲ ἐπὶ
Ἰεχονίου τοῦ υἱοῦ Ἰωακίμ, τὸ δὲ τέταρτον ἐπὶ Σεδεκίου —,
390 ἐπαγγέλλεται (μη)κέτι προσοίσειν αὐτοῖς διὰ τῶν Βαβυλωνίων τὸ τῆς τιμωρίας ποτήριον. Ὅτι γὰρ διὰ [τούτων] ἔπιον
καὶ τὸ τελευταῖον διὰ Ῥωμαίων, ἡνίκα καὶ παντελῶς τῆς
θείας ἐγυμνώθησαν κηδεμ[ονίας], καὶ αἱ ἱστορίαι διδάσκουσι
καὶ τὰ πράγματα μαρτυρεῖ. Οὐκοῦν τό · Οὐ προσθήσῃ πιεῖν
395 αὐτό, διὰ τῶν [Βαβ]υλωνίων λέγει.
Δηλοῖ δὲ καὶ τὰ ἐπαγόμενα · ²³ Καὶ δώσω αὐτὸ εἰς τὰς
χεῖρας τῶν ἀδικησάντων σε (καὶ τῶν) ταπεινωσάντων σε.
Τούτῳ ἔοικε τὸ ὑπὸ τοῦ μακαρίου εἰρημένον Δαυίδ · « Καὶ
ἔκλινεν ἐκ τούτου εἰς τοῦ(το). » Κἀνταῦθα · Οὐκέτι σὺ
400 πίῃ ἀλλ' ἐκεῖνοι · σὺ μὲν γὰρ ἐπανήξεις, ἡ δὲ ἐκείνων

C : 380-381 μείζων — μέθη ‖ 382 διὰ — ψυχαγωγεῖ ‖ 385-391
τὴν — ποτήριον

388 ἑνδεκάτῳ K : +ἔτει C ‖ τοῦ ... βασιλέως C : τῆς ... βασιλείας K ‖ 400 πίῃ (vel πιεῖς ?) Mö. : πίης K

398 Ps. 74, 9

---

1. C'est un « topos » ; cf. In Ez., 81, 812 B-813 AB ; In Dan., 81,
1457 C.

d'être dit : *Eux qui sont pleins de la fureur du Seigneur,
qui sont épuisés et sans force par la volonté du Seigneur ton
Dieu*. Par leur iniquité ils s'attirent ma colère et, en raison
de ma colère, ils sont privés de ma prévenance et dépouillés
de toute espèce de force.

21. *C'est pourquoi, écoute, toi qui as*
Annonce du châtiment *été abaissée et qui es ivre, mais non de*
pour Babylone *vin*. Plus grande est l'accusation, car
l'ivresse qui vient de l'impiété est plus difficilement
supportable. 22. *Ainsi parle le Seigneur ton Dieu qui juge
son peuple*. Il se sert des termes qui marquent la parenté
pour réconforter. *Voici que j'ai enlevé de ta main la coupe de
la chute, le vase de ma colère, et on ne t'imposera plus de le
boire*. Il fait voir par avance l'anéantissement des Babyloniens. Puisqu'en effet Nabuchodonosor a fait campagne
contre eux à quatre reprises — la première fois en la
troisième année du règne de Joachim fils de Josias, la
deuxième en la onzième année du règne de ce même roi,
la troisième au cours du règne de Jéchonias fils de Joachim
et la quatrième au cours du règne de Sédécias —, il promet
de ne plus leur présenter la coupe du châtiment par
l'intermédiaire des Babyloniens[1]. Ils l'ont bue de leurs
mains, avant de la boire en dernier lieu de celles des
Romains, lorsqu'ils furent complètement dépouillés de la
sollicitude divine ; c'est ce qu'enseignent les récits
historiques et ce dont témoignent les faits. Ainsi donc
le passage : « On ne t'imposera (plus) de la boire » veut
dire (qu'on ne le fera plus) par l'intermédiaire des
Babyloniens.

Ce qu'il ajoute le fait également bien voir : 23. *Et je la
mettrai aux mains de ceux qui ont été injustes à ton égard et
qui t'ont abaissée*. C'est à quoi ressemble la parole du
bienheureux David : « Et il l'a inclinée d'un côté et de
l'autre. » (Il dit) ici : ce n'est plus toi qui (la) boiras, mais
eux : tu reviendras d'exil, tandis que leur royauté sera

καταλυθήσεται [βασιλεία]. |166 b| (Οἳ εἶ)πον τῇ ψυχῇ
σου · Κύψον ἵνα παρέλθωμεν · καὶ ἔθηκας ἴσα τῇ γῇ τὰ
μετάφρενά σου ἔξω τοῖς (παρα)πορευομένοις. Καὶ τὸν ἐκείνων ἔδειξε τῦφον καὶ τὴν ταύτης ταλαιπωρίαν. Εἰ γὰρ τὴν
405 ἐμήν φησιν ἐκάλεσας συμμαχίαν, κρείττων ἂν ἐγένου τῶν
πολεμούντων · ἐπειδὴ δὲ τοῦτο δρᾶσαι οὐκ ἠβουλήθης,
ἄχρις αὐτῆς ἐταπεινώθης τῆς γῆς.

52¹ Ἐξεγείρου ἐξεγείρου Σιών, ἔνδυσαι τὴν ἰσχύν σου
Σιών, καὶ σὺ ἔνδυσαι τὴν δόξαν σου Ἱερουσαλὴμ ἡ πόλις
410 ἡ ἁγία, οὐκέτι προστεθήσεται διελθεῖν διὰ σοῦ ἀπερίτμητος
καὶ ἀκάθαρτος. Ἱερουσαλὴμ τὴν κάτω πόλιν καλεῖ, Σιὼν
δὲ τὴν ἄνω · εἰς μίαν δὲ πόλιν ἐτέλουν ἀμφότεραι. Ἀμφο-
τέραις τοιγαροῦν τὴν ἀνανέωσιν ἐπαγγέλλεται καί, ἐπειδὴ
τῶν οἰκητόρων αἰχμαλώτων γεγενημένων ἀδεῶς δι' αὐτῆς
415 τὰ ἀλλόφυλα ἔθνη διῄει, τὴν τούτων ἀπαλλαγὴν ὑπισχ[ν]εῖται.

² Ἐκτίναξαι τὸν χοῦν καὶ ἀνάστηθι καὶ κάθισον Ἱερουσαλήμ.
Ἡ ὡς καταλελυμένη ταῦτα παρεγγυᾷ ἢ ὡς πενθούσῃ καὶ
χοῦν καταπεπασμένῃ τὴν κεφαλήν. Ἔκλυσον τὸν δεσμὸν
τοῦ τραχήλου σου ἡ αἰχμάλωτος θυγάτηρ Σιών. Τῶν δορυ-
420 αλώτων ἴδια τὰ δεσμά. Τὴν ἐλευθερίαν τοίνυν διὰ τῆς
τῶν δεσμῶν ἀπαλλαγῆς προδεδήλωκεν.

³ Ὅτι τάδε λέγει κύριος · Δωρεὰν ἐπράθητε καὶ οὐ μετὰ
ἀργυρίου λυτρωθήσεσθε. Ταῖς γὰρ [ἁμ]αρτίαις αὐτῶν ἐπρά-
θησαν, τῇ δὲ τοῦ θεοῦ φιλανθρωπίᾳ τῆς λύσεως ἔτυχον.

420 ἴδια Sch. : οἶδα Κ

---

1. Pour CYRILLE (70, 1144 A), ces termes désignent le rassemblement des croyants, de l'Église issue des Juifs et des nations.
2. L'interprétation de CYRILLE est toute spirituelle : « poussière »
est une manière de désigner un mode de pensée terrestre et l'impureté
des désirs charnels (70, 1145 CD).
3. Ici encore CYRILLE s'en tient à l'interprétation spirituelle :
il s'agit des liens du péché dont nous délivre le Christ (70, 1148 A).
De même, pour EUSÈBE (GCS 329, 4-5), il s'agit des puissances du
mal (αἱ ἀντικείμεναι δυνάμεις) qui ont fait prisonnière l'âme par les
liens du péché (σειραῖς ἁμαρτιῶν).

détruite. *Eux qui ont dit à ton âme : Courbe-toi, afin que nous passions ; et tu as mis au niveau de la terre ton dos pour ceux qui passaient au dehors.* Il a montré à la fois l'orgueil des ennemis et la détresse de la ville. Si tu avais, dit-il, demandé mon alliance, tu l'aurais emporté sur ceux qui te faisaient la guerre ; mais, puisque tu n'as pas voulu le faire, tu as été abaissée jusqu'au niveau même de la terre.

Restauration de Jérusalem et retour de captivité
52, 1. Lève-toi, lève-toi, Sion, revêts ta force, Sion, et toi, revêts ta gloire, Jérusalem, ville sainte ; ils ne s'approcheront plus pour te traverser l'incirconcis et l'impur. Il appelle « Jérusalem » la ville basse et « Sion » la ville haute, mais à elles deux elles composaient une seule ville[1]. C'est pourquoi il leur promet à toutes deux la restauration ; et, puisqu'après la réduction de ses habitants en captivité, les nations étrangères la traversaient sans crainte, il leur fait la promesse de les en délivrer. *2. Secoue la poussière et dresse-toi, assieds-toi, Jérusalem.* C'est parce qu'elle a été détruite qu'il lui adresse ces exhortations, ou parce qu'elle est dans le deuil et qu'elle a recouvert sa tête de poussière[2]. *Délie le lien de ton cou, toi qui es captive, fille de Sion.* Les liens sont le propre des prisonniers de guerre[3]. Il a donc fait voir par avance la libération par la délivrance des liens.

3. Car voici ce que dit le Seigneur : Pour rien vous avez été vendus et sans argent vous serez rachetés. C'est à cause de leurs péchés qu'ils ont été vendus, mais c'est de la bonté de Dieu qu'ils ont obtenu la délivrance[4]. *4. Car ainsi parle*

---

4. Eusèbe continue à interpréter le passage de manière spirituelle (*GCS* 329, 19-22) : puisqu'il ne s'agissait pas d'une captivité physique (οὐ γὰρ ἦν σωματικὴ αὐτῶν ἡ αἰχμαλωσία), il ne pouvait être question d'une délivrance acquise par une rançon matérielle (διὰ λύτρων σωματικῶν) ; il s'agit donc du rachat des âmes par le sang du Christ. Cyrille, de son côté, entend le verset de la tyrannie du diable que le Christ a ruinée (70, 1148 C).

425 ⁴ Ὅτι οὕτως λέγει κύριος · Εἰς Αἴγυπτον κατέβη ὁ λαός
μου τὸ πρότερον παροικῆσαι ἐκεῖ, καὶ εἰς Ἀσσυρίους δὲ βίᾳ
ἀνδραποδίσαντες [αὐτὸν] ἀπήγαγον. ⁵ Καὶ νῦν τί ὧδέ ἐστε ;
Τῇ ἐρωτήσει σχηματίζει τὸν λόγον τοῦ γεγενημένου δεικνὺς
τὸ παράδοξον · [Οὐκ] εἰς Αἴγυπτόν φησιν ἀπεληλύθειτε ;
430 Πῶς οὖν ἐπανήκατε ;
Τάδε λέγει κύριος · Ὅτι ἐλήφθη ὁ λαός μου δωρεάν,
(θ)αυμάζετε καὶ ὀλολύζετε. Ἐκπλήττεσθέ φησιν ὀλοφυρό-
μενοι τὴν αἰχμαλωσίαν, ὅτι ἐμὸς λαὸς χρηματίζοντες
ὑπεμείνατε ταῦτα. Ἀλλὰ μὴ θαυμάζετε, σκοπήσατε δὲ ὡς
435 δι' ὑμᾶς διὰ παντὸς τὸ ὄνομά μου βλασφημεῖται ἐν τοῖς
ἔθνεσιν. Οὐχ οὕτως ἀνιαρὸν τὸ ὑμᾶς ἐνδίκως ταῦτα παθεῖν
ὡς [τὸ] ἐμὲ δι' ὑμᾶς βλασφημεῖσθαι καὶ νομίζειν τὰ ἔθνη
διὰ τὴν ἐμὴν ἀσθένειαν ὑμᾶς ταῦτα ὑπομεμενηκέναι.
⁶ Διὰ τοῦτο γνώσεται ὁ λαός μου τὸ ὄνομά μου ἐν τῇ ἡμέρᾳ
440 ἐκείνῃ ὅτι ἐγώ εἰμι, αὐτὸς ὁ λαλῶν πάρειμι. Ἡμέραν καλεῖ
τὴν τῆς ἀνακλήσεως. Τεύξεσθέ φησι ταύτης οὐ διὰ τὴν
ὑμετέραν ἀξίαν ἀλλὰ διὰ τὴν τῶν ἐθνῶν βλασφημίαν.
Ἐκείνοις γὰρ δεῖξαι βουλόμενος τὴν ἐμὴν δύναμιν τῆς
δουλείας ὑμᾶς ἐλευθερώσω. Αὐτίκα δὲ τοῦτο ποιήσω καὶ
445 ἐπιθήσω τῷ λόγῳ τὸ πέρας.
⁷ Ὡς ὡραῖοι ἐπὶ τῶν ὀρέων πόδες εὐαγγελιζομένου ἀκοὴν
εἰρήνης, εὐαγγελιζομένου ἀγαθά. (Τοῦ)το τυπικῶς μὲν
ἐδέξατο πέρας, ἡνίκα τοῖς τὴν Ἱερουσαλὴμ κατοικοῦσιν
ἀπηγγέλθη (τῶν αἰχμαλ)ώτων (ἡ ἄ)φεσις · ἀληθῶς δὲ καὶ
450 κυρίως ἁρμόττει τοῖς ἱεροῖς ἀποστόλοις ἡ προφητεία · τούτων
γὰρ ὡραῖοι (οἱ πόδε)ς, οὓς αἱ δεσποτικαὶ χεῖρες ἀπένιψάν
τε καὶ ἔρρωσαν ὥστε πᾶσαν τὴν οἰκουμένην (διαδρα)μεῖν
καὶ τῆς θείας εἰρήνης διαπορθμεῦσαι τὰ εὐαγγέλια καὶ

C : 447-454 τοῦτο — ἀπόλαυσιν

1. C'est aussi aux apôtres qu'Eusèbe rapporte ce verset repris
par S. Paul en *Rom.* 10, 15 (*GCS* 330, 30-31) ; il explique également
ὡραῖοι en évoquant le lavement des pieds et voit dans « montagnes »
une manière de désigner l'élévation du message évangélique (*id.*,
331, 4-6).

le Seigneur: Mon peuple est descendu autrefois en Égypte pour y habiter et chez les Assyriens, mais c'est de force qu'après l'avoir réduit en esclavage, ils l'ont emmené. 5. *Et maintenant pourquoi êtes-vous ainsi?* Sa question est un effet de style destiné à montrer l'étrangeté de ce qui s'est produit : N'êtes-vous pas allés en Égypte, dit-il ? Comment donc (en) êtes-vous revenus ?

Voici ce que dit le Seigneur: Parce que mon peuple a été pris pour rien, vous vous étonnez et vous poussez des cris de douleur. Vous êtes frappés de stupeur, dit-il, en déplorant la captivité, parce que, en dépit du titre de « mon peuple » que vous portez, vous avez enduré ces malheurs. Eh bien, ne vous étonnez pas, mais considérez comment *à cause de vous, sans cesse, mon nom est blasphémé parmi les nations.* Le fait que vous subissiez à juste titre ces malheurs n'est pas insupportable comme l'est celui que je sois blasphémé à cause de vous et que les nations pensent que ma faiblesse est la cause des malheurs que vous avez endurés. 6. *C'est pourquoi mon peuple connaîtra mon nom en ce jour-là, (il saura) que « Je suis », et que c'est moi qui déclare: « Me voici ».* Il appelle « jour » celui de (leur) rappel d'exil. Vous l'obtiendrez, dit-il, non pas à cause de votre mérite, mais à cause du blasphème des nations. C'est parce que je veux leur montrer ma puissance que je vous libérerai de l'esclavage. Je le ferai sur-le-champ, et je ferai suivre la parole de son accomplissement.

Chant de joie   7. *Qu'ils sont beaux sur les montagnes les pieds de celui qui annonce la nouvelle de la paix, qui annonce le bonheur.* Cela s'est accompli en figure, lorsqu'on annonça aux habitants de Jérusalem le renvoi des captifs ; mais la prophétie s'applique en vérité et au sens propre aux saints apôtres : (ils étaient) beaux leurs pieds que les mains du Maître ont lavés et fortifiés[1], de façon qu'ils parcourent le monde entier, qu'ils transmettent la bonne nouvelle de la paix de

μηνῦσαι τῶν ἐπηγγελμένων (ἀγαθ)ῶν τὴν ἀπόλαυσιν. Ὅτι
455 ἀκουστὴν ποιήσω τὴν σωτηρίαν σου λέγων τῇ Σιών · Βασι-
λεύσει σου ὁ θεός. (Καὶ τ)αῦτα ὡσαύτως τοῖς ἱεροῖς μᾶλλον
ἀποστόλοις ἀρμόττει · δι' ἐκείνων γὰρ ἡ τοῦ θεοῦ καὶ
σωτῆρος (ἡμῶν ἀνε)κηρύχθη βασιλεία. Πρὸ γὰρ ἐκείνων
οὐδὲ ἡ αἰσθητὴ Σιὼν ἠθέλησεν ὑπὸ τοῦ θεοῦ βασιλεύεσθαι.
460   ⁸(Φωνὴ) τῶν φυλασσόντων σε ὑψώθη, καὶ τῇ φωνῇ ἅμα
εὐφρανθήσονται, ὅτι ὀφθαλμοῖς πρὸς (ὀφθαλμο)ὺς ὄψονται,
ἡνίκα ἂν ἐλεήσῃ κύριος τὴν Σιών. Οἱ αὐτοὶ καὶ κηρύττουσι
καὶ φυλάττουσι καὶ προ(ξενοῦσι) τὴν εὐφροσύνην · αὐτόπται
γὰρ ἐγένοντο τοῦ σωτῆρος, ἡνίκα ἐνανθρωπήσας τῇ Σιὼν
465 ἐπεφάνη. Οὕτω [δὲ καὶ ὁ μ]ακάριος λέγει Δαυίδ · « Ἐκ
Σιὼν ἡ εὐπρέπεια τῆς ὡραιότητος αὐτοῦ », καὶ πάλιν ·
« Ῥάβδον δυνάμ(εως ἐξα)ποστελεῖ σοι κύριος ἐκ Σιών. »
⁹Ῥηξάτω εὐφροσύνην ἅμα τὰ ἔρημα Ἱερουσαλήμ, ὅτι
ἠλέησε κύριος τὸν λαὸν |167 a| αὐτοῦ καὶ ἐλυτρώσατο τὴν
470 Ἱερουσαλήμ. Πάλιν τοῖς ἐρήμοις τῆς Ἱερουσαλὴμ τόπ[οις]
ὑ[πισχνεῖται εὐ]φρο[σύ]νην, ἅπερ ἐν τοῖς πρόσθεν πρὸς ταῖς
δυσμαῖς εἴρηκε διακεῖσθαι, ἃ καὶ τῷ παραδ[είσῳ τοῦ] θεοῦ
παραβάλλεσθαι ἔφη.

Πῶς δὲ ἔσται ταῦτα, διδάσκει · ¹⁰Ἀποκαλύψει κύριος
475 τὸν βραχίονα (αὐτοῦ) τὸν ἅγιον ἐνώπιον πάντων τῶν ἐθνῶν,
καὶ ὄψεται πάντα τὰ ἄκρα τῆς γῆς τὴν σωτηρ(ίαν τὴν) παρὰ
τοῦ θεοῦ ἡμῶν. Δείξει φησὶ τὴν ἑαυτοῦ δύναμιν ὁ τῶν ὅλων
θεὸς πᾶσι τοῖς ἔθν[εσιν — βρ]αχίονα γὰρ τὴν δύναμιν

C : 456-458 καὶ — βασιλεία ‖ 462-465 οἱ — ἐπεφάνη
    462 αὐτοὶ Κ : +ἀπόστολοι C
    465 Ps. 49, 2   467 Ps. 109, 2

---

1. Eusèbe note la leçon hébraïque de ce verset : au lieu du grec
σωτηρίαν, l'hébreu donne ιησουά qu'on peut traduire par Ἰησοῦν
(GCS 330, 34-36) ; c'est une interprétation que reprend plus loin
Théodoret (In Is., 19, 437-441).

Dieu et qu'ils révèlent la jouissance (que l'on retirera) des biens promis. *Car je ferai en sorte que ton salut soit entendu, en disant à Sion: Ton Dieu sera ton roi.* Cela encore, de la même manière, s'applique davantage aux saints apôtres : c'est grâce à eux que le royaume de notre Dieu et Sauveur a été proclamé[1]. Avant eux, en effet, même la Sion visible n'a pas voulu se laisser régir par Dieu.

8. *La voix de tes gardiens s'est élevée et, à cette voix, ensemble ils se réjouiront, parce qu'ils verront les yeux dans les yeux, quand le Seigneur aura fait miséricorde à Sion.* Ce sont les mêmes hommes[2] qui proclament (la nouvelle), qui montent la garde et procurent la joie : ils ont été, en effet, des témoins oculaires du Sauveur, lorsqu'après s'être incarné il s'est manifesté à Sion. De même, le bienheureux David déclare de son côté : « De Sion (sort) la beauté de sa splendeur », et encore : « Le sceptre de puissance, le Seigneur te l'enverra de Sion. » 9. *Éclatez de joie tous ensemble, lieux déserts de Jérusalem, parce que le Seigneur a fait miséricorde à son peuple et qu'il a racheté Jérusalem.* Il promet de nouveau la joie aux lieux déserts de Jérusalem qui sont, comme il l'a dit en un précédent passage[3], situés au couchant et qui sont même comparés, d'après ce qu'il a dit, au jardin de Dieu.

Il enseigne comment cela se produira : 10. *Le Seigneur dévoilera son saint bras sous le regard de toutes les nations, et toutes les extrémités de la terre verront le salut qui vient de notre Dieu.* Le Dieu de l'univers montrera, dit-il, sa puissance à toutes les nations — il donne, en effet, le nom

---

2. C'est-à-dire les apôtres. Même interprétation du terme σκοποί chez Eusèbe (*GCS* 331, 23-28). Pour Cyrille, il peut s'agir des apôtres ou de tous ceux qui savent guider les hommes vers les saints mystères (70, 1157 A).

3. Cf. *Is.* 51, 3. Cyrille, comme précédemment, entend par Sion et Jérusalem l'Église (70, 1160 C).

ὀνομάζει —, καὶ γνώσονται ἅπαντες τῆς σωτηρίας τὸν
480 χορηγόν.
   ¹¹ Ἀπόστ(ητε) ἀπόστητε ἐξέλθετε ἐκεῖθεν καὶ ἀκαθάρτου
μὴ ἅπτεσθε, ἐξέλθετε ἐκ μέσου αὐτῆς. Τοῖς (πε)πιστευκόσιν
ὁ προφητικὸς διακελεύεται λόγος χωρισθῆναι τῶν ἀπίστων.
Ἀφορίσθητε οἱ φέρον(τες) τὰ σκεύη κυρίου. Σκεύη καλεῖ
485 τοὺς τῆς ἐκλογῆς ἠξιωμένους. Οὕτω καὶ τὸν μακάριον
ὠνόμασε Παῦ(λον) · τῷ γὰρ Ἀνανίᾳ φησίν · « Πορεύου,
ὅτι σκεῦος ἐκλογῆς μοί ἐστιν οὗτος τοῦ βαστάσαι τὸ ὄνομά
μου ἐνώπιον ἐθνῶν καὶ βασιλέων υἱῶν τε Ἰσραήλ. » Καὶ
αὐτὸς δὲ ὁ θεῖος ἀπόστολος οὕτω φησίν · « Ἐὰν οὖν τις
490 ἐκκαθάρῃ ἑαυτὸν ἀπὸ τῶν τοιούτων, ἔσται σκεῦος εἰς τιμήν,
ἡγιασμένον καὶ εὔχρηστον τῷ δεσπότῃ, εἰς πᾶν ἔργον ἀγαθὸν
ἡτοιμασμένον ». Κἀνταῦθα τοίνυν · Οἱ σκεύη ἑαυτοὺς φησι
τοῦ κυρίου κατασκευάσαν[τες] ἐξέλθετε ταῦτα φέροντες.
   ¹² Ὅτι οὐ μετὰ ταραχῆς ἐξελεύσεσθε οὐδὲ φυγῇ πορεύ-
495 σεσθε · πορεύσεται (γὰρ) πρότερον ὑμῶν κύριος καὶ ὁ
ἐπισυνάγων ὑμᾶς θεὸς Ἰσραήλ. Ἡνίκα ἔμελλον ἐπιστρα-
τεύειν Ῥωμαῖοι [τῇ] Ἱερουσαλήμ, ἅπαντες οἱ τὸ κήρυγμα
δεξάμενοι εἰς ἑτέρας ἐξεδήμησαν πόλεις · ἐμεμαθήκε[σαν]
γὰρ τὰς καταληψομένας αὐτὴν συμφοράς. Καὶ αὐτὸς δὲ
500 αὐτοῖς ὁ κύριος τοῦτο δρᾶσαι παρεκελεύσ[ατο] · « Ὅταν »
γάρ φησιν « ἴδητε κυκλουμένην ὑπὸ στρατοπέδων τὴν
Ἱερουσαλήμ, γινώσκετε ὅτι ἤγγικεν ἡ ἐρήμ(ωσις) αὐτῆς »,
καὶ πάλιν · « Τότε οἱ ἐν τῇ Ἰουδαίᾳ φευγέτωσαν εἰς τὰ

C : 482-483 τοῖς — ἀπίστων ‖ 484-487 σκεύη — οὗτος
483 διακελεύεται λόγος K : λόγος παρακελεύεται C

486 Act. 9, 15   489 II Tim. 2, 21   500 Lc 21, 20   503
Matth. 24, 16

---

1. Cf. supra, p. 119, n. 2. CYRILLE reprend ici l'interprétation
selon laquelle « bras » est une manière constante dans l'Écriture de
désigner le Fils de Dieu ; il s'agit donc du Christ connu de toutes les
nations (70, 1161 AB).

de « bras » à sa puissance[1] —, et tous les hommes connaîtront le dispensateur du salut.

11. *Retirez-vous, retirez-vous, sortez de là et ne touchez pas ce qui est impur, sortez du milieu d'elle.* Le texte prophétique ordonne à ceux qui ont cru de se séparer des incrédules[2]. *Mettez-vous à l'écart, vous qui portez les vases du Seigneur.* Il appelle « vases » les hommes qui ont mérité l'élection[3]. C'est également ainsi qu'il a nommé le bienheureux Paul ; il dit, en effet, à Ananie : « Va, parce que celui-ci est pour moi un vase d'élection, destiné à porter mon nom devant les nations, les rois et les fils d'Israël. » Quant au divin Apôtre, il parle lui aussi en ces termes : « Si donc quelqu'un se préserve de fautes de ce genre, il sera un vase d'honneur, sanctifié et utile au Maître, propre à toute œuvre bonne. » Ici également il dit donc : Vous qui vous êtes faits les vases du Seigneur, sortez en les portant.

12. *Car vous ne sortirez pas en tumulte, et ce n'est pas la fuite qui vous fera marcher : car devant vous marchera le Seigneur, ainsi que le Dieu d'Israël qui vous rassemble.* Lorsque les Romains étaient sur le point de faire campagne contre Jérusalem, tous ceux qui avaient accueilli le message s'exilèrent dans d'autres villes : car ils avaient appris les malheurs qui allaient la frapper[4]. Or, c'est le Seigneur en personne qui leur a ordonné de le faire : « Lorsque vous verrez, dit-il, Jérusalem investie par les armées, rendez-vous compte que sa dévastation est proche », et encore : « Alors, que ceux qui seront en Judée s'enfuient dans les montagnes,

---

2. L'interprétation de Cyrille est identique, mais beaucoup plus longue (70, 1161 CD).

3. Pour Eusèbe, σκεύη désigne la personne de ceux qu'a choisis le Seigneur, ou bien les annonces du N.T. que ces derniers doivent tenir à l'écart de l'incrédulité des Juifs (*GCS* 332, 20-24). Quant à Chrysostome, il prend « vases » au sens littéral : ceux qui ont la charge des vases sacrés doivent éviter la fréquentation des gens impurs (*M.*, p. 382, l. 20-22).

4. Cf. *In. Is.*, 1, 167-175 ; 7, 648-655.

ὅρη, ὁ ἐπὶ τοῦ δώματος μὴ καταβ(άτω) ἄραί τι ἐκ τῆς
505 οἰκίας αὐτοῦ.» Ταῦτα τοίνυν προεγνωκότες ἀνεχώρησαν
καὶ τῶν τῆς πολιορκίας ἀπηλλάγησαν συμφορῶν, αὐτοῦ τοῦ
σωτῆρος ἡγουμένου καὶ πρὸς τὰ ἔθνη ποδηγοῦντος καὶ τὴν
ἐξ ἐθνῶν ἐκκλησίαν συνάγοντος.

Ταῦτα τοίνυν καὶ ἡμεῖς μεμαθηκότες φύγ[ωμεν] τὴν
510 ἀπιστίαν, τῇ δὲ πίστει προσμείνωμεν καὶ τὰς θείας φυλάξωμεν
ἐντολὰς καὶ τὴν ἀπλανῆ πορείαν ὁδεύσωμεν ἡγεμόνα τῆς
ὁδοῦ τὸν κύριον ἔχοντες Ἰησοῦν, μεθ' οὗ τῷ πατρὶ ἡ δόξα
σὺν τῷ παναγίῳ [πνεύματ]ι νῦν καὶ ἀεὶ καὶ εἰς τοὺς αἰῶνας
τῶν αἰώνων. Ἀμήν.

que celui qui sera sur la terrasse ne descende pas pour
prendre ce qui est dans sa maison. » C'est donc parce qu'ils
ont connu par avance ces événements qu'ils se sont éloignés
et qu'ils ont échappé aux malheurs du siège de la ville,
tandis que le Seigneur en personne les guidait, dirigeait
leurs pas vers les nations et rassemblait l'Église venue
des nations.

Parénèse Puisque nous avons appris, nous
aussi, ces événements, fuyons donc
l'incrédulité, persévérons dans la foi, gardons les commandements de Dieu et avançons sur la voie droite, avec
le Seigneur Jésus pour guider notre route. Gloire au Père,
en union avec lui, dans l'unité du très saint Esprit,
maintenant et toujours, et pour les siècles des siècles.
Amen.

¹³ Ἰδοὺ σ(υνή)σει ὁ παῖς μου καὶ ὑψωθήσεται καὶ
δοξασθήσεται καὶ μετεωρισθήσεται σφόδρα. Τὸ δεσποτικὸν
λοιπὸν ἀκριβέστερον προλέγει πάθος. Κατὰ τάξιν δὲ ἅπαντα
5 ἔδειξε τὰ ἀνθρώπινα · τὴν σοφίαν, τὴν θαυματουργίαν, τὸ
παρὰ πάντων σέβας. Τὸ γάρ · Συνήσει ὁ παῖς μου, ἔοικε
τῷ εὐαγγελικῷ ἐκείνῳ ῥητῷ · « Ἰησοῦς δὲ προέκοπτεν
ἡλικίᾳ καὶ σοφίᾳ », τὸ δέ · Ὑ(ψωθήσεται) καὶ δοξασθήσεται
καὶ μετεωρισθήσεται σφόδρα, σημαίνει τὴν ἐπὶ τοῖς θαύμασιν
10 ἔκ[στασιν] τῶν θεωμένων · ποτὲ μὲν γὰρ αὐτὸν καὶ βασιλέα
ἠβουλήθη<σαν> ποιῆσαι κατὰ τὴν εὐαγγελ[ικὴν ἱ]στορίαν,
ποτὲ δὲ ἐβόων · « Ὡσαννὰ τῷ υἱῷ Δαυΐδ, ὡσαννὰ ἐν τοῖς
ὑψίστοις. »

Ἀλλὰ [μετὰ τὰ] θαύματα τὸ πάθος. Διά τοι τοῦτο καὶ
15 ὁ προφήτης οὕτω καὶ τὴν πρόρρησιν ἔταξε καί φησιν ·
¹⁴ (Ὃν τρόπον) ἐκστήσονται πολλοὶ ἐπὶ σέ, οὕτως ἀδοξήσει

C : 3-6 τὸ — σέβας
14 μετὰ τὰ coni. Br.Ka.Po.Sch.
7 Lc 2, 52   10-11 cf. Jn 6, 15   12 Matth. 21, 9

1. On notera l'insistance de Théodoret à montrer que cette
phrase — en raison notamment de la présence des mots « serviteur »
(παῖς) et « comprendra » (συνήσει) — doit s'entendre de l'humanité
du Christ (τὰ ἀνθρώπινα) ; la référence à Lc 2, 52 a été déjà utilisée
à deux reprises dans un but identique (In Is., 12, 559-565 ; 16, 70-74).
Eusèbe note ici la variante δοῦλος fournie par Aquila et la justifie,
comme le fait souvent Théodoret, en parlant de « la forme de
l'esclave assumée par le Verbe » et en citant Phil. 2, 6 s. (GCS 333,
19-22).

**Annonce
de la Passion du Christ**

13. *Voici que mon serviteur comprendra et sera exalté, qu'il sera glorifié et
élevé au comble de la hauteur.* Il prédit
maintenant de façon plus précise la Passion du Maître.
Il a montré successivement tout ce qui relève de (son)
humanité : la sagesse, le pouvoir de faire des miracles,
le respect que tous (lui) témoignaient. La phrase « mon
serviteur comprendra » ressemble, en effet, à cette parole
de l'Évangile : « Jésus grandissait en âge et en sagesse »[1] ;
quant à la phrase « il sera exalté, glorifié et élevé au
comble de la hauteur », elle marque la stupéfaction des
spectateurs à la vue des miracles : tantôt ils voulurent
même le faire roi, selon le récit de l'Évangile, tantôt ils
s'écriaient : « Hosanna, fils de David, hosanna au plus
haut des cieux. »

Mais, après les miracles, il y a la Passion. C'est bien
pourquoi le prophète a de son côté imposé cet ordre à sa
prédiction[2] et déclare : 14. *De même que beaucoup seront*

---

2. En entendant « il sera exalté... » des miracles accomplis par
le Christ avant sa Passion, Théodoret voit dans la prophétie d'Isaïe
une suite logique ; à l'inverse, Eusèbe (*GCS* 333, 6-17) rapporte ce
verset à la résurrection et à l'ascension du Christ et le met en relation
avec les passages d'Isaïe qui, plus loin (*Is.* 53, 2-4.7-8), insistent sur
l'abaissement du serviteur de Dieu jusqu'à la mort : le prophète,
selon lui, a voulu montrer par anticipation la « glorification » du
Christ avant de décrire son abaissement. De son côté, Chrysostome
refuse d'appliquer ce passage à Zorobabel, à Daniel ou au peuple,
et ne veut le rapporter qu'au Christ (*M.*, p. 383, l. 2 s.).

ἀπὸ ἀνθρώπων τὸ εἶδός σου καὶ ἡ δόξα σου ἀπὸ υἱῶν τῶν
ἀν(θρώπων). Σταυρῷ) προσηλώθη, ἀκάνθας αὐτοῦ τῇ κεφαλῇ
περιέθεσαν, καλάμῳ τύπτοντες ἔλεγον · « Προφή(τευσον)
20 ἡμῖν Χριστέ, τίς ἐστιν ὁ παίσας σε. »
Εἶτα μετὰ τὴν ἀτιμίαν ἐκείνην τῆς οἰκουμένης προλέγει
[τὴν ἔκστασιν] · ¹⁵ Οὕτω θαυμάσονται ἔθνη πολλὰ ἐπ᾽ αὐτῷ.
Οὐ γὰρ πάντες ἐπίστευσαν, οἱ δὲ (πεπιστευκότες ὑ)|167 b|πε-
ρηγάσθησαν τὸ τῆς εὐσεβείας μυστήριον. Καὶ συνέξουσι
25 βασιλεῖς τὸ στόμα αὐτῶν. Οἱ πάλαι διώκοντες καὶ βλασφη-
μεῖν τολμῶντες ἐναργῶς θεωροῦντες αὐτοῦ τὴν δύναμιν
ἀποστήσουσι τῆς λοιδορίας τὴν γλῶτταν. Εἶτα σαφέστερον ·
Ὅτι οἷς οὐκ ἀνηγγέλη περὶ αὐτοῦ ὄψονται, καὶ οἳ οὐ(κ
ἀκη)κόασι συνήσουσιν. Οἱ γὰρ τὰς προφητικὰς οὐ δεξάμενοι
30 προρρήσεις ἀλλὰ τοῖς εἰδώλοις δουλεύ(οντε)ς ὄψονται
διὰ τῶν κηρύκων τῆς ἀληθείας τοῦ κηρυττομένου τὸ κράτος
καὶ γνώσονται αὐτοῦ τὴν δύ(να)μιν.
Οὕτω ταῦτα περὶ τῶν ἐθνῶν προθεσπίσας καὶ τὴν
Ἰουδαίων ἀπιστίαν προλέγει · 53¹ Κύριε τίς ἐπίστευσε τῇ
35 ἀκοῇ ἡμῶν ; Καὶ ὁ βραχίων κυρίου τίνι ἀπεκαλύφθη ; Τὰ
ἔθνη φησὶ μηδὲν περὶ αὐτοῦ παρ᾽ ἡμῶν τῶν προφητῶν
προακούσαντα ἐδέξατο προθύμως τὸ κήρυγμα, οὗτοι δὲ
καὶ ἀκηκοότες παρ᾽ ἡμῶν πολλάκις καὶ πεῖραν αὐτοῦ τῆς
δυνάμεως ἐσχηκότες ἐπέμειναν ἀπιστοῦντες καὶ ἀντιλέγοντες.

C : 18-20 σταυρῷ — σε ‖ 23-24 οὐ — μυστήριον ‖ 25-27 οἱ —
γλῶτταν ‖ 29-32 οἱ — δύναμιν

23 πάντες K : ἅπαντες C

19 Matth. 26, 68   39 cf. Is. 65, 2

1. Tout ce passage est à rapprocher de l'interprétation d'EUSÈBE
(GCS 333, 34 - 334, 4).

2. Chez CHRYSOSTOME ces considérations sur la conversion des
nations s'accompagnent d'une traditionnelle polémique anti-juive
(M., p. 385, 28-386, 1 s.) que Théodoret réserve pour le début du
chapitre suivant (Is. 53, 1).

frappés de stupeur à ton sujet, de même ton aspect recueillera
le dédain des hommes et ta gloire, celui des fils des hommes.
Il fut cloué à la croix, ils entourèrent sa tête d'une couronne
d'épines, ils le frappaient avec un roseau en disant :
« Prophétise-nous, Christ, qui est celui qui t'a frappé. »
Puis, après ce déshonneur, il prédit la stupéfaction du
monde : 15. *Ainsi s'étonneront de nombreuses nations à son*
sujet. Tous, en effet, n'ont pas cru, mais ceux qui ont cru,
ont admiré au plus haut point le mystère de la piété.
Et des rois fermeront la bouche. A la vue manifeste de sa
puissance, ceux qui jadis (le) persécutaient et osaient
blasphémer, détourneront leur langue de l'injure[1]. Puis il
ajoute de manière plus claire : *Car ils verront, eux qui*
n'avaient pas reçu d'annonce à son sujet, et ils comprendront,
eux qui n'ont pas entendu. De fait, les hommes qui n'avaient
pas reçu les prédictions prophétiques, mais qui étaient
esclaves des idoles, verront, grâce aux hérauts de la vérité,
le pouvoir de celui qui leur est proclamé et ils connaîtront
sa puissance[2].

L'incrédulité des Juifs Après ces prédictions au sujet des
nations, il prédit aussi l'incrédulité
des Juifs : **53,** 1. *Seigneur, qui a cru à ce qu'il a entendu de*
nous? Et à qui le bras du Seigneur a-t-il été dévoilé? Les
nations, dit-il, qui n'ont rien entendu annoncer à son sujet
de notre part à nous, les prophètes, ont accueilli avec
empressement la proclamation ; eux, au contraire, bien
qu'ils aient eu souvent à nous entendre et qu'ils aient eu
la preuve de sa puissance[3], ont continué à être incrédules
et à contester.

---

3. Pour prévenir toute espèce d'anthropomorphisme, Théodoret
note une fois encore, mais sans insister, que l'expression « le bras du
Seigneur » désigne sa « puissance » (cf. *supra,* p. 119, n. 2). Pour
Eusèbe, ce « bras » — il l'a souvent montré (πολλάκις ἀπεδείξαμεν) —,
c'est le fils Monogène de Dieu (*GCS* 334, 30-32). Cyrille reprend ici
encore cette même interprétation (cf. *supra,* p. 119, n. 2) en notant
que cette manière de désigner le Fils est une constante de l'Écriture
(70, 1168 D ἔθος τῇ θεοπνεύστῳ Γραφῇ καθὰ δέδεικται πλεισταχοῦ).

40   ² Ἀνηγγείλαμεν ἐνώπιον αὐτοῦ, τουτέστι τοῦ λαοῦ τούτου
τοῦ νῦν ἀντιλέγοντος. Τί δαὶ ἀνηγγείλατε ; Ὡς παιδίον, ὡς
ῥίζα ἐν γῇ διψώσῃ. Κατὰ δὲ τὸν Ἀκύλαν · « ὡς ῥίζα
ἀπὸ γῆς ἀβάτου.» Προείπαμέν φησι τὴν ἐκ παρθένου
γέννησιν · αὐτὴν γὰρ ἄβατον καὶ διψῶσαν προσηγόρευσεν
45 ὡς ἴχνος ἀνδρὸς καὶ γαμικὸν ὑετὸν οὐδαμῶς δεξαμένην.
Καὶ τοῦτο δὲ ἀνηγγείλαμεν ὡς οὐκ ἔστιν εἶδος αὐτῷ οὐδὲ
δόξα, τουτέστι παρὰ τὸν τοῦ πάθους (καιρ)όν · πολλὴ
γὰρ ἦν ἡ ἀτιμία καὶ ἡ ὕβρις. Καὶ εἴδομεν αὐτόν, καὶ οὐκ
εἶχεν εἶδος οὐδὲ κάλλος, ἀλλὰ τὸ εἶδος (αὐτοῦ) ³ἄτιμον,
50 ἐκλεῖπον τὸ εἶδος αὐτοῦ παρὰ τοὺς υἱοὺς τῶν ἀνθρώπων.
Μεγίστη τοῦ παναγίου πνεύματος ἡ ἐνέργεια · (τὰ) γὰρ
μετὰ πολλὰς γενόμενα γενεὰς οὕτω τοῖς ἁγίοις προφήταις
προέδειξεν ὡς μὴ λέγειν ἐκείνους · (ἠ)κούσαμεν, ἀλλ' ·
εἴδομεν.
55 Εἶτα διδάσκει τῆς ἀτιμίας καὶ ἀδοξίας τὰ εἴδη ·
Ἄνθρωπος ἐν πληγῇ ὤν. Ἔδειξε [τὴν] φύσιν τὴν δεξαμένην τὸ πάθος · τὸ σῶμα γὰρ τῷ σταυρῷ προσηλώθη,
ἡ δὲ θεότης ᾠκειοῦτο τὸ πάθος. (Καὶ) εἰδὼς φέρειν μαλακίαν.

C : 42-48 κατὰ — ὕβρίς ‖ 51-54 μεγίστη — εἴδομεν
43 ἀπὸ C : ἐκ Κ

Quant à Chrysostome, il voit dans « bras du Seigneur » une manière
de montrer la consubstantialité du Fils avec le Père, puisqu'il y a
entre eux égalité de puissance (*M.*, p. 388, l. 4-9).

1. C'est déjà l'interprétation d'Eusèbe (*GCS* 335, 5-13) :
«… laissant entendre par « terre non foulée » la Vierge dont nul ne
s'est approché (ἐπιβεβήκει) et celle de Chrysostome, plus proche
encore de Théodoret (*M.*, p. 388, l. 11-14) : « Il appelle, en effet,
' terre altérée ' la Vierge immaculée *(illibatam)*, préservée de tout
rapport conjugal *(ab omni coniugii commixtione)* et de la rosée
fécondante *(seminis rore)*. » La leçon d'Aquila est également donnée
par Eusèbe et par Chrysostome.

2. Cyrille ne rapporte pas le passage à la Passion, mais l'entend,
comme la suite du verset, du Verbe qui s'est abaissé jusqu'à prendre
forme humaine (70, 1172 AB ἐν ὁμοιώματι ἀνθρώπων γενόμενος).

2. *Nous l'avons annoncé devant lui*, c'est-à-dire devant
ce peuple qui maintenant conteste. Qu'avez-vous donc
annoncé ? *Comme un petit enfant, comme une racine dans
une terre altérée*, et selon Aquila : « Comme une racine
qui sort d'une terre non foulée. » Nous avons, dit-il,
prédit (sa) naissance d'une vierge : c'est à elle, en effet, qu'il
a donné les qualificatifs de « non foulée » et d'« altérée »,
parce qu'elle n'a en aucune manière reçu l'empreinte de
l'homme et la pluie du mariage[1]. Nous avons aussi annoncé
ce qui suit : *Il n'a ni aspect ni gloire*, c'est-à-dire au moment
de la Passion[2] : car ils étaient grands, le mépris et l'outrage
(dont il était l'objet). *Nous l'avons vu et il n'avait ni aspect
ni beauté, mais son aspect était* 3. *méprisable, son aspect
n'offrait pas de comparaison avec celui des fils des hommes.*
Très grande est la force agissante du très saint Esprit :
en effet, les événements qui se sont produits bien des
générations après, il les a montrés par avance aux saints
prophètes, de telle façon qu'ils disent non pas « nous avons
entendu », mais « nous avons vu ».

Puis il enseigne les formes qu'ont revêtues le mépris
et le dédain : *C'était un homme dans la douleur.* Il a montré
la nature qui a reçu la Passion : c'est son corps qui a été
cloué à la croix, tandis que sa divinité faisait sienne la
Passion[3]. *Et qui savait supporter la faiblesse.* Cela encore

---

3. Le commentaire de ce verset est tout à fait révélateur de
l'expression post-éphésienne de la christologie de Théodoret.
L'exégète aurait pu prendre prétexte du terme concret ἄνθρωπος
pour justifier une christologie séparatrice, à la manière de Nestorius
qui, selon Cyrille, distinguait deux « personnes » (πρόσωπα) dans
le Christ : le Dieu et l'homme (J. LIÉBAERT, « Saint Cyrille d'Alexandrie et l'unique *prosôpon* du Christ aux origines de la controverse
nestorienne », *Universitas* 1977, Lille, p. 49-62). Certes, Théodoret,
fidèle au dyophysisme antiochien et désireux de prévenir toute
interprétation théopaschite, a soin de noter que la Passion est subie
par la nature humaine, mais il le fait en utilisant la formule abstraite
(φύσις, σῶμα) et en soulignant conjointement la présence de la
nature divine (θεότης) : il affirme ainsi — ce à quoi rien ne le

Καὶ τοῦτο κατὰ τὸ ἀνθρώπινον εἴρηται · τὸ γὰρ καρτερεῖν
60 καὶ φιλοσοφεῖν οὐ θείας [φύ]σεως ἀλλ' ἀνθρωπείας. Ὅτι
ἀπέστραπται τὸ πρόσωπον αὐτοῦ, ἠτιμάσθη καὶ οὐκ ἐλογίσθη. Τοῦτο [οἱ Τ]ρεῖς οὕτως ἡρμήνευσαν · « Καὶ ὡς
ἀποκρυβὴ προσώπου ἀπ' αὐτοῦ, ἐξουδενωμένος καὶ οὐκ
ἐλογί[σ]θη αὐτό<ς>.» Τουτέστιν · ἀπέκρυψε τὴν θείαν
65 ἐνέργειαν, γνώμῃ τὸ πάθος δεξάμενος καὶ τοὺς ἐσταυρωκό-
τας οὐκ ἀμυνόμενος · καὶ γὰρ σταυρούμενος ἔλεγεν ·
« Πάτερ ἄφες αὐτοῖς, οὐ γὰρ οἴδασι τί ποιοῦσιν. »
Διδάσκει δὲ καὶ [τ]ὰς τοῦ πάθους αἰτίας · ⁴Οὗτος τὰς
μαλακίας ἡμῶν φέρει καὶ περὶ ἡμῶν ὀδυνᾶται. ['Ο] δὲ Σύμ-
70 μαχος οὕτως · « Ὄντως τὰς νόσους ἡμῶν αὐτὸς ἀνέλαβε
καὶ τοὺς πόνους ἡμῶν ὑπέ(μει)νεν.» Ἡμῶν γὰρ ὑπὲρ
ὧν ἡμάρτομεν ὀφειλόντων θάνατον καὶ διὰ τοῦτο ταύτην
δεξαμένων (τὴν) ψῆφον, αὐτὸς τὸν ὑπὲρ ἡμῶν κατεδέξατο

C : 64-67 τουτέστιν — ποιοῦσιν ‖ 71-77 ἡμῶν² — ξύλου
64 ἀπέκρυψε K : ἀπέστρεψε C
67 Lc 23, 34

---

contraignait dans le texte prophétique — l'unité de la personne du
Christ ; car, s'il y a inconfusion des natures et si chacune conserve
ses caractères propres, il n'y a pas entre elles, selon Théodoret,
même au moment de la Passion, une quelconque séparation qui
permettrait de parler d'un côté de l'homme et de l'autre du Dieu. Le
verbe οἰκειοῦσθαι, précisément, traduit cette permanence de l'union
des deux natures dans l'unique personne souffrante du Christ ; le
verbe ne saurait désigner ici une union purement morale des deux
natures au sens où l'entend Nestorius (*Ep.* 5, 7 *ad Cyrillum*, cf.
M. AUBINEAU, *Hésychius de Jérusalem, Homélies pascales*, SC 187,
p. 141, n. 26) et, s'il reste un peu vague, il paraît habilité à traduire
la relation qui existe entre nature humaine et nature divine dans le
Christ, puisqu'on le trouve utilisé dans ce sens par Hésychius de
Jérusalem, un adversaire énergique de la christologie séparatrice des
anciens antiochiens (cf. Kl. JÜSSEN, « Die Christologie des Theodoret
von Cyrus », *op. cit.*, p. 447) et par CYRILLE lui-même (οἰκειούμενος
ἀπαθῶς) in *Ep.* 3, 6 *ad Nestorium* (cf. M. AUBINEAU, *op. cit.*, p. 163,

a été dit en fonction de son humanité : car faire preuve de courage et se montrer philosophe ne sont pas le propre d'une nature divine, mais humaine. *Car sa face s'est détournée, on l'a méprisé et on n'a fait de lui aucun cas.* De ce passage les trois (interprètes) ont donné l'interprétation suivante : « Et comme s'il y avait eu retrait de sa face loin de lui, on l'a compté pour rien et on n'a fait de lui aucun cas. » C'est-à-dire : il a caché sa puissance divine[1], puisqu'il a accepté de plein gré sa Passion et qu'il ne cherchait pas à se venger de ceux qui l'avaient crucifié ; et, de fait, quand on le crucifiait, il disait : « Père, pardonne-leur, car ils ne savent pas ce qu'ils font. »

Les raisons de la Passion Il indique aussi les raisons de la Passion : 4. *Celui-ci porte nos faiblesses et il souffre pour nous.* Symmaque (a traduit) de la manière suivante : « En vérité, il a personnellement assumé nos maladies et patiemment supporté nos souffrances. » Alors que personnellement, pour les péchés que nous avions commis, nous étions condamnés à mort et que, pour ce motif, nous avions reçu cette sentence, c'est lui qui a accepté la mort pour nous ;

---

n. 48). CYRILLE met cette fois le verset en relation avec la Passion, tout en prolongeant l'interprétation donnée au verset précédent (cf. *supra*, p. 149, n. 2) : le Verbe, Dieu par nature et par conséquent impassible, a consenti à prendre notre nature (συνεχώρει τῇ καθ' ἡμᾶς φύσει) — il a revêtu une vraie nature humaine et non une ombre (σκιά) ou une apparence (εἴδωλον) comme certains l'ont prétendu —, de telle sorte que la personne du Christ, comme celle de tout homme, est sujette à la tristesse et à la souffrance (70, 1172 D).

1. Le commentaire du verset plaide encore en faveur de l'orthodoxie de Théodoret ; s'il avait distingué deux « personnes » (πρόσωπα) dans le Christ, ce que Cyrille reprochait à Nestorius, on imagine le parti qu'il aurait pu tirer de la présence, dans le texte d'Isaïe, du mot πρόσωπον. Or, Théodoret fait seulement de πρόσωπον une manière de désigner la puissance divine (θείαν ἐνέργειαν) et son interprétation semble tributaire de l'idée paulinienne de « kénose » (*Phil.* 2, 6-8) ; cf. *supra*, 15, 306-311.

θάνατον · καὶ ἡμῶν ὑποκειμένων (ταῖς κατά)ραις (διὰ
75 τὴν) τοῦ νόμου παράβασιν « αὐτὸς ὑπὲρ ἡμῶν ἐγένετο
κατάρα. Γέγραπται γάρ · 'Επικατάρατος (πᾶ)ς ὁ κρεμάμενος
ἐπὶ ξύλου. » Καὶ ἡμεῖς ἐλογισάμεθα αὐτὸν εἶναι ἐν πόνῳ
καὶ ἐν πληγῇ ὑπὸ θεοῦ (καὶ ἐν κ)ακώσει. Τοῦ λαοῦ τὴν
ἄγνοιαν ὁ προφήτης ᾠκειώσατο καί φησιν ὑπειληφέναι
80 αὐτὸν (οἰκείων) ἕνεκα ταῦτα πάσχειν ἁμαρτημάτων.
    ⁵Αὐτὸς δὲ ἐτραυματίσθη διὰ τὰς ἀνομίας καὶ (με)μαλά-
κισται διὰ τὰς ἁμαρτίας ἡμῶν. Ἡμεῖς ὑπεκείμεθα τιμωρίαις
ἡμαρτηκότες, (αὐτὸς δὲ) καθαρὸς ὢν ἁμαρτημάτων ὑπὲρ
ἡμῶν τὰς τιμωρίας ὑπέμεινεν · Παιδεία εἰρήνης (ἡμῶν)
85 ἐπ' αὐτόν. Ἡμαρτηκότες ἐξεπολεμήθημεν τῷ θεῷ, ἔδει δὲ
ἡμᾶς παιδευθέντας (οὕτω τ)υχεῖν τῆς εἰρήνης, ἀλλ' αὐτὸς
εἰς ἑαυτὸν τὴν παιδείαν δεξάμενος τῆς εἰρήνης ἡμᾶς ἠξίωσεν.
(Τῷ) μώλωπι αὐτοῦ ἡμεῖς ἰάθημεν. Καινὸς καὶ παράδοξος
ἰατρείας τρόπος · ὁ ἰατρὸς (ἐδέ)ξατο τὴν τομήν, καὶ ὁ
90 ἄρρωστος ἔτυχε τῆς ἰάσεως.
    ⁶Πάντες ὡς πρόβατα ἐπλανήθημεν, (ἄνθρωπος) τῇ ὁδῷ
αὐτοῦ ἐπλανήθη. Οὔτε γὰρ ἴσα πάντων τὰ πλημμελήματα,
οὐδὲ εἷς τῆς ἀσεβείας |168 a| ὁ τρόπος · ἄλλα γὰρ τὰ
Αἰγυπτίων εἴδωλα καὶ ἄλλα τὰ Φοινίκων καὶ τὰ Ἑλλήνων
95 ἕτερα καὶ ἄλλα τὰ Σκυθῶν. Ἀλλ' ὅμως, εἰ καὶ διάφοροι
τῆς πλάνης οἱ τρόποι, πάντες ὁμοίως τὸν ὄντα θεὸν κατα-
λελοιπότες ἐῴκειμεν πλανωμένοις προβάτοις καὶ προκειμένοις
λύκοις. Καὶ κύριος παρέδωκεν αὐτὸν ταῖς ἁμαρ(τίαις) ἡμῶν.
Ὑπὲρ παντός φησι προσηνέχθη τοῦ τῶν ἀνθρώπων γένους.
100   ⁷Καὶ αὐτὸς διὰ τὸ κεκακῶσθαι οὐκ (ἀνοί)γει τὸ στόμα
αὐτοῦ. Τοῦτο καὶ ἡ τῶν ἱερῶν εὐαγγελίων ἱστορία διδάσκει ·

C : 78-80 τοῦ — ἁμαρτημάτων ‖ 82-84 ἡμεῖς — ὑπέμεινεν ‖ 85-
87 ἡμαρτηκότες — ἠξίωσεν ‖ 88-90 καινὸς — ἰάσεως ‖ 92-98 οὔτε —
λύκοις ‖ 101-104 τοῦτο — καιρόν
    92 οὔτε C : οὕτως Κ* οὐ Κᶜᵒʳʳ ‖ 93 οὐδὲ ΚΣ : οὔτε Ρο.
    75 Gal. 3, 13

---

1. Rapprocher du commentaire d'Eusèbe (GCS 336, 10-12).

et, alors que personnellement nous tombions sous le coup des malédictions pour avoir enfreint la Loi, « c'est lui qui s'est fait pour nous malédiction. Car il est écrit : Maudit soit quiconque est pendu au bois. » *Et nous avons, quant à nous, considéré que c'était de par Dieu qu'il était dans la souffrance, la douleur et la torture.* Le prophète a fait sienne l'ignorance du peuple et dit avoir pensé qu'il supportait ces souffrances à cause de ses propres fautes.

5. *Mais lui, il a été blessé à cause de nos iniquités et affaibli à cause de nos péchés.* Personnellement, nous tombions sous le coup de châtiments pour avoir péché, mais c'est lui, bien qu'il fût exempt de fautes, qui a supporté pour nous les châtiments. *Le châtiment qui nous donne la paix (est) tombé sur lui.* En raison des péchés que nous avons commis, nous sommes devenus ennemis de Dieu ; il nous fallait subir le châtiment pour obtenir la paix, mais c'est lui qui a pris sur lui le châtiment et qui nous a mérité la paix[1]. *Et par sa meurtrissure nous avons été guéris.* Insolite et étrange manière de guérir ! C'est le médecin qui a subi l'opération, et c'est le malade qui a obtenu la guérison.

6. *Nous tous, comme des brebis, nous avons erré, chacun a erré sur sa route.* Les offenses de tous n'étaient pas égales et il n'y avait pas une seule manière d'être impie ; de fait, les idoles des Égyptiens et celles des Phéniciens n'étaient pas les mêmes, celles des Grecs étaient différentes et autres celles des Scythes. Néanmoins, même si les formes de l'erreur étaient différentes, nous avions tous de la même manière abandonné le vrai Dieu et nous ressemblions de ce fait à des brebis errantes et exposées aux loups. *Et le Seigneur l'a livré pour nos péchés.* C'est, dit-il, pour toute la race humaine qu'il a été offert.

7. *Et lui, pendant qu'on le maltrai-*

Prédiction de la Passion

tait, il n'ouvre pas la bouche. C'est ce qu'enseigne également le récit des saints Évangiles : alors qu'avant sa Passion il s'entretenait

πρὸ γὰρ τοῦ πάθους νύ(κτωρ) καὶ μεθ' ἡμέραν διαλεγόμενος
καὶ τὴν ὀνησιφόρον διδασκαλίαν προσφέρων κατὰ τὸν τοῦ
(πάθους) ἐσίγησε καιρόν. Ὡς πρόβατον ἐπὶ σφαγὴν ἤχθη ·
105 καὶ ὡς ἀμνὸς ἐναντίον τοῦ κείραντος αὐτὸν ἄφ(ωνος), οὕτως
οὐκ ἀνοίγει τὸ στόμα αὐτοῦ ⁸ἐν τῇ ταπεινώσει. Σαφῶς
ἔδειξεν ὅτι κατὰ τὸν τοῦ πάθους ἐ[σίγησε] καιρόν · ἐν γὰρ
τῇ ταπεινώσει ἐῴκει προβάτῳ κειρομένῳ καὶ σφαττομένῳ
μετὰ σιγῆς. Διὰ μέντ[οι τῶν] εἰρημένων ἀμφότερα ἔδειξεν ·
110 καὶ τὸ παθητὸν τῆς ἀνθρωπότητος καὶ τὸ ἀπαθὲς τῆς
θεότητος · οὐ γὰρ μό[νον] σφαγὴν ἀλλὰ καὶ κουρὰν τὸ
πάθος ἐκάλεσεν · ἡ μὲν γὰρ ἀνθρωπότης ἐσφάττετο, ἡ δὲ
θεότης ἐδόκει πως ἀποκείρεσθαι τὸν τῆς ἀνθρωπότητος
πόκον οὐ χωριζομένη ταύτης οὐδὲ κατὰ τὸν τοῦ πάθους
115 καιρὸν οὔτε μὴν αὐτὴ δεχομένη τὸ πάθος.
    Ἡ κρίσις αὐτοῦ ἤρθη. Ὁ δὲ Σύμμαχος οὕτως · « Καὶ
ἀπὸ κριτηρίου ἐλήφθη », [οὕτω δὲ] καὶ οἱ Ἄλλοι. Τὸ γὰρ
παράνομον τῶν Ἰουδαίων κριτήριον ταύτην ἐξήνεγκε
κατ' αὐτοῦ τὴν ψῆφον.
120 Τὴν γενεὰν αὐτοῦ τίς διηγήσεται ; Ἀπερινόητος γὰρ ἡ
θεία φύσις. Ἐπειδὴ γὰρ πολλὰ εἶπεν ἀνθρώπεια, ἀναγκαίως

---

1. Affirmation plus nette encore que précédemment (*In Is.*, 17,
56-58) de la nécessité qu'il y a à distinguer deux natures dans le
Christ, si l'on veut éviter une aberration théologique : la « passibilité »
de la Divinité. D'autre part, le commentaire prolonge celui d'*Is.* 53, 3
(cf. *supra*, p. 149, n. 3) en précisant en quelque sorte le verbe
ᾠκειοῦτο : l'union des deux natures dans le Christ n'est pas une union
relâchée ou purement morale, mais une union étroite et indissoluble ;
c'est ce que Théodoret tente d'exprimer par le fait que, même au
moment de la Passion (οὐδὲ κατὰ τὸν τοῦ πάθους καιρόν), il n'y a
pas séparation des natures (οὐ χωριζομένη), étant bien entendu que
cette union reste sans confusion (κρᾶσις, σύγχυσις) et n'implique
aucunement la passibilité de la nature divine (οὔτε μὴν αὐτὴ δεχομένη
τὸ πάθος). Quant au terme « toison », pris ici comme une manière
figurée de désigner l'humanité du Christ, on doit le rapprocher,
pour le comprendre sans le suspecter, de l'emploi consacré par la
tradition orthodoxe des mots « temple, tente, maison », etc. (cf.
« nuage », *In Is.*, 6, 203-206 ; « carquois », *id.*, 15, 230).

nuit et jour (avec les hommes) et (leur) présentait son enseignement plein de profit, au moment de sa Passion il garda le silence. *Comme une brebis on l'a conduit à l'immolation; et comme un agneau devant celui qui le tond reste muet, ainsi il n'ouvre pas la bouche* 8. *au moment où il est humilié.* Il a clairement montré qu'il a gardé le silence au moment de sa Passion : au moment où on l'humiliait, il ressemblait, en effet, à une brebis qui se laisse tondre et immoler sans rien dire. Par les termes employés il a montré, toutefois, deux choses simultanément : le caractère passible de son humanité et le caractère impassible de sa divinité : car il a appelé la Passion non seulement « immolation », mais aussi « tonte » : c'était l'humanité qui était immolée, tandis que la divinité semblait pour ainsi dire dépouillée de la toison que formait l'humanité, bien qu'elle n'en fût pas séparée, même au moment de la Passion, et qu'évidemment elle ne reçût pas en propre la Passion[1].

Son jugement a été supprimé. Symmaque (a traduit) de la manière suivante : « Et c'est loin d'un tribunal qu'il a été pris » ; telle est aussi la traduction des autres interprètes. C'est, en effet, le tribunal inique des Juifs qui a porté contre lui cette condamnation.

Qui racontera sa génération? la nature divine est impossible à concevoir. Puisqu'il vient de dire bien des choses relatives à son humanité, il s'est vu dans l'obligation de

---

2. CHRYSOSTOME note également (*M.*, p. 393, l. 22-27), mais en s'appuyant avant tout sur les mots « sa vie s'élève de terre », que le prophète a voulu montrer, après l'humiliation de la croix, la puissance du Christ qui vit en Dieu (*Col.* 3, 3). Toutefois, il consacre l'essentiel de son commentaire au début du verset : « Qui racontera sa génération? » (*id.*, 393, l. 20-394) ; il faut, selon lui, l'entendre non de la génération du Fils dans l'éternité *(Nemo autem de generatione dicat aeterna, haec enim occulta est)*, mais de son incarnation et de sa naissance virginale que personne, sans impiété, ne saurait prétendre expliquer : qui pourrait, en effet, en savoir plus long que les prophètes et que l'Esprit-Saint qui parlait par leur bouche? L'interprétation de

ὑπέδειξε [καὶ] τὴν θείαν μεγαλοπρέπειαν. Ὅτι αἴρεται ἀπὸ
τῆς γῆς ἡ ζωὴ αὐτοῦ. Οὐ γὰρ μεμένηκεν ἐπὶ τοῦ [τάφου],
ἀλλὰ καὶ ἀνέστη καὶ εἰς οὐρανοὺς ἀνελήφθη. Ἀπὸ τῶν
125 ἀνομιῶν τοῦ λαοῦ μου ἥκει εἰς θάνατον. [Ὁ χρη]ματίζων
μου λαὸς ταῦτα κατ᾽ αὐτοῦ τετόλμηκε συνήθως παρανομῶν.
Εἶτα προλέγει τὰ τούτοις αὖ συμβησόμενα · ⁹ Καὶ δώσω
τοὺς πονηροὺς ἀντὶ τῆς ταφῆς αὐτοῦ καὶ τοὺς πλουσίους
ἀντὶ τοῦ θανάτου αὐτοῦ. Τὸ δώσω οἱ Τρεῖς « δώσει »
130 ἔφασαν · αὐτὸς γὰρ ὁ ταῦτα παθὼν τῷ Ῥωμαϊκῷ αὐτοὺς
παρα(δώσει) πολέμῳ. Πλουσίους δὲ τοὺς Φαρισαίους καὶ
γραμματέας καὶ ἀρχιερέας ἐκάλεσεν, ὡσαύτως (δὲ) καὶ
πονηρούς · οὗτοι γὰρ τὰ πάντων ἐσφετερίζοντο. Καὶ τοῦτο
διδάσκων ὁ κύριος ἔλεγεν · « Οὐαὶ ὑμῖν (γρα)μματεῖς καὶ
135 Φαρισαῖοι ὅτι κατεσθίετε τὰς οἰκίας τῶν χηρῶν. » Ὅτι
ἀνομίαν οὐκ ἐποίησεν οὐδὲ δόλον ἐν τῷ στόματι αὐτοῦ. Οὔτε
γὰρ δι᾽ ἔργων οὔτε διὰ λόγων ἐξήμαρτεν, ἀλλ᾽ ἀκηλίδωτον
καὶ ἁμαρτημάτων ἐλευθέραν καὶ τὴν ἀνθρωπείαν διεφύλαξε
φύσιν, οἱ δὲ ὡς παράνομον τῷ ξύλῳ προσήλωσ[αν]. ¹⁰ Καὶ

C : 129-133 τὸ — ἐσφετερίζοντο

131-132 Φαρισαίους καὶ γραμματέας Κ : γραμματεῖς καὶ Φαρισαίους C

134 Matth. 23, 14

CYRILLE n'est pas fondamentalement différente (70, 1180 BD) : lui
aussi rapporte le verset à la naissance du Christ et à son caractère
hors du commun, mais il insiste dans le même temps sur l'abaissement
du Verbe qui a pris la forme de l'esclave, sur cette « kénose » que
suppose l'Incarnation.
1. CYRILLE, selon qui il faut lire αἴρεται comme s'il y avait
ἐπαίρεται, donne du verset deux interprétations (70, 1180 D-1181 A) :
ou il s'agit de la vie du Christ en tant qu'elle est sublime par rapport
à celle des hommes, puisque, malgré sa condition humaine, il n'a
pas commis le péché ; ou il faut comprendre qu'il s'agit de l'existence
du Verbe avant l'Incarnation (ἡ ὕπαρξις τοῦ Μονογενοῦς).
2. Même interprétation chez CHRYSOSTOME (M., p. 395, § 9-12).
3. Interprétation identique chez EUSÈBE (GCS 337, 16-22).
L'interprétation de CYRILLE est différente : le terme « riches »

montrer aussi la magnificence divine[2]. *Car sa vie s'élève de
la terre.* De fait, il n'est pas resté dans le tombeau, mais
il est ressuscité et monté aux cieux[1]. *C'est par suite des
iniquités de mon peuple qu'il est allé à la mort.* C'est celui
qui portait le nom de « mon peuple » qui a osé cela contre
lui, alors qu'il vivait sans discontinuer dans l'iniquité.

Puis il prédit ce qui leur arrivera en retour : 9. *Et je
donnerai les méchants en échange de son tombeau et les riches
en échange de sa mort.* Les trois (interprètes) ont dit « il
donnera » au lieu de « je donnerai » ; c'est, en effet, celui
qui a supporté ces souffrances qui les livrera en personne
à la guerre menée par Rome[2]. Il a appelé « riches » les
pharisiens, les scribes et les grands-prêtres[3], et ce sont eux
pareillement qu'il a encore appelés « méchants » : ils
s'appropriaient, en effet, les biens de tous. C'est ce que
disait aussi le Seigneur dans son enseignement : « Malheur
à vous, scribes et pharisiens, parce que vous dévorez les
ressources des veuves. » *Car il n'a pas commis d'iniquité et
n'avait pas de tromperie en sa bouche.* Ni en actes, ni en
paroles, il n'a commis de fautes, mais, c'est sans tache et
exempte de fautes qu'il a pris soin de conserver même sa
nature humaine[4] ; pourtant ils l'ont cloué au bois comme
un malfaiteur. 10. *Et le Seigneur veut le purifier par la*

---

désigne, selon lui, les Juifs dans la mesure où ils ont persuadé par
de l'argent les gardes du tombeau de dire que les disciples étaient
venus de nuit enlever le corps de Jésus, mais aussi parce qu'ils ont
voulu la mort du Christ afin de pouvoir entasser malhonnêtement
les richesses (justice vénale, dîme, etc.) sans davantage encourir
ses reproches (70, 1181 D-1184 A) ; la seconde partie de son interprétation rejoint donc celle que donne Théodoret du terme
« méchants ».

4. Noter la valeur de ce « même » (καί), affirmation implicite
d'une évidence pour Théodoret : la nature divine du Verbe n'a subi
aucun changement au moment de l'Incarnation ; elle reste donc sans
tache dans le Christ. La précision concerne seulement la nature
humaine assumée, semblable en tout à celle de l'homme, à l'exception
du péché. C'est aussi pour Théodoret une occasion de réaffirmer le
dyophysisme (cf. *infra*, 19, 611-612).

140 κύριος βούλεται καθαρίσαι αὐτὸν ἀπὸ τῆς πληγῆς, τουτέστιν ἀθῷον δεῖξαι καὶ μὴ ὑποκ(είμενον) θανάτῳ. Οὕτω
καὶ ὁ μακάριος ἔφη Πέτρος · « Τοῦτον τὸν Ἰησοῦν ἀνέστησεν
ὁ θεὸς λύσας τὰς ὠδῖνας (τοῦ) θανάτου, καθότι οὐκ ἦν
δυνατὸν κρατεῖσθαι αὐτὸν ὑπ' αὐτοῦ. »

145 Οὕτω τοῦ λαοῦ τὴν παρανομίαν προαγορ[εύσας] τὴν περὶ
μετανοίας αὐτοῖς προσφέρει παραίνεσιν — προεώρα γὰρ
τοὺς ἐξ αὐτῶν μετὰ τ[αῦτα] πιστεύοντας · ἐκ τούτων γὰρ
ἦν καὶ ὁ θειότατος Παῦλος, ἐκ τούτων οἱ τρισχίλιοι καὶ
αἱ πολλαὶ μ[υριά]δες — καί φησιν · Ἐὰν δῶτε περὶ ἁμαρτίας,
150 ἡ ψυχὴ ὑμῶν ὄψεται σπέρμα μακρόβιον. (Ἐὰν) ὁμολογή-
σητε τὴν ἀσέβειαν καὶ τὴν σωτηρίαν αἰτήσητε, τεύξεσθε τῆς
αἰωνίου ζωῆς · ταύ(την γὰρ μα)κρ(όβ)ιον κέκληκεν.

Καὶ βούλεται κύριος ἐν χειρὶ αὐτοῦ ἀφελεῖν 11 ἀπὸ τοῦ
πόνου τῆς ψυχῆς αὐ(τοῦ, δεῖξαι) αὐτῷ φῶς καὶ πλάσαι τῇ
155 συνέσει, δικαιῶσαι δίκαιον εὖ δουλεύοντα πολλοῖς. Τὴν λύσιν
ἔδ[ειξε τοῦ] θανάτου δι' αὐτοῦ τοῦ κυρίου γεγενημένην ·
ἐν γὰρ χειρὶ αὐτοῦ, τουτέστι τοῦ πεπονθότος, καὶ τοῦ
θανάτου [τὸν] πόνον ἔλυσε καὶ τὸ τῆς ἀναστάσεως ὑπέδειξε
φῶς καὶ οἱονεὶ πλάσιν νέαν διέπλασεν ἄφθαρτον καὶ [ἀθ]άνα-
160 τον καὶ ἐδικαίωσεν οὐχ ἁμαρτωλὸν ὄντα ἀλλὰ δίκαιον
τουτέστιν ἀθῷον ὄντα [ἁμαρτημάτων]. |168 b| Τὸ δέ · εὖ

C : 140-141 τουτέστιν — θανάτῳ ‖ 150-152 ἐὰν — κέκληκεν
161 ἁμαρτημάτων coni. Ka.Po.

142 Act. 2, 32.24   148-149 cf. Act. 2, 41 ; 21, 20

1. Chrysostome rapporte également ce verset à la résurrection
(M., p. 397, l. 22-398, l. 3) : le corps du Christ n'a pas été soumis
à la corruption et à la dissolution ; s'il conserve après la résurrection
la marque des plaies, c'est pour affermir la foi des disciples (Lc 24, 39),
mais « en dehors des cicatrices laissées par les blessures qu'il conser-
vait pour renforcer la foi de ses disciples en la résurrection, on ne
trouvait aucune tache dans son saint corps ».

2. Chrysostome applique également le verset à la résurrection
(M., p. 398, l. 14) et fait, à propos de l'expression « dans sa main »

douleur, c'est-à-dire montrer qu'il est innocent et qu'il n'est pas soumis à la mort[1]. Telle est aussi la déclaration du bienheureux Pierre : « Ce Jésus, Dieu l'a ressuscité en le délivrant des affres de la mort, parce qu'aussi bien il n'était pas possible qu'il fût retenu en son pouvoir. »

Exhortation au repentir

Après avoir par avance proclamé de la sorte l'iniquité du peuple, il leur adresse une exhortation au repentir — il voyait, en effet, par avance ceux d'entre eux qui, après ces événements, auraient la foi ; de ce nombre était précisément le très divin Paul, de ce nombre étaient les trois mille hommes et les nombreux milliers —, et il dit : *Si vous offrez (un sacrifice expiatoire) pour votre péché, votre âme verra une postérité de longue durée.* Si vous reconnaissez votre impiété et si vous demandez le salut, vous obtiendrez la vie éternelle ; c'est elle, en effet, qu'il a appelée « de longue durée ».

Prédiction de la Passion (suite)

Et le Seigneur veut dans sa main enlever 11. la souffrance de son âme, lui montrer la lumière et le façonner par l'intelligence, justifier le juste qui est de façon parfaite l'esclave d'une multitude. Il a montré que la délivrance de la mort a eu lieu grâce au Seigneur lui-même : car c'est « dans sa main » — c'est-à-dire dans la main de celui qui a souffert[2] —, qu'il a brisé les souffrances de la mort, qu'il a montré la lumière de la résurrection, qu'il a façonné pour ainsi dire une forme nouvelle, incorruptible et immortelle, et qu'il l'a justifié, non qu'il fût pécheur, mais juste, c'est-à-dire innocent de toute faute. Quant à l'expression « qui est de façon parfaite l'esclave d'une multitude »,

la remarque suivante : « Que signifient ces mots ' dans sa main '? Selon plusieurs (commentateurs) : c'est dans la main du Christ qu'est la force agissante *(virtus)*, pour qu'on ne pense pas que sa puissance vient d'ailleurs *(aliunde validus)* ; c'est par sa propre force agissante qu'il accomplissait personnellement toutes ses volontés » *(id.*, l. 23-26).

δουλεύοντα πολλοῖς, τῷ εὐαγγελικῷ συμβαίνει ῥητῷ · αὐτὸς
γὰρ ὁ κύριος ἔφη · « Ὥσπερ ὁ υἱὸς τοῦ ἀνθρώπου οὐκ
ἦλθε διακονηθῆναι ἀλλὰ διακονῆσαι καὶ δοῦναι τὴν ψυχὴν
165 αὐτοῦ λύτρον ἀντὶ πολλῶν. » Διά τοι τοῦτο καὶ « λέντιον
διέζωσεν ἑαυτὸν » καὶ ἔνιψε « τοὺς πόδας τῶν μαθητῶν ».
Καὶ τὰς ἁμαρτίας αὐῶν αὐτὸς ἀνοίσει. Ὁ δὲ Ἀκύλας
ἀντὶ τοῦ ἀνοίσει « βαστάσει » τέθεικεν, ὁ δὲ Θεοδοτίων
« ὑπήνεγκεν ». Αὐτὸς γὰρ ἦν κατὰ τὸν θεσπέσιον Ἰωάννην
170 « ὁ ἀμνὸς τοῦ θεοῦ ὁ αἴρων τὴν ἁμαρτίαν τοῦ κόσμου ».
¹²Διὰ τοῦτο αὐτὸς κληρονομήσει πολλούς, τουτέστι
πάντα τὰ ἔθνη · οὕτω γὰρ καὶ ὁ μακάριος Δαυὶδ ἐκ προσώπου
τοῦ θεοῦ καὶ πατρὸς ἔφη · « Αἴτησαι παρ' ἐμοῦ, καὶ δώσω
σοι ἔθνη τὴν κληρονομίαν σου καὶ τὴν κατάσχεσίν σου τὰ
175 πέρατα τῆς γῆς. » Καὶ τῶν ἰσχυρῶν μεριεῖ σκῦλα. Ἰσχυροὺς
καλεῖ τοὺς δαίμονας, σκῦλα δὲ τοὺς ἀνθρώπους. Σκῦλα δὲ
καλεῖται τῶν ἀνῃρημένων τὰ ὅπλα. Ὅπλα δὲ τῶν δαιμόνων
πάλαι ἦσαν οἱ ἄνθρωποι · διὰ γὰρ τῶν ἡμετέρων ἡμῖν
ἐπολέμουν μελῶν. Ἀλλὰ τούτους καταλύσας ὁ δεσπότης
180 Χριστὸς τὰ τούτων σκῦλα τοῖς ἀποστόλοις διένειμε, τοὺς
μὲν Ῥωμαίων, τοὺς δὲ Αἰγυπτίων, τοὺς δὲ Ἰνδῶν διδασκάλους χειροτονήσας.

C : 175-182 ἰσχυροὺς — χειροτονήσας
180 ἀποστόλοις C : α̅ν̅ο̅ι̅ς̅ K
163 Matth. 20, 28   165 Jn 13, 4.5   170 Jn 1, 29   173 Ps. 2, 8

1. Pour Chrysostome, cela signifie que le Christ s'est soumis à
la loi de la circoncision dont il a montré la signification en remplissant
le rôle d'esclave au moment du lavement des pieds (cite *Matth.* 20, 28),
puisque c'est « pour servir qu'il a revêtu la forme de l'esclave »
(*M.*, p. 398, l. 16-23). Voir aussi Cyrille (70, 1189 B) : le Christ a
revêtu « la forme de l'esclave » sans autre but (οὐχ ἵνα τὴν οἰκείαν
αὐτὸς ὀνήσῃ φύσιν) que notre salut.
2. Même interprétation chez Cyrille (70, 1189 C).
3. L'interprétation d'Eusèbe est très proche (*GCS* 338, 28-31) : il
s'agit des âmes, prisonnières des puissances ennemies et des démons

elle s'accorde avec la parole de l'Évangile[1] ; car le Seigneur lui-même a dit : « De même, le Fils de l'homme n'est pas venu pour être servi, mais pour servir et pour donner sa vie en rançon pour une multitude. » C'est bien pourquoi précisément « il se ceignit d'un linge » et lava « les pieds de ses disciples ». *Et c'est lui qui se chargera de leurs péchés.* Aquila, au lieu de « se chargera », a écrit « portera » et Théodotion « a supporté ». Il était, en effet, selon Jean l'inspiré, « l'agneau de Dieu qui enlève le péché du monde ».

12. *C'est pourquoi il héritera en personne d'une multitude,* c'est-à-dire de toutes les nations[2] ; de même, le bienheureux David a dit à son tour, au nom du Dieu et Père : « Demande-le-moi, et je te donnerai les nations pour héritage et pour domaine, les extrémités de la terre. » *Et il partagera les dépouilles des puissants.* Il appelle « puissants » les démons et « dépouilles », les hommes[3]. On appelle « dépouilles » les armes de ceux qui ont été tués. Or, les armes des démons, c'étaient jadis les hommes, car ils se servaient de nos membres pour nous faire la guerre. Mais notre Maître le Christ les a renversés et il a distribué leurs dépouilles aux apôtres, en les instituant maîtres, les uns pour enseigner les Romains, d'autres les Égyptiens, d'autres les Indiens.

pervers, que le Christ leur a arrachées et qu'il a distribuées comme « dépouilles » à ses disciples, en constituant à partir d'elles différentes Églises. Eusèbe rapproche en outre (*ibid.*, 31-33) ce passage d'*Is.* 9, 3 où il a donné le même commentaire de σκῦλα (*id.*, 64, 8-17) ; cf. aussi *In Is.*, 3, 524-526.784-787. C'est aussi, pour l'essentiel, l'interprétation de Chrysostome (*M.*, p. 399, l. 8-10) qui voit dans « dépouilles » les dépouilles de Satan et qui note : « Il a dit justement ' Il partagera ', car il a partagé à certains de ses apôtres les nations et à d'autres, les circoncis. » Cyrille, quant à lui, donne une interprétation légèrement différente (70, 1189 CD-1192 A) : il voit dans « puissants » une manière de désigner les apôtres ou même tous ceux qui sont forts dans le Christ et dotés de la vigueur spirituelle ; c'est à eux, en tant que vainqueurs de Satan, qu'il a distribué les dépouilles, i.e. les nations ; jadis dans l'erreur, elles ont été amenées à la vérité les unes par Pierre, les autres par Paul, etc. (« il partagera »).

'Ανθ' ὧν παρεδόθη εἰς θάνατον ἡ ψυχὴ αὐτοῦ. Ἡ γὰρ
νομιζομένη τοῦ πάθους ἀτιμία αὕτη τὸ παρὰ πάντων αὐτῶν
185 προσοίσει σέβας. Καὶ ἐν τοῖς (ἀν)όμοις ἐλογίσθη. Οὐ γὰρ
μόνον τὴν τοῖς παρανόμοις ἀπονενεμημένην ὑπέμεινε τιμωρίαν ἀλλὰ (καὶ μ)ετὰ λῃστῶν ἐσταυρώθη. Τοῦτο δὲ καὶ ὁ
εὐαγγελιστὴς τέθεικεν · εἰρηκὼς γὰρ ὅτι συνεσταύρωσαν
αὐτῷ (δύ)ο λῃστάς, ἔφη πληρωθῆναι τὴν γραφὴν τὴν
190 λέγουσαν · « Καὶ ἐν τοῖς ἀνόμοις ἐλογίσθη. » Καὶ αὐτὸς
ἁ(μα)ρτίας πολλῶν ἀνήνεγκε καὶ διὰ τὰς ἀνομίας αὐτῶν
παρεδόθη. Ὁ δὲ Σύμμαχος οὕτως · « Αὐτὸς δὲ ἁ[μα]ρτίας
πολλῶν ἀνέλαβε καὶ τοῖς ἀθετοῦσιν ἀντέστη », οὕτω δὲ
καὶ οἱ Λοιποί. Ἐκεῖνοι μέν φησι τοῖς [ἀν]όμοις αὐτὸν
195 συνέζευξαν λῃσταῖς, αὐτὸς δὲ τὰς ἁπάντων ἁμαρτίας εἰς
ἑαυτὸν ἀναλαβὼν τὸ πάθος ὑπέμεινε, τοῖς ἀθετήσασιν
ἀνθιστάμενος δαίμοσιν.

Οὕτω προθεσπίσας τὸ πάθος, τῆς ἐκκλησίας τῆς πάλαι
στείρας τὴν πολυπαιδίαν προλέγει · 54¹ Εὐφράνθητι στεῖρα,
200 ἡ οὐ τίκτουσα. Οὐ γὰρ ἔτικτεν εὐσέβειαν πάλαι, τῇ δὲ τῶν
εἰδώλων δουλείᾳ προσήδρευεν. Εἶτα ὡς ἐπὶ γυναικὸς δυστο-
κούσης · Ῥῆξον καὶ βόησον καὶ τέρπου ἡ οὐκ ὠδίνουσα.
Τέθεικε δὲ τὸ μὲν ῥῆξον ἐπὶ τῆς βιαίας γεννήσεως, ὡσαύτως
(δὲ) καὶ τὸ βόησον · φασὶ γὰρ καὶ τὰς μαίας παρακελεύεσθαι
205 ταῖς δυστοκούσαις καὶ βιάζεσθαι καὶ βοᾶν. (Τὸ) δὲ τέρπου

C : 185-187 οὐ — ἐσταυρώθη ‖ 200-201 οὐ² — προσήδρευεν ‖ 203-
209 τέθεικε — ὠδῖνες

200 ἔτικτεν Κ : +ἡ ἐκκλησία C ‖ 204 καὶ² Κ : > C ‖ 205 καὶ²
C : > Κ

190 Mc 15, 28

---

1. EUSÈBE de la même manière, met les deux passages en relation
(GCS 339, 5-9).

2. Même interprétation chez EUSÈBE (GCS 339, 10-15) et chez
CYRILLE (70, 1192 B).

3. CYRILLE fait la même remarque (70, 1193 A) : « Du reste, c'est
ce qu'ont coutume de faire les parturientes quand elles sont sur le

En échange de quoi, son âme a été livrée à la mort. Ce que l'on considérait comme le déshonneur de la Passion (lui) procurera de la part d'eux tous la vénération. *Et il a été compté parmi les criminels.* Non seulement il a supporté le châtiment réservé aux criminels, mais il a même été crucifié en compagnie de brigands. Or, l'évangéliste, à son tour, a cité ce passage ; après avoir dit qu'ils crucifièrent avec lui deux brigands, il a dit que s'était accomplie la parole de l'Écriture : « Et il a été compté parmi les criminels[1]. » *Il s'est chargé des péchés d'une multitude et c'est en raison de leurs iniquités qu'il a été livré.* Voici (la version) de Symmaque : « Il a pris sur lui les péchés d'une multitude et il s'est opposé à ceux qui violaient la loi » ; c'est également celle du reste (des interprètes). Alors que les Juifs, dit-il, lui ont fait partager le sort de brigands criminels, il a pour sa part pris sur lui les péchés de tous les hommes, il a supporté sa Passion et s'est opposé aux démons violateurs de la loi.

La fécondité de l'Église Après avoir prophétisé en ces termes la Passion, il prédit le grand nombre d'enfants qu'aura l'Église, jadis stérile[2] : **54, 1.** *Réjouis-toi, stérile, toi qui n'enfantes pas !* Car jadis elle n'enfantait pas la piété, mais elle restait assidûment au service des idoles. Puis, comme s'il parlait d'une femme qui enfante péniblement, (il dit) : *Éclate, crie et réjouis-toi, toi qui ne connaissais pas les douleurs de l'enfantement.* Il a employé le terme « éclate » (pour parler) d'un accouchement violent et, de même également, le terme « crie ». Car les accoucheuses, à ce qu'on dit, invitent aussi les femmes qui enfantent péniblement à se faire violence et à pousser des cris[3]. Quant au terme « réjouis-toi », (il l'a employé pour parler) du grand nombre

siège et en travail ; les accoucheuses, dit-on, les pressent alors de pousser des cris forts et perçants, afin que l'enfant soit expulsé de la matrice, l'utérus se dilatant à proportion du cri. »

ἐπὶ τῆς παρ' ἐλπίδα δωρηθείσης πολυπαιδίας. Ἐναντίον δέ
πως εἶναι δοκεῖ τὸ ῥῆξον τῷ (τέρ)που, ἀμφότερα δὲ ὅμως
συνέβη · καὶ γὰρ παρ' ἐλπίδα γεγέννηκεν · τοιαῦται γὰρ
τοῦ παναγίου (πνεύματος) αἱ ὦ(δῖ)νες.

210   Ὅτι πολλὰ ⟨τὰ⟩ τέκνα τῆς ἐρήμου μᾶλλον ἢ τῆς ἐχούσης
τὸν ἄνδρα. Ἔρημος ἦν πάλαι ἡ ἐξ ἐθνῶν (ἐκκλ)ησία · διὸ
καὶ ἐν τοῖς πρόσθεν αὐτῇ ἐλέγετο · « Εὐφράνθητι ἔρημος
διψῶσα », καὶ πάλιν · « Ἔσται ἡ ἔρημος (ὡς) ὁ Χερμέλ »,
καὶ αὖθις · « Ὅτι ἐρράγη ἐν τῇ ἐρήμῳ ὕδωρ καὶ φάραγξ
215   ἐν γῇ διψώσῃ. » Τὸν δὲ ἄνδρα [εἶχεν] ἡ Ἰουδαίων πληθύς.
Σαφέστερον δὲ τὰ περὶ τοῦδε τοῦ γάμου διδάσκει ὁ προφήτης
Ἰεζεκιήλ · δι' [ἐκ]είνου γὰρ ὁ τῶν ὅλων θεὸς πρὸς τὸν
πρότερον λαὸν ὡς πρὸς γυναῖκα διαλεγόμενος ἔφη · « Καὶ
εἶδόν σε (πεφ)υρμένην ἐν τῷ αἵματί σου καὶ εἶπά σοι ·
220   Ἐν τῷ αἵματί σου ζωή, πληθύνου. Καὶ ἦσθα γυμνὴ καὶ
(ἀσχημ)ονοῦσα, καὶ περιέβαλα τὰς πτέρυγάς μου ἐπὶ σὲ
καὶ συνεκάλυψα τὴν ἀσχημοσύνην σου καὶ (εἶδόν σε), καὶ
ἰδοὺ καιρός σου καὶ καιρὸς καταλυόντων, καὶ εἰσῆλθον πρὸς
σὲ ἐν διαθήκῃ μου, καὶ ἐγένου μοι » (καὶ ἐ)γέννησάς μοι
225   υἱοὺς καὶ θυγατέρας. Καὶ διὰ πάντων δὲ τῶν προφητῶν
τοῦτο ἡμᾶς διδά[σκει ὁ] τῶν ὅλων θεός, ὡς ὑπερβαλλούσῃ
φιλανθρωπίᾳ χρώμενος οὐ μόνον δεσπότην ἑαυτὸν καὶ
πατέρα . . . . ἀλλὰ καὶ ἄνδρα καὶ νυμφίον ἑαυτὸν
ἀποκαλεῖ. Αὕτη μέντοι ἡ προφητεία [δι]‖169 a|δάσκει ὡς
230   τῆς ἐρήμου τὰ τέκνα πολλαπλάσια τῆς ἐχούσης τὸν ἄνδρα.

C : 211-213 ἔρημος — διψῶσα

212 Is. 35, 1   213 Is. 32, 15   214 Is. 35, 6   218 Éz. 16,
6-8.20

1. Théodoret joue sur la double valeur de ἔρημος : le mot désigne,
en effet, aussi bien l'état de solitude, d'isolement d'une personne
sans amis ou sans parents que la solitude d'un lieu, notamment
celle du « désert », ἡ ἔρημος ⟨χώρα⟩. Or, maintes fois, comme le
rappellent ici quelques citations d'Isaïe, Théodoret voit dans

d'enfants qui lui a été donné contre toute espérance. Toutefois, le terme « éclate » semble d'une certaine manière en contradiction avec le terme « réjouis-toi » et, néanmoins, l'un et l'autre s'est produit : elle a, de fait, enfanté contre tout espoir ; tels sont, en effet, les fruits qu'engendre le très saint Esprit. *Car ils seront plus nombreux les fils de la (femme) délaissée que les fils de celle qui a un mari.* Elle était jadis délaissée l'Église venue des nations[1] ; c'est pourquoi il lui disait déjà en de précédents passages : « Réjouis-toi, désert aride » et, de nouveau : « Le désert deviendra comme le Chermel », et encore : « Parce que l'eau a jailli au milieu du désert, et un torrent au milieu d'une terre altérée. » La foule des Juifs, au contraire, avait un mari. Plus clair est l'enseignement du prophète Ézéchiel au sujet de ce mariage ; c'est, en effet, par l'intermédiaire de ce prophète que le Dieu de l'univers, en s'adressant à son ancien peuple comme à une femme, a déclaré : « Je t'ai vue trempée dans ton sang et je t'ai dit : Dans ton sang, vis, crois. Tu étais nue et indécente, et j'ai étendu sur toi mes ailes, et j'ai caché ton indécence et je t'ai vue ; voici que c'était ton heure et l'heure de ceux qui détruisent ; je suis venu vers toi dans mon alliance et tu as été à moi », et tu m'as engendré des fils et des filles. C'est également par l'intermédiaire de tous les prophètes que le Dieu de l'univers nous donne cet enseignement ; étant donné qu'il fait preuve d'une bonté qui dépasse tout, il ne s'appelle pas seulement Maître et Père (. . . . . .), mais il se donne même le nom de Mari et d'Époux. Du reste, cette prophétie enseigne que les enfants de la femme délaissée sont bien plus nombreux que ceux de la femme qui a un mari.

« désert » une manière figurée de désigner les nations avant leur conversion à Dieu. Même interprétation chez Eusèbe (*GCS* 339, 25-27) et chez Cyrille qui note, comme une habitude de l'Écriture, la manière de désigner par ἔρημος la veuve : or, la multitude des nations était « veuve » avant la venue du Sauveur (70, 1193 B).

Εἶπε γὰρ κύριος · ²Πλάτ(υνον) τὸν τόπον τῆς σκηνῆς
σου καὶ τὰς δέρρεις τῶν αὐλαιῶν σου πῆξον, μὴ φείσῃ,
μάκρυνον τὰ σχοινίσματά σου καὶ τοὺς πασσάλους κατίσχυ-
σον · ³ἔτι εἰς τὰ δεξιὰ καὶ εἰς τὰ ἀριστερὰ ἐκπέτασον, καὶ
235 τὸ σπέρμα σου ἔθνη κληρονομήσει, καὶ πόλεις ἠρημωμένας
κατοικιεῖς. Δέρρεις καὶ αὐλαίας τῷ Μωυσῇ προσέταξεν ὁ
θεὸς κατασκευάσαι, ἡνίκα αὐτῷ ποιῆσαι παρεκελεύσατο τὴν
σκηνήν. Τούτων τοίνυν ἐπὶ τοῦ παρόντος τῶν ὀνομάτων
ἐμνήσθη δεικνὺς ὡς αὐτὸς κἀκεῖνα καὶ ταῦτα πεποίηκεν.
240 Παρακελεύεται δὲ τῇ στείρᾳ τῶν εὐκτηρίων οἴκων τὴν
οἰκουμένην ἐμπλῆσαι καὶ εἰς τὰ ἀριστερὰ καὶ εἰς τὰ δεξιά,
τουτέστιν εἰς τὰ νότια καὶ εἰς τὰ βόρεια, τοῦτο δρᾶσαι.
Πασσάλους δὲ οὐκ ἄν τις ἁμάρτοι τοὺς ἁγίους προφήτας
καὶ ἀποστόλους καὶ μάρτυρας ὀνομάζων · οὗτοι γὰρ ἐν τῇ
245 γῇ κεκρυμμένοι καθάπερ οἱ πάσσαλοι κατέχουσι τὴν τῆς
ἐκκλησίας σκηνὴν οἷόν τισι σχοινίοις τῇ διδασκαλίᾳ ταύτῃ
προσηρμοσμένοι. Οὗτοι καὶ θεμέλιοι <προσαγορεύονται.
Οὕτω γὰρ ὁ μακάριος ἔφη Παῦλος · « Ἐποικοδομηθέντες
ἐπὶ τῷ θεμελίῳ> τῶν ἀποστόλων καὶ προφητῶν, ὄντος
250 ἀκρογωνιαίου αὐτοῦ Ἰησοῦ Χριστοῦ. » Ἐκληρονόμησε δὲ
τὰ ἔθνη τῆς ἐκκλησίας τὸ σπέρμα · οἱ γὰρ ταύτης τρόφιμοι
τὴν πνευματικὴν τῶν ἐθνῶν ἡγεμονίαν ἐδέξαντο καὶ τὰς ὑπὸ
τῆς ἀσεβείας διαφθαρείσας πόλεις τοῖς τῆς εὐσεβείας
ἀνῳκοδόμησαν δόγμασιν.

C : 240-247 παρακελεύεται — προσηρμοσμένοι
244 καὶ¹ — μάρτυρας / ὀνομάζων K : ∼ C ‖ 246 ταύτῃ K : > C
236-238 cf. Ex. 25, 5　　　248 Éphés. 2, 20

---

1. Eusèbe met aussi ce passage en relation avec la construction
de la tente par Moïse ; selon lui, le texte prophétique s'est servi de
cette image pour inviter l'Église venue des nations à ne pas mesurer
sa construction sur cette première tente, mais à l'élargir aux dimen-

Car le Seigneur a dit : 2. Élargis l'espace de ta tente et fixe les peaux de tes tentures, n'épargne rien, allonge tes cordages et affermis tes pieux ; 3. déploie-toi encore à droite et à gauche, ta descendance aura des nations en héritage et tu habiteras des villes (jadis) désertes. Dieu a ordonné à Moïse de préparer des peaux et des tentures, lorsqu'il l'invita à construire la tente. Il a donc fait présentement mention de ces termes pour montrer que c'est lui qui a fait cela et ceci. Il invite donc celle qui est stérile à remplir le monde de maisons de prière et à le faire à gauche et à droite, c'est-à-dire du côté du midi et du côté du nord[1]. Toutefois, on ne se tromperait pas si l'on donnait le nom de « pieux » aux saints prophètes, aux apôtres et aux martyrs : enfouis dans la terre comme le sont les pieux, ce sont eux qui maintiennent la tente de l'Église, à laquelle la doctrine, comme des espèces de cordages, les tient étroitement reliés. Ce sont eux qui sont également appelés « fondements ». Ainsi, en effet, le bienheureux Paul a dit : « La construction que vous formez a pour fondement les apôtres et les prophètes et pour pierre d'angle, le Christ Jésus lui-même. » D'autre part, la descendance de l'Église a eu les nations en héritage : ses enfants ont, en effet, reçu la domination spirituelle sur les nations, et les villes qu'avait ruinées l'impiété, ils les ont reconstruites grâce aux préceptes de la piété.

---

sions du monde : « de la sorte, si le Temple qui se dressait dans une seule ville de la Palestine méritait l'admiration, combien plus la méritent la foule, la grandeur et la beauté des Églises de Dieu qui se sont élevées en tout lieu » (*GCS* 340, 5-19). CYRILLE, de manière plus nette encore, voit dans la tente édifiée par Moïse la figure (ὡς ἐν τύπῳ) de l'Église des nations (70, 1193 D). Pour Chrysostome (*M.*, p. 400, l. 10-12) également, mais de manière moins explicite, ce qui a eu lieu lors du retour (?) s'est accompli en vérité dans l'Église (*in Ecclesia autem revera haec adimpleta sunt*).

255   ⁴ Μὴ φοβοῦ ὅτι κατησχύνθης, μηδὲ ἐντραπῇς ὅτι ὠνειδίσθης.
Ὠνείδιζον Ἰουδαῖοι πάλαι τοῖς ἔθνεσι τὴν ἀσέβειαν ὡς ἡ
Φενάννα τῇ Ἄννῃ τὴν ἀτεκνίαν. Ὑπισχνεῖται τοίνυν ὁ προφητικὸς λόγος αὐτῇ τὴν τοῦ ὀνείδους ἀπαλλαγήν. Ἐπάγει γάρ ·
″Οτι αἰσχύνην αἰώνιον ἐπι(λήσῃ) καὶ ὄνειδος τῆς χηρείας
260   σου οὐ μὴ μνησθήσῃ ἔτι. Καὶ τὴν αἰτίαν τούτων διδάσκει
σαφέστερον · ⁵″Ο(τι κύριος) ὁ ποιῶν σε ⟨κύριος⟩ Σαβαὼθ
ὄνομα αὐτῷ, καὶ ὁ ῥυσάμενός σε αὐτὸς θεὸς Ἰσραὴλ πάσῃ
τῇ γῇ κληθήσεται. [Τοῦτον] γὰρ ἡμεῖς οἱ εἰς αὐτὸν ἠλπικότες
καὶ πεπιστευκότες καὶ θεὸν Ἰσραὴλ καὶ θεὸν Ἀβραὰμ
265   ὀνομάζομ[εν] καὶ τῆς ἐκείνων γενέσθαι μερίδος ἀντιβολοῦμεν.
Οὗτός φησιν ὁ τοῦ Ἰσραὴλ θεὸς ἔσται σου νυμ[φίος] καὶ
τῆς χηρείας καὶ τῆς ἀτεκνίας τὰ ὀνείδη παύσει · ⁶ Οὐχ ὡς
γυναῖκα ἐγκαταλελειμμένην (καὶ) ὀλιγόψυχον κέκληκέ
σε ὁ κύριος, ὡς γυναῖκα ἐκ νεότητος μεμισημένην ; Τοῦτο
270   κατ᾽ ἐρώτησιν ἀναγνωστέον. Οὐκ ἐῴκεις φησὶ γυναικὶ διά
τινας παρανομίας ἐκβεβλημένη καὶ [διηνεκῶς] ὀδυνωμένη
καὶ ἄνωθεν καὶ ἐξ ἀρχῆς μεμισημένη ; Κατὰ ταύτην δὲ
τὴν διάνοιαν καὶ οἱ Λοιποὶ ἡρμήνευσαν · ὁ μὲν γὰρ Ἀκύλας
καὶ ὁ Θεοδοτίων οὕτως ἔφασαν · « ″Οτι ὡς γυναῖκα ἐγκατα-
275   λελειμμένην καὶ κατώδυνον πνεύματι ἐκάλεσέ ⟨σε⟩ κύριος »,
ὁ δὲ Σύμμαχος οὕτως · « Ὡς γὰρ γυναῖκα ἐγκαταλελειμ-
μ(ένην) καὶ (κατώ)δυνον πνεύματι ἐκάλεσέ ⟨σε⟩ κύριος καὶ
γυναῖκα νεότητος ὅταν ἀποστῇ. » Ἄνωθεν καὶ ἐξ ἀρχῆς

C : 256-258 ὠνείδιζον — ἀπαλλαγήν
256 ὡς C : > K ‖ 258 ὀνείδους K : ὀνειδισμοῦ C ‖ 278 ἀποστῇ K :
ἀπωσθῇ Symmachus
256-257 cf. I Sam. 1, 1-6

1. La remarque de Théodoret s'explique dans la mesure où aucune
particule interrogative ne signale nettement dans le texte le ton de
la phrase. EUSÈBE qui donne également la version de Symmaque
ne signale, du reste, nullement la nécessité d'une telle lecture (GCS
344, 8 s.) ; dans l'édition de Swete et dans celle de Ziegler, le verset

4. *Ne crains pas, parce que tu as été*
La sollicitude de Dieu *déshonorée, et ne rougis pas de honte,*
pour les nations *parce que tu as été insultée.* Les Juifs
reprochaient jadis aux nations leur impiété, comme
Phenanna reprochait à Anne sa stérilité. Le texte prophétique lui promet donc la délivrance de l'affront. Il ajoute,
en effet : *Car tu oublieras la honte éternelle et tu ne te*
souviendras plus de l'opprobre de ton veuvage. Et il en
indique plus clairement la raison : 5. *Car c'est le Seigneur*
qui t'a créée, il a pour nom le Seigneur Sabaoth ; et celui qui
t'a rachetée, c'est le Dieu d'Israël en personne, il sera appelé
(le Dieu) de toute la terre. En effet, c'est lui que nous
nommons, nous qui avons espéré et cru en lui, Dieu d'Israël
et Dieu d'Abraham, et à qui nous demandons en suppliant
d'être au nombre de ces hommes-là.

Ce Dieu d'Israël sera ton époux, dit-il, et il fera cesser
les affronts de ton veuvage et de ta stérilité : 6. *Le Seigneur*
ne t'a-t-il pas appelée comme une femme abandonnée et sans
courage, comme une femme haïe dès sa jeunesse ? Il faut lire
ce passage sous forme interrogative[1]. Ne ressemblais-tu
pas, dit-il, à une femme répudiée[2] en raison de certaines
iniquités, continuellement dans l'affliction et en butte à
la haine depuis l'origine et le commencement ? C'est dans
ce sens que le reste des interprètes a également donné son
interprétation ; Aquila et Théodotion l'ont fait de la
manière suivante : « Parce que le Seigneur t'a appelée,
comme une femme abandonnée et à l'esprit accablé de
douleur », et Symmaque, de cette façon : « Car c'est comme
une femme abandonnée et à l'esprit accablé de douleur
que le Seigneur t'a appelée et comme la femme de sa
jeunesse lorsqu'elle s'est éloignée. » Depuis longtemps et

___

est donné sans point d'interrogation. Théodoret fait donc ici un choix
de lecture tout personnel.

2. CYRILLE note comme une habitude de l'Écriture le fait d'appeler
« femme abandonnée » la femme répudiée (70, 1200 D).

ἀπέστη τοῦ [θεοῦ] τῶν ἀνθρώπων ἡ φύσις, ἀλλ' ὅμως αὐτὴν
280 πάλιν ἀνεκαλέσατο · τοῦτο γὰρ καὶ ὁ προφητικὸς ἔφη
[λόγος] · Εἶπεν ὁ θεός · ⁷ Χρόνον μικρὸν κατέλιπόν σε καὶ
μετ' ἐλέου μεγάλου ἐλεήσω σε, ⁸ ἐν θυμῷ μικρῷ ἀπέ-
(στρεψα) τὸ πρόσωπόν μου ἀπὸ σοῦ καὶ ἐν ἐλέῳ αἰωνίῳ
ἐλεήσω σε. Μικρὸν ἔφη τὸν τῆς ἐγκαταλείψεως [χρόνον],
285 τοῖς ἀπεί[ροις] αἰῶσι τοῦτον παραμετρῶν.

Εἶπεν ὁ ῥυσάμενός σε κύριος · ⁹ Ἀπὸ ὕδατος τοῦ ἐπὶ
Νῶε το(ῦτό μοί) ἐστιν · καθότι ὤμοσα αὐτῇ ἐν τῷ καιρῷ
ἐκείνῳ τῇ γῇ μὴ θυμωθήσεσθαι ἔτι ἐπ' αὐτῇ μηδὲ ἀπ(ειλῇ
μου) ¹⁰ τὰ ὅρια αὐτῆς μεταστῆσαι, οὐδὲ οἱ βουνοὶ αὐτῆς
290 μετακινηθήσονται, οὕτως οὐδὲ τὸ (παρ' ἐμοῦ) σοι ἔλεος
ἐκλείψει, οὐδὲ ἡ διαθήκη μου οὐ μὴ μεταστῇ. Ἀναμνή-
σθητί φησι τῶν γεγενημένων μοι συνθηκ[ῶν πρὸς] τὸν Νῶε
καὶ βλέπε τούτων τὸ ἀληθές · ἐπαγγειλάμενος γὰρ μηκέτι
τοιαύτῃ πανωλε[θρίᾳ παρα]δώσειν τὴν γῆν, ἅπερ ὑπεσχόμην
295 πεπλήρωκα. Ἔχουσα τοίνυν ἐνέχυρον τὴν προτέραν [διαθή-
κην] πίστευσον ὡς καὶ σὺ διηνεκῶς τῆς ἐμῆς φιλανθρωπίας
ἀπολαύσῃ, καὶ βεβαίαν σοι τὴν εἰρ[ήνην] φυλάξω καὶ οὐκέτι
τοῦτο διαλύσω τὸ συνοικέσιον.

Εἶπε γὰρ κύριος ἵλεώς σοι · ¹¹ Ταπεινή |169 b| καὶ ἀκατά-
300 στατος οὐ παρεκλήθης. Ὁ δὲ Σύμμαχος οὕτως · « Εἶπεν
ὁ οἰκτείρων σε κύριος · Ταπεινή, καταιγισθεῖσα, μὴ παρη-
γορημένη. » Ἵλεώς σοι γεγένημαι · εἶδον γάρ σε πεπλανη-
μένην καὶ τῇδε κἀκεῖσε καθάπερ ὑπό τινων καταιγίδων
τῶν τῆς ἀπάτης πνευμάτων †περικειμένην καὶ ἀκατάστατον
305 ἔχουσαν τὴν γνώμην.

Ἰδοὺ ἐγὼ ἑτοιμάζω σοι ἄνθρακα τὸν λίθον σου καὶ τὰ
θεμέλιά σου σάπφειρον ¹² καὶ θήσω τὰς ἐπάλξεις σου ἴασπιν
καὶ τὰς πύλας σου λίθους (κρ)υστάλλου καὶ τὸν περίβολόν
σου λίθους ἐκλεκτούς. Τὸ εὐσεβὲς πολίτευμα πόλιν καλεῖ.
310 [Διά]φορα δὲ τῶν ἁγίων τὰ κατορθώματα, ἀρεστὰ δὲ ὅμως

dès l'origine, le genre humain s'est éloigné de Dieu ; néanmoins, il l'a de nouveau rappelé à lui ; c'est ce qu'a dit également le texte prophétique : *Dieu a dit :* 7. *Pendant un peu de temps je t'ai abandonnée et avec une grande miséricorde j'aurai pitié de toi ;* 8. *durant un bref instant de colère, j'ai détourné mon visage de toi et, dans ma miséricorde éternelle, j'aurai pitié de toi.* Le temps de l'abandon est court, a-t-il dit, en le mettant en relation avec l'infinité des siècles.

Le Seigneur qui t'a racheté a dit : 9. *Depuis l'eau au temps de Noé, il en est ainsi pour moi : de même qu'en cette circonstance j'ai juré à la terre elle-même de ne plus m'irriter contre elle,* 10. *de ne pas changer par ma menace ses limites et de ne pas ébranler ses collines, ainsi la miséricorde qui vient de moi ne t'abandonnera pas et mon alliance ne se déplacera pas.* Souviens-toi, dit-il, des accords que j'ai conclus avec Noé et regardes-en la vérité : j'avais promis de ne plus livrer la terre à une telle dévastation ; j'ai tenu ce que j'avais promis. Donc, puisque tu as comme gage l'ancienne alliance, crois que, toi aussi, tu ne cesseras pas de jouir de ma bonté, que je te conserverai une paix solidement établie et que je ne briserai plus ce mariage.

Car le Seigneur qui a pitié de toi a dit : 11. *Malheureuse et agitée, tu n'as pas été consolée.* Symmaque (a donné) la version suivante : « Le Seigneur qui a compassion de toi a dit : Malheureuse, bouleversée par l'ouragan, inconsolée. » J'ai été pour toi plein de pitié : je t'ai vue errer de-ci de-là, comme si tu étais en proie aux ouragans, pour ainsi dire, des esprits de la tromperie et en possession d'une pensée agitée.

La construction de l'Église — *Voici que moi je prépare pour toi ta pierre en escarboucle et tes fondements en saphir ;* 12. *je ferai tes crénaux de jaspe, tes portes de pierre de cristal et ton enceinte de pierres choisies.* Il appelle « ville » la manière pieuse de se conduire. Les traits de vertu des saints sont différents, mais ils sont

ἅπαντα τῷ θεῷ · οὗ δὴ χάριν καὶ [ἅπ]αντας λίθους ὀνομάζει
τιμίους, εἰ καὶ διάφορον ἔχουσι τὴν ἰδέαν. Ἄνθρακα δὲ
ὑποληπτέον τὸν [περὶ] τὸν θεὸν διάπυρον ἔρωτα · σάπφειρον
δὲ τὸν τὴν ἀρετὴν κατακρύπτοντα, βαθεῖα γὰρ ἡ τοῦ
315 σαπ[φείρ]ου χροιά · ἴασπιν δέ, ἢ « καρχηδόνιον » κατὰ τὸν
Σύμμαχον, τὸ λαμπρὸν τῆς θαυματουργίας ὀνο[μά]ζεσθαι
νομίζω. Διὰ τοῦτο καὶ τὰς ἐπάλξεις ἐκ τούτου προλέγει
οἰκοδομηθήσεσθαι, ἐκ δὲ [τῆς] σαπφείρου τὰ θεμέλια, τὰς
δὲ πύλας ἐκ κρυστάλλου · σαφοῦς γὰρ τοῖς εἰσαγομένοις
320 διδασκα[λί]ας δεῖ. Ταῦτα μὲν οὖν περὶ τῶν τῆς ἐκκλησίας
ἡγεμόνων ἔφη, οὓς καὶ θεμέλια καὶ ἐπάλ[ξεις] καὶ πύλας
ὠνόμασεν · καὶ ὁ λοιπὸς δὲ τῶν πιστῶν ὅμιλος ἐκλεκτὸς
προσηγορεύθη, ἅπαντα γάρ σού [φησι] τὸν περίβολον ἐκ
πολυτίμων καὶ ἐκλεκτῶν δομήσομαι λίθων.
325 Εἶτα τὸ τροπικὸν καταλιπὼν σχῆ[μα] ἐπὶ τὸ σαφέστερον
τὸν λόγον μετήνεγκεν · ¹³ καὶ πάντας τοὺς υἱούς σου
διδακτοὺς θεοῦ, καὶ ἐν πολλῇ εἰρήνῃ τὰ (τέ)κνα σου, ¹⁴ καὶ
ἐν δικαιοσύνῃ οἰκοδομηθήσῃ. Ἔδειξας <...> λίθους τὰ τῆς
ἀρετῆς εἴδη τροπικῶς προσηγόρευσεν. [Εἰρήν]ην δὲ ἐνταῦθα
330 τὴν πρὸς θεὸν ὑπισχνεῖται. Ταύτης τῆς οἰκοδομίας καὶ ὁ

---

312 τιμίους Μö. : τιμή Κ

---

1. Interprétation figurée similaire chez Eusèbe (GCS 342, 15-16) :
« Nous entendrons par tous ces termes les âmes de grande valeur et
de grand prix dont Dieu promet de se servir pour construire la cité
de la piété (τὸ θεοσεβὲς πολίτευμα). » Cyrille note de son côté que
c'est l'habitude de l'Écriture d'appeler « pierres précieuses » ceux qui
mènent une vie sainte et qui brillent de l'éclat de vertus diverses
(70, 1209 D).

2. Ces fondements sont pour Eusèbe les prophètes et les apôtres
(GCS 342, 20-23).

3. Ces noms de pierres précieuses donnent également lieu à
des interprétations figurées chez Eusèbe et chez Cyrille. Eusèbe
met « l'escarboucle » en rapport avec le charbon dont le Séraphin
a purifié les lèvres d'Isaïe et voit là une manière de faire entendre
qu'aucune pierre de cette construction ne sera impure (GCS 342,

tous néanmoins agréables à Dieu : c'est bien pourquoi
il les appelle tous précisément « pierres précieuses », même
s'ils ont un caractère différent[1]. Il faut comprendre par
« escarboucle » l'amour enflammé pour Dieu ; par « saphir »,
l'homme qui cache sa vertu, car la coloration du saphir est
profonde ; par « jaspe » — ou « carthaginoise » selon
Symmaque —, est désigné, je pense, l'éclat que donne le
pouvoir de faire des miracles. C'est pourquoi il prédit
aussi que les créneaux seront construits à partir de ce
matériau, que les fondements le seront en saphir et les
portes en cristal : il faut, en effet, pour ceux qui entrent,
un enseignement clair. Il a donc dit cela des chefs de
l'Église, à qui il a donné le nom de fondements, de créneaux
et de portes[2] ; quant au reste de la foule des croyants, il a
également été appelé « choisi » : car je construirai, dit-il,
toute ton enceinte en pierres précieuses et choisies[3].

Puis il a abandonné le style figuré pour retrouver dans
son propos un style plus clair : 13. *Tous tes fils seront
instruits par Dieu et tes enfants vivront dans une paix
abondante ; 14. tu seras construite dans la justice.* Tu as
montré *(lacune)* il a donné de manière figurée le nom de
« pierres » aux formes que revêt la vertu. Or, la paix qu'il
promet ici est la paix de Dieu. De cette construction le

4-8) ; « parce que le saphir ressemble à la couleur du ciel », on lui
compare les âmes vertueuses (*id.*, 16-17) ; la transparence du jaspe
— ou « carthaginoise » selon Symmaque — conviendrait à ceux qui
dans l'Église sont les défenseurs (καθαιρεῖν) de la foi et les champions
de la vérité contre l'erreur (*id.*, 25-29) ; le cristal, à ceux qui offrent
la transparence et la pureté d'une foi saine aux nouveaux croyants
(*id.*, 32-35) ; les pierres de choix de l'enceinte seraient ceux qui
entourent et protègent, par leurs prières à Dieu, toute la cité et ses
constructions (*id.*, 342, 35-343, 3). Pour Cyrille (70, 1209 AD),
l'escarboucle est Jésus-Christ, tandis que le saphir pourrait évoquer
la troupe des saints apôtres ; créneaux, portes et enceinte désigneraient « l'assemblée chère à Dieu et pleine de sagesse des saints
mystagogues ».

μακάριος μέμνηται Παῦλος, [λέγ]ει δὲ οὕτως · « Ἐγὼ ὡς
σοφὸς ἀρχιτέκτων θεμέλιον τέθεικα, ἄλλος ἐποικοδομεῖ,
ἕκαστος δὲ βλε(πέτ)ω πῶς ἐποικοδομεῖ. Θεμέλιον γὰρ ἄλλον
οὐδεὶς δύναται θεῖναι παρὰ τὸν κείμενον ὅς ἐστιν Ἰησοῦς
335 (Χριστός). Εἰ δέ τι ἐποικοδομεῖ ἐπὶ τὸν θεμέλιον τοῦτον,
χρυσὸν ἄργυρον λίθους τιμίους ξύλα χόρτον καλάμην,
ἑκάστου τὸ ἔργον φανερὸν γενήσεται. » ᾿Απεχε ἀπὸ ἀδίκου,
καὶ οὐ φοβηθήσῃ, καὶ τρόμος οὐκ ἐγγιεῖ σοι. Ταύτης ἀπο-
λαύσασα τῆς εὐεργεσίας μὴ γένῃ περὶ τὸν εὐεργέτην
340 ἀχάριστος · οὕτω γὰρ κρείττων ἔσῃ τῶν (πολ)εμούντων.
15 Ἰδοὺ προσήλυτοι προσελεύσονται δι' ἐμὲ καὶ παροική-
σουσί σοι καὶ ἐπὶ σὲ καταφεύ(ξο)νται. Προσηλύτους καλεῖ
τοὺς καθ' ἑκάστην ὡς ἔπος εἰπεῖν ἡμέραν ἐκ τῶν ἐθνῶν
ἀγρευο(μέ)νους καὶ τῷ θείῳ προσιόντας βαπτίσματι. Καὶ
345 ταύτης τοίνυν τῆς προφητείας ὁρῶ(μεν τὸ τέλος).
[Εἶτα δι]δάσκει τῆς νέας δημιουργίας τὸν τρόπον ·
16 Ἰδοὺ ἐγὼ κτίζω σε οὐχ ὡς χαλκεὺς φ(υσῶν ἐν) πυρὶ
(ἄνθ)ρακας καὶ ἐκφέρων σκεῦος εἰς ἔργον. Τὸ ἄπονον καὶ
λίαν εὐπετὲς τῆς δημιουργίας δεδήλωκεν · (οὐ γὰρ δέ)ομαί
350 φησιν ὀργάνων τινῶν καὶ πυρὸς καὶ φυσῶν τοῖς χαλκεῦσι
παραπλησίως, ἀ(λλ') ἀρκεῖ (μοι λόγ)ος εἰς ποίησιν. Ἐγὼ
δὲ ἔκτισά σε οὐκ εἰς ἀπώλειαν φθεῖραι. Ἐπειδὴ « ὁ πρῶτος
ἄνθρωπος ἐκ γῆς (χοϊκός) », ἐδέξατο δὲ καὶ τοῦ θανάτου
τὴν ψῆφον, ὑπισχνεῖται ὁ τῶν ὅλων δημιουργὸς εἰς ἀφθ(αρ-
355 σίαν) νεουργεῖν τῶν ἀνθρώπων τὴν φύσιν.

C : 338-340 ταύτης — πολεμούντων ‖ 342-345 προσηλύτους —
τέλος ‖ 348-351 τὸ — ποίησιν ‖ 352-355 ἐπειδὴ — φύσιν
348 καὶ² C : > K
331 I Cor. 3, 10-13   352 I Cor. 15, 47

---

1. Pour CYRILLE, il s'agit également de ceux qui sont appelés des
nations et qui approchent de la foi ; mais il pourrait s'agir aussi des
Israélites : s'ils ont jadis tenu le premier rang, ils ont été placés
derrière les nations, si bien qu'ils sont désormais les « prosélytes »

bienheureux Paul a également fait mention et il s'exprime en ces termes : « Moi, comme un bon architecte, j'ai posé le fondement, un autre bâtit dessus, mais que chacun prenne garde à la manière dont il y bâtit. Car personne ne peut poser un autre fondement que celui qui s'y trouve et qui est Jésus-Christ. Mais, si l'on bâtit quelque chose sur ce fondement, avec de l'or, de l'argent, des pierres précieuses, du bois, du foin, de la paille, l'œuvre de chacun deviendra manifeste. » *Tiens-toi loin de l'injustice et tu ne seras pas effrayée, et l'effroi ne t'approchera pas.* Puisque tu as joui de ce bienfait, ne deviens pas ingrate à l'égard de ton bienfaiteur : c'est ainsi que tu seras supérieure à ceux qui te font la guerre.

15. *Voici que des prosélytes arriveront à cause de moi ; ils habiteront auprès de toi et se réfugieront vers toi.* Il appelle « prosélytes » ceux qui, chaque jour, pour ainsi dire, se faisaient capturer parmi les nations et s'approchaient du divin baptême[1]. De cette prophétie également nous voyons donc l'accomplissement.

Une création nouvelle Puis il enseigne le mode de la nouvelle création : 16. *Voici que moi je te crée, non comme le forgeron qui souffle sur les charbons dans son feu et qui en fait sortir un outil pour son travail.* Il a fait voir le caractère non laborieux et très facile de la création : je n'ai pas besoin, dit-il, d'instruments quelconques, du feu et des soufflets comme les forgerons, mais la parole me suffit pour faire œuvre de création : *Mais moi, si je t'ai créée, ce n'est pas pour te faire aller à la perdition.* Puisque « le premier homme né de la terre était terrestre » et qu'il reçut de plus la condamnation à mort, le démiurge de l'univers promet de renouveler la nature humaine (en la conduisant) à l'immortalité.

---

des nations, eux qui acceptaient jadis comme prosélytes les hommes qui abandonnaient le paganisme (70, 1213 CD).

¹⁷ Πᾶν σκεῦος φθαρτὸν ἐπὶ σὲ οὐκ εὐοδωθήσεται. [Οἱ δὲ]
ταύτην τὴν ἀφθαρσίαν ἐνδύσασθαι μὴ βουλόμενοι ἀλλ' ἐπὶ
τῆς προτέρας φθορᾶς διαμέ[νοντες] οὐ περιέσονταί σου
πολεμεῖν σοι πειρώμενοι. Τοῦτο δὲ καὶ διὰ τῶν ἑξῆς
360 σαφέστερον δηλοῖ · (Καὶ) πᾶσα φωνὴ ἣ ἀναστήσεται ἐπὶ
σέ, εἰς κρίσιν πάντας αὐτοὺς ἡττήσεις. Ὁ δὲ Ἀκύλας
οὕτως · « [Καὶ] πᾶσαν γλῶσσαν ἱσταμένην σὺν σοὶ εἰς
κρίσιν καταδικάσεις. » Τοὺς γὰρ ἐξ ἁπάντων τῶν [ἐθνῶν]
ἀντιτείνοντάς σοι καὶ κατακρινεῖς καὶ ἡττήσεις. Οἱ δὲ
365 ἔνοχοι ἔσονται ἐν λύπῃ. Δρέπονται [λύπην] οἱ τὰς κατὰ
σοῦ τεκταινόμενοι μηχανάς, σὺ δὲ τῶν αἰωνίων ἀγαθῶν
ἀπολαύσεις.

|170 a| Τοῦτο γὰρ δηλοῖ τὰ ἑξῆς · Ἔστι κληρονομία τοῖς
θεραπεύουσι κύριον, καὶ ὑμεῖς ἔσεσθέ μοι δίκαιοι, λέγει
370 κύριος. Τοῦτο καὶ ὁ κύριος ἐν τοῖς ἱεροῖς εὐαγγελίοις
ἐδίδαξεν · « Δεῦτε οἱ εὐλογημένοι τοῦ πατρός μου, κληρο-
νομήσατε τὴν ἡτοιμασμένην ὑμῖν βασιλείαν πρὸ καταβολῆς
κόσμου. » Δίδωσι δὲ ταύτην τοῖς τὴν νενομοθετημένην
δικαιοσύνην προφέρουσιν · « Ἐπείνασα γάρ » φησι « καὶ
375 ἐδώκατέ μοι φαγεῖν, ἐδίψησα καὶ (ἐπο)τίσατέ με » καὶ τὰ
ἑξῆς.

Τοῦτο κἀνταῦθα δείξας τὴν τῆς δικαιοσύνης ὁδὸν ἐπι-
δείκνυσιν · 55¹ Οἱ δι(ψῶντες) πορεύεσθε ἐφ' ὕδωρ. Διὰ γὰρ
τοῦ παναγίου βαπτίσματος « δικαιούμεθα δωρεὰν » κατὰ
380 τὸν θεῖον ἀπόστολον « διὰ τῆς ἀπολυτρώσεως τῆς ἐν Χριστῷ
Ἰησοῦ ». Τοῦτο γὰρ καὶ ὁ προφητικὸς ἡνίξατο λόγος ·
Καὶ (ὅσοι) μὴ ἔχετε ἀργύριον βαδίσαντες ἀγοράσατε καὶ
φάγεσθε καὶ πορεύεσθε καὶ ἀγοράσατε κ(αὶ) πίεσθε ἄνευ
ἀργυρίου. Ἀργύριον δὲ τὴν δικαιοσύνην πολλάκις ἡ θεία
385 γραφὴ προ<σ>αγορεύει · « (Τὰ λό)για » γάρ φησι « κυρίου
λόγια ἁγνά, ἀργύριον πεπυρωμένον, δοκίμιον τῇ γῇ. » Καὶ

377 τοῦτο Μö. : οὕτω Κ

371 Matth. 25, 34   374 Matth. 25, 35   379 Rom. 3, 24
385 Ps. 11, 7

17. *Tout outil corruptible sera sans effet contre toi.* Ceux qui ne veulent pas se revêtir de cette immortalité, mais qui restent fermement attachés à la perdition première, ne l'emporteront pas sur toi, s'ils tentent de te faire la guerre. Par la suite du passage également, il le fait voir de manière plus claire : *Et toute voix qui se dressera contre toi sera sans effet; tu les vaincras tous en justice.* Aquila (a traduit) de la manière suivante : « Et toute langue levée contre toi, tu la confondras en justice. » Les hommes qui parmi toutes les nations s'opposent à toi, tu les condamneras et tu les vaincras. *Et les accusés seront dans l'affliction.* Ils recueillent l'affliction ceux qui édifient contre toi des machinations, tandis que toi tu jouiras des biens éternels.

C'est ce que fait bien voir la suite du passage : *Il y a un héritage pour les serviteurs du Seigneur et vous serez pour moi des justes, dit le Seigneur.* C'est ce que le Seigneur a enseigné à son tour dans les saints Évangiles : « Venez les bénis de mon Père, recevez en héritage le Royaume qui vous a été préparé avant la fondation du monde. » Il le donne à ceux qui font preuve de la justice dont il a établi les lois : « Car j'ai eu faim, dit-il, et vous m'avez donné à manger, j'ai eu soif et vous m'avez donné à boire » et la suite.

La voie de la justice : le baptême
Voilà ce qu'il a montré ici également avant d'indiquer le chemin de la justice : **55,** 1. *Vous qui avez soif, venez vers l'eau.* C'est grâce, en effet, au très saint baptême que « nous sommes justifiés gratuitement », selon le divin Apôtre, « en vertu de la rédemption accomplie dans le Christ Jésus ». C'est ce que le texte prophétique a également laissé entendre : *Même vous qui n'avez pas d'argent, avancez, achetez et mangez; venez, achetez et buvez sans argent.* La divine Écriture appelle souvent « argent » la justice : « Les paroles du Seigneur, dit-elle, sont des paroles pures, de l'argent purifié par le feu, épuré par la terre. » Quant à

τοὺς παρανομίᾳ [συζῶντας] «ἀργύριόν» φησιν «ἀποδεδο-
κιμασμένον καλέσατε, ὅτι ἀπεδοκίμασεν αὐτοὺς κύριος ὁ
θεός». Ὑπισχνεῖ[ται] τοίνυν ὁ φιλάνθρωπος δεσπότης καὶ
390 τοῖς οὐ κεκτημένοις τὸ καλούμενον ἀργύριον, τουτέστι τὴν
δικαιοσύν[ην], προῖκα δώσειν τὸ τριπόθητον ὕδωρ · τοὺς
γὰρ τῷ παναγίῳ προσιόντας βαπτίσματι οὐκ εὐθύνας ὑπὲρ
τῶν προτέρων ἁμαρτημάτων εἰσπράττεται ἀλλὰ τὴν τούτων
ἄφεσιν ἐπαγγέλλεται.
395 Οἶνον κα(ὶ στέαρ) ² ἵνα ⟨τί⟩ τιμᾶσθε ἀργυρίου ἐν οὐκ
ἄρτοις, καὶ ὁ μόχθος ὑμῶν οὐκ εἰς πλησμονήν ; Τὰς νομικὰς
(ἐν)ταῦθα θυσίας ἐξέβαλεν. Διαφερόντως γὰρ πάλαι τῶν
ἱερείων τὸ στέαρ τῷ βωμῷ προ(σφέρειν) ἐκέλευσεν, οὗ δὴ
χάριν καὶ μεταλαμβάνειν στέατος ἀπηγόρευσεν · καὶ οἶνον
400 δὲ σπένδειν εἰώθεσαν. Δι[δάσκει] δὲ ὁ προφητικὸς λόγος
ὡς οὐδεμίαν ταῦτα τροφὴν προσέφερε τῇ ψυχῇ · τοῦτο γὰρ
εἶπεν · ἐν οὐκ ἄρτοις καὶ ὁ μόχθος ὑμῶν οὐκ εἰς πλησμονήν,
ἀντὶ τοῦ ἀκερδής, ἀνόνητος, οὐδὲν ἔχων πνευματικόν.
Οὕτω[ς ἐπι]θεὶς τῇ παλαιᾷ διαθήκῃ τὸ πέρας ὑποδείκνυσι
405 τὴν καινήν · Ἀκούσατέ μου καὶ φάγεσθε ἀγαθά, καὶ
ἐντρυφήσει ἐν ἀγαθοῖς ἡ ψυχὴ ὑμῶν · ³ προσέχετε τοῖς ὠσὶν
ὑμῶν καὶ ἐπακολουθήσατε ταῖς ὁδοῖς μου, εἰσακούσατέ μου,
καὶ ζήσεται ἐν ἀγαθοῖς ἡ ψυχὴ ὑμῶν, καὶ διαθήσομαι ὑμῖν
διαθήκην αἰώ(νιον), τὰ ὅσια Δαυὶδ τὰ πιστά. Τῷ Δαυὶδ ὁ
410 θεὸς ἐπηγγείλατο ὅτι «τὸ σπέρμα αὐτοῦ εἰς τὸν αἰῶνα
μένει καὶ ὁ (θρό)νος αὐτοῦ ὡς ὁ ἥλιος ἐναντίον μου καὶ ὡς
ἡ σελήνη κατηρτισμένη εἰς τὸν αἰῶνα.» Ταύτας τοίνυν τὰς
συνθήκας τὰς πρὸς ἐκεῖνον γεγενημένας ἐφ' ὑμῶν πληρώσω,
τὴν μὲν ἀνθρωπείαν φύσιν [ἐ]κ τοῦ Δαυιτικοῦ γένους κατὰ
415 τὴν ὑπόσχεσιν ἐνδυόμενος, τὴν δὲ καινὴν διαθήκην εἰσφέρων.

C : 396-400 τὰς — εἰώθεσαν
399 στέατος ἀπηγόρευσεν Κ : ∼ C ‖ 400 δὲ¹ C : > K
387 Jér. 6, 30   397-400 cf. Lév. 3, 15-17 ; Nombr. 15, 7   410
Ps. 88, 37-38

ceux qui vivent avec iniquité, « appelez-les argent de rebut, dit-elle, car le Seigneur Dieu les a mis au rebut ». Le Maître de bonté promet donc, même à ceux qui ne possèdent pas ce qui est appelé « argent » — c'est-à-dire la justice —, de leur donner gratuitement l'eau trois fois désirée : car il ne demande pas compte à ceux qui s'approchent du très saint baptême de leurs fautes passées, mais il promet de les en délivrer.

Le vin et la graisse[1] 2. *pourquoi donc dépensez-vous de l'argent pour ce qui n'est pas du pain et votre peine pour ce qui ne rassasie pas?* Il a rejeté ici les sacrifices prévus par la Loi. Il a, en effet, ordonné jadis de présenter tout particulièrement à l'autel la graisse des sacrifices, et c'est pour cette raison qu'il a interdit précisément de prélever une partie de cette graisse ; ils avaient, d'autre part, l'habitude de faire aussi des libations de vin. Or, le texte prophétique enseigne que ces pratiques ne procuraient aucune nourriture à l'âme ; car voici ce qu'il a dit : « pour ce qui n'est pas du pain, et votre peine pour ce qui ne rassasie pas », ce qui revient à dire : elle est sans profit, sans utilité et n'a rien de spirituel.

La nouvelle alliance Après avoir mis fin de la sorte à l'ancienne alliance, il fait entrevoir la nouvelle : *Écoutez-moi et mangez de bonnes choses et votre âme se délectera au sein de bonnes choses ; 3. prêtez l'oreille et suivez mes voies, écoutez-moi et votre âme vivra au sein de bonnes choses ; je conclurai avec vous une alliance éternelle, gages de foi sacrés donnés à David.* Voici la promesse que Dieu a faite à David : « Sa postérité demeure pour l'éternité et son trône comme le soleil devant moi et comme la lune fondée pour l'éternité. » A ces conventions passées avec lui, je donnerai donc une réalité effective à votre époque, en revêtant la nature humaine à partir de la race de David, selon la promesse (donnée), et en proposant la nouvelle alliance.

---

1. Le verset est coupé de manière insolite.

⁴Ἰδοὺ μαρ(τύριον) ἐν (ἔθνεσι) δέδωκα αὐτόν, ἄρχοντα
καὶ προστάσσοντα ἔθνεσιν. Τὸν γὰρ ὑπὸ Ἰουδαίων ἐσταυρωμένον πᾶ(σα γῆ καὶ) θάλαττα προσκυνεῖ καὶ τοὺς τούτου
νόμους ἀσπάζεται. Μαρτύριον δὲ αὐτὸν καλεῖ, (ἢ κατὰ)
420 τὸν Ἀκύλαν κ(αὶ) τ(ὸν) Σύμμαχον « μάρτυρα », ὡς περὶ
τῆς μελλούσης διαμαρτυρόμενον κρίσεως καὶ τῆς γε(έννης
ἀπειλ)οῦντα τὴν φλόγα.
⁵Ἰδοὺ ἔθνη ἃ οὐκ οἴδασί σε ἐπικαλέσονταί σε, λαοὶ οἳ
οὐκ ἐπίσταντ(αί σε ἐπὶ σὲ κ)αταφεύξονται ἕνεκεν κυρίου
425 τοῦ θεοῦ ⟨σου⟩ καὶ τοῦ ἁγίου Ἰσραήλ, ὅτι ἐδόξασά σε.
Τίνι ταῦτα προσαρμό(ζουσιν) Ἰουδαῖοι ; Τίνα (τὰ) ἔθνη
ἐπεκαλέσατο ; Ἐπὶ τίνα δὲ κατέφυγον οἱ λαοί ; Ἀλλ' ἐκεῖνοι
μὲν ο(ὐ δύνανται δεῖξαι), ἡ(μεῖς δὲ) ὁρῶμεν τὰ πράγματα
καὶ τὸν ἀγνοούμενον ὑπὸ τῶν ἐθνῶν ἀσπασίως ὑπ' αὐτῶν
430 (προσκυνού)μενον. Τὸ δέ · ἕνεκεν κυρίου τοῦ θεοῦ σου ὅτι
ἐδόξασέ σε, ἀνθρωπίνως εἴρηται · καὶ γὰρ αὐτὸς ὁ κύριος
ἐν τοῖς [ἱεροῖς] εὐαγγελίο[ις προσευ]χόμενος ἔλεγεν ·
« Πάτερ δόξασόν σου τὸν υἱόν, ἵνα καὶ ὁ υἱός σου δοξάσῃ
σε. »
435 Τοῦτ[ο περὶ τῶν] ἐθνῶν προθεσπίσας καὶ τὴν ἐκείνων
πίστιν σαφῶς ἐπιδείξας προσφέρει καὶ Ἰουδαίοις [τὸν
λόγον] · ⁶Ζη(τήσα)τε τὸν θεόν. Τουτέστιν · Ἐπίγνωτε
ὃν ἠγνοήσατε. Καὶ ἐν τῷ ὑμᾶς εὑρίσκειν αὐτὸν ἐπι(καλέ-
σασθε). [Ἐπίγν]ωτ[ε], μὴ ἀπαγορεύσητε τὴν σωτηρίαν

C : 417-422 τὸν — φλόγα ‖ 426-430 τίνι — προσκυνούμενον
419 αὐτὸν K : τοῦτον C ‖ 426 τίνι C : τίνα K ‖ 429 ἀσπασίως K :
ἀπαύστως Cʳ·ᵛ·⁵⁶⁵ ἀσπαστῶς C³⁰⁹ᵐᴱC⁹⁰ ἀσπατῶς C⁸⁷
433 Jn 17, 1

---

1. La tentation est grande de lire ἐδόξασέ σε « parce qu'*il* t'a
glorifié », comme semblent y inviter la reprise du verset dans le
commentaire (l. 431) et une grande partie de la tradition manuscrite ;
mais la leçon ἐδόξασα est par ailleurs bien attestée (cf. J. ZIEGLER,
Isaias, op. cit).

4. *Voici que je l'ai donné comme un témoignage parmi les nations, comme un chef et comme un maître pour les nations.* De fait, celui que les Juifs ont crucifié, toute terre et toute mer l'adorent et chérissent ses lois. C'est lui qu'il appelle « témoignage » ou, selon Aquila et Symmaque, « témoin », parce qu'il proteste du jugement futur et qu'il menace de la flamme de la géhenne.

5. *Voici que des nations qui ne te connaissent pas l'invoqueront, que des peuples qui t'ignorent se réfugieront vers toi à cause du Seigneur ton Dieu et du Saint d'Israël, parce que je t'ai glorifié*[1]. A qui les Juifs rapportent-ils ces mots ? Quel est celui que les nations ont invoqué ? Vers qui se sont réfugiés les peuples ? Eh bien, ils ne sont pas capables de le montrer, tandis que nous, nous voyons les faits : celui que les nations méconnaissaient, elles l'adorent avec joie[2]. Quant à la phrase : « à cause du Seigneur ton Dieu, parce qu'il t'a glorifié », elle a été dite eu égard à sa nature humaine[3] ; de fait, le Seigneur lui-même dans les saints Évangiles disait dans sa prière : « Père, glorifie ton Fils, afin que ton Fils te glorifie. »

Les Juifs invités eux aussi au salut avec les nations Après avoir fait cette prophétie au sujet des nations et clairement montré la foi de ces dernières, il adresse aussi la parole aux Juifs : 6. *Cherchez Dieu.* C'est-à-dire : reconnaissez celui que vous avez méconnu. *Et quand vous l'aurez trouvé, invoquez-le.* Reconnaissez-le, ne refusez pas le salut sous prétexte que vous l'avez

2. On retrouve ici une manière de polémique anti-juive qui, par sa structure et le ton du développement, est fréquente dans le commentaire (v.g. *In Is.*, 14, 241-249.288-299 ; 19, 76-83.237-244).

3. La remarque de Théodoret s'explique par le fait que le Christ, en tant que Dieu, n'a pas besoin d'être glorifié : consubstantiel au Père, il est avec lui à égalité de gloire, de puissance et de majesté ; on constate une fois de plus l'attention que portent les antiochiens à répartir entre les deux natures du Christ les paroles dites de lui ou par lui dans l'Écriture.

440 ὡς προσηλώσαντες, ἀλλ' αἰτήσατε συγγν[ώμην]. ('Ηνίκα)
|170 b| δ' ἂν ἐγγίζῃ ὑμῖν, ⁷ ἀπολειπέτω ὁ ἀσεβὴς τὰς ὁδοὺς
αὐτοῦ καὶ ἀνὴρ ἄνομος τὰς βουλὰς αὐτοῦ καὶ ἐπιστρα-
φήτω πρὸς κύριον καὶ ἐλεηθήσεται καὶ πρὸς τὸν θεὸν
ἡμῶν, ὅτι ἐπὶ πολὺ ἀφήσει τὰς ἁμαρτίας ὑμῶν. Ὅταν φησὶ
445 ζητήσαντες εὕρητε καὶ ἐπικαλεσάμενοι τύχητε συγγνώμης,
φεύγετε τὴν προτέραν τῆς ἀσεβείας καὶ παρανομίας ὁδὸν
καὶ δότε τῷ θεῷ τὰ πρόσωπα καὶ μὴ τὰ νῶτα. Μεταδώσει
(γὰρ) ὑμῖν ἐλέου καὶ τῶν ἁμαρτημάτων δωριεῖται τὴν
ἄφεσιν.

450   ⁸ Οὐ γάρ εἰσιν αἱ βουλαί μου ὥσ(περ) αἱ βουλαὶ
ὑμῶν οὐδ' ὥσπερ αἱ ὁδοὶ ὑμῶν αἱ ὁδοί μου, λέγει κύριος.
⁹ Ἀλλ' ὥσπερ ἀπέχει ὁ οὐρανὸς (ἀπ)ὸ τῆς γῆς, οὕτως
ἀπέχει ἡ ὁδός μου ἀπὸ τῶν ὁδῶν ὑμῶν καὶ τὰ διανοήματα ὑμῶν
ἀπὸ τῆς δι(ανοίας) μου. Πολύ φησιν ἀλλήλων ἀφεστήκαμεν
455 καὶ τοσοῦτον ὅσον ὁ οὐρανὸς γῆς · ὑμεῖς μὲν γὰρ μι(σεῖτε),
ἐγὼ δὲ φιλῶ · ὑμεῖς φεύγετε, ἐγὼ καλῶ · ὑμεῖς πολεμεῖτε,
ἐγὼ εὐεργετῶ.

¹⁰ Ὡς γὰρ ἐὰν καταβῇ (ὑετ)ὸς ἢ χιὼν ἐκ τοῦ οὐρανοῦ
καὶ οὐ μὴ ἀποστραφῇ ἐκεῖ ἕως ἂν μεθύσῃ τὴν γῆν, ἐκτέκῃ
460 καὶ ἐκβλαστήσῃ (καὶ δ)ῷ σπέρμα τῷ σπείροντι καὶ ἄρτον
εἰς βρῶσιν, ¹¹ οὕτως ἔσται τὸ ῥῆμά μου ὃ ἐὰν ἐξέλθῃ ἐκ τοῦ
(στόμ)ατός μου, οὐ μὴ ἀποστραφῇ πρός με κενόν, ἕως ἂν
συντελέσῃ πάντα ὅσα ἐλάλησα, καὶ εὐοδώσω τὰς (ὁδού)ς
μου καὶ τὰ ἐντάλματά μου. Καθάπερ φησὶν ὑετὸς καὶ χιὼν
465 ἀρδείας χάριν χορηγεῖται τῇ γῇ, ὥστε τοὺς γηπόνους
(ἀπολα)βεῖν τοὺς πόνους τὰ δράγματα καρπουμένους καὶ
ἐντεῦθεν ποριζομένους τροφήν, οὕτως ὁ ἀποφαν(τικός)
μου λόγος ἐνεργέστατός ἐστι καὶ πρακτικώτατος πάντα
πληρῶν ὅσα βούλομαι.

470   ¹² Ἐν γὰρ εὐφροσύνῃ ἐ(ξελεύσε)σθε καὶ ἐν χαρᾷ δι⟨δα⟩χ-
θήσεσθε · τὰ γὰρ ὄρη καὶ οἱ βουνοὶ ἐξαλοῦνται προσδεχόμενοι

C : 444-449 ὅταν — ἄφεσιν ‖ 454-457 πολύ — εὐεργετῶ ‖ 464-
469 καθάπερ — βούλομαι

456 ἐγὼ² K : +δὲ C ‖ 457 ἐγὼ K : +δὲ C ‖ 466 καὶ K : +τὴν C

crucifié, mais demandez pardon. *Lorsqu'il est proche de vous,*
7. que l'impie abandonne ses voies, et l'homme inique ses
pensées; qu'il se tourne vers le Seigneur, et il sera pris en
pitié, vers notre Dieu, parce qu'il pardonnera largement vos
péchés. Lorsque vous l'aurez cherché et trouvé, dit-il,
lorsque vous l'aurez invoqué et que vous aurez obtenu le
pardon, fuyez la voie de jadis, celle de l'impiété et de
l'iniquité, et présentez à Dieu votre visage, non votre dos.
Car il vous donnera part à sa miséricorde et vous fera don
de la délivrance de vos fautes.

8. Car mes desseins ne ressemblent pas à vos desseins, et
vos voies ne ressemblent pas à mes voies, dit le Seigneur.
9. Mais autant le ciel est loin de la terre, autant ma voie est
loin de vos voies et mes pensées loin de votre pensée. Nous
sommes grandement distants les uns des autres, dit-il,
autant précisément que le ciel l'est de la terre : vous,
vous me haïssez, tandis que moi, je vous aime ; vous me
fuyez, moi je vous appelle ; vous, vous me faites la guerre,
moi je vous fais du bien.

10. Car de même que la pluie ou la neige descendent du
ciel et n'y retournent pas avant d'avoir abreuvé la terre, de
l'avoir fécondée, de l'avoir fait germer, d'avoir donné la
semence au semeur et le pain pour la nourriture, 11. ainsi
sera ma parole qui, une fois sortie de ma bouche, ne reviendra
pas vers moi sans effet, avant qu'elle n'ait accompli tout ce
que j'ai dit et que je n'aie fait aboutir mes voies et mes
commandements. La pluie et la neige, dit-il, sont fournies à
la terre dans un but d'irrigation, de manière que les
agriculteurs recueillent le fruit de leurs peines, en récoltant
les gerbes et en se procurant de cette façon leur nourriture ;
de même, la parole que je prononce a une très grande
force et une entière efficacité : elle accomplit toutes mes
volontés.

Joie de la délivrance   *12. C'est dans la joie que vous*
sortirez et dans l'allégresse que vous
serez instruits : car les montagnes et les collines bondiront en

ὑμᾶς ἐν χαρᾷ, (καὶ πάντα) τὰ ξύλα τοῦ δρυμοῦ ἐπικροτήσει
τοῖς κλάδοις. Τῆς τοῦ διαβόλου τυραννίδος ἀπαλλαττόμενοι
(καὶ τῆς ἐκ)είνου δυναστείας ἐλευθερούμενοι πάσης εὐφρο-
475 σύνης ἐμπλησθήσεσθε. Εἶτα, τῆς θυμηδίας δεικνὺς (τὴν
ὑπ)ερβολήν, καὶ τὰ ὄρη καὶ τοὺς βουνοὺς καὶ τὰ ξύλα
ἔδειξεν εὐφραινόμενα. Τοῦτο γὰρ καὶ ὁ μα(κάριος) ἔφη
Δαυὶδ τὴν ἐξ Αἰγύπτου ἔξοδον τοῦ λαοῦ διηγούμενος ·
« Τὰ ὄρη ἐσκίρτησαν ὡσεὶ κριοί, καὶ οἱ βουνοὶ ὡς ἀρνία
480 προβάτων.» Τούτῳ δὲ τῷ εἴδει κέχρηται ἡ θεία γραφὴ
τῷ ἔθει τῶν ἀνθρώπων ἀ(κολου)θοῦσα. Εἰώθαμεν γὰρ
λέγειν · Πᾶσα ἡ πόλις εὐφραίνεται, πᾶσα ἡ πόλις ἑορτάζει,
οὐ τοὺς τοίχους νοοῦντες (πό)λιν ἀλλὰ τοὺς ἐνοικοῦντας.
Εἰ δὲ καὶ τροπικῶς τις νοεῖν βούλοιτο ὄρη μὲν καὶ βουνοὺς
485 τὰς ἐπουρανίους (δυνά)μεις, ξύλα δὲ ἀγροῦ τοῖς κλάδοις
δεικνύντα τὴν ἡδονὴν τοὺς ἁγίους — περὶ ὧν εἴρηται ·
« Δίκαιος (ὡς φοῖ)νιξ ἀνθήσει, ὡσεὶ κέδρος ἡ ἐν τῷ Λιβάνῳ
πληθυνθήσεται », καὶ · « Ἐγὼ ὡσεὶ ἐλαία κατάκαρπος
(ἐν τῷ οἴ)κῳ τοῦ θεοῦ μου » —, εὑρήσει καὶ οὕτως τὴν
490 τῆς προφητείας ἀλήθειαν.
   ¹³Καὶ ἀντὶ τῆς στοιβῆς ἀναβήσεται (κυπάρ)ισσος, ἀντὶ
δὲ τῆς κονύζης ἀναβήσεται μυρσίνη · καὶ ἔσται κυρίῳ εἰς
ὄνομα καὶ εἰς ση(μεῖ)ον (αἰώνιον) καὶ οὐκ ἐκλείψει. Ἔδειξε
διὰ τούτων τῶν ἀλλοφύλων ἐθνῶν τὴν μεταβολήν. Οἱ
495 γὰρ (πάλαι ἀ)χρή(στοις βοτάν)αις καὶ χαμαιζήλοις ἐοικότες

C : 473-490 τῆς — ἀλήθειαν ‖ 493-500 ἔδειξε — μεταβολήν
475 ἐμπλησθήσεσθε Μ∂. : ἐμπλήσεσθε Κ ἐμπλησθήσονται C ‖ 484
δὲ C : > Κ ‖ βούλοιτο Κ : βούλεται C ‖ 493 ἔδειξε Κ : +καὶ C
   479 Ps. 113, 4   487 Ps. 91, 13   488 Ps. 51, 10

1. Eusèbe ne donne que l'explication figurée : « les montagnes et
les collines » sont pour lui les Puissances divines qui se réjouissent de
la conversion des pécheurs, selon la parole du Seigneur (Lc 15, 7) et
« les bois qui applaudissent » pourraient désigner la joie des âmes
porteuses de fruits en voyant le retour vers Dieu des âmes impies

*vous accueillant dans l'allégresse, et tous les arbres de la
forêt applaudiront avec leurs branchages.* Affranchis de la
tyrannie du diable et délivrés de sa domination, vous serez
remplis de toute espèce de joie. Puis, pour montrer la
grandeur démesurée de la jubilation, il a fait voir la
réjouissance des montagnes, des collines et des arbres.
C'est ce qu'a dit aussi le bienheureux David, en racontant
la sortie d'Égypte du peuple : « Les montagnes ont sauté
comme des béliers, et les collines comme les agneaux des
brebis. » La divine Écriture s'est servie de ce mode d'expression qu'elle emprunte à l'usage des hommes. Nous avons,
en effet, coutume de dire : Toute la cité se réjouit, toute
la cité est en fête, sans entendre par « cité » les murs, mais
ceux qui l'habitent. Si l'on voulait, toutefois, entendre
aussi de manière figurée par « montagnes et collines »
les puissances célestes[1], par « bois de la campagne qui
manifestent leur liesse par leurs branchages » les saints
— eux dont il a été dit : « Le juste croîtra comme le palmier,
comme le cèdre du Liban il se multipliera », et « Moi
(je serai) comme un olivier porteur de fruits dans la maison
de mon Dieu » —, on découvrira de cette manière aussi
la vérité de la prophétie.

13. *Au lieu du stoibé s'élèvera le cyprès, et au lieu du
conyze s'élèvera le myrte ; et ce sera pour le Seigneur un nom
et un signe éternel, qui ne disparaîtra pas.* Il a montré par
là le changement subi par les nations étrangères. De fait,
les hommes qui jadis ressemblaient à des herbes inutiles
et rampantes, voici qu'ils ont, après avoir eu connaissance

(*GCS* 347, 26-30). Cyrille recourt également à l'interprétation
figurée : « montagnes » désignerait toujours, selon lui, les Puissances
célestes, mais aussi les hommes à qui la grandeur de leur vertu a valu
une haute dignité et encore ceux qui, dans les Églises, ont charge
d'instruire et qui ne savent rien des choses d'en bas, mais recherchent
celles d'en haut ; par « collines », il faudrait entendre ceux qui leur
sont inférieurs dans la hiérarchie de l'Église et par « bois de la
campagne », ceux qui font partie du peuple (70, 1236 D- 1237 AB).

οὗτοι μετὰ τὴν ἐπίγνωσιν τοῦ σωτῆρος τῆς κυπαρίσσ(ου
τὸ) ὕψος (καὶ μ)υρσίνης τὸ εὐῶδες μεμίμηνται καὶ κηρύττουσι
διὰ τῶν πραγμάτων τοῦ θεοῦ καὶ σωτῆρος ἡμῶν (τὴν
δύναμ)ιν, οἷόν τι σημεῖον καὶ τέρας μέγα καὶ παράδοξον
500 καὶ διαρκὲς ἐπιδεικνύντες τὴν οἰκεία(ν μεταβολήν). Τοῦτο
δὲ τὸ σημεῖον αἰώνιον ἔσται καὶ οὐκ ἐκλείψει, καθάπερ
τῶν Ἰουδαίων ἐξέλιπεν ἡ δόξα.

[Ἐπιδείξωμεν] τοίνυν ἑαυτοὺς τοῦ θεοῦ καὶ σωτῆρος
ἡμῶν σημεῖον θεοπρεπές, μὴ μόνον τοῖς ὑγιέσι προσέ[χοντες
505 δόγμ]ασιν ἀλλὰ καὶ τὸν κατάλληλον ἀσπαζόμενοι βίον,
ἵνα γνόντες « τὰ καλὰ ἔργα » ἡμῶν οἱ ἄνθρωποι « (δοξάσωσι)
τὸν πατέρα ἡμῶν τὸν ἐν τοῖς οὐρανοῖς », ᾧ πρέπει πᾶσα
δόξα, τιμὴ καὶ μεγαλοπρέπεια σὺν τῷ [μονογενεῖ] αὐτοῦ
υἱῷ καὶ τῷ παναγίῳ πνεύματι νῦν καὶ ἀεὶ καὶ εἰς τοὺς
510 αἰῶνας τῶν αἰώνων. Ἀμήν.

498 ἡμῶν K : > C
506 Matth. 5, 16

1. L'interprétation figurée (ἀλληγορικῶς) d'Eusèbe (GCS 347,
32-38) et celle de Cyrille (70, 1237 BC) vont dans le même sens.

du Sauveur, imité l'élévation du cyprès et la suave odeur du myrte[1] ; ils proclament par leurs actes la puissance de notre Dieu et Sauveur, en offrant aux regards d'autrui, comme un signe et comme un prodige grand, étonnant et durable, leur propre changement. Or, ce signe sera éternel et ne disparaîtra pas, comme a disparu la gloire des Juifs.

Parénèse   Offrons-nous donc nous-mêmes aux regards d'autrui comme un signe digne de notre Dieu et Sauveur, non seulement en nous attachant aux saints préceptes, mais en embrassant aussi le mode de vie qui y correspond, afin que, à la vue de nos « bonnes œuvres », les hommes « rendent gloire à notre Père qui est dans les cieux ». C'est à lui que reviennent toute gloire, honneur et magnificence, en union avec son Fils unique et le très saint Esprit, maintenant et toujours, et pour les siècles des siècles. Amen.

Eusèbe note aussi que le stoibé est une plante inutile, mais ajoute que le conyze a une odeur infecte (δυσωδεστάτην) et l'oppose pour cela au myrte (εὐωδεστάτην) et au cyprès odoriférant (εὐώδη). Pour Cyrille, stoibé et conyze sont, dit-on, des plantes épineuses qui poussent dans des lieux impropres à l'agriculture ou dans les terres incultes et salées.

56[1] Τάδε λέγει κύριος · Φυλάσσεσθε κρίσιν καὶ ποιεῖτε δικαιοσύνην, ἤγγικε γὰρ τὸ σωτήριόν (μου παραγί)νεσθαι καὶ τὸ ἔλεός μου ἀποκαλυφθῆναι. Οἱ θεσπέσιοι προφῆται 5 οὐ μόνον τὰ ἐσόμενα [προθεσπίζειν] ἀλλὰ καὶ παραινέσεις προσφέρειν εἰώθεσαν δογματικάς τε καὶ ἠθικάς. Καὶ γὰρ [καὶ τὴν κρίσιν καὶ τὴν σωτηρίαν] τοῖς πάλαι προηγόρευον, ὥστε καὶ τῇ τῶν ἀγαθῶν ὑποσχέσει |171 a| καὶ τῇ τῶν ἀλγεινῶν ἀπειλῇ κακίας μὲν αὐτοὺς ἀποτρέπειν, ἐπ' ἀρετὴν 10 δὲ προτρέπειν. Τοῦτο ἐκ τουτωνὶ τῶν ῥητῶν καταμαθεῖν εὐπετές. Συμβουλεύσας γὰρ ὁ προφητικὸς λόγος ἔχεσθαι δικαιοσύνης καὶ ἀκλινὲς ἔχειν τῆς ψυχῆς τὸ κριτήριον, συνῆψε τῆς σωτηρίας τὴν πρόρρησιν καὶ τοῦ ἐλέου τὴν ἀποκάλυψιν. Ἀμφότερα δὲ σημαίνει τὴν δεσποτικὴν παρου- 15 σίαν.

[2] Μακάριος ἀνὴρ ὁ ποιῶν ταῦτα καὶ ἄνθρωπος ὁ ἀντεχόμενος αὐτῶν καὶ φυλάσσων τὰ σάββατα μὴ βεβηλοῦν καὶ διατηρῶν τὰς χεῖρας αὐτοῦ μὴ ποιεῖν ἀδικήματα. Τῇ τῶν ἀγαθῶν ἐργασίᾳ συνέζευξε τὸν μισθόν, μισθὸς δὲ μέγ(ιστο)ς 20 ὁ μακαρισμός. Τῆς δὲ τῶν σαββάτων φυλακῆς ἐπιμελεῖσθαι προσέταξεν ὡς ἔτι κρατοῦντ(ος τοῦ) νόμου. Ἐδίδαξε δὲ

C : 18-28 τῇ — βέβηλον

7 τὴν[1] — σωτηρίαν coni. Po. ‖ 21 ὡς K : > C ‖ ἐδίδαξε K : ἔδειξε C

---

1. Outre la fonction prophétique proprement dite — Théodoret note ailleurs (*In Psal.*, 80, 861 AB) que le prophète n'a pas seulement pour rôle d'annoncer l'avenir, mais aussi celui de révéler le passé —,

56, 1. *Voici ce que dit le Seigneur :*
Exhortations morales *Observez le jugement et pratiquez la justice, car mon salut est près d'arriver et ma miséricorde près de se révéler.* Les prophètes inspirés avaient l'habitude non seulement de prophétiser les événements futurs, mais aussi de présenter des exhortations dogmatiques et morales. Et, de fait, ils annonçaient simultanément le jugement et le salut aux hommes d'autrefois de manière à les détourner du mal et à les diriger vers la vertu, tant par la promesse de biens que par la menace de malheurs. C'est ce qu'il est aisé d'apprendre d'après la présente déclaration[1]. En effet, après avoir conseillé de s'en tenir à la justice et de conserver sa rectitude à la faculté de jugement de l'âme, le texte prophétique a rattaché (à cela) la prédiction du salut et la révélation de la miséricorde (divine). Or, l'une et l'autre chose laissent présager la venue du Maître.

2. *Heureux l'homme qui fait cela et l'être humain qui s'y tient fermement, qui garde les sabbats sans les profaner, et qui veille à ce que ses mains ne commettent pas de crimes.* A l'accomplissement des bonnes œuvres, il a étroitement subordonné leur salaire ; or, le salaire le plus grand, c'est la félicité. Il a, d'autre part, prescrit d'apporter ses soins à l'observance des sabbats, parce que la Loi était encore en vigueur. Il a enseigné aussi comment il faut observer

le prophète remplit auprès du peuple juif une mission morale, « péda-gogique » en quelque sorte, qui se prolonge et se perpétue auprès du peuple chrétien, puisque « les oracles des prophètes guident nos pas vers la doctrine évangélique » (*In Ez.*, 81, 1157 C).

καὶ πῶς δεῖ τιμῆσαι τὸ σάββατον · ἀθῴους γάρ φησι
προσήκει τὰς χεῖρας ἀ(δικίας) φυλάττειν, οὕτω γὰρ οὐ
βεβηλοῦται τὸ σάββατον. Βέβηλον δέ ἐστι τὸ μὴ ἅγιον,
25 τουτέστι τὸ (κοινόν). Ἐπειδὴ τοίνυν εἰς τὴν τῶν θείων
ἐργασίαν ἀφιερώθη τὸ σάββατον, ἐάν φησι παραβῇς τὸν
κείμενον νό(μον), κοινὴν αὐτὸ ἡμέραν ἀποφανεῖς, τουτέστι
βέβηλον. Ταύτην δὲ τὴν διαφορὰν καὶ ἐν ἑτέροις ἡμᾶς [ἡ
θεία] διδάσκει γραφή · « Ἀφορεῖτε » γάρ φησιν « ἀνὰ
30 μέσον ἁγίου καὶ βεβήλου. » Ἅγιον δὲ κα[λεῖ] τὸ τῷ θεῷ
προσῆ[κον], βέβηλον δὲ τὸ κοινόν.

³ Μὴ λεγέτω ὁ ἀλλογενὴς ὁ προσκείμενος πρὸς κύριον
λέγων · Ἀφορισμῷ ἀφορι(εῖ με) ἄρα κύριος ἀπὸ τοῦ λαοῦ
αὐτοῦ. Τὸν Ἰουδαϊκὸν ἐν τούτοις καταστέλλει τῦφον · ἐπειδὴ
35 γὰρ ὠλιγώρουν μὲν ἀρ(ετῆς), μέγα δὲ ἐφρόνουν ἐπὶ τῇ
ῥίζῃ τοῦ Ἀβραάμ, διδάσκει ὁ τῶν ὅλων θεὸς ὡς ἀρετὴν
ἀλλ' οὐ γένος ζητεῖ. (Καὶ μὴ) λεγέτω ὁ εὐνοῦχος ὅτι ἐγώ
εἰμι ξύλον ξηρόν. Κἂν τούτῳ παραπλησίως καὶ τοὺς
εὐνούχους ἐπ' ἀρετὴν προτ(ρέπει) καὶ τῶν ἐπὶ πολυπαιδίᾳ
40 μεγαλαυχουμένων τὴν ὀφρῦν καταλύει.

⁴ Ὅτι τάδε λέγει κύριος τοῖς εὐνούχοις τοῖς φ(υλα)σσομέ-
νοις τὰ σάββατά μου καὶ ἐκλεγομένοις ἃ ἐγὼ θέλω καὶ
ἀντεχομένοις τῆς διαθήκης · ⁵ Δώσω αὐτο(ῖς) ἐν τῷ οἴκῳ
μου καὶ ἐν τῷ τείχει μου τόπον ὀνομαστὸν καὶ ὄνομα ἀγαθὸν
45 κρεῖττον υἱῶν καὶ θυγατέρων, ὄνομα αἰώνιον δώσω αὐτοῖς,
καὶ οὐκ ἐκλείψει. Ἀψευδὴς ἡ ὑπόσχεσις. Καὶ μαρτυροῦσιν
οἱ περὶ τὸν θεσπέσιον (Δανιὴλ) καὶ Ἀνανίαν καὶ Ἀζαρίαν

C : 34-37 τὸν — ζητεῖ ‖ 38-40 κἂν — καταλύει ‖ 46-53 ἀψευδὴς —
θεός

27 αὐτὸ C⁸⁷ : αὐτὴν KC⁹¹·³⁰⁹·⁵⁶⁴ ‖ ἀποφανεῖς C : ἀποφανῇς K
29 Éz. 44, 23

1. L'adjectif κοινός est précisément utilisé dans le grec du N.T.
pour désigner ce qui est « vil, impur, profane » (v.g. Mc 7, 2 ; Rom.

le sabbat : il convient, dit-il, de garder ses mains pures de toute injustice, car c'est ainsi que le sabbat n'est pas profané. Or, est profane ce qui n'est pas sacré, c'est-à-dire ce qui est ordinaire. Donc, puisque le sabbat a été consacré pour l'accomplissement de choses divines, si l'on transgresse la loi établie, dit-il, on en fera un jour ordinaire, c'est-à-dire profane. La divine Écriture nous enseigne cette différence également en d'autres passages : « Vous ferez une distinction », dit-elle, « entre le sacré et le profane. » Elle appelle donc « sacré » ce qui convient à Dieu, et « profane » ce qui est ordinaire[1].

Dieu appelle tous les hommes

3. *Qu'il n'aille pas dire, l'étranger qui s'attache au Seigneur — en disant : Par une sentence d'exclusion le Seigneur va donc m'exclure de son peuple.* Il rabaisse dans ce passage l'orgueil des Juifs : puisqu'ils faisaient, en effet, peu de cas de la vertu, mais qu'ils s'enorgueillissaient d'être de la souche d'Abraham, le Dieu de l'univers enseigne qu'il recherche la vertu, non la race. *Et que l'eunuque n'aille pas dire : Moi je suis un arbre sec.* Dans ce passage également, de manière identique, il exhorte à la fois les eunuques à la vertu et brise l'arrogance de ceux qui tirent gloire d'un grand nombre d'enfants[2].

4. *Car voici ce que dit le Seigneur aux eunuques qui gardent mes sabbats, qui choisissent ce que je veux et qui se tiennent fermement à mon alliance : 5. Je leur donnerai, dans ma maison et dans mes murs, un lieu renommé et un bon nom, meilleur que fils et filles, je leur donnerai un nom éternel et il ne cessera pas.* La promesse est exempte de mensonge. Daniel l'inspiré, Ananias, Azarias et Misaël en

14, 14). Cf. *In Ez.*, 81, 1029 B, la définition du mot « profane » (βέβηλον).

2. Pour Eusèbe, de la même manière, ce passage est destiné à rabaisser l'orgueil des Juifs qui voient dans un grand nombre d'enfants le signe de la bénédiction divine (*GCS* 348, 29-34).

καὶ Μισαήλ · ἀφαιρεθέντες γὰρ ὑπὸ τῶν πολεμίων τὸ
γενέσθαι πατέρες, (πολυθρύ)λητοι μᾶλλον ἢ οἱ πολλῶν
50 παίδων πατέρες ἐγένοντο, καὶ ἄσβεστον αὐτῶν διαμένει τὸ
κλέος. Οὕτω τ(ὸν Ἀβδε)μέλεχ καὶ ἀλλογενῆ καὶ εὐνοῦχον
ὄντα — Αἰθίοψ γὰρ ἦν — ἀοίδιμον διὰ τὴν εὐσέβειαν ἀπέφηνεν
ὁ θεός.

⁶ Καὶ τοῖς (ἀλλο)γενέσι τοῖς προσκειμένοις κυρίῳ δουλεύειν
55 αὐτῷ καὶ ἀγαπᾶν τὸ ὄνομα κυρίου τοῦ εἶναι αὐτῷ εἰς (δούλους)
καὶ δούλας καὶ πάντας τοὺς φυλασσομένους τὰ σάββατά
μου μὴ βεβηλοῦν καὶ ἀντεχομένους τῆς δι(αθή)κης μου
⁷ εἰσάξω αὐτοὺς εἰς τὸ ὄρος τὸ ἅγιόν μου καὶ εὐφρανῶ αὐτοὺς
ἐν τῷ οἴκῳ τῆς προσευχῆς μου, τὰ ὁλοκαυτώματα αὐτῶν
60 καὶ αἱ θυσίαι ἔσονται δεκταὶ ἐπὶ τὸ θυσιαστήριόν μου, ὁ
γὰρ οἶκός μου οἶκος προσευχῆς κληθήσεται πᾶσι τοῖς
ἔθνεσιν. Ἔδειξεν ὡς οὐκ Ἰουδαίων μόνων ἐστὶ θεὸς ἀλλὰ
καὶ ἐθνῶν ὁ τῶν ὅλων (θεός · πάντων γὰρ ὑπ)άρχων
δημιουργὸς πάντων προμηθεῖται παραπλησίως. Διά τοι
65 τοῦτο καὶ νομοθετῶν ἔλεγεν Ἰουδαίο[ις] κα[ὶ ἀγαπ]ᾶν « τὸν
προσήλυτον, ὅτι προσήλυτοι ἦτε ἐν γῇ Αἰγύπτῳ. » Ἐνταῦθα
μέντοι διὰ τῶν ἀλλογ[ενῶν] τῶν κατὰ τὸν παλαιὸν πολι-
τευομένων νόμον πᾶσι τοῖς ἔθνεσιν ἀνοίγνυσι τῆς σωτηρίας
τὴν θύραν.

70 Οὕτω τοῖς ἀλλογενέσι καὶ τοῖς εὐνούχοις ἐπαγγειλάμενος
προλέγει Ἰουδαίοις τὴν ἐσχάτην πολιορκίαν τὴν ὑπὸ
Ῥωμαίων γεγενημένην. ⁸ Εἶπε κύριος ὁ συνάγων τοὺς
διεσπαρμένους τοῦ Ἰσραήλ, ὅτι συνάξω ἐπ' αὐτὸν συναγω-
γήν, ⁹ (πάντα) τὰ θηρία τὰ ἄγρια. Σαφῶς ἔδειξεν ὡς τὴν

C : 62-64 ἔδειξεν — παραπλησίως ‖ 74-78 σαφῶς — ἀνήμερον

51 Ἀβδεμέλεχ C⁹¹ : Ἀβιμέλεχ Cᵛ·⁸⁷·⁹⁰·³⁰⁹·⁵⁶⁴·⁵⁶⁵ ‖ 62 μόνων Κ :
μόνον C ‖ 74 ἔδειξεν Κ : ἐδίδαξεν C

51-53 cf. Jér. 45, 7-13   65 Deut. 10, 19

---

1. L'interprétation d'Eusèbe est toute différente (GCS 350,
15-34) : au sens propre (πρὸς τὴν λέξιν) il s'agirait du retour des

sont témoins : bien que leurs ennemis les aient privés de la possibilité de devenir pères, ils ont acquis une célébrité plus grande que celle des hommes qui sont devenus pères d'un grand nombre d'enfants, et leur gloire demeure impérissable. De la même manière, Abdemelek, un étranger et un eunuque — c'était un Éthiopien —, Dieu l'a rendu illustre en raison de sa piété.

6. *Quant aux étrangers qui s'attachent au Seigneur pour le servir et pour aimer le nom du Seigneur, afin de devenir ses serviteurs et ses servantes — tous ceux qui gardent mes sabbats sans les profaner et qui se tiennent fermement à mon alliance, 7. je les conduirai à ma montagne sainte et je les réjouirai dans ma maison de prière ; leurs holocaustes et leurs sacrifices seront agréés sur mon autel, car ma maison sera appelée maison de prière par toutes les nations.* Le Dieu de l'univers a montré qu'il n'est pas seulement le Dieu des Juifs, mais qu'il est aussi celui des nations ; puisqu'il est, en effet, le créateur de tous les hommes, il prend soin de tous de la même manière. Voilà bien pourquoi, au moment même où il donnait la Loi, il disait aussi aux Juifs d'aimer « l'étranger, car vous étiez des étrangers au pays d'Égypte ». Ici, du reste, par le biais des nations étrangères qui se conduisent selon l'ancienne Loi, il ouvre à toutes les nations la porte du salut.

Le siège de Jérusalem par les Romains Après avoir fait de telles promesses aux étrangers et aux eunuques, il prédit aux Juifs le siège final de leur cité, accompli par les Romains[1]. 8. *Le Seigneur qui rassemble les dispersés d'Israël a dit : Je réunirai contre lui un rassemblement, 9. toutes les bêtes sauvages des champs.*

---

exilés de Babylone et de l'installation auprès d'eux de nations étrangères (θηρία) et au sens figuré (πρὸς βαθυτέραν διάνοιαν) de l'ensemble des prophètes qui guidaient le peuple dans la voie de la piété ainsi que des évangélistes disciples et apôtres du Christ portant la bonne nouvelle de l'Évangile aux nations (θηρία).

75 ἐσχάτην προαγορεύει πολιορκίαν · μετὰ γὰρ τὴν τ(ῶν
δι)εσπαρμένων συναγωγὴν καὶ τὴν ἐπάνοδον τὴν τῶν θηρίων
ἠπείλησε στρατιάν · ἄγρια δὲ θηρία (καλεῖ) διὰ τὴν προτέραν
ἀσέβειαν · αἰνίττεται δὲ καὶ τὸ ὠμὸν αὐτῶν καὶ ἀνήμερον.
Καὶ ὁ μακάριος Δανιὴλ τὸ τελευταῖον θηρίον φοβερὸν λέγει
80 εἶναι καὶ ἔκθαμβον περισσῶς, τοὺς ὀ[δόντας] φοβεροὺς ἔχον
καὶ τοὺς ὄνυχας χαλκοῦς, ἐσθίον καὶ λεπτῦνον καὶ τὰ λοιπὰ
τοῖς ποσὶ συμπ[ατοῦν].
Δεῦτε φάγετε πάντα τὰ θηρία τοῦ δρυμοῦ. Ἐκ διαφόρων ἐθνῶν ἡ Ῥωμαϊκὴ συνείλεκτο στρατιά · (τῆς γὰρ
85 Εὐρ)ώπης ἁπάσης τηνικαῦτα κρατοῦντες καὶ τῆς Ἀσίας
ὑποχείρια τὰ πλεῖστα πεποιηκότες (πανταχόθεν) εἶχον
συνειλεγμένους λογάδας. Διὰ τοῦτό φησιν ὁ προφητικὸς
λόγος · Δεῦτε φάγετε (πάντα τὰ θηρία) |171 b| τοῦ δρυμοῦ.
Τινὲς μέντοι εἰς τὸν Γὼγ καὶ Μαγὼγ ταῦτα ἔλαβον, οὐ
90 προσεσχηκότες ὅτι ἐκεῖνοι μὲν [θε]ηλάτοις πληγαῖς ἐν τοῖς
τῆς Ἰουδαίας καταναλώθησαν ὄρεσιν οἱ δὲ νῦν καλούμενοι
εἰς τὸ φαγεῖν ἑτέρους ἐγείρονται.
Εἶτα τὸν παράνομον τῶν Ἰουδαίων ἐξηγεῖται βίον ·
10 Ἴδετε ὅτι ἐκτετύφλωνται πάντες, οὐκ ἔγνωσαν φρόνησιν.
95 Τοσαύτη δὲ αὐτῶν ἡ τυφλότης ὡς ἐν σταθηρᾷ μεσημβρίᾳ
μὴ ἐπιγνῶναι τῆς δικαιοσύνης τὸν (ἥλιον). Πάντες κύνες

C : 83-87 ἐκ — λογάδας ‖ 95-96 τοσαύτη — ἥλιον

75 προαγορεύει πολιορκίαν K : πολιορκίαν προαγορεύει τὴν ὑπὸ
Ῥωμαίων Cʳ·ᵛ·⁹⁰·⁵⁶⁴·⁵⁶⁵ (ὑπὸ > Cʳ·⁵⁶⁴·⁵⁶⁵) ‖ 83 δρυποῦ Kᶜᵒʳʳ : ἀγροῦ K*
79-82 cf. Dan. 7, 7.19　　　89-92 cf. Éz. 38-39

1. Cf. l'interprétation de « boiteux » (In Is., 10, 260-261). Pour
Eusèbe (GCS 350, 32-33) et pour Chrysostome (M., p. 413, l. 16-19),
ce terme désigne les nations. Cyrille, quant à lui, propose deux
interprétations : le terme pourrait s'appliquer aux nations pleines de
férocité soumises à l'influence du diable et menant une vie sans rien
d'humain, ou bien à ceux qui ont dévasté Israël et l'ont « dévoré »
en raison de l'impiété des Juifs à l'égard du Christ ; de là, deux
interprétations possibles pour la suite du verset « Venez, mangez... » :
ce serait un appel lancé aux nations soumises au diable à venir manger

Il a clairement montré qu'il annonce le siège final de leur
cité : après le rassemblement des dispersés et leur retour
il les a menacés d'une armée de bêtes sauvages ; or il appelle
« bêtes sauvages des champs » (les Romains), en raison
de leur impiété d'autrefois[1] ; il fait également allusion à
leur caractère cruel et farouche. De son côté, le bienheureux
Daniel dit que la dernière bête était effrayante et terrible
à un degré extrême, qu'elle avait des dents effrayantes et
des griffes de bronze, qu'elle mangeait, broyait et foulait
aux pieds ce qui restait[2].

Venez, mangez, vous toutes les bêtes sauvages de la forêt.
C'était de la réunion de diverses nations qu'était formée
l'armée romaine : parce que (les Romains) s'étaient alors
rendus maîtres de toute l'Europe et qu'ils avaient soumis
la plus grande partie de l'Asie, c'est de partout qu'avaient
été réunies les troupes d'élite qu'ils possédaient. Voilà
pourquoi le texte prophétique déclare : « Venez, mangez,
vous toutes les bêtes sauvages de la forêt. » D'aucuns,
toutefois, ont rapporté ces mots à Gog et à Magog, sans
avoir prêté attention au fait que ces derniers ont été
consumés dans les montagnes de Judée sous l'effet de
coups d'origine divine, tandis que ceux qui sont présentement appelés sont incités à dévorer d'autres hommes[3].

Il expose ensuite la conduite inique

L'attitude des Juifs à l'égard du Christ et des apôtres des Juifs : 10. *Voyez que tous ont été aveugles, ils n'ont pas eu de sens.* Si

grand était leur aveuglement qu'ils
n'ont pas reconnu en plein midi le soleil de la justice.

---

le pain de vie et recevoir l'eau du baptême ou une invitation adressée
aux nations pour qu'elles fassent expier à Israël son impiété (70,
1249 CD).

2. Cf. *In Dan.*, 81, 1240 AB : les trois premières bêtes, selon
Théodoret et l'ensemble de la tradition, sont respectivement les
Assyriens ou Chaldéens, les Perses et les Macédoniens qui, tour à tour,
ont dominé le monde.

3. Sur Gog et Magog, cf. t. II, *SC* 295, p. 83, n. 3.

ἐνεοί, οὐ δυνάμενοι ὑλακτεῖν. Κατὰ μὲν γὰρ τῶν δαιμόνων
οὐχ ὑλάκτουν ἀλλὰ (περισαί)νοντες τοὺς πολεμίους ὡς
εὐεργέτας ἐδέχοντο, κατὰ δὲ τοῦ τροφέως καὶ σωτῆρος
100 ὑλάκτουν. Ἐνυπνι(αζόμενοι) κοίτην, φιλοῦντες νυσταγμόν.
Ἐπέμεινε τῇ τροπῇ τὸ ῥάθυμον ἐξελέγχων τῆς γνώμης.
¹¹ Καὶ οἱ (κύνες) ἀναιδεῖς τῇ ψυχῇ καὶ οὐκ εἰδότες πλησμονήν.
Ἐναντίον εἶναί πως δοκεῖ · εἰ γὰρ οὐχ ὑλακτοῦσιν ἀλλὰ
διη(νεκ)ῶς καθεύδουσιν, πῶς ἀναίδειαν ἔχουσιν ; Ἀλλ', ὅπερ
105 ἔφην, κατὰ μὲν τῶν πολεμίων οὐχ ὑλάκτουν, (κατὰ) δὲ
τοῦ δημιουργοῦ τὴν ἀναίδειαν ἔδειξαν κόρον οὐ λαμβάνοντες
τῆς πονηρίας.

Καί εἰσι πο(νηροὶ) καὶ οὐκ εἰδότες σύ(νε)σιν, πάντες ταῖς
ὁδοῖς αὐτῶν ἐξηκολούθησαν, ἕκαστος κατὰ τὸ ἑαυτοῦ
110 πλε(ονέκ)τημα ἀπ' ἄκρου αὐτοῦ. Τὸ πλεονέκτημα Ἀκύλας
καὶ Θεοδοτίων καὶ Σύμμαχος « πλεονεξίαν » ἡρ[μήν]ευσαν.
Κατηγορεῖ δὲ αὐτῶν ὁ λόγος ὅτι τὴν θείαν καταλιπόντες
ὁδὸν εἰς πολυσχιδεῖς ἐπλανήθησαν (ἀτραπ)ούς · ἕκαστος
γὰρ ὥδευεν ὡς ἐβούλετο τὴν πλεονεκτικὴν αἱρούμενος γνώμην.
115 ¹² Δεῦτε λάβωμεν (οἶνον) καὶ οἰνοφλυγήσωμεν μέθῃ, καὶ
ἔσται τοιαύτη ἡμέρα αὔριον μεγάλη περισσῶς σφόδρα.
Ταῦτα [αὐτοὶ π]ρὸς ἀλλήλους ἔλεγον οἰνοφλυγία καὶ γαστρι-
μαργία δουλεύοντες καὶ νομίζοντες τὴν τρυφὴν [πάν]των
αὐτοῖς πρόξενον ἔσεσθαι ἀγαθῶν.
120 57¹ Ἴδετε ὡς ὁ δίκαιος ἀπώλετο, καὶ οὐδεὶς ἀνὴρ
ἐκ(δέχετ)αι τῇ καρδίᾳ. Τὸν δεσποτικὸν ἐνταῦθα σταυρὸν
προεσήμηνεν · δίκαιον γὰρ τὸν δεσπότην ὀνομάζει Χριστόν,

C : 97-100 κατὰ — ὑλάκτουν ‖ 103-107 ἐναντίον — πονηρίας ‖
112-114 κατηγορεῖ — γνώμην ‖ 121-126 τὸν — ἔγκλημα

103 δοκεῖ K : +τοῦτο C ‖ 122 προεσήμηνεν C : προεσήμα-
νεν K

---

1. Dans sa volonté de montrer la cohérence de l'Écriture,
Théodoret veille constamment à résoudre d'apparentes contradictions

Tous sont des chiens muets qui ne peuvent aboyer. De fait, ils n'aboyaient pas contre les démons, mais caressaient leurs ennemis et les accueillaient comme des bienfaiteurs, tandis qu'ils aboyaient contre leur nourricier et leur sauveur. *Ils sont allongés sur leur couche, ils aiment à s'assoupir.* Il a continué de manière figurée à dénoncer la paresse de leur esprit. 11. *Ce sont des chiens à l'âme impudente et qui ne connaissent pas la satiété.* Il semble y avoir une espèce de contradiction[1] : de fait, s'ils n'aboient pas, mais dorment continuellement, comment ont-ils de l'impudence ? Mais, comme je l'ai dit, s'ils n'aboyaient pas contre leurs ennemis, c'est contre le créateur qu'ils ont montré leur impudence, sans concevoir de dégoût de leur perversité.

Ils sont pervers et n'ont pas d'intelligence, tous ont suivi leurs propres voies, chacun selon son propre intérêt depuis le plus grand lui-même. Aquila, Théodotion et Symmaque ont traduit le mot « intérêt » par « avantage ». Le texte accuse donc les Juifs d'avoir abandonné la voie de Dieu et de s'être égarés sur des sentiers très divers[2] : chacun marchait, en effet, comme il le voulait, en adoptant une attitude d'esprit intéressée. 12. *Venez, prenons du vin et adonnons-nous au vin jusqu'à l'ivresse, et demain sera un jour identique, grand à un degré extrême.* Voilà les propos qu'ils échangeaient, tandis qu'ils étaient assujettis à l'ivresse et à la gloutonnerie et qu'ils pensaient trouver dans la débauche la pourvoyeuse de toutes sortes de biens.

57, 1. *Voyez comment le juste a péri, et personne n'y prend garde en son cœur.* Il a par avance annoncé ici la croix du Maître ; car c'est notre Maître le Christ qu'il

---

dont certains pourraient s'autoriser pour jeter le discrédit sur l'ensemble du texte biblique (cf. *In Is.,* 2, 5-6 ; 5, 153-159 ; 12, 347-351).

2. Rapprocher d'*Is.* 53, 6 (*In Is.,* 17, 91-98).

ὃς « ἁ(μαρτίαν) οὐκ ἐποίησεν οὐδὲ δόλον ἐν τῷ στόματι
αὐτοῦ ». Σημαίνει δὲ κατὰ ταὐτὸν καὶ τῆς τῶν ἐσταυρωκότων
125 (καρδίας τὴν π)ώρωσιν · οὐδεὶς γὰρ αὐτῶν φησι συνιδεῖν
ἐβουλήθη τὸ ἔγκλημα. **Καὶ ἄνδρες δίκαιοι αἴρονται, (καὶ
οὐδεὶς) κατανοεῖ.** Μετὰ γὰρ τὸν δεσπότην Χριστὸν καὶ
κατὰ τῶν ἱερῶν ἀποστόλων παραπλησίως ἐλύττησαν (καὶ
τὸν) μὲν θεσπέσιον κατέλευσαν Στέφανον, ἀπέτεμον δὲ τὸν
130 θειότατον Ἰάκωβον, τὸν δὲ ἐπ' ἄκρᾳ δι[καιοσύνῃ], τὸν
πολυθρύλητον, τὸν μέγαν Ἰάκωβον ὦσαν μὲν ἀπὸ τοῦ
πτερυγίου τοῦ ναοῦ, κα(τεν)εχθέντα δὲ ξύλοις παίοντες τῷ
θανάτῳ παρέδωκαν.
**Ἀπὸ γὰρ προσώπου ἀδικίας ἦρται ὁ δίκαιος · [2](ἔσται) ἐν
135 εἰρήνῃ ἡ ταφὴ αὐτοῦ, ἦρται ἐκ μέσου.** Περὶ τοῦ δεσπότου
ταῦτα λέγει Χριστοῦ καὶ δηλοῖ κατὰ ταὐτὸν τό τε (ἄδικον)
τῆς σφαγῆς καὶ τὴν μετὰ θάνατον νίκην · ὁ γὰρ θάνατος
αὐτοῦ τὰς πρὸς τὸν θεὸν ἡμῖν καταλλαγὰς (ἐδωρήσ)ατο,
αὐτὸς δὲ τὸν τάφον καταλιπὼν εἰς οὐρανοὺς ἀνελήφθη.
140 [3] **Ὑμεῖς δὲ προσ⟨αγ⟩άγετε ὧδε υἱοὶ ἄνομοι, (σπέρμα)
μοιχῶν καὶ πόρνης.** Ἐξέβαλεν αὐτοὺς τῆς συγγενείας τοῦ
Ἀβραάμ. Τοῦτο καὶ ὁ κύριος ἐν [τοῖς ἱεροῖ]ς [εὐαγγε]λίοις
πεποίηκεν · λεγόντων γὰρ ἐκείνων · « Ἡμεῖς πατέρα
ἔχομεν τὸν Ἀβραάμ » ὑπολαβὼν ὁ κύριος [ἔφη] · « (Εἰ
145 τ)έκνα Ἀβραὰμ ἦτε, τὰ ἔργα τοῦ Ἀβραὰμ ἐποιεῖτε · νῦν

C : 127-133 μετὰ — παρέδωκαν ‖ 135-139 ἦρται — ἀνελήφθη ‖
141-154 ἐξέβαλεν — δογμάτων (141-153 τοῦτο — Σιών >)

123 δόλον K : δόλος C⁹¹·⁵⁶⁴ εὑρέθη δόλος Cʳ ᵖʳᵃᵉᵗᵉʳ ⁹¹·⁹⁰ ‖ 126
ἔγκλημα K : τόλμημα C ‖ 127 καὶ K : > C ‖ 130-131 τὸν¹ — Ἰάκωβον K : > C ‖ 141 αὐτοὺς K : +ἐκ C

123 Is. 53, 9   129-130 cf. Act. 7, 58 ; 12, 2   143 Matth. 3, 9
143-149 Jn 8, 39-40.44

<hr>

1. Eusèbe rapporte premièrement le verset à l'audace dont
faisaient preuve les Juifs contre les hommes justes et pieux et à leurs
menaces contre les prophètes (GCS 351, 25-26), puis l'applique au

appelle « le juste », lui qui « n'a pas commis de péché et
dans la bouche duquel il n'y a pas de fourberie ». En même
temps il annonce aussi l'endurcissement du cœur de ceux
qui l'ont crucifié : aucun d'entre eux, dit-il, n'a voulu
considérer le chef d'accusation. *Des hommes justes sont
supprimés, et personne ne le considère.* Après (s'être attaqués)
à notre Maître le Christ, c'est aussi contre les saints apôtres[1]
qu'ils furent semblablement remplis de rage : ils lapidèrent
Étienne l'inspiré et supprimèrent le très divin Jacques ;
quant à l'homme qui était parvenu au sommet de la
justice, l'illustre, le grand Jacques, ils le précipitèrent du
haut du pinacle du Temple et, quand il fut tombé, ils
le mirent à mort en le frappant avec des bâtons[2].

*Car à la face de l'injustice le juste a été enlevé; 2. son
sépulcre sera en paix, il a été enlevé du milieu (de nous).*
Il dit cela de notre Maître le Christ et fait voir simultanément l'injustice du meurtre et la victoire qui a suivi la
mort : car sa mort nous a fait don de la réconciliation avec
Dieu et il a pour sa part abandonné son tombeau pour
monter aux cieux[3].

Mise en accusation des Juifs et de leurs pratiques idolâtres — 3. *Mais vous, approchez ici, fils
criminels, race d'adultères et d'une
prostituée.* Il les a rejetés de la parenté
d'Abraham[4]. C'est également ce qu'a
fait le Seigneur dans les saints Évangiles : alors qu'ils
disaient : « Nous avons pour père Abraham », le Seigneur
prit la parole et dit : « Si vous étiez les enfants d'Abraham,
vous feriez les œuvres d'Abraham ; mais maintenant vous

Christ et à ses disciples victimes des machinations des Juifs (*id.*, 32-33).
Cyrille, comme Théodoret, rapporte la première partie du verset
au Christ et la seconde aux apôtres (70, 1256 AB).

2. Eusèbe, *H. E.* II 23, 3-18 (*SC* 31).

3. Eusèbe rapporte également ce verset à l'ascension du Christ
(*GCS* 351, 34-36).

4. Même remarque de la part d'Eusèbe qui cite également *Jn* 8,
39 (*GCS* 352, 7-9).

δὲ ζητεῖτέ με ἀποκτεῖναι (ἄνθρωπον ὃς) τὴν ἀλήθειαν ὑμῖν
λελάληκα ἣν ἤκουσα παρὰ τοῦ πατρός μου · τοῦτο ᾽Αβραὰμ
οὐκ ἐποίησεν », καὶ πάλιν · « Ὑμεῖ(ς ἐκ τοῦ πατρὸ)ς ὑμῶν
τοῦ διαβόλου ἐστέ. ᾽Εκεῖνος ἀνθρωποκτόνος ἦν ἀπ᾽ ἀρχῆς. »
150 Οὕτω κἀνταῦθα σπέρμα (μοιχ)ῶν καὶ πόρνης αὐτοὺς
ὀνομάζει · καὶ γὰρ ἐν τοῖς προοιμίοις τῆς προφητείας
πόρνην τὴν πόλιν ὠ[νόμασεν] · « Πῶς ἐγένετο πόρνη πόλις
πιστὴ Σιών. » Κατηγορεῖ δὲ αὐτῶν μοιχείαν οὐ μόνην τὴν
τῶν (γάμ)ων ἀλλὰ καὶ τὴν τῶν δογμάτων διαφθοράν · τῷ
155 γὰρ θεῷ συνῆφθαι δοκοῦντες λάθρᾳ τοῖς δ[αίμοσιν ἐδού]-
λευον, καὶ μοιχεία ἦν ἄντικρυς τὸ γινόμενον.

⁴ ᾽Εν τίνι ἐτρυφήσατε ; Καὶ ἐπὶ τίνα ἠνοίξατε (τὸ στόμα
ὑμῶν) ; Καὶ ἐπὶ τίνα ἐχαλάσατε τὴν γλῶσσαν ὑμῶν ; Σαφῶς
διὰ τῶν εἰρημένων τ(ὰς ὑ)π᾽ αὐτῶν γε(γενημένας) κατὰ
160 τοῦ δεσπότου βλασφημίας ἐλέγχει · πλάνον γὰρ αὐτὸν
ἐκάλουν καὶ δαιμονῶντα καὶ (Σαμαρί)την καὶ ἐν Βεελζεβοὺλ
τῷ ἄρχοντι τῶν δαιμονίων ἐκβάλλειν τὰ δαιμόνια.

Οὐχ ὑμεῖς (ἐστε τέκνα ἀπ)ωλείας, σπέρμα ἄνομον, ⁵ οἱ
παρακαλοῦντες ἐπὶ τὰ εἴδωλα ὑπὸ δένδρα δασέα, |172 a|
165 σφάζοντες τὰ τέκνα αὐτῶν ἐν ταῖς φάρα(γ)ξιν ἀνὰ μέσον
τῶν πετρῶν ⁶ καὶ ἐν τοῖς μέρεσι τῆς φάραγγος ; ᾽Επειδὴ
γὰρ ὡς ἀντίθεον δῆθεν τὸν δεσπότην τῷ ξύλῳ προσήλωσαν
ζῆλον ὡς ἐνόμιζον ὑπὲρ τοῦ τεθεικότος τὸν νόμον ὑποδεικνύμενοι, εἰς καιρὸν αὐτοὺς τῆς δεισιδαιμονίας ἀνέμνησεν · Οὐ
170 διηνεκῶς φησι τοῖς εἰδώλοις διατελεῖτε λατρεύοντες καὶ τὰ
ἄλση περινοστοῦντες καὶ ἐν ταῖς φάραγξι τὰ τέκνα τοῖς

C : 158-162 σαφῶς — δαιμόνια ‖ 166-175 ἐπειδὴ — ψυχῇ

153 μόνην K : μόνον C ‖ 161 δαιμονῶντα K : δαιμονιῶντα C ‖
168 ἐνόμιζον K : νομίζοντες C ‖ 168-169 ὑποδεικνύμενοι K : ἐπι-
δεικνύμενοι C

152 Is. 1, 21   160-162 cf. Matth. 27, 63 ; Jn 8, 48 ; Matth. 12, 24

1. La même idée est déjà développée dans l'*In Ez.*, 81, 940 AC.
EUSÈBE voit aussi dans « adultère » une manière de désigner
l'idolâtrie (*GCS* 352, 9-14) ; cf. CLÉMENT D'ALEX., *Protrept.* IV, 61,

me cherchez pour me tuer, moi qui vous ai dit la vérité
que j'ai entendue de mon Père ; cela Abraham ne l'a pas
fait », et de nouveau : « Vous, vous avez pour père le
diable. Ce fut un homicide dès l'origine. » De même, ici
également, il leur donne le nom de « race d'adultères et
d'une prostituée » ; de fait, au début de la prophétie,
il a donné à la cité le nom de « prostituée » : « Comment
est-elle devenue une prostituée la cité fidèle, Sion ? » Or,
il les accuse d'adultère, sans penser uniquement à l'adultère
dans le mariage, mais aussi à la violation des commandements (de la Loi) : tout en paraissant s'attacher à Dieu,
ils étaient secrètement les esclaves des démons, et cet
état de fait était ouvertement un adultère[1].

4. *A l'égard de qui avez-vous été arrogants? Contre qui
avez-vous ouvert la bouche? Contre qui avez-vous tiré la
langue.* Par ces mots il dénonce clairement les blasphèmes
qu'ils ont proférés contre le Maître : ils l'appelaient séduc-
teur, possédé du démon et Samaritain ; (ils disaient) que
c'était au nom de Beelzéboul, le prince des démons qu'il
chassait les démons.

*N'êtes-vous pas des enfants de perdition, une race crimi-
nelle,* 5. *vous qui adressez des invocations aux idoles sous
les arbres touffus, en immolant vos enfants dans les ravins,
au milieu des rochers,* 6. *et dans les gorges du ravin?*
Puisqu'ils ont cloué le Maître au bois de la croix — car à
les en croire il s'opposait à Dieu —, en faisant montre de
leur zèle, à ce qu'ils pensaient, pour celui qui avait institué
la Loi, il leur a rappelé à propos leur superstition[2] : Ne
continuez-vous pas sans cesse, dit-il, à rendre un culte
aux idoles, à parcourir les bois sacrés et, dans les ravins,

3-4 (*SC* 2) et R. MORTLEY, *Connaissance religieuse et herméneutique
chez Clément d'Alexandrie*, Leiden 1973, p. 205 ; pour CYRILLE, le
terme désigne les déformations que font subir à la Loi, dans leurs
enseignements, les scribes et les docteurs de la Loi (70, 1257 D).

2. Sur ce « topos » de la polémique anti-juive, cf. t. I, *SC* 276,
p. 185, n. 1.

δαίμοσι καταθύοντες ; Νῦν τῷ ὑπὲρ τοῦ νόμου ἐπυρσεύθητε
ζήλῳ καὶ κατὰ τοῦ νομοθέτου κεκινήκατε τοῦτον οἱ ἐπὶ
τῶν εἰδώλων « κύνες ἐνεοί », ἐπὶ τοῦ σ(ωτῆρος) καὶ
175 εὐεργέτου « κύνες ἀναιδεῖς τῇ ψυχῇ ».
   Ἐκείνη σου ἡ μερίς, οὗτός σου ὁ κλῆρος, κἀκείνοις
ἐξέχ(εας) σπονδὰς καὶ τούτοις ἀνήνεγκας θυσίας· ἐπὶ
τούτοις οὖν οὐκ ὀργισθήσομαι ; λέγει κύριος. Τὴν πολύθεον
αὐτῶν ἐναργῶς ἐδήλωσε πλάνην· οὐ γὰρ δύο φησὶν ἢ
180 τρισὶν ἀλλὰ παμπόλλοις ἐδουλεύσατε δαίμοσι καὶ ἐκείνοις
μὲν σπονδὰς τούτοις δὲ θυσίας προσενηνόχατε καὶ τὸν θεῖον
κλῆρον καταλιπόντες ἐκείνους ἔχειν ἠβουλήθητε κλῆρον. Διὰ
τοῦτο δικαίαν ὑμῖν τιμωρίαν ἐποίσω.
   ⁷Ἐπ' ὅ(ρος) ὑψηλὸν καὶ μετέωρον ἐκεῖ σου ἡ κοίτη.
185 Τὰς προσεδρείας καὶ τὴν ἀνάπαυλαν κοίτην ὠνόμασεν.
Κ(αὶ) ἐκεῖ ἀνεβίβασας θυσίας ⁸καὶ ὀπίσω τῶν σταθμῶν
τῆς θύρας σου ἔθηκας μνημόσυνόν σου. Τὴν πολλὴν αὐτῶν
ἀσέβειαν καὶ διὰ τούτων διδάσκει· οὐ γὰρ μόνον ἐν τοῖς
ὄρεσιν ἐπλανῶντο, ἀλλ(ὰ) καὶ ἐν ταῖς οἰκίαις τοῖς εἰδώλοις
190 ἐδούλευον. Μνημόσυνον δὲ καλεῖ τὸ τῆς κατηγορίας ἀνάγραπτον. Ὤου ὅτι, ἐὰν ἀπ' ἐμοῦ ἀποστῇς, πλέον τι ἕξεις.
Τοῦτο σαφῶς ἡμᾶς ὁ μακάριος Ἱερεμίας διδάσκει· εἰσάγει
γὰρ τὰς γυναῖκας αὐτῶν καὶ αὐτοὺς λέγοντας ὅτι, ἐξ οὗ
ἀπέστημεν τῆς τῶν εἰδώλων δουλείας, κατέλαβεν ἡμᾶς τὰ
195 κακά.
   Ἐπλάτυνας τὴν κοίτην σου καὶ ἔθου σαυτῇ παρ' αὐτῶν.
Τοῦτο σαφέστερον ὁ Σύμμαχος ἡρμήνευσεν · « Ἐπλάτυνας
τὴν κοίτην σου καὶ συνδιαθήκους ἐποίησάς σ[οι]. » Ἀντὶ

C : 187-191 τὴν — ἀνάγραπτον

173 τοῦτον Κ : ἑαυτοὺς C ‖ 194 δουλείας Κ* : λατρείας Κᶜᵒʳʳ

174 Is. 56, 10   175 Is. 56, 11   192-195 cf. Jér. 51, 18

---

1. Eusèbe (GCS 353,3-4) comprend qu'il s'agit de « monuments »
de l'idolâtrie, c'est-à-dire des idoles (τὰ ἄψυχα ἀγάλματα) ; pour
Jérôme aussi le terme désigne les divinités domestiques, i.e. les dieux
Lares (PL 24, 551 BC).

à immoler vos enfants aux démons ? C'est maintenant que vous avez été enflammés de zèle pour la Loi et c'est contre le Législateur que vous l'avez dirigé, vous qui êtes « des chiens muets » quand il s'agit des idoles, (mais) quand il s'agit du Sauveur et du Bienfaiteur, « des chiens à l'âme impudente » !

Voilà ta part, voici ton héritage ; à ces idoles-là tu as fait des libations et à celles-ci tu as offert des sacrifices : de cela donc ne serai-je pas irrité? dit le Seigneur. Il a manifestement fait voir l'erreur du polythéisme qui était la leur : ce n'est pas de deux ou trois démons, dit-il, mais d'un très grand nombre que vous avez été esclaves ; aux uns vous avez offert des libations, aux autres des sacrifices ; vous avez abandonné l'héritage divin et vous avez voulu posséder les démons en héritage. C'est pourquoi je vous infligerai un juste châtiment.

7. *Sur une montagne élevée et très haute, là (se trouve) ta couche.* Il a donné le nom de « couche » à leur assiduité et à leur repos (auprès des idoles). *C'est là que tu as fait monter des sacrifices 8. et c'est derrière les linteaux de ta porte que tu as placé ton monument.* Par là aussi il enseigne l'étendue de leur impiété : ce n'était pas seulement sur les montagnes qu'ils erraient, mais c'était aussi dans leurs maisons qu'ils étaient esclaves des idoles. Il appelle « monument » la preuve écrite de leur accusation[1]. *Tu pensais qu'à t'éloigner de moi, tu posséderais quelque chose de plus.* C'est ce que nous enseigne clairement le bienheureux Jérémie ; il met en scène leurs femmes et eux-mêmes, et leur fait dire : Depuis que nous nous sommes écartés du service des idoles, le malheur nous est arrivé.

Tu as ouvert largement ta couche et tu t'es placée auprès d'eux. De ce passage, Symmaque a donné une interprétation plus claire : « Tu as ouvert largement ta couche et tu t'es liée avec eux par des accords. » Ce qui revient à dire :

τοῦ · πολλοῖς συνήφθης δαίμοσι καὶ τοῖς ἐκείνων ἠκολού-
200 θησας νόμοις καὶ συνέθου δουλεύειν ἑκάστῳ. Καὶ αὐτὸς
δὲ ὁ τῶν ὅλων θεὸς τὸν ἔννομον ἐξηγούμενος γάμον διὰ
τοῦ προφήτου Ἰεζεκι[ήλ] φησιν · « Καὶ εἰσῆλθον ἐν διαθήκῃ
μου πρὸς σέ » ἀντὶ τοῦ · Προικῶν γραμματεῖον μεταξὺ
ἡμῶν διετέλεσ[α] · καλεῖ δὲ διαθήκην τὸν νόμον. Ἠγάπησας
205 τοὺς κοιμωμένους μετὰ σοῦ ⁹καὶ ἐπλήθυνας τὴν πορνείαν
σου μετ' αὐτ(ῶν). Ὡς ἐπὶ γυναικὸς ἀκολάστου καὶ ταῦτα
εἴρηκε τὴν πολλὴν αὐτῆς διδάσκων ἀσέβειαν.
Καὶ πολλοὺς ἐποίησας τοὺς μακρὰν ἀπὸ σοῦ. Ὁ δὲ Σύμμαχος καὶ ὁ Θεοδοτίων οὕτως · « Καὶ ἐπλήθυνας τὰ μυρέψιά
210 σου. » Οὕτω δὲ προσηγόρευσε τὴν τῶν εἰδώλων κατασκευήν ·
καθάπερ γὰρ τὸ συγκείμενον μύρον ἐκ πολλῶν εἰδῶν
ἐρανίζεται διὰ τῆς τέχνης τὴν εὐκοσμίαν, οὕτω καὶ τὰ
εἴδωλα ἐκ πολλῶν ὑλῶν καὶ τεχνῶν δέχεται τὴν [κατα]-
σκευήν. Καὶ οἱ Ἑβδομήκοντα δὲ εἰκότως μακρὰν ὠνόμασαν ·
215 τίς γὰρ κοινωνία φωτὶ πρὸς σκότος ; Πόρρω (δὲ) αὐτο(ὺς
κ)αὶ ὁ νόμος ἐποίει. Καὶ ἀπέστειλας πρέσβεις ὑπὲρ τὰ ὅριά
σου. Ποτὲ μὲν γὰρ Αἰγυπτίοις (ποτὲ) δὲ Ἀσσυρίοις προσέφευγον. Καὶ ἐταπεινώθη(ς) ἕως ᾅδου. Τοῦτον ἔσχες ἐκ τῆς
τῶν εἰδώλων θερ(απείας) καρπόν.
220   ¹⁰Ταῖς πολυοδίαις σου ἐκοπίασας καὶ οὐκ εἶπας ·
Παύσομαι ἐνισχύουσα. Ἐπὶ πολύ φησιν ἐπλανήθης καὶ
παῦλαν τῆς πλάνης λαβεῖν οὐκ ἠθέλησας. Ἔπραξας ταῦτα,
διὰ τοῦτο οὐ κατεδεήθης μου. (Ἐμὲ κα)τέλιπες, τοὺς δαίμονας ἐθεράπευσας, ἀνθρωπίναις ἐπικουρίαις ἐθάρρησας καὶ
225 κόρον οὐκ εἴληφας τῶν (κακῶν). ¹¹Τίνα εὐλαβηθεῖσα
ἐφοβήθης καὶ ἐψεύσω με καὶ οὐκ ἐμνήσθης μου οὐδὲ

C : 206-207 σου μετ' — ἀσέβειαν ‖ 214-216 μακρὰν — ἐποίει ‖
217 ποτὲ¹ — προσέφευγον ‖ 218-220 τοῦτον — ἐκοπίασας ‖ 223-
225 ἐμὲ — κακῶν

214 ὠνόμασαν K : ὠνόμασε τὰ εἴδωλα C ‖ 224 ἐθεράπευσας K :
θεραπεύσασα C

202 Éz. 16, 8

tu t'es unie à bien des démons, tu as suivi leurs lois, et tu as promis par un pacte d'être esclave de chacun d'eux. De son côté, le Dieu de l'univers, en commentant le mariage opéré par la Loi, déclare par l'intermédiaire du prophète Ézéchiel : « Et j'ai conclu une alliance avec toi », ce qui revient à dire : j'ai passé entre nous un contrat dotal ; or, il appelle « alliance » la Loi. *Tu as chéri ceux qui étaient couchés avec toi* 9. *et tu as multiplié tes fornications avec eux.* Comme s'il parlait d'une femme intempérante, il a également dit cela pour enseigner l'étendue de son impiété.

Et tu as rendu nombreux ceux qui sont loin de toi. Symmaque et Théodotion (ont traduit) de la manière suivante : « Et tu as multiplié tes essences. » Il a désigné de cette façon la construction des idoles : de même que le parfum qui est composé d'un grand nombre d'ingrédients sollicite de l'art sa perfection, de même les idoles reçoivent leur construction à partir d'un grand nombre de matières et d'arts. Les Septante, de leur côté, les ont nommées à juste titre « (ceux qui sont) loin » : quel rapport y a-t-il, en effet, entre la lumière et les ténèbres ? Or, la Loi également les rendaient lointains[1]. *Et tu as envoyé des ambassadeurs au-delà de tes frontières.* Il se réfugiaient tantôt chez les Égyptiens, tantôt chez les Assyriens. *Et tu as été abaissée jusqu'à l'Hadès.* C'est le fruit que tu as récolté du culte des idoles.

10. *Par maints voyages tu t'es fatiguée et tu n'as pas dit : je vais m'arrêter pour reprendre force.* Pendant longtemps tu as erré, dit-il, et tu n'as pas voulu mettre fin à ton errance. *Voilà ce que tu as fait : à cause de cela tu ne m'as pas supplié.* Tu m'as abandonné, tu as rendu un culte aux démons, tu as mis ta confiance dans des secours humains et tu n'as pas conçu de dégoût de tes malheurs. 11. *Qui as-tu craint et de qui as-tu été effrayée pour m'avoir renié,*

---

1. On comprend aisément qu'il s'agit des idoles, des faux dieux, dont la Loi interdit le culte.

ἔλαβές με εἰς τὴν (διά)νοιάν σου οὐδὲ εἰς τὴν καρδίαν σου ;
Ἡνίκα τοῖς εἰδώλοις ἐδούλευες, οὐκ ἐδεδίεις τὸν νομοθέτην ·
ὅτ(ε) δὲ (πα)ρεγενόμην ἐγώ, ἐφοβήθης φόβον, οὗ οὐκ ἦν
230 φόβος, καὶ τὰς περὶ ἐμοῦ προρρήσεις λα(βεῖν) εἰς νοῦν
οὐκ ἠθέλησας. Καὶ ἐγώ σε ἰδὼν παρορῶ. Πολιορκουμένη γάρ σοι οὐδεμίαν παρέξω βο(ήθειαν. Καὶ) ἐγώ εἰμι ὁ ἀπ᾽ αἰῶνος. Οὐδὲ
γὰρ ἄλλος εἰμὶ παρ᾽ ἐκεῖνον τὸν τῆς Αἰγυπτίων σε δουλείας
235 ἐλευθερώσαν[τα], τ[ὸν] διὰ θαλάττης πεζεῦσαι παρα-
σκευάσαντα, τὸν τὰ μυρία ἐργασάμενον θαύματα. ¹² Καὶ
ἐγὼ ἀπ(αγγελῶ) |172 b| τὴν δικαιοσύνην μου καὶ τὰ κακά
σου ἃ οὐκ ὠφελήσει σε. Καὶ τὰς ἐμὰς εὐεργεσίας δείκνυμι
καὶ τὴν σὴν ἀγνωμοσύνην ἐλέγξω. ¹³ Ὅταν ἀναβοήσῃς,
240 ἐξελέσθωσάν σε ἐν τῇ θλίψει σου · τούτους γὰρ πάντας
ἄνεμος λήψεται, καὶ ἀποίσει καταιγίς. Οὐ γὰρ μόνον σοὶ
βοηθείας οὐ μεταδώσουσιν ἀλλὰ καὶ αὐτοὶ φροῦδοι ἔ(σο)νται,
τουτέστι τὰ εἴδωλα.
　Οἱ δὲ ἀντεχόμενοί μου κτήσονται τὴν γῆν καὶ κληρονομή-
245 σουσι τὸ ὄρος μου τὸ ἅγιον. Καὶ μαρτυρεῖ τοῖς λόγοις τὰ
πράγματα · οἱ γὰρ εἰς αὐτὸν πεπιστευκότες καὶ τὴν
Ἱεροσολύμων κατέχουσι πόλιν (καὶ) ἐν ἀπάσαις ταῖς
πόλεσιν ἀξιοῦνται τιμῆς. ¹⁴ Καὶ ἐροῦσιν · Καθαρίσατε ἀπὸ
προσώπου αὐτοῦ ὁδοὺς καὶ (ἐξά)ρατε τὰ σκῶλα ἀπὸ τῆς
250 ὁδοῦ τοῦ λαοῦ μου. Οἱ γὰρ τῆς ἀληθείας κήρυκες λείαν
ἐργάσονται τοῖς πιστεύουσι (τὴν εὐ)θεῖαν ὁδόν, καὶ τὰ
ἀρέσκοντα τῷ θεῷ ἐπιδεικνύντες καὶ τῶν ἐναντίων ἀποτρέποντες. Ταῦτα γὰρ ἐκάλεσε (σ)κῶλα, ὁ δὲ Σύμμαχος ταῦτα
ἔφη « προσκόμματα ».

C : 228-231 ἠνίκα — ἠθέλησας ‖ 232-233 πολιορκουμένη — βοήθειαν ‖ 241-243 οὐ — εἴδωλα ‖ 245-248 καὶ — τιμῆς ‖ 250-253 οἱ —
ἀποτρέποντες

230 εἰς νοῦν Κ : > C ‖ 232 σοι οὐδεμίαν Κ : ∼ C
229-230 cf. Ps. 13, 5 (LXX)

---

1. Cf. supra, p. 201, n. 2.

*pour ne l'être plus souvenue de moi, pour ne pas m'avoir
accueilli dans ta pensée et dans ton cœur?* Quand tu étais
esclave des idoles, tu ne craignais pas le Législateur ;
mais, lorsque je fus venu en personne, tu as été prise de
peur, là où il n'y avait pas lieu d'avoir peur, et tu n'as pas
voulu accueillir dans ton esprit les prédictions qui me
concernaient[1].

**Châtiment
de l'idolâtrie
et salut
pour les croyants**

*Et moi, en te voyant, je te dédaigne
(à mon tour).* Lorsque tu seras assié-
gée, je ne te fournirai aucun secours.
*Et moi, je suis celui qui est depuis
l'éternité.* Car je ne suis pas différent de celui qui t'a délivrée
de l'esclavage des Égyptiens, qui t'a permis de traverser
la mer à pied sec, qui a accompli une grande foule de
miracles. 12. *Et moi, je vais faire connaître ma justice et
tes maux, qui ne te serviront pas.* Je montre mes bienfaits
et je vais dénoncer ton insensibilité. 13. *Lorsque tu crieras,
qu'elles te délivrent dans ta tribulation ! car le vent les
emportera toutes et l'ouragan les enlèvera.* Loin de te prêter
assistance, elles seront elles-mêmes — c'est-à-dire les
idoles — emportées.

*Mais ceux qui se tiennent fermement à moi posséderont la
terre et hériteront de ma montagne sainte.* Les faits viennent
du reste confirmer la déclaration : car ceux qui ont
cru en lui possèdent la ville de Jérusalem et dans toutes
les villes ont droit à des marques d'honneur. 14. *Et l'on
dira: Purifiez les routes devant sa face et enlevez les obstacles
de la route de mon peuple.* Les hérauts de la vérité aplaniront
pour les croyants la route droite, en leur montrant ce qui
plaît à Dieu et en les détournant de la conduite opposée.
Voilà ce qu'il a appelé « obstacles », tandis que Symmaque
l'a rendu par « achoppements »[2].

2. CHRYSOSTOME (*M.*, p. 423, 21-22) donne pour « obstacles »
(offendicula) la variante d'Aquila *scandalum* et celle de
Symmaque : *Setacoīm a via populi mei*, à propos de laquelle les

255 ¹⁵ Ὅτι τάδε λέγει ὁ ὕψιστος, ὁ ἐν ὑψηλοῖς κατοικῶν,
(ὁ αἰ)ώνιος, ἅγιος ἐν ἁγίοις ὄνομα αὐτῷ, κύριος ὕψιστος ἐν
ἁγίοις ἀναπαυόμενος καὶ ὀλιγοψύχοις διδοὺς μα(κρο)θυμίαν
καὶ ζωὴν διδοὺς τοῖς συντετριμμένοις τὴν καρδίαν καὶ ζωῶσαι
καρδίας τεθλασμένων. Τὴν [παν]τοδαπὴ<ν> αὐτοῦ κηδεμο-
260 νίαν ἔδειξεν · ἐν ὑψηλοῖς γὰρ κατοικῶν τὰ ταπεινὰ ἐφορᾷ
καὶ ἅγιος ὢν ἀνα[παύ]εται μὲν ἐν ἁγίοις, τοῖς δὲ ὀλιγοψύχοις
προσφέρει παραψυχὴν καὶ τοὺς τὰς καρδίας συντετριμμένους
[εἰς ζ]ωὴν ἐπανάγει. Οὐ γὰρ μόνον δικαίων ἐπιμελεῖται
ἀλλὰ καὶ τοὺς εἰς τὸ βάραθρον τῆς κακίας ἐκ[κομι]σθέντας
265 ἀνακαλεῖται καὶ τοῖς κακῶς τὰς ψυχὰς διακειμένοις ἰατρείαν
προσφέρει παντο[δαπή]ν.
¹⁶ Οὐκ εἰς τὸν αἰῶνα ἐκδικήσω ὑμᾶς οὐδὲ διὰ παντὸς
ὀργισθήσομαι ὑμῖν. Πλεῖστοι τῶν τὸν κύριον ἐσταυρω(κό)-
των διὰ τοῦ κηρύγματος τῶν ἀποστόλων ἐπίστευσαν καὶ
270 τῆς σωτηρίας ἀπήλαυσαν. Τούτου χάριν καὶ σταυρούμενος
(ὁ κύριος) ἔφη · « Πάτερ ἄφες αὐτοῖς · οὐ γὰρ οἴδασι τί
ποιοῦσιν. » Ἐκ τούτων ὁ μακάριος Παῦλος, ἐκ τούτων οἱ
τρισχίλιοι [καὶ] αἱ πολλαὶ μυριάδες · τούτοις ὑπισχνεῖται
συγγνώμην. Πνεῦμα γὰρ παρ' ἐμοῦ ἐξελεύσεται, καὶ πνοὴν
275 πᾶσαν (ἐγὼ) ἐποίησα. Τοῦ ἐμφυσήματος ἐμνημόνευσε δι' οὗ
τοῦ Ἀδὰμ ἐδημιούργησε τὴν ψυχήν · « Ἐνεφύσησε » γάρ
(φη)σιν « εἰς τὸ πρόσωπον αὐτοῦ πνοὴν ζωῆς, καὶ ἐγένετο
ὁ ἄνθρωπος εἰς ψυχὴν ζῶσαν. » Ἐπειδὴ τῶν ἁπάντων
[φησ]ὶν ὑπάρχω δημιουργός, φιλανθρώπως τοὺς ὑπ' ἐμοῦ
280 γεγενημένους οἰκονομῶ.

C : 268-272 πλεῖστοι — ποιοῦσιν ‖ 275-278 ἐμνημόνευσε — ζῶσαν

271 Lc 23, 34   272-273 cf. Act. 2, 41 ; 21, 20   276 Gen. 2, 7

Mékitharistes déclarent ignorer le sens de *Selacoïm* et n'avoir pas
trouvé ce passage d'Isaïe parmi les fragments de Symmaque connus
à leur époque. Eusèbe, qui cite intégralement le verset de la version
de Symmaque, confirme la leçon προσκόμματα donnée par Théodoret
(*GCS* 354, 19-21).

Miséricorde divine 15. *Car ainsi parle le très Haut, lui qui habite dans les hauteurs, l'éternel, qui a pour nom Saint parmi les saints, Seigneur très Haut qui se repose parmi les saints, qui donne aux pusillanimes la patience, qui donne la vie à ceux dont le cœur est contrit et qui vivifie le cœur des hommes meurtris.* Il a montré la diversité des soins qu'il dispense : bien qu'il habite dans les hauteurs, il jette les yeux sur les réalités d'ici-bas et, bien qu'en raison de sa sainteté, il prenne son repos parmi les saints, il présente aux pusillanimes le réconfort et, ceux dont le cœur est brisé, il les ramène à la vie. Car il ne se soucie pas uniquement des justes ; il rappelle aussi à lui ceux qui se sont laissés emporter vers le gouffre du mal et il présente à ceux dont l'âme se trouve en piteux état un traitement qui revêt de multiples formes.

16. *Je ne vous punirai pas pour l'éternité et je ne serai pas toujours irrité contre vous.* La plupart de ceux qui ont crucifié le Seigneur ont cru grâce à la prédication des apôtres et ont bénéficié du salut[1]. Voilà pourquoi, bien qu'il fût crucifié, le Seigneur a dit : « Père, pardonne-leur, car ils ne savent pas ce qu'ils font. » De ce nombre fait partie le bienheureux Paul, de ce nombre font partie les trois mille hommes et les nombreux milliers[2] : c'est à eux qu'il promet le pardon. *Car l'esprit viendra de moi, et c'est moi qui ai fait tout ce qui respire.* Il a fait mention de l'insufflation par laquelle il a créé l'âme d'Adam : « Il insuffla dans sa face », dit (l'Écriture), « un souffle de vie, et l'homme devint une âme vivante. » Puisque je suis le créateur de tous les hommes, dit-il, je dirige avec amour ceux qui tiennent de moi leur existence.

---

1. Sur cette conversion des Juifs après la crucifixion, et la présentation qu'en fait Théodoret, cf. t. I, *SC* 276, Introd., p. 82, n. 1.

2. Il s'agit des trois mille hommes convertis par Pierre au jour de la Pentecôte (*Act.* 2, 41) et des milliers de Juifs convertis que Jacques et les Anciens présentent à Paul, revenu à Jérusalem au terme de sa troisième mission (*Act.* 21, 20).

¹⁷ Δι' ἁμαρτίαν βρα(χύ) τι ἐλύπησα αὐτὸν καὶ ἐπάταξα
αὐτὸν καὶ ἀπέστρεψα τὸ πρόσωπόν μου ἀπ' αὐτοῦ, καὶ
ἐλυπήθη (καὶ ἐ)πορεύθη στυγνὸς ἐν ταῖς ὁδοῖς τῆς καρδίας
αὐτοῦ. ¹⁸ Τὰς ὁδοὺς αὐτοῦ ἑώρακα καὶ ἰασάμην αὐτὸν (καὶ)
285 παρεκάλεσα αὐτὸν καὶ ἔδωκα αὐτῷ παράκλησιν ἀληθινὴν
καὶ τοῖς παθεινοῖς αὐτοῦ ¹⁹ κτίζων (κ)αρπὸν χειλέων. Ὁ δὲ
Σύμμαχος καὶ ὁ Ἀκύλας ἀντὶ τοῦ · τοῖς παθεινοῖς, « τοῖς
πενθοῦσιν αὐτόν » εἰρήκασιν. Τῆς με(τανοί)ας ὁ δεσπότης
θεὸς ἔδειξε τὴν ἰσχύν. Θεασάμενος γάρ φησι τὴν μεταμέλειαν
290 καὶ τῶν λογισμῶν τὴν (μεταβολ)ὴν καὶ τοῦ προσώπου τὸ
σκυθρωπὸν καὶ αὐτοὺς ψυχαγωγίας ἠξίωσα καὶ τοὺς
πενθοῦντας αὐτούς · ἐπένθουν (δὲ αὐτοῦ)ς τῆς ἀληθείας οἱ
κήρυκες, ὁ δὲ μακάριος Παῦλος καὶ ἀνάθεμα ηὔχετο ὑπὲρ
τούτων γενέσθαι. Ταῦτα [δ]ὲ πεποίηκεν ὁ κτίζων καρπὸν
295 χειλέων, τουτέστιν ὁ τὴν θυσίαν τῆς αἰνέσεως ἀντὶ τῆς
νομικῆς λατρείας [ἀπαι]τῶν.
Εἰρήνην ἐπ' εἰρήνην τοῖς μακρὰν καὶ τοῖς ἐγγὺς οὖσι,
καὶ εἶπε κύριος · Ἰάσομαι αὐτούς. [Τούτοις] μὲν οὖν τὴν
πρὸς αὐτοὺς εἰρήνην ἐπαγγέλλεται καὶ ταύτην ὑπισχνεῖται
300 ποιήσειν μόνιμόν τε [καὶ] διαρκῆ καὶ τῆς ἰάσεως αὐτοῖς
χαριεῖσθαι τὸ δῶρον, τοῖς δὲ ἐπὶ τῆς προτέρας μεμενηκόσιν
[ἀδικί]ας ἀπειλεῖ χαλεπά · ²⁰ Οἱ δὲ ἄδικοι ὡς θάλασσα
ἀναβρασσομένη οὕτως κλυδωνισθή(σονται) καὶ ἀναπαύσα-
σθαι οὐ μὴ δύνωνται. Τοῦτον αὐτῶν τὸν κλύδωνα λίαν
305 ἀκριβῶς ὁ Ἰώ[σηπος] ἱστορεῖ. Ὅτι ἀποβάλλεται τὸ ὕδωρ
αὐτῆς καταπάτημα καὶ πηλός. Ὕδωρ καλεῖ τὴν δι[δασκα-
λ]ίαν. Ἐπειδὴ τοίνυν τἀναντία τοῖς προφήταις ἐδίδασκον
καὶ τὸ διειδὲς τῶν πνευματικῶν [ναμάτων ἐθόλ]ουν, πηλῷ
ταύτην παραπλησίως ἔσεσθαι ἀπειλεῖ. ²¹ Οὐκ ἔστι χαίρειν
310 τοῖς ἀσεβ(έσι)ν, εἶπεν |173 a| ὁ θεός. Ταῦτα δὲ ποιῶ,

C : 288-293 τῆς — κήρυκες

293-294 cf. Rom. 9, 3   294-296 cf. Hébr. 13, 15 ; Ps. 49, 14

1. Allusion générale à la *Guerre des Juifs* de FLAVIUS JOSÈPHE.

Les fruits du repentir 17. *A cause de sa faute je l'ai affligé un court instant et je l'ai frappé ; j'ai détourné de lui ma face et il a été affligé : il a marché plein de tristesse dans les voies de son cœur. 18. Ses voies, je les ai vues et je l'ai guéri ; je l'ai consolé et je lui ai donné une consolation véritable ainsi qu'à ses affligés, 19. en produisant le fruit de (leurs) lèvres.* Symmaque et Aquila, au lieu de dire « aux affligés », ont dit « à ceux qui pleurent sur lui ». Dieu notre Maître a montré la force du repentir. C'est à la vue de leur contrition, dit-il, à la vue du changement de leurs desseins et de la tristesse de leur visage que je les ai jugés dignes de réconfort, eux et ceux qui pleuraient sur eux. Or, pleuraient sur eux les hérauts de la vérité, tandis que le bienheureux Paul souhaitait même devenir anathème pour leur salut. Voilà ce qu'a fait celui « qui a produit le fruit de leurs lèvres », c'est-à-dire celui qui a réclamé le sacrifice de la louange au lieu du culte prescrit par la Loi.

Paix sur paix pour ceux qui sont loin et pour ceux qui sont proches ! Le Seigneur a dit : Je les guérirai. Il leur promet donc de faire la paix avec eux, s'engage à la rendre stable et durable et à leur accorder le don de la guérison, tandis qu'il menace de tourments ceux qui ont persisté dans l'injustice d'autrefois : 20. *Quant aux méchants, ils seront ballottés comme (les flots) d'une mer tourmentée et ne pourront pas trouver de repos.* La tourmente qu'ils subirent, Josèphe la raconte avec beaucoup de précision[1]. *Car son eau rejette vase et limon.* Il appelle « eau » l'enseignement. Puisqu'ils enseignaient le contraire de ce qu'enseignaient les prophètes et qu'ils troublaient la limpidité des sources spirituelles[2], il menace donc de rendre cet enseignement comparable au limon. 21. *Il n'est pas possible pour les impies d'être dans la joie, dit Dieu.* Voilà ce que je fais, puisqu'il n'est

2. Sur cette métaphore, cf. t. I, *SC* 276, p. 185, n. 2.

ἐπειδήπερ οὐ δίκαιον τῆς δικαιοσύνης τὸν νομοθέτην ἴσου
ἀξιοῦν τοὺς [τε τῆς] εὐσεβείας τροφίμους καὶ <τοὺς> τῇ
δυσσεβείᾳ προστετηκότας.

Ἐντεῦθεν εἰς ἑτέραν ὑπόθεσιν ὁ προφητικὸς μεταβαίνει
315 λόγος καὶ τοῖς τηνικαῦτα οὖσιν ἀνθρώποις παραινεῖ τὰ
συνοίσοντα · 58[1] Ἀναβόησον ἐν ἰσχύι (καὶ) μὴ φείσῃ καὶ
ὡς σάλπιγγος ὕψωσον τὴν φωνήν σου καὶ ἀνάγγειλον τῷ
λαῷ μου τὰ ἁμαρτήματα αὐτ(ῶν) καὶ τῷ οἴκῳ Ἰσραὴλ τὰς
ἀνομίας αὐτῶν. Τὰς τοῦ λαοῦ παρανομίας ἐλέγξαι τῷ
320 προφήτῃ παρεγγυᾷ (τῶν) ὅλων ὁ κύριος καὶ μὴ κρύβδην
τοῦτο καὶ λάθρᾳ ποιῆσαι ἀλλ' ἀναφανδὸν δρᾶσαι παρακελεύεται μ(εγάλη) χρώμενον τῇ φωνῇ.

[2] Ἐμὲ ἡμέραν ἐξ ἡμέρας ζητοῦσι καὶ γνῶναι τὰς ὁδούς
μου ἐπιθυμοῦσιν ὡς λαὸς δικαιοσύνην πεποιηκὼς καὶ κρίσιν
325 θεοῦ αὐτοῦ μὴ ἐγκαταλελοιπώς. Πονηρίᾳ συζῶντες τῆς
παρ' ἐμοῦ τυχεῖν ἀξιοῦσι προνοίας καὶ οὐ λογίζονται ὡς
ἀναξίους σφᾶς αὐτοὺς τῆς ἐμῆς καταστήσαν(τες) κηδεμονίας
ταύτης οὐκ ἀπολαύσονται. Αἰτοῦσί με νῦν κρίσιν δικαίαν
καὶ ἐγγίζειν θεῷ ἐπιθυμοῦσι [3] λέγοντες · Τί ὅτι ἐνηστεύσα-
330 μεν καὶ οὐκ εἶδες, ἐταπεινώσαμεν τὰς ψυχὰς ἡμῶν καὶ οὐκ
ἔγνως ; Ἄκραν νομίζουσιν ἀρετὴν τῶν βρωμάτων τὴν ἀποχὴν
καὶ ἐπιμέμφονταί μοι μὴ παραυτίκα πάσης αὐτοὺς ἀξιοῦντι
προνοίας. Τὸ δέ · Ἐγγίζειν θεῷ ἐπιθυμοῦσιν, ὁ Σύμμαχος
οὕτως ἔφη · « Ἐγγύτητα θεοῦ θέλουσιν », ὁ δὲ Ἀκύλας ·
335 « Ἐγγισμὸν θεοῦ βούλονται. » Δηλοῖ δὲ ὁ λόγος ὡς οὐκ
αὐτοὶ ἐγγίζειν ἐπεθύμουν τῷ θεῷ ἀλλ' αὐτὸν αὐτοῖς ἐγγίζειν
διὰ τῆς προμηθείας καὶ κηδεμονίας ἐβούλοντο ἀνάξιον αὐτοῦ
βίον αἱρούμενοι.

Εἶτα διαρρήδην αὐτῶν τὰς παρανομίας ἐλέγχει · (Ἐν
340 γὰρ ταῖς ἡμέραις τῶν νηστειῶν ὑμῶν εὑρίσκετε τὰ θελήματα
ὑμῶν καὶ πάντας τοὺς ὑποχειρίους ὑμῶν ὑπονύσσετε. Τὴν

C : 319-322 τὰς — φωνῇ ‖ 325-328 πονηρίᾳ — ἀπολαύσονται ‖ 331-
333 ἄκραν — προνοίας ‖ 341-343 τὴν — ἀναλίσκετε

321 ἀλλ' Κ : ἀλλὰ C ‖ 332 αὐτοὺς C : > Κ

pas juste que le Législateur de la justice tienne en égale estime ceux qui se sont nourris de la piété et ceux qui se sont consumés dans l'impiété.

A partir de là, le texte prophétique **Remontrances** passe à un autre sujet et donne aux **à propos du jeûne** hommes qui vivaient alors des conseils destinés à leur être utiles : **58, 1.** *Crie avec force et ne crains pas; comme une trompette élève ta voix et annonce à mon peuple ses fautes et à la maison d'Israël ses iniquités.* Le Seigneur de l'univers invite le prophète à dénoncer les iniquités du peuple et à ne pas le faire en cachette et en secret, mais l'exhorte à l'accomplir ouvertement en usant d'une voix forte.

2. *Ils me cherchent jour après jour et ils désirent connaître mes voies, comme un peuple qui a pratiqué la justice et qui n'a pas abandonné le jugement de son Dieu.* Alors qu'ils vivent avec perversité, ils prétendent obtenir la Providence que je dispense et ne se rendent pas compte que, pour s'être montrés indignes de ma sollicitude, ils n'en jouiront pas. *Ils me demandent maintenant un jugement équitable et désirent être proches de Dieu* **3.** *en disant : Pourquoi, puisque nous avons jeûné, ne l'as-tu pas vu, puisque nous avons humilié nos âmes ne l'as-tu pas su?* Ils considèrent comme le sommet de la vertu de s'abstenir de nourriture et ils me blâment de ne pas les avoir aussitôt jugés dignes d'une totale Providence. Quant à la phrase : « Ils désirent être proches de Dieu », Symmaque l'a rendue ainsi : « Ils souhaitent la proximité de Dieu », et Aquila : « Ils veulent l'approche de Dieu. » Le texte fait donc bien voir que ce n'étaient pas eux qui désiraient approcher de Dieu, mais qu'ils voulaient que ce fût lui qui approchât d'eux par l'entremise de ses soins et de sa sollicitude, alors qu'ils adoptaient un mode de vie indigne de lui.

Puis il dénonce ouvertement leurs iniquités : *Car pendant les jours de vos jeûnes, vous trouvez le moyen de faire vos volontés et vous aiguillonnez tous ceux qui sont en votre*

γὰρ τῆς νηστείας σχολὴν οὐκ ἀφορμὴν ποιεῖσθε μεταμελείας
ἀλλὰ τα(ύτην) εἰς τὴν τῶν ὀφειλόντων εἴσπραξιν ἀναλίσκετε.
Οὕτω γὰρ καὶ ὁ Σύμμαχος καὶ ὁ Θεοδοτίων ἡρμήνευσαν ·
345 « Καὶ πάντας τοὺς ὑποχειρίους ὑμῶν ἀπαιτεῖτε. » ⁴ Εἰ εἰς
κρίσεις καὶ μάχας νηστεύετε καὶ τύπτετε πυγμαῖς ταπεινόν,
ἵνα τί μοι νηστεύετε ὡς σήμερον ἀκουσθῆναι ἐν κραυγῇ
τὴν φωνὴν ὑμῶν ; Ἔοικε κατ' αὐτὸν τῆς προφητείας τὸν
καιρὸν τοιοῦτόν τι γενέσθαι. Τοῦτο γὰρ καὶ ὁ λόγος αἰνίττε-
350 ται · ὡς σήμερον ἀκουσθῆναι ἐν κραυγῇ τὴν φωνὴν ὑμῶν.
⁵ Οὐ ταύτην τὴν νηστείαν ἐγὼ ἐξελεξάμην (καὶ) ἡμέραν
ταπεινοῦν ἄνθρωπον τὴν ψυχὴν αὐτοῦ. Οὐ τοῦτον οἶδα
νηστείας ὅρον ἐγώ · ἄλλως γὰρ νηστεύει[ν] ἐνομοθέτησα.
Ἀναμνήσθητε τῶν διὰ τοῦ θεράποντός μου Μωυσῆ εἰρη-
355 μένων · « Κακώσατε » γὰρ εἶπον « τὰς ψυχὰς ὑμῶν. » Ὁ
δὲ ταπεινούμενος οὐ κατεπαίρεται τῶν ταπεινῶν οὐδὲ
καταδυναστεύει τῶν ἀδυνάτων. Οὐδ' ἂ(ν κ)άμψῃς ὡς κλοιὸν
τὸν τράχηλόν σου καὶ τοῦ κλοιοῦ τὸ καμπύλον μιμήσῃ
καὶ σάκκον καὶ σποδὸν ὑποστρώσῃ, οὐδ' ὣς καλέσετε
360 νηστείαν καὶ ἡμέραν δεκτὴν τῷ κυρίῳ. ⁶ Οὐχὶ τοιαύτη ἡ
νηστεία, ἣν ἐγὼ ἐξελεξάμην ; λέγει κύριος. Οὐ τὸ ἔξωθέν
φησι φαινόμενον σχῆμα ζητῶ · « Θυσία » γὰρ « τῷ θεῷ
πνεῦμα συντετριμμένον. »
Οὕτως ἐλέγξας τὰ παρανόμως γιγνόμενα τὸ πρακτέον
365 νομοθετεῖ · Ἀλλὰ λῦε πάντα σύνδεσμον ἀδικίας, διάλυε
στραγγαλιὰς βιαίων συναλλαγμάτων. Διάρρηξον τοὺς τῆς
ἀδικίας δεσμούς · ὅσα τῶν συμβολαίων οὐκ ἔχει τὸ δίκαιον

C : 348-350 ἔοικε — ὑμῶν ‖ 366-368 διάρρηξον — λῦσον

348 ἔοικε Κ : +καὶ C ‖ τῆς προφητείας / τὸν Κ : ~ C ‖ 349
γενέσθαι Κ : γεγενῆσθαι C ‖ καὶ ὁ λόγος αἰνίττεται Κ : αἰνίττεται ὁ
λόγος C ‖ 367 συμβολαίων C : συμβόλων Κ

355 Nombr. 29, 7   362 Ps. 50, 19

---

1. La remarque de Théodoret manifeste sa volonté de sauvegarder

pouvoir. Vous ne faites pas, en effet, du repos du jeûne une occasion de repentir, mais vous le dépensez à recouvrer (l'argent) de vos débiteurs. Telle est, en effet, l'interprétation de Symmaque et de Théodotion : « Et à tous ceux qui sont en votre pouvoir vous réclamez (votre dû). » 4. *Si vous jeûnez pour susciter des procès et des querelles, et si vous frappez à coups de poing le petit, dans quel but faites-vous ce jeûne en mon honneur pour qu'aujourd'hui votre voix ait été entendue au milieu de cris?* Il semble qu'à l'époque même de la prophétie quelque chose de tel se soit produit[1]. C'est ce que laisse entendre précisément le texte : « pour qu'aujourd'hui votre voix ait été entendue au milieu de cris ».

5. *Ce n'est pas le jeûne que j'ai personnellement choisi ni un jour où l'homme humilie son âme.* Ce n'est pas une norme de jeûne que je connais : car j'ai fixé d'une autre manière les lois du jeûne. Souvenez-vous des paroles qui (vous) ont été dites par l'intermédiaire de mon serviteur Moïse : « Mortifiez vos âmes », ai-je dit. Or, celui qui s'humilie ne s'emporte pas contre les humbles et n'opprime pas les faibles. *Même si tu courbes ton cou comme un jonc — même si tu imites la courbure du jonc — et si tu l'allonges sur le sac et la cendre, même de telles pratiques ne les appelez pas jeûne et jour agréable au Seigneur. 6. Est-ce un tel jeûne que j'ai personnellement choisi? dit le Seigneur.* Je ne cherche pas l'attitude que l'on voit du dehors, dit-il, car « le sacrifice (agréable) à Dieu, c'est un esprit brisé. »

Le mode de vie agréable à Dieu et les bienfaits d'une telle conduite Après avoir dénoncé de la sorte ce qui va à l'encontre de la Loi, il fixe ce qu'il faut faire : *Mais romps tout lien avec l'injustice, délie les nœuds des pactes établis par contrainte.* Brise les chaînes de l'injustice : toutes celles de tes conventions qui ne reposent pas

le fondement historique de la prophétie, en dépit de son incapacité à préciser la nature exacte des faits.

ὡς ἐπιζήμια λῦσον. Ἀπόστελλε τεθραυσμένους ⟨ἐν ἀφέσει
καὶ πᾶσαν συγγραφὴν ἄδικον διάσπα. Τὸ τεθραυσμένους⟩
370 « τεθλασμένους » ὁ Σύμμαχος εἴρηκεν. Τουτέστι · τοὺς
πενίᾳ συζῶντας ἐλευθέρωσον φροντίδος, δὸς τὴν ἄφεσιν καὶ
λῦσον τὴν μέριμναν. ⁷ Διάθρυπτε πεινῶντι τὸν ἄρτον σου καὶ
πτωχοὺς (ἀ)στέγους εἰσάγαγε εἰς τὸν οἶκόν σου · ἐὰν ἴδῃς
γυμνόν, περίβαλε καὶ ἀπὸ τῶν οἰκείων (τοῦ) σπέρματός
375 σου οὐχ ὑπερόψῃ. Τῶν ἀδίκων κερδῶν ἀπαγορεύσας τοὺς
πόρους τῶν δικαίως συνειλεγμένων τὴν οἰκονομίαν διδάσκει
καὶ λέγει τοῖς μὲν τροφὴν χορηγεῖν τοῖς δὲ στέγης μετα-
διδόναι [τοὺς] δὲ περιβάλλειν καὶ μνημονεύειν τῆς φύσεως
καὶ τὴν συγγένειαν εἰς νοῦν λαμβ[άνειν].
380   ⁸ (Τότε) |173 b| ῥαγήσεται πρώιμον τὸ φῶς σου. Ποθεινὸν
μέν ἐστι τὸ φῶς, ποθεινότερος δὲ ὁ ὄρθρος μετὰ τὴν νύκτα
φαινόμενος. Τοῦτο πρώιμον προσηγόρευσε φῶς. Οὕτω γὰρ
καὶ ὁ Θεοδοτίων καὶ ὁ Σύμμαχος ἔφασαν · « Τότε ῥαγήσεται
ὡς πρωία τὸ φῶς σου », ὁ δὲ Ἀκύλας · « Τότε σχισθήσεται
385 ὡς ὄρθρος φῶς. » Καθάπερ γὰρ ὁ ὄρθρος τὴν ζοφώδη τῆς
νυκτὸς διαρρήγνυσιν ἀμπεχόνην, οὕτω φησὶ τὴν νύκτα τῶν
συμφορῶν οὗτος ὁ ἔννομός σου διαλύσει βίος καὶ τῆς ἐμῆς
σοι προνοίας χορηγήσει τὸ φῶς. Καὶ τὰ ἰάματά σου ταχὺ
ἀνατελεῖ. Ὀξεῖαν γάρ σοι χορηγήσω τὴν ἴασιν. Καὶ προπο-
390 ρεύσεται ἔμπροσθέν σου ἡ δικαιοσύνη σου, καὶ ἡ δόξα
τοῦ θεοῦ περιστελεῖ σε. Ἔδειξεν ὡς τὰ θεῖα τοῖς ἡμετέροις
(ἔρ)γοις ἀκολουθεῖ. Τῆς γὰρ ἡμετέρας ἡγουμένης δικαιοσύνης
ἕπεται τοῦ θεοῦ τῶν ὅλων ἡ δόξα περιβλέπτους ἡμᾶς
ἀποφαίνουσα.
395   ⁹ Τότε βοήσῃ, καὶ ὁ θεὸς εἰσακούσεταί σου. Ἔτι λαλοῦντός
σου (ἐρεῖ) · Ἰδοὺ πάρειμι. Μέγας ὁ τῆς δικαιοσύνης μισθός ·

C : 370-372 τουτέστι — μέριμναν ‖ 375-376 τῶν — διδάσκει ‖ 380-
388 ποθεινὸν — φῶς (382-385 οὕτω — φῶς >) ‖ 391-394 ἔδειξεν —
ἀποφαίνουσα ‖ 396-401 μέγας — θεός

369 τεθραυσμένους : falso τετεθρ. Μδ. ‖ 375 κερδῶν C : > Κ ‖ 376
οἰκονομίαν Κ : +φυλάσσειν C

sur la justice, romps-les parce qu'elles sont funestes. *Renvoie ceux qui sont brisés en les libérant de leurs dettes et mets en pièces tout contrat injuste.* Symmaque, au lieu de dire « ceux qui sont brisés », a dit « ceux qui sont meurtris ». C'est-à-dire : Délivre du souci ceux qui vivent dans la pauvreté, fais-leur remise de leurs dettes et mets fin à leur inquiétude. 7. *Romps ton pain avec celui qui a faim et introduis les pauvres sans abri dans ta maison ; si tu vois (un homme) nu, couvre-le d'un vêtement et ne te détourne pas avec mépris de tes proches (qui sont) de ta race.* Après avoir interdit les moyens de se procurer des gains injustes, il enseigne à répartir les biens justement amassés : il (leur) dit de fournir aux uns la nourriture, de partager avec les autres leur toit, de donner à d'autres un vêtement, de se souvenir de leur nature et de prendre conscience de leur parenté.

8. *Alors ta lumière du matin jaillira.* Désirable est la lumière, mais plus désirable (encore) l'aurore qui apparaît après la nuit. Voilà ce qu'il a appelé « lumière du matin ». Théodotion et Symmaque ont, en effet, traduit de la façon suivante : « Alors ta lumière jaillira comme le matin », et Aquila : « Alors ta lumière éclatera comme l'aurore. » De même, en effet, que l'aurore déchire le voile ténébreux de la nuit, la vie que tu mèneras selon la Loi dissipera, dit-il, la nuit de tes calamités et te procurera la lumière de ma Providence[1]. *Et ta guérison se lèvera rapidement.* Car je te procurerai une guérison rapide. *Ta justice marchera devant toi et la gloire de Dieu t'enveloppera.* Il a montré que les œuvres de Dieu accompagnent les nôtres. Dans la mesure où notre justice ouvre la marche, la gloire du Dieu de l'univers prend sa suite, pour nous rendre illustres.

9. *Alors tu crieras, et Dieu t'entendra. Tandis que tu seras encore en train de parler, il dira : Me voici !* Il est

---

1. Symbolisme fréquent (cf. *infra*, 18, 415-416. 544-546 ; *In Psal.*, 80, 1781 B).

τὴν γὰρ πρὸς τὸν θεὸν ἡμῖν παρρησίαν χαρίζεται. Τὸ δέ ·
Ἔτι λαλοῦντός σου ἐρεῖ · Ἰδοὺ πάρειμι, οὐ φωνήν τινα
σημαίνει ἀλλὰ τὴν διὰ τῶν πραγμάτων ἐνέργειαν · (δι') αὐτῶν
400 γάρ φησι μαθήσῃ τῶν πραγμάτων ὅτι πάρεστί σοι ὁ
παρακληθεὶς παρὰ σοῦ θεός.

Ἐὰν ἀφέλῃς ἀπὸ (σοῦ) σύνδεσμον καὶ χειροτονίαν καὶ
ῥῆμα γογγυσμοῦ ¹⁰ καὶ δῷς πεινῶντι ἄρτον ἐκ ψυχῆς σου
καὶ ψυχὴν τετα(πειν)ωμένην ἐμπλήσῃς. Σύνδεσμον τὰς ἀδί-
405 κους καλεῖ πλοκάς, χειροτονίαν δὲ τὴν ἄδικον τῶν (χειρ)ῶν
κίνησιν ἢ ἐπὶ πληγαῖς γιγνομένην ἢ ἐπὶ γράμμασιν. Τὸν
δὲ γογγυσμὸν καὶ ὁ μακάριος ἀπαγο(ρεύ)ει Παῦλος ·
« Πάντα » γάρ φησι « ποιεῖτε χωρὶς γογγυσμῶν καὶ
διαλογισμῶν. » Τοῦτο δὲ καὶ ὁ προφητικὸς ἡρμήνευσε
410 λόγος · (Ἐὰν) δῷς πεινῶντι τὸν ἄρτον ἐκ ψυχῆς σου,
τουτέστι μὴ βιαίως μὴ ἀναγκαστικῶς μηδὲ δυσχεραίνων
[μη]δὲ διὰ δόξαν κενὴν ἀλλὰ διὰ τὴν περὶ τὸν πέλας
φιλοστοργίαν.

Τότε ἀνατελεῖ ἐν τῷ σκότει (τὸ) φῶς σου καὶ τὸ σκότος
415 σου ὡς μεσημβρίαν. Μεταβαλῶ γάρ σου τὰς συμφορὰς
καὶ ἐν αὐτῷ τῷ ζόφῳ καθαρόν σοι δείξω τὸ φῶς. ¹¹ Καὶ ἔσται
ὁ θεός σου μετὰ σοῦ διὰ παντός, καὶ ἐμπλησθήσῃ (κα)θὰ
ἐπιθυμεῖ ἡ ψυχή σου, καὶ τὰ ὀστᾶ σου πιανθήσεται. Ἕξεις

C : 404-409 σύνδεσμον — διαλογισμῶν ‖ 415-416 μεταβαλῶ —
φῶς

398 ἐρεῖ C : > K ‖ 406 γιγνομένην K : γινομένην C ‖ 408 φησι C :
> K ‖ γογγυσμῶν e tx.rec. : γογγυσμῶ K γογγυσμοῦ C ‖ 412 περὶ
Mö. : παρὰ K

408 Phil. 2, 14

---

1. Voir CHRYSOSTOME (M., p. 429, l. 16-23) : « Il désigne par
' lien ' le péché qui a nombre de contours tortueux, en qui il n'y a ni
rectitude ni équité ; il appelle ' extension des mains ' la rapacité ou
même l'action de faire main basse à la manière des voleurs ; ' et les
paroles de murmure ', (il l'entend) dans ce sens : ' Agissez en tout sans
murmure ' ; le murmure est, en effet, le signe d'un esprit paresseux et

grand le salaire de la justice, puisqu'il nous accorde la
liberté de parler à Dieu. Quant à la phrase : « Tandis que
tu seras encore en train de parler, il dira : Me voici ! »,
elle ne signifie pas qu'il s'agit d'une voix, mais de l'action
à travers les événements : ce sont, dit-il, les événements
eux-mêmes qui t'apprendront qu'il est présent à tes côtés
le Dieu que tu as invoqué.

*Si tu bannis loin de toi le lien, le geste de la main et la
parole de murmure,* 10. *si tu donnes à celui qui a faim du
pain de (toute) ton âme et si tu remplis (de consolation) l'âme
affligée.* Il appelle « lien » les combinaisons injustes, « geste
de la main » l'activité injuste des mains qui s'exerce soit
par des coups soit par des écrits. Quant au « murmure »,
le bienheureux Paul l'interdit à son tour[1] : « Agissez en
tout, dit-il, sans murmures ni contestations. » Voici ce
qu'a encore fait connaître le texte prophétique : « Si tu
donnes à celui qui a faim du pain de (toute) ton âme »,
c'est-à-dire sans y être contraint, sans y être obligé, sans
déplaisir, non pas à cause d'une vaine gloire, mais à cause
de la vive affection que tu portes à ton prochain.

*Alors se lèvera dans les ténèbres ta lumière et tes ténèbres
deviendront comme le milieu du jour.* Car je transformerai
tes épreuves et, au milieu même de l'obscurité, je te
montrerai dans sa pureté la lumière[2]. 11. *Ton Dieu sera
avec toi constamment, tu seras comblé selon les désirs de ton
âme et tes os s'empliront de joie.* Pour t'assister tu auras

---

indolent. Car le prophète ne nous exhorte pas seulement à agir, mais
à œuvrer avec une grande diligence, afin de ne pas gâter notre ouvrage
par le murmure. » Selon CYRILLE (70, 292 AC), « lien » est une manière
de désigner la perversité, l'ignorance, le goût de la querelle chez les
nations et les pièges tendus à autrui ; « geste », la vénalité et les pots
de vin ou encore le geste agressif (loi du talion) ; « murmure », la
contestation et les récriminations des Juifs (*Ex.* 16, 3 ; *I Cor.* 10, 9),
alors qu'on doit obéir avec joie et promptitude aux lois divines.

2. Cf. *supra*, p. 217, n. 1 ; pour CYRILLE également il s'agit de la
lumière divine dissipant les ténèbres spirituelles (70, 1293 A).

ἐπίκουρον τὸν θεὸν παρέχοντά σοι τῶν ἀ[γα]θῶν τὴν
420 μετάληψιν. Ὀστᾶ δὲ τοὺς λογισμοὺς τροπικῶς ἡγοῦμαι
κεκλῆσθαι · οὗτοι γὰρ δέχονται τὴν εὐφροσύνην. Εἰ δὲ
καὶ ἐπὶ τῶν ὀστῶν λάβοι τις τὴν θείαν ὑπόσχεσιν, οὐκ ἂν
ἁμάρτοι τοῦ τῆς προφητείας σκοποῦ · διὰ γὰρ τῆς κατὰ
ψυχὴν εὐφροσύνης καὶ τὸ σῶμα πιαίνεται · « Καρδία » γάρ
425 φησιν « εὐφραινομένη θάλλει πρόσωπον. »
Καὶ ἔσῃ ὡς κῆπος μεθύων καὶ ὡς πηγὴ ὕδατος ἢ⟨ν⟩ μὴ
ἐξέλιπεν ὕδωρ. Ἔδειξε διὰ τῶν εἰκόνων σαφέστερον τῶν
ἀγαθῶν τὴν ὑπόσχεσιν. ¹²Καὶ οἰκοδομηθήσονταί σου αἱ
(ἔρημοι αἰ)ώνιοι, καὶ ἔσται τὰ θεμέλιά σου αἰώνια, γενεαῖς
430 γενεῶν ἀναστήσεις. Οἰκοδομίαν ο(ὐ τὴν αἰ)σθη(τὴν) ἐνταῦθα
καλεῖ ἀλλὰ τὴν πνευματικήν · πῶς γὰρ ἂν γένοιτο αἰσθητὴ
οἰκοδομία αἰώνιος, τῶν (ὁ)ρωμένων μεταβαλλομένων ἁπάντων
κατὰ τὸν τῆς συντελείας καιρόν ; Τοῦτο δὲ καὶ τὸ ἀναστήσεις
αἰνίττεται · αὕτη γὰρ ἡ οἰκοδομία μετὰ τὴν ἀνάστασιν
435 δείκνυται. Οὕτω καὶ ὁ θεῖος ἀπόστολος ἔφη · « Εἰ δέ τι
ἐποικοδομεῖ (ἐπὶ τὸν) θεμέλιον τοῦτον, χρυσὸν ἄργυρον
λίθους τιμίους ξύλα χόρτον καλάμην, ἑκάστου τὸ ἔργον
(φανερὸ)ν γενήσεται · ἡ γὰρ ἡμέρα δηλώσει, ὅτι ἐν πυρὶ
ἀποκαλύπτεται, καὶ ἑκάστου τὸ ἔργον ὁποῖόν ἐστι (τὸ) πῦρ
440 δοκιμάσει. »
Καὶ κληθήσῃ οἰκοδόμος φραγμῶν ἢ κατὰ τοὺς Λοιποὺς
Ἑρμηνευτὰς « δ(ιακοπῆς) ». Καὶ τὰς τρίβους τὰς ἀνὰ μέσον
παύσεις. Ὁ γὰρ τῆς πλάνης τὰς ἀτραποὺς ἀποφ(ράττ)ων
(καὶ τ)ὰς τοιαύτας ἀποτειχίζων διακοπὰς καὶ πάντοθεν

C : 427-428 ἔδειξε — ὑπόσχεσιν ‖ 430-433 οἰκοδομίαν — καιρόν ‖
443-446 γὰρ — ὀνομάζεται

424 εὐφροσύνης Po. : σωφροσύνης Κ ‖ 433 τῆς C : > Κ ‖ τὸ Mö. :
ταῖς Κ τῷ Po. ‖ 443 γὰρ τῆς Κ : ∼ C

424 Prov. 15, 13   435 I Cor. 3, 12-13

---

1. La double valeur du verbe πιαίνω — au sens propre « engraisser,
fortifier » et au sens figuré « réjouir » — commande en partie l'inter-

Dieu, qui t'offre de prendre part à ses biens. A mon avis,
il a appelé « os » de manière figurée l'esprit : c'est lui, en
effet, qui reçoit la joie. Si toutefois on appliquait également
aux « os » la promesse divine, on ne se méprendrait pas sur
le but de la prophétie, car c'est grâce à la joie de l'âme que
le corps à son tour s'emplit de joie[1] : « Cœur joyeux », dit
(l'Écriture), « donne bon visage. »

*Tu seras comme un jardin bien arrosé et comme une
fontaine d'eau dont l'eau ne tarit pas.* Il a usé de ces images
pour montrer plus clairement la promesse des biens. 12. *Tes
déserts seront (re)construits pour l'éternité et tes fondements
seront éternels, tu ressusciteras pour les générations des
générations.* Il ne parle pas ici de la construction qui est
visible pour les sens, mais de celle qui est spirituelle :
comment pourrait être éternelle une construction qui
tombe sous les sens, alors que tout ce que l'on voit subira
un changement au moment de la fin du monde ? C'est ce
que laisse également entendre le verbe « tu ressusciteras »,
car cette (re)construction apparaît après la résurrection.
De même le divin Apôtre a dit à son tour : « Si, sur ce
fondement, on bâtit avec de l'or, de l'argent, des pierres
précieuses, du bois, du foin, de la paille, l'œuvre de chacun
deviendra manifeste : le jour la fera connaître, car il (doit)
se révéler dans le feu et c'est le feu qui éprouvera la qualité
de l'œuvre de chacun. »

Tu seras appelé (re)constructeur de palissades ou, selon
le reste des interprètes, de « brèche ». *Et tu mettras fin aux
chemins de traverse.* Celui qui obstrue les sentiers de l'erreur
et bloque les brèches de même nature, celui qui de tous

prétation de Théodoret ; de la joie morale il passe aisément à cette
joie « physique » dont témoigne un corps plein de santé. EUSÈBE
(*GCS* 360, 8 ὀστᾶ = τῆς ψυχῆς αἱ δυνάμεις) et CYRILLE (70, 1296 A)
ne retiennent que le sens figuré. CYRILLE, dont on peut voir ici encore
la parenté avec EUSÈBE dans l'interprétation, ajoute que l'Écriture
désigne souvent par le terme « os » les facultés de l'âme (*id.*, 1297 AB
πρακτικαί τινες αὐτῆς δυνάμεις καὶ ἐνέργειαι).

445 ἑαυτὸν τειχίζων καὶ περιφράττων εἰκό(τως οἰκοδόμος)
φραγμῶν ὀνομάζεται.

¹³ Ἐὰν ἀποστρέψῃς ἀπὸ τῶν σαββάτων τὸν πόδα (σ)ου
τοῦ μὴ ποιεῖν (τὰ θελήματά) σου ἐν τῇ ἡμέρᾳ τῇ ἁγίᾳ καὶ
καλέσῃς τὰ σάββατα τρυφερά, ἅγια τοῦ θεοῦ, δ(εδοξασ)μέν(α
450 καὶ δοξάσῃς) αὐτά, οὐκ ἀρεῖς τὸν πόδα σου ἐπ' ἔργῳ σου
οὐδὲ λαλήσεις λόγον ἐν ὀργῇ ἐκ τοῦ στόματός σου |174 a|
¹⁴ καὶ ἔσῃ πεποιθὼς ἐπὶ κύριον. Τὸ φιλόνεικον καὶ ἐριστικὸν
τῆς τῶν Ἰουδαίων γν[ώμης ἐνταῦθα] μανθάνομεν. Ἡνίκα
γὰρ ἔδει φυλάττειν τὸν νόμον, ἀδεῶς τοῦτον παρέβαινον.
455 Καὶ [τοῦτο ἐλέγχει] τῆς προφητείας ὁ λόγος · ὡς γὰρ μὴ
τιμῶσιν ἀργίᾳ τὸ σάββατον τοῦτο κελεύει ποιεῖν. Νῦν [δὲ]
τοῦ νόμου λυθέντος φυλάττειν φιλονεικοῦσι τὸν νόμον,
ὥσπερ διὰ τοῦτο καὶ παραβαίνοντες καὶ φυλάττοντες, ἵνα
παροξύνωσι τὸν θεόν. Τούτου χάριν διὰ μὲν τοῦ Ἰεζεκιὴλ
460 φησιν ὁ θεός · « Ὁ δὲ οἶκος Ἰσραὴλ φιλόνεικοί εἰσιν »,
διὰ δὲ τοῦ Ὡσηέ · « Ἐφραὶμ δάμαλις δεδιδαγμένη ἀγαπᾶν
νεῖκος », τουτέστιν [ἐρι]στική, φιλόνεικος, τὸν ζυγὸν οὐ
δεχομένη. Τρυφερὰ μέντοι καλεῖ τὰ σάββατα ὡς σωματικῶν
πόνων ἀπηλλαγμένα. Διδάσκει δὲ καὶ τῆς ἀργίας τὸν
465 τρόπον · Οὐ λαλήσεις γάρ φησι λόγον ἐν ὀργῇ ἐκ τοῦ
στόματός σου καὶ ἔσῃ πεποιθὼς ἐπὶ κύριον · ὥστε τῇ τῶν
κακῶν ἀργίᾳ τιμᾶσθαι κελεύει τὸ σάββατον, προσ(έχειν)
δὲ τῇ τῶν ἀγαθῶν ἐργασίᾳ.

Οὗ δὴ χάριν καὶ τοῖς ἱερεῦσι διπλάσιον ἐπιτίθησι πόνον ·
470 διπλᾶ γὰρ προσέφερον τὰ θύματα · ἀνάγκη δὲ ἦν καὶ θύειν

C : 463-478 τρυφερά — προστετηκότες

449 καλέσῃς e tx.rec. : καλέσεις K ‖ 470 τὰ K : > C

460 Éz. 3, 7   461 Os. 10, 11   469-470 cf. Ex. 29, 38-42 (?)

---

1. C'est une des accusations traditionnelles de la polémique
anti-juive ; on notera, du reste, la fréquence des verbes ἀντιτείνειν et
ἀντιλέγειν dans cette polémique (cf. Index des mots grecs).

côtés se renforce et s'entoure d'une enceinte, est à juste
titre appelé un constructeur de palissades.

L'observance du sabbat

13. *Si tu détournes ton pied des
sabbats pour ne pas faire les volontés
pendant le jour saint, si tu appelles les
sabbats délicieux, (jours) saints de Dieu (et) glorieux, et
si tu les glorifies, tu ne lèveras pas ton pied pour (accomplir)
ton travail, ta bouche ne prononcera pas de parole sous l'effet
de la colère 14. et tu seras confiant dans le Seigneur.* Nous
apprenons ici la tendance du caractère juif à la contestation
et à la contradiction[1]. Lorsqu'il fallait observer la Loi,
ils la violaient sans crainte. Voilà précisément ce que
dénonce le texte de la prophétie : c'est parce qu'ils
n'honoraient pas le sabbat par (l'observance du) repos qu'il
ordonne de le faire. Mais, aujourd'hui que la Loi a été
abolie, ils rivalisent d'ardeur pour observer la Loi, comme
s'ils la violaient ou l'observaient dans le (seul) but d'irriter
Dieu. Voilà pourquoi Dieu dit par l'intermédiaire d'Ézéchiel : « La maison d'Israël se compose de contestataires »,
et par l'intermédiaire d'Osée : « Éphraïm est une génisse
qui a appris à aimer la contestation », c'est-à-dire qui aime
à contredire, à contester, qui ne supporte pas le joug.
D'autre part, il appelle les sabbats « délicieux », parce qu'ils
sont soustraits aux fatigues corporelles. Il enseigne
également la manière (dont il faut observer) le repos :
« Ta bouche ne prononcera pas de parole sous l'effet de
la colère, dit-il, et tu seras confiant dans le Seigneur » ;
en sorte qu'il ordonne d'honorer le sabbat en mettant
fin aux mauvaises actions, et de s'attacher à l'accomplissement de bonnes actions.

Voilà bien pourquoi il impose même aux prêtres une
tâche double : ils présentaient, en effet, doubles sacrifices[2] ;

2. Le jour du sabbat, les sacrifices quotidiens — holocaustes,
oblations et libations — étaient doublés (voir *Nombr.* 28, 9-10 et
R. DE VAUX, *Les institutions de l'Ancien Testament*, Paris 1960, t. II,
p. 365).

τὰ ἱερεῖα καὶ πλύνειν τὰ κρέα καὶ τῷ βωμῷ προσφέρειν
καὶ πῦρ ἅπτειν καὶ τῷ πυρὶ ὀρέγειν τὴν τῶν ξύλων τροφήν.
Καὶ ἡ ἀνάγνωσις δὲ τῶν θείων λογίων πλεῖον ἐγίγνετο
καὶ ἡ ὑμνῳδία καὶ ἡ προσευχή. Καὶ δι᾿ ἁπάντων δείκνυται
475 ὡς τῶν αἰσθητῶν αὐτοὺς ἀπάγων ὁ νόμος τοῖς πνευματικοῖς
κατὰ τὴν ἡμέραν τῶν σαββάτων προσῆγεν · οὐ γὰρ ἠδύναντο
τοῦτο διηνεκῶς δρᾶν σαρκικώτερον ζῶντες καὶ τῇ τοῦ
σώματος θεραπείᾳ προστετηκότες.
Καὶ ἀναβιβάσ(ει σε) ἐπὶ τὰ ἀγαθὰ τῆς γῆς καὶ ψωμιεῖ σε
480 τὴν εὐλογίαν Ἰακὼβ τοῦ πατρός σου. Καὶ ἡ βεβαίωσις
τῶν [εἰρημένων] · Τὸ γὰρ στόμα κυρίου ἐλάλησε ταῦτα.
Ἀψευδής φησιν ὁ ὑποσχόμενος · δώσει σοι πάντως τῶν
ἀγαθῶν τὴν μ[ετάληψιν], καὶ τῆς προγονικῆς ἀπολαύσῃ
προνοίας.

485 **59¹** Μὴ οὐκ ἰσχύει ἡ χεὶρ κυρίου τοῦ ῥύσασθαι, ἢ ἐβάρυνε
τὸ οὖς (αὐτοῦ) τοῦ μὴ εἰσακοῦσαι ; Τί φησιν ὑπολαμ-
βάνετε ἀσθενῆ με εἶναι ἢ ἀπηνῆ ; Οὐ δύναμαι ἐπαμῦναι
ἢ οὐ [βεβούλ]ημαι ; ² Ἀλλὰ τὰ ἁμαρτήματα ὑμῶν διιστῶσιν
ἀνὰ μέσον ὑμῶν καὶ ἀνὰ μέσον τοῦ θεοῦ, καὶ διὰ τὰς
490 ἁμα(ρτίας) ὑμῶν ἀπέστρεψε τὸ πρόσωπον αὐτοῦ ἀφ᾿
ὑμῶν τοῦ μὴ ἐλεῆσαι. Ὁ παράνομος ὑμῶν βίος [οὐκ
ἐᾷ] τῆς θείας ὑμᾶς ἀπολαῦσαι προνοίας.

Εἶτα τούτου διδάσκει τὰ εἴδη · ³ Αἱ γὰρ χεῖρες ὑμῶν
μεμολυσμέναι (αἵ)ματι, καὶ οἱ δάκτυλοι ὑμῶν ἐν ἁμαρτίαις,
495 τὰ δὲ χείλη ὑμῶν ἐλάλησεν ἀνομίαν, καὶ ἡ γλῶσσα ὑμῶν
ἀδικίαν μελετᾷ. Διὰ πάντων τὰ κατὰ τοῦ σωτῆρος τυρευθέντα
προλέγει. Τοῖς γὰρ χείλεσιν ἐμελέτησαν τὸν ἄδικον φόνον

C : 496-500 διὰ — Πιλάτῳ
476 τῶν σαββάτων C : τοῦ σαββάτου K

---

1. Les prescriptions de la Loi ont donc un but pédagogique (cf. t. I,
SC 276, p. 165, n. 1, à propos des sacrifices) ; comparer avec ce qui
est dit du sabbat dans l'In Psal., 80, 1616 BC.

2. Cf. l'interprétation d'EUSÈBE (GCS 362, 13-23) : « Considère
qu'il ne leur reproche pas dans ce passage leur idôlatrie ni quelque
autre action inique, mais la souillure d'un meurtre ' œuvre de leurs
mains ' et l'iniquité ' œuvre de leur bouche ' ; par là, il a laissé entendre

il leur fallait sacrifier les victimes et nettoyer les viandes, les présenter à l'autel, allumer le feu et apporter au feu du bois pour le nourrir. La lecture de la parole divine se faisait également de manière plus abondante, comme le chant des hymnes et la prière. Et tout cela montre que la Loi les détournait des réalités sensibles pour les conduire aux réalités spirituelles, au jour du sabbat : ils ne pouvaient pas, en effet, agir continuellement ainsi, étant donné qu'ils vivaient de façon trop charnelle et qu'ils étaient entièrement absorbés par les soins qu'ils prenaient du corps[1].

Il te fera atteindre les biens de la terre et il te nourrira de la bénédiction de ton père Jacob. Et (voici) la confirmation de ce qui vient d'être dit : *Car c'est la bouche du Seigneur qui a dit cela.* Celui qui a fait la promesse ne ment pas, dit-il ; il te donnera absolument de prendre part à ses biens, et tu jouiras de la Providence accordée à tes ancêtres.

L'iniquité des Juifs, source de malheurs et d'aveuglement **59, 1.** *La main du Seigneur n'a-t-elle donc pas la force de sauver, ou bien son oreille est-elle (trop) dure pour entendre?* Pourquoi pensez-vous, dit-il, que je suis faible ou insensible ? Ne suis-je pas capable de défendre ou ne l'ai-je pas voulu ? 2. *Mais vos fautes creusent un fossé entre vous et votre Dieu, et à cause de vos péchés il a détourné de vous sa face pour ne (vous) point faire miséricorde.* Votre vie d'iniquité ne vous permet pas de jouir de la Providence divine.

Puis il enseigne les formes que revêt cette vie d'iniquité : 3. *Car vos mains sont souillées de sang et vos doigts (sont remplis) de péchés, vos lèvres ont proféré l'iniquité et votre langue trame l'injustice.* Par tout cela il prédit ce qui a été machiné contre le Sauveur[2]. C'est, en effet, avec les

___

leur révolte contre le Sauveur et leur complot contre les hommes justes... » CYRILLE, de manière voisine, rappelle d'abord que les Juifs ont tué les prophètes envoyés de Dieu et osé parler contre lui, avant de devenir déicides (χυριοκτόνοι) et impurs en s'en prenant au Christ (70, 1305 AB).

— « συμβούλιον » γὰρ φησιν « ἔλαβον, ὅπως αὐτὸν ἀπολέ-
σωσιν » —, ταῖς δὲ χερσὶ συνεπέραναν τὴν βουλήν —
500 συλλαβόντες γὰρ αὐτὸν παρέδωκαν τῷ Πιλάτῳ.
⁴ Οὐθεὶς λαλεῖ δίκαια, οὐδὲ ἔστι χρί(σις) ἀληθινή, πεποί-
θασιν ἐπὶ ματαίοις καὶ λαλοῦσι κενά. Ἔρημοι καὶ δικαιοσύνης καὶ ἀληθείας εἰσὶ καὶ θρασύτητι μόνῃ θαρροῦσι καὶ
ματαίοις πρὸς ἀλλήλους κέχρηνται λόγοις. Ὅτι κύουσι πόνον
505 καὶ τίκτουσιν ἀνομίαν. Κύησιν καλεῖ τοὺς λογισμούς, τόκον
δὲ τὴν πρᾶξιν. Παράνομά φησι λογίζονται καὶ [παρανόμως]
σπουδάζουσιν ἃ παρανόμως λογίζονται. Ἔνια μέντοι τῶν
ἀντιγράφων οὕτως ἔχει · « Ὅτι κύουσι πόνον καὶ τίκτουσι
μάταια. » Κακὰ γὰρ βουλευόμενοι σοὶ ἑαυτοῖς τεκταίνουσιν
510 ὄλεθρον, οὐκ ἀδι[κοῦσι] τὸν ἐπιβουλευόμενον.
⁵ Ὠὰ ἀσπίδων ἔρρηξαν καὶ ἱστὸν ἀράχνης ὑφαίνουσιν.
Τῇ εἰρημένῃ ἐκδόσει καὶ [ταῦτα] συμ[β]αίνει · ᾠοῖς γὰρ
ἀσπίδων ἀπεικάζει τοὺς λογισμούς, ἱστῷ δὲ ἀράχνης τῆς κακίας τὸ ἀ[σθενές]. Καὶ ὁ μέλλων τῶν ᾠῶν αὐτῶν ἐσθίειν συν-
515 τρίψας οὔριον εὗρε, καὶ ἐν αὐτῷ βασιλίσκος. Ὁ γὰρ δ(εσπό-
της) Χριστός, ᾧ τὴν θηριώδη ταύτην ἐπιβουλὴν ἀπεκύησαν,
ἀνεμιαῖον εὗρε καὶ οὔριον τὸ ᾠόν · βλάβην γὰρ ἐκεῖθεν
οὐδεμίαν ἐδέξατο. Δῆλος δὲ ὅμως ὁ τῶν ἐπιβουλευόντων
σκοπός · κατὰ γὰρ τὴν ἐκείνων γ(νώμην |174 b| ὅτι
520 πικρότατον θηρί)ον ὁ βασιλίσκος ἐκ τῶν ᾠῶν ἐξῄει, ἡ
δὲ τοῦ ἐπιβουλευομένου δύνα(μις) καὶ τὸ ᾠὸν συνέτριψε
καὶ οὔριον ἔδειξεν.

C : 502-504 ἔρημοι — λόγοις ‖ 505-507 κύησιν — λογίζονται ‖
515-522 ὁ — ἔδειξεν

506 παράνομα Κ : +γάρ C ‖ 516 ᾧ Κ : > C ‖ ἐπιβουλὴν Κ :
+ἥν C ‖ 518 τῶν ἐπιβουλευόντων Κ : > C ‖ 519 γὰρ Κ : > C ‖ 522
ἔδειξεν Κ : +τουτέστιν ἀσθενῆ τὴν ἐπιβουλήν C

498 Matth. 12, 14

---

1. Pour Eusèbe, πόνος et ἀνομία désignent « les doctrines
(δόγματα) sacrilèges et impies » que chacun forge avec ingéniosité

lèvres qu'ils ont tramé leur meurtre injuste — « Ils tinrent
conseil, est-il dit, afin de le faire périr » —, et c'est avec
les mains qu'ils ont porté leur dessein à son terme : ils
l'arrêtèrent et le livrèrent à Pilate.

4. *Nul ne profère des choses justes et il n'y a pas de
jugement véridique ; ils ont mis leur confiance en des choses
vaines et ils profèrent des paroles futiles.* Ils sont dépourvus
de justice et de vérité, ils ont uniquement confiance en
l'audace et ils échangent entre eux de vaines paroles.
Car ils sont gros de la douleur et enfantent l'iniquité. Il
appelle « grossesse » leurs calculs[1] et « enfantements » la
mise à exécution (de ces calculs). Ils font des calculs
iniques, dit-il, et s'appliquent (à réaliser) de façon inique
leurs calculs iniques. Quelques exemplaires, toutefois,
portent le texte suivant : « Car ils sont gros de la douleur
et enfantent des choses vaines. » De fait, à méditer le mal
contre toi, c'est contre eux-mêmes qu'ils machinent la
mort : ils ne causent aucun dommage à celui qui est
l'objet de leur complot.

5. *Ils ont fait éclore des œufs de vipères et tissent une toile
d'araignée.* Cela aussi s'accorde avec l'explication qui
vient d'être donnée : il compare, en effet, leurs calculs à
des œufs de vipères et à une toile d'araignée, la faiblesse
de leur malice. *Celui qui s'apprête à manger de leurs œufs,
en a cassé un et l'a trouvé séreux ; il contenait un basilic.*
C'est notre Maître le Christ, contre lequel ils avaient
enfanté cette cruelle machination, qui a trouvé leur œuf
plein de vent et séreux : de fait, il n'en a subi aucun
dommage. Néanmoins, le but que poursuivaient les auteurs
de ce complot était évident : le basilic était, à leur senti-
ment, le plus venimeux animal possible à sortir des œufs,
mais la puissance de celui qui était l'objet de leur complot
a brisé l'œuf et a montré qu'il s'agissait d'un œuf séreux.

---

[1] (*GCS* 362, 35-37). De son côté, Cyrille note que l'Écriture a l'habitude d'appeler πόνος l'envie (70, 1305 D).

Τοῦτο καὶ διὰ τῶν ἑξῆς δηλοῖ · ⁶ Ὁ ἱστὸς αὐτῶν (οὐ)κ
ἔσται εἰς ἱμάτιον, οὐδὲ μὴ περιβάλωνται ἀπὸ τῶν ἔργων τῶν
525 χειρῶν αὐτῶν. Καθάπερ γὰρ τὰ ἀραχναῖα ὑφάσματα τὰ
μὲν σμικρότατα θηρεύει ζῴφια, ὑπὸ δὲ τῶν μειζόνων
διασπᾶται (ῥᾳδί)ως, οὕτως καὶ τὰ τούτων μηχανήματα
ὁ ὑπ' αὐτῶν ἐπιβουλευθεὶς εὐπετῶς μάλα διέσπασεν.
(Τὰ γὰρ) ἔργα αὐτῶν ἔργα ἀνομίας, καὶ ἔργον ἄδικον ἐν
530 χερσὶν αὐτῶν. ⁷ Οἱ πόδες αὐτῶν ἐπὶ πονηρίαν τρέχουσι
ταχινοὶ ἐκχέαι αἷμα ἀναίτιον, καὶ οἱ διαλογισμοὶ αὐτῶν
διαλογισμοὶ ἀφρόνων, σύντριμμα καὶ ταλαιπωρία ἐν ταῖς
ὁδοῖς αὐτῶν, ⁸ καὶ ὁδὸν εἰρήνης οὐκ οἴδασιν, οὐκ ἔστι κρίσις
ἐν ταῖς ὁδοῖς αὐτῶν · αἱ γὰρ τρίβοι αὐτῶν διεστραμμέναι ἃς
535 διοδεύουσι, καὶ οὐκ οἴδασιν εἰρήνην. Διὰ πάντων φησὶ παρα-
νομοῦσι τῶν μορίων τοῦ σώματος, διὰ τῶν χειρῶν, διὰ
τῶν ποδῶν, διὰ τῆς γλώττης · ὁ δὲ λογισμὸς πρὸ τούτων
παρανομεῖ, ἐξέπεσε γὰρ εἰς ἀφροσύνην, ὅθεν οὐδὲ τὴν
εἰρήνην παραγενομένην ἐπέγνω.
540 ⁹ Διὰ (τοῦ)το ἀπέστη ἡ κρίσις ἀπ' αὐτῶν, καὶ οὐ μὴ
καταλάβῃ αὐτοὺς δικαιοσύνη. Ἔρημοι γὰρ τῆς θείας (κη)δε-
μονίας ἐγένοντο. Ὑπομεινάντων αὐτῶν φῶς ἐγένετο αὐτοῖς
σκότος, μείναντες αὐγὴν (ἐν ἀ)ωρίᾳ περιεπάτησαν. Εὐημερίαν φησὶ προσμείναντες παρεδόθησαν δυσπραξίᾳ · φῶς
545 γὰρ (ἐντ)αῦθα τὴν εὐημερίαν καλεῖ, τὴν δὲ δυσκληρίαν
σκότος ὀνομάζει. ¹⁰ Ψηλαφήσουσιν ὡς τυφλοὶ (τοῖχ)ον καὶ
ὡς οὐχ ὑπαρχόντων ὀφθαλμῶν ψηλαφήσουσιν. Τούτοις καὶ
τὰ πράγματα μαρτυρεῖ · (ἀναγιν)ώσκοντες γὰρ τὴν θείαν

C : 525-528 καθάπερ — διέσπασεν ǁ 541-542 ἔρημοι — ἐγένοντο
ǁ 543-546 εὐημερίαν — ὀνομάζει ǁ 547-550 τούτοις — τοῦτον

525 ἀραχναῖα K : ἀράχνια C

---

1. De la même manière, CYRILLE met en parallèle la fragilité des
toiles d'araignée et, par voie de conséquence, leur inutilité pour ces

C'est ce qu'il fait voir aussi par la suite du passage :
6. *Leur toile ne deviendra pas un manteau, et ils ne se
vêtiront pas des œuvres de leurs mains.* De même que les
toiles d'araignées capturent les tout petits insectes, tandis
que les gros les déchirent facilement, de même celui qui
a été l'objet de leur complot a lui aussi très aisément
brisé leurs machinations[1]. *Car leurs œuvres sont des œuvres
d'iniquité et une œuvre injuste est dans leurs mains.* 7. *Leurs
pieds courent au mal, pleins de hâte pour répandre le sang
innocent, et leurs projets sont projets de gens insensés, ruine
et misère sont sur leurs routes;* 8. *ils ne connaissent pas la
route de la paix, il n'y a pas de jugement dans leurs routes :
car les chemins qu'ils suivent sont tortueux, et ils ne connaissent pas la paix.* Pour commettre l'iniquité, dit-il, ils se
servent de tous les membres de leur corps — de leurs
mains, de leurs pieds, de leur langue ; mais, avant ces
derniers, c'est leur raison qui commet l'iniquité, car elle
est tombée dans la démence, ce qui l'a même empêchée
de reconnaître la paix qui était survenue.

9. *C'est pourquoi le jugement s'est éloigné d'eux, et la
justice ne les rencontrera pas.* Ils ont, en effet, été privés
de la sollicitude divine. *Alors qu'ils escomptaient la lumière,
ce sont les ténèbres qui sont survenues pour eux; ils attendaient
la clarté et ils ont marché dans l'obscurité.* Alors qu'ils
attendaient la prospérité, dit-il, ils ont été livrés à l'adver-
sité ; car il appelle ici « lumière » la prospérité et donne
au mauvais sort le nom de « ténèbres »[2]. 10. *Ils marcheront
à tâtons comme des aveugles le long d'un mur et, comme s'ils
n'avaient pas d'yeux, ils marcheront à tâtons.* Voilà ce que
confirment aussi les faits ; bien qu'ils lisent la divine

insectes, avec la vanité et l'inutilité des entreprises des Juifs contre
le Christ (70, 1308 CD).
2. Cf. *supra*, p. 217, n. 1.

γραφὴν οὐχ ὁρῶσι τὴν ταύτης ἀλήθειαν καὶ τυφλοῖς ἐοίκασι
550 ψη(λαφῶσι) μὲν τοῖχον οὐχ ὁρῶσι δὲ τοῦτον.
Πεσοῦνται ἐν μεσημβρίᾳ ὡς ἐν μεσονυκτίῳ. Τοῦτο (πάν)-
των ἀνιαρότατον · τοῦ γὰρ ἡλίου τῆς δικαιοσύνης πᾶσαν
τὴν οἰκουμένην φωτίσαντος αὐτοὶ προσ(πταί)ουσι καὶ
καταπίπτουσιν ὡς ἐν μέσῃ νυκτί. Ὡς ἀποθνήσκοντες
555 στενάζουσιν. Οὕτως ἀνιαρὸν [διαπορε]ύσονται βίον ὡς καὶ
τὴν ζωὴν αὐτῶν θανάτῳ προσεοικέναι. ¹¹ Ὡς ἄρκος καὶ
ὡσεὶ περιστερὰ (ἅμα) πορεύσονται, τοῦ μὲν θηρίου τὸ
ὠμοβόρον μιμούμενοι, τῆς δὲ περιστερᾶς τὴν ἀδολεσχίαν ἐν
τοῖς (θρή)νοις δεικνύντες. Διδάσκει δὲ ὁ λόγος καὶ ὃ
560 καθ' ἡμῶν ἔχουσι μῖσος καὶ ἣν περίκεινται ὀδύνην (τὰ)
οἰκεῖα θεωροῦντες κακά.

Εἶτα εἰς ἐξομολόγησιν αὐτοὺς καὶ μεταμέλειαν ὁ φιλάνθρωπος ἐκκαλούμενος διὰ τῆς προφητικῆς γλώττης τὸν τῆς
ἐξομολογήσεως ὑποδείκνυσι τρόπον · Ἀνεμείναμεν κρίσιν,
565 καὶ οὐκ ἔστιν · (σωτηρ)ία μακρὰν ἀφέστηκεν ἀφ' ἡμῶν.
Ἠλπίσαμέν φησι τῆς σῆς ἀπολαύσασθαι προμηθείας καὶ
τῆς ἐλπίδος διημαρτήκαμεν. Καὶ τὴν αἰτίαν διδάσκει ·
¹² Πολλὴ γὰρ ἡμῶν ⟨ἡ ἀνομία ἐναντίον σου, καὶ αἱ ἁμαρτίαι
ἡμῶν ἀντέστησαν ἡμῖν. Οὐ σὺ ἡμῶν⟩ ἡμέλησας, ἀλλ' ὁ
570 παράνομος ἡμῶν βίος τῆς σῆς ἡμᾶς ἐπιμελείας ἐστέρησεν.
Αἱ γὰρ ἀνομίαι ἡμῶν ἐν ἡμῖν, καὶ τὰ ἀδικήματα ἡμῶν
ἔγνωμεν, ¹³ ἠσεβήσαμεν καὶ ἐψευσάμεθα ἐν κυρίῳ καὶ
ἀπέστημεν ἀπ' ὄπισθεν τοῦ θεοῦ ἡμῶν, ἐλαλήσαμεν ἄδικα
καὶ ἠπειθήσαμεν, ἐκύομεν καὶ ἐμελετήσαμεν ἀπὸ καρδίας
575 ἡμῶν λόγους ἀδίκους ¹⁴ καὶ ἀπεστήσαμεν ὀπίσω τὴν κρίσιν,
καὶ ἡ δικαιοσύνη μακρὰν ἀφέστηκεν. [Ταῦτα δὲ] ὁ προφητικὸς διεξέρχεται λόγος, τοὺς ὠφελεῖσθαι βουλομένους

C : 551-554 τοῦτο — νυκτί ‖ 557-561 τοῦ — κακά

553-554 καὶ καταπίπτουσιν K : > C ‖ 558 μιμούμενοι K : > C

---

1. Thème fréquent, dans la polémique anti-juive, de cet
aveuglement des Juifs pour qui les Écritures restent scellées (cf. t. I,
SC 276, Introd., p. 81). Même idée chez Eusèbe (GCS 364, 23-34).

Écriture, ils n'en voient pas la vérité et ils ressemblent à des aveugles qui marchent à tâtons le long d'un mur, mais ne le voient pas[1].

Ils tomberont en plein midi comme en plein milieu de la nuit. Voilà le plus triste de tout : bien que le soleil de la justice ait illuminé le monde entier, ils trébuchent et tombent comme (ils le feraient) en pleine nuit. *Comme des mourants ils gémissent.* Ils passeront une vie si triste que même leur existence ressemble à la mort. 11. *Comme un ours et comme une colombe ils marcheront tout à la fois*, en imitant la férocité du fauve et en montrant dans leurs gémissements la plainte incessante de la colombe. Le texte enseigne donc à la fois la haine qu'ils ont contre nous et la douleur dont ils sont pris, lorsqu'ils contemplent leurs propres malheurs.

Invitation à la pénitence et châtiment salutaire — Puis le (Dieu) de bonté les invite à la pénitence et au repentir par la voix du prophète, et indique le mode de cette pénitence : *Nous avons attendu le jugement et il n'a pas lieu ; le salut s'est grandement éloigné de nous.* Nous avons espéré jouir de ta prévenance, dit-il, et notre espoir a été déçu. Et il en indique la raison : 12. *Car grande est notre iniquité contre toi, et nos péchés se sont élevés contre nous.* Ce n'est pas toi qui ne t'es pas soucié de nous, mais c'est notre vie d'iniquité qui nous a privés de ta sollicitude.

Car nos iniquités sont en nous et nous avons connu nos crimes ; 13. nous avons été impies, nous avons menti au Seigneur et nous nous sommes détournés (loin) de notre Dieu ; nous avons proféré des paroles injustes et nous avons désobéi, nous avons conçu et nous avons prononcé du fond de notre cœur des propos injustes ; 14. nous nous sommes détournés (loin) du jugement, et la justice s'est grandement éloignée (de nous). Le texte prophétique fait cet exposé détaillé pour inviter ceux qui veulent être secourus à

πα[ρακαλῶν τούτοις] τοῖς λόγοις τὸν δεσπότην ἱλεοῦσθαι
ὅτι ἴσμεν ἡμῶν τὰ πλημμελήματα, ἔγνωμεν τὴν ἀσέβειαν,
580 ἐψευσάμεθά σε τὸν δεσπότην ὑποσχόμενοι μὲν φυλάττειν
σου τοὺς νόμους, τούτους δὲ παραβάντες, ἀντιλέγοντές σοι
διετελέσαμεν, ἄδικα φθεγγόμενοι, ἄδικα λογι[ζό]μενοι, τὴν
σὴν οὐ δειμαίνοντες κρίσιν, πόρρω τῆς δικαιοσύνης γινόμενοι.
Εἶτα [μετα]βάλλει τοῦ λόγου τὸ σχῆμα καὶ τούτων αὐτῶν
585 τὴν κατηγορίαν ποιεῖται · |175 a| "Ὅτι κατανάλώθη ἐν ταῖς
ὁδοῖς ἡ ἀλήθεια. Φροῦδός φησιν ἐγένετο, τοῦ ψεύδους αὐτὴν
κατακρύψαντος. Καὶ δι' εὐθείας οὐκ ἠδύναντο ἐλθεῖν. Τὴν
γὰρ ἐναντίαν ὁδεύοντες διετέλεσαν. [15] Καὶ ἡ ἀλήθεια ἦρται,
καὶ μετέστησαν τὴν διάνοιαν τοῦ συνιέναι. Ἔδειξε πῶς
590 ὑπεχώρησεν ἡ [ἀλήθεια] · συνιδεῖν γάρ φησι τὸ δέον οὐκ
ἠβουλήθησαν ἀλλὰ μετέστησαν τὴν διάνοιαν τοῦ συνιέναι
τὸ πρακτ[έον] τε καὶ συμφέρον. Ἐγένετο ἡ ἀλήθεια ἐπιλεί-
πουσα, καὶ ὁ ἐκκλίνων ἀπὸ κακοῦ πολιορκούμενος. [Οὕ]τω
γὰρ πόρρω τῆς ἀληθείας ἐγένοντο ὡς προφανῶς πολεμεῖν
595 τοῖς ἀποστρεφομένοις τὴν πονη[ρίαν καὶ] τὰ ἀγαθὰ αἱρου-
μένοις.
Καὶ εἶδε κύριος, καὶ οὐκ ἤρεσεν αὐτῷ, ὅτι οὐκ ἦν κρίσις,
[16] καὶ εἶδε, (καὶ) οὐκ ἦν ἀνήρ, καὶ κατενόησε, καὶ οὐκ ἦν
ὁ ἀντιληψόμενος. Ἀπαρέσκει γὰρ τῷ δικαίῳ κριτῇ τὰ
600 ἄδικα [ἔργα] οὐδὲ ἄνδρας καλεῖ τοὺς τούτων ἐργάτας ·
« ἄνθρωπος » γὰρ « ἐν τιμῇ ὢν οὐ συνῆκε, παρασυνεβλήθη
τοῖς κτήνεσι τοῖς ἀνοήτοις καὶ ὡμοιώθη αὐτοῖς. » Καὶ
ἠμύνατο αὐτοὺς ἐν τῷ βραχίονι αὐτοῦ καὶ ἐν τῇ ἐλεημοσύνῃ
αὐτοῦ ἐστηρίσατο. Ἀντὶ τῆς ἐλεημοσύνης οἱ Τρεῖς Ἑρμη-
605 νευταὶ « τὴν δικαιοσύνην » τεθείκασιν · δικαίαν αὐτο[ῖς]
φησι τιμωρίαν ἐπήγαγεν. Βραχίονα δὲ τὴν ἐνέργειαν ὀνομάζει.
Καὶ ἡ ἐλεημοσύνη δὲ τὸ χρήσιμον τῆς παιδείας διδάσκει ·
ἐπ' ὠφελείᾳ γὰρ ὁ τῶν ὅλων παιδεύει θεός.

C : 606-608 βραχίονα — θεός
601 Ps. 48, 13.21

1. Cf. *supra*, p. 119, n. 2 ; même remarque chez CYRILLE (70,
1317 D).

apaiser le Seigneur par les paroles suivantes : Nous connais-
sons nos offenses, nous avons reconnu notre impiété, nous
t'avons menti à toi notre Maître, puisque nous avions
promis de garder tes lois et que nous les avons violées ;
nous n'avons cessé de te contredire, de proférer des paroles
injustes, de projeter des choses injustes, de ne pas redouter
ton jugement, de nous tenir loin de la justice.

Il change ensuite la forme de son propos et dresse leur
propre accusation : *Car la vérité a été anéantie sur les routes.*
Elle a disparu, dit-il, parce que le mensonge l'a voilée.
Et ils n'ont pas pu aller sur la voie droite. Ils n'ont pas
cessé, en effet, d'emprunter la route opposée. 15. *La vérité
a été enlevée, et ils ont détourné leur intelligence pour ne pas
comprendre.* Il a montré comment la vérité a cédé le pas :
ils n'ont pas voulu considérer leur devoir, dit-il, mais ils
ont détourné leur intelligence pour ne pas comprendre ce
qu'il fallait faire et ce qui était utile. *La vérité en est venue
à manquer et l'homme qui se détourne du mal, à être assiégé.*
Ils se sont à tel point éloignés de la vérité qu'ils faisaient
ouvertement la guerre à ceux qui se détournaient de la
perversité et qui choisissaient le bien.

*Le Seigneur l'a vu et il lui déplut qu'il n'y eût point de
droiture ;* 16. *il a vu qu'il n'y avait pas d'homme et il a
compris qu'il n'y avait personne pour s'opposer.* Les actions
injustes déplaisent au juste Juge, et il n'appelle pas
« hommes » les auteurs de ces actions ; car « l'homme qui
vit dans la splendeur ne comprend pas, il est comparable
aux bestiaux stupides et leur ressemble. » *Il les a châtiés au
moyen de son bras et, dans sa miséricorde, il les a affermis.*
Au lieu de « miséricorde », les trois interprètes ont écrit
« la justice » ; il a fait venir sur eux, dit-il, un juste
châtiment. Il donne le nom de « bras » à la puissance
agissante (de Dieu)[1]. Quant (au terme de) « miséricorde »,
il enseigne pour sa part le caractère utile de la punition :
c'est en vue de procurer un avantage que le Dieu de
l'univers punit.

¹⁷ Καὶ ἐνεδύσατο δικαιοσύνην ὡς θώρακα καὶ περιέθετο
610 περικεφαλαίαν σωτηρίου ἐπὶ τῆς κεφαλῆς καὶ περιεβάλετο
ἱμάτιον ἐκδικ(ήσεως) καὶ τὸ περιβόλαιον ζήλου ¹⁸ ὡς
ἀνταποδώσων ἀνταπόδοσιν, ὄνειδος τοῖς ὑπεναντίοις αὐτοῦ,
ἅ(μυναν) τοῖς ἐχθροῖς αὐτοῦ. Ὑπέδειξεν ἡμῖν ὁ προφητικὸς
λόγος οἷόν τινα στρατηγὸν κατὰ πολεμίων καθω(πλισ)μένον
615 τὸν τῶν ὅλων θεόν. Τὸ δὲ εἶδος τῶν ὅπλων πνευματικῶς
νοεῖν παρασκευάζει τὰ τροπικῶς εἰρημ(ένα) · τὸν θώρακα
οὐκ ἐκ σιδήρου ἀλλ' ἐκ δικαιοσύνης πεποιημένον ἔδειξε καὶ
τὴν περικεφαλαίαν ὡσ(αύτως) σωτηρίαν ἐκάλεσε καὶ τὸ
ἱμάτιον ἐκδικήσεως καὶ τὸ περιβόλαιον ζήλου, ἀντὶ τοῦ ·
620 δικαίως καὶ (ἐπὶ σωτηρίᾳ) τὴν τιμωρίαν ἐπάξει. Σωτήριος
γὰρ αὐτοῦ καὶ ἡ κόλασις · πλειόνων γὰρ ἁμαρτημάτων
τοὺς ἀ(ναιρουμένους) ἐλευθεροῖ.
Εἶτα μετὰ ἀστερίσκων πρόσκειται · Ταῖς νήσοις ἀπόδομα
ἀποτίσει. Τοὺς γὰρ Ἰουδαίους [κο]λάζων τοῖς ἔθνεσι λοιπὸν
625 τὴν ἐπηγγελμένην εὐλογίαν προσοίσει καὶ ἀποτίσει ὅπερ
τοῖς [πατρι]άρχαις ὑπέσχετο, ὑπέσχετο δὲ ἐν τῷ σπέρματι
αὐτῶν εὐλογήσειν πάντα τὰ ἔθνη. Τοῦτο δὲ καὶ τὰ ἑξῆς
σημαίνει · ¹⁹ Καὶ φοβηθήσονται οἱ ἀπὸ δυσμῶν τὸ ὄνομα
κυρίου καὶ οἱ ἀπὸ ἀνατολῶν ἡλίου τὸ ὄνομα αὐτοῦ τὸ ἔνδο-
630 ξον. Πᾶσαν δεδήλωκε τὴν ὑφ' ἡλίῳ διὰ τῶν ἀνατολῶν καὶ
δυσμῶν. Διὰ τούτου δὲ τῶν ἐθνῶν ἁπάντων τὴν θεογνωσίαν
θεσπίζει. Ἥξει γὰρ ὡς ποταμὸς βίαιος ἡ ὀρ(γὴ παρὰ)
κυρίου, ἥξει μετὰ θυμοῦ. Ὁρῶντες γὰρ οἱ κατὰ πᾶσαν τὴν
οἰκουμένην ἄνθρωποι, οἵας ἔδοσαν Ἰου(δαῖοι) δίκας ὑπὲρ

C : 613-622 ὑπέδειξεν — ἐλευθεροῖ ‖ 630-632 πᾶσαν — θεσπίζει
‖ 633-636 ὁρῶντες — δύναμιν (633-634 οἱ — ἄνθρωποι >)

616 τὸν Κ : +δὲ C ‖ 632 θεσπίζει Κ : ἐθέσπισεν C ‖ 634 ἔδοσαν
Κ : +οἱ C

626-627 cf. Gen. 22, 18 ; 26, 4

1. Rapprocher de *Éphés.* 6, 14-17 ; *I Thess.* 5, 8.

17. *Il s'est revêtu de la justice comme d'une cuirasse et il a placé le casque de salut sur sa tête; il s'est enveloppé du manteau de vengeance et du vêtement de zèle,* 18. *pour exercer en retour son châtiment, opprobre pour ses adversaires, représailles pour ses ennemis.* Le texte prophétique nous a montré le Dieu de l'univers comme un général qui s'est armé contre des ennemis. D'autre part, l'emploi d'un vocabulaire figuré dispose à comprendre de façon spirituelle la nature des armes[1] : il a montré que la cuirasse n'était pas faite de fer, mais de justice ; de la même manière, il a appelé le casque « casque de salut », le manteau « manteau de vengeance » et le vêtement « vêtement de zèle » ; ce qui revient à dire : c'est avec justice et en vue (de procurer) le salut qu'il fera venir sur eux le châtiment. Car même la punition qu'il inflige est salutaire : elle délivre, en effet, de fautes plus nombreuses les hommes qui l'acceptent.

Le salut des nations On trouve ensuite avec des astérisques[2] : *Aux îles il s'acquittera en retour d'une offrande.* En effet, tout en châtiant les Juifs, il présentera alors aux nations la bénédiction qu'il a promis d'accorder, et acquittera ce à quoi il s'est engagé envers les patriarches ; or, il s'est engagé à bénir toutes les nations dans leur descendance. C'est ce que laisse entendre également la suite du passage : 19. *Les gens du couchant craindront le nom du Seigneur et ceux du levant son nom glorieux.* Par « levant » et « couchant » il a fait voir toute la terre qui est sous le soleil. Par là il prophétise la connaissance de Dieu qu'auront toutes les nations. *Car elle viendra comme un fleuve impétueux, la colère du Seigneur, elle viendra avec fureur.* Les hommes du monde entier, à la vue des châtiments qu'ont subis les Juifs, pour prix de

2. Voir t. I, *SC* 276, Introd., p. 43.

635 ὧν κατὰ τοῦ σωτῆρος ἐτόλμησαν, προσκυνήσουσιν εἰκότως
τὸν τὴν θείαν ἐπιδείξαντα δ(ύνα)μιν.

Εἶτα διδάσκει τίνος χάριν ἐπήγαγε τὴν ὀργὴν Ἰουδαίοις ·
²⁰ Καὶ ἥξει ἕνεκεν Σιὼν ὁ (ῥυ)όμενος καὶ ἀποστρέψει ἀσεβείας
ἀπὸ Ἰακώβ, εἶπε κύριος. Πρὸς αὐτοὺς γὰρ πρῶτο(υς ὁ
640 σωτὴρ) παρεγένετο καὶ πρῶτον αὐτῶν ἐβουλήθη τὴν
ἀσέβειαν λῦσαι. Τοῦτο δὲ καὶ αὐτὸς ἔλ(εγεν · « Οὐ)κ
ἀπεστάλην εἰ μὴ εἰς τὰ πρόβατα τὰ ἀπολωλότα οἴκου
Ἰσραήλ.» Καὶ μέντοι καὶ τοὺς ἀποστόλο[υς] πρὸς αὐτοὺς
ἀπέστειλε πρώτους, ἔφη γὰρ πρὸς αὐτούς · « Εἰς ὁδὸν
645 ἐθνῶν μὴ ἀπέλ(θητε καὶ) εἰς πόλιν Σαμαριτῶν μὴ εἰσέλθητε,
πορεύεσθε δὲ μᾶλλον πρὸς τὰ πρόβατα τὰ ἀπ(ολωλότα)
οἴκου Ἰακώβ.»
²¹ Καὶ αὕτη αὐτοῖς ἡ παρ' ἐμοῦ διαθήκη, λέγει κύριος.
Ταῦτα ἐπηγγειλά[μην τε αὐτοῖς καὶ] πεπλήρωκα. Τὸ πνεῦμα
650 τὸ ἐμὸν ὅ ἐστιν ἐπὶ σοὶ καὶ τὰ ῥήματα ἃ δέδωκα εἰς (τὸ
στόμα σου) ⟨οὐ μὴ ἐκλίπῃ ἐκ τοῦ στόματός σου⟩ (καὶ) ἐκ
τοῦ στόματος τοῦ σπέρματός σου, εἶπε κύριος, ἀπὸ τοῦ νῦν
καὶ εἰς τὸν αἰῶνα. [Στόμα μὲν ἐνταῦθα] τὸ ἀποστολικὸν
καλεῖ, σπέρμα δὲ ἀποστόλων τῆς ἐκ⟨είνων⟩ διδασκαλίας
655 τοὺς διδασκ[άλους]. Ὑπι]σχνεῖται τοίνυν τὴν χάριν τοῦ
πνεύματος τοῖς εἰς αὐτὸν πεπιστ[ευκόσι] ....
.... |175 b| .... [μέχ]ρι τῆς τοῦ παρόντος αἰῶνος
συντελείας τοῖς θείοις λόγοις ἐπεντρυφᾶν.

Ταύτης τοίνυν [τῆς χάριτο]ς καὶ ἡμεῖς ἀπολαύοντες τὸν
660 ταύτης χορηγὸν ἀνυμνήσωμεν ᾧ πρέπει δόξα εἰς [τοὺς]
αἰῶνας τῶν αἰώνων. Ἀμήν.

C : 639-643 πρὸς — Ἰσραήλ
641 Matth. 15, 24   644 Matth. 10 5-6

l'audace dont ils ont fait preuve contre le Sauveur, adoreront à juste titre celui qui a donné la preuve de la puissance
divine.

Il indique ensuite la raison pour laquelle il a fait venir
sa colère sur les Juifs : 20. *Il viendra à cause de Sion le*
rédempteur et il éloignera les impiétés de Jacob, dit le
Seigneur. C'est vers eux en priorité qu'est venu le Sauveur
et ce sont eux en priorité qu'il a voulu délivrer de l'impiété.
C'est ce qu'il disait également en personne[1] : « Je n'ai été
envoyé que pour les brebis perdues de la maison d'Israël. »
Et même, c'est vers eux en priorité qu'il a également
envoyé les apôtres, car il leur a dit : « Ne vous en allez
pas sur la route des nations et n'entrez pas dans une ville
des Samaritains, marchez plutôt vers les brebis perdues
de la maison de Jacob. »

21. *Et voici mon alliance avec eux, dit le Seigneur.* Voici
ce que je leur ai promis et ce que j'ai accompli. *Mon*
esprit qui est sur toi et les paroles que j'ai mises dans ta
bouche ne quitteront pas ta bouche ni la bouche de ta descen-
dance, dit le Seigneur, dès maintenant et pour l'éternité.
Il appelle « bouche » ici la bouche des apôtres, et « descendance » des apôtres ceux qui professent leur doctrine.
Il promet donc la grâce de l'Esprit à ceux qui ont cru en
lui, (et il affirme qu'ils ne cesseront dès maintenant ?)
jusqu'à la consommation du siècle présent de faire leurs
délices des paroles de Dieu.

Parénèse   Puisque nous jouissons nous aussi
de cette grâce, célébrons donc dans
nos hymnes celui qui en est le dispensateur. C'est à lui
que convient la gloire pour les siècles des siècles. Amen.

---

1. Eusèbe (*GCS* 368, 1) et Cyrille (70, 1320 C) font tous deux la
même citation.

60[1] Φωτίζου φωτίζου Ἱερουσαλήμ · ἥκει γάρ σου τὸ φῶς,
(καὶ) ἡ δόξα κυρίου ἐπὶ σὲ ἀνατέταλκεν. Θαυμαζόντων
ποτὲ τῶν ἱερῶν ἀποστόλων τῶν τοῦ ναοῦ λίθων τὸ μέ[γεθος]
5 εἶπεν ὁ κύριος · « Οὐ μὴ μείνῃ ὧδε λίθος ἐπὶ λίθον ὃς οὐ
μὴ καταλυθῇ. » Ἐρομένων πάλιν ἐκείνων · « Πότε (ταῦτα
ἔ)σται, καὶ τί τὸ σημεῖον τῆς σῆς παρουσίας ; » Τὰ δύο
κατὰ ταὐτὸν ὁ δεσπότης διδάσκει, οὐ κατὰ δι[αίρεσι]ν λέγων
ἀλλ' ἀμφότερα προλέγων ὁμοῦ, τά τε περὶ τῆς Ἰουδαϊκῆς
10 τά τε περὶ τῆς καθόλου πολιτείας. [Δια]κρίνουσι δὲ ὅμως
οἱ ν‹ο›ῦν ἔχοντες καὶ γινώσκουσι, τίνα μὲν ἁρμόττει τῷ
τέλει τῆς Ἰουδαίων [λ]ατρείας, τίνα δὲ τῇ συντελείᾳ τοῦ
κόσμου.

Οὕτω κἀνταῦθα τρεῖς ἔχει κατὰ ταὐτὸν ὑποθέσεις ἡ
15 πρόρρησις · προθεσπίζει γὰρ ὡς μὲν ἐν σκιογραφίᾳ τὴν
ἐπὶ Κύρου καὶ Δαρείου γεγενημένην τῆς Ἱερουσαλὴμ
οἰκοδομίαν · ὡς ἐν εἰκόνι δὲ ἐκ πλειόνων γεγραμμένη
χρωμάτων καὶ τῆς ἀληθείας ἀκριβεστέρους δείκνυσι τοὺς
τύπους, τὴν τῆς ἁγίας ἐκκλησίας λαμπρότητα · προδηλοῖ

---

5 Matth. 24, 2   6 Matth. 24, 3

---

1. Ce passage montre bien que Théodoret applique la même
méthode de lecture au N.T. et à l'A.T. : le Christ, comme les prophètes, peut annoncer simultanément (κατὰ ταὐτόν), conjointement
(ὁμοῦ), deux événements destinés à se réaliser à deux époques différentes ; comme la séparation des deux faits dans le temps n'est pas
notée (οὐ κατὰ διαίρεσιν), il appartient donc à l'exégète d'opérer la
distinction et de voir comment l'un préfigure l'autre : c'est l'interprétation typologique dont Théodoret souligne ici en quelque sorte

60, 1. *Sois illuminée, sois illuminée,*
Les divers plans *Jérusalem : car elle est venue ta lumière*
de la prophétie *et la gloire du Seigneur s'est levée sur*
toi. Un jour où les saints apôtres admiraient la grande
taille des pierres du Temple, le Seigneur déclara : « Il ne
restera pas ici pierre sur pierre : tout sera détruit. » Comme
ils posaient en retour cette question : « Quand cela aura-t-il
lieu et quel sera le signe de ton avènement ? », le Maître
enseigne simultanément ces deux points, sans opérer de
distinction dans ses propos, mais en prédisant l'un et
l'autre conjointement, les événements relatifs au sort de
la Judée et ceux, relatifs au sort de l'univers. Néanmoins,
les esprits avisés savent distinguer et reconnaître ce qui,
d'une part, s'applique à la fin du culte juif, de l'autre,
à la consommation du monde[1].

De même, ici encore, la prédiction comporte simultanément trois sujets : elle prophétise, comme dans une
esquisse, la reconstruction de Jérusalem, qui eut lieu sous
Cyrus et sous Darius ; puis, comme dans une peinture
que rehausse un assez grand nombre de couleurs, elle
montre aussi les contours plus exacts de la vérité, la
splendeur de la sainte Église ; néanmoins, elle fait égale-

le bien-fondé, puisque le Christ, à deux questions différentes — la
date de la ruine du Temple et celle de la Parousie — ne fait qu'une
seule réponse. Un même oracle prophétique peut donc être lui aussi
susceptible de plusieurs réalisations successives, étant bien entendu
qu'une seule rend compte pleinement de la prophétie, les autres
n'étant que les figures de cette réalité ultime qui les dépasse toutes.

20 δὲ ὅμως καὶ αὐτὸ τὸ τῆς εἰκόνος [ἀρ]χέτυπον, τοῦτο δέ
ἐστιν ὁ μέλλων βίος καὶ ἡ ἐν οὐρανοῖς πολιτεία. Ταύτην
δὲ τὴν διαίρεσιν καὶ ὁ θεῖος [ἡμ]ᾶ[ς] ἐδίδαξε Παῦλος ·
« Σκιὰν γάρ » φησιν « ἔχων ὁ νόμος τῶν μελλόντων καὶ
οὐκ αὐτὴν τὴν εἰκόνα τῶν πρα(γμά)των.» Καὶ καλεῖ
25 πράγματα μὲν μέλλοντα τὸν ἀθάνατον ἐκεῖνον καὶ ἄλυπον
βίον, τὴν ἀγήρω ζωὴν φροντίδος ἀπηλλαγμένην · εἰκόνα δὲ
πραγμάτων τὴν ἐκκλησιαστικὴν πολιτείαν τὴν κατὰ τόνδε
τὸν βίον ὡς οἷόν τε μιμουμένην τὰ μέλλοντα · σκιὰν δὲ
τὸν νόμον ταύτης ἀμυδρότερον ταῦτα διδάσκοντα. [Καὶ]
30 γὰρ οἱ ζωγράφοι ἔχουσι μὲν τὸ ἀρχέτυπον οὗ κατὰ μίμησιν
γράφουσι, σκιαγραφοῦσι δὲ πρότερον, [εἶτα] περιβάλλουσι
τὰ χρώματα τῇ σκιᾷ. Εἰ δὲ ἀντιτείνουσιν Ἰουδαῖοι εἰς
ἑαυτοὺς ἕλκειν πᾶσαν [τὴν] προφητείαν πειρώμενοι, δι᾽ αὐτῆς
αὐτοὺς σὺν θεῷ φάναι τῆς προφητείας ψευδομένους ἐλέγξομεν.
35 [Ταῦ]τα τοίνυν τὰ προειρημένα ῥητὰ ἁρμόττει μὲν οὕτω
πως καὶ τῇ παλαιᾷ Ἱερουσαλὴμ παρ᾽ ἐλπίδα πᾶσαν [δε]ξα-
μένη τὴν προτέραν λαμπρότητα · ἁρμόττει δὲ διαφερόντως
τῇ τοῦ θεοῦ ἐκκλησίᾳ τῆς θεογνωσίας δεξα[μέ]νη τὸ φῶς
καὶ τοῦ σωτῆρος τὴν δόξαν περικειμένη.
40   ² Ὅτι ἰδοὺ σκότος καλύψει γῆν, καὶ γνόφος ἐπ᾽ ἔθνη ·
(ἐπὶ) δὲ σὲ φανήσεται κύριος, καὶ ἡ δόξα αὐτοῦ ἐπὶ σὲ

---

31 σκιαγραφοῦσι Kᶜᵒʳʳ : σκιογραφοῦσι K*
23 Hébr. 10, 1

---

1. Ce développement, assez inhabituel par sa longueur chez
Théodoret, définit avec clarté l'interprétation typologique : la
référence à S. Paul (*Hébr.* 10, 1) en montre le bien-fondé et la comparaison empruntée à l'art pictural fait entendre de manière très concrète
les notions de « type » et d'« antitype ». En outre, la plupart des
interprétations typologiques ne distinguent que deux réalisations
successives de la prophétie et non trois comme ici, où l'on a en quelque
sorte un double typisme : d'un côté la reconstruction de Jérusalem
comme figure de l'Église et, de l'autre, l'Église comme figure de la

ment voir par avance l'original même de la peinture, c'est-à-dire l'existence future et la cité céleste. Cette distinction, le divin Paul nous l'a, à son tour, enseignée : « La Loi avait, en effet, l'ombre des réalités à venir, dit-il, et non l'image même de ces réalités. » Or, il appelle d'une part « réalités à venir » cette vie immortelle et exempte de chagrin, cette existence sans vieillesse et libre de tout souci ; (il appelle) d'autre part « image des réalités » l'organisation de l'Église qui, durant la vie présente, imite autant qu'il est possible les réalités à venir ; (il appelle enfin) « ombre », la Loi qui les enseigne de façon plus voilée que ne le fait l'Église. Et de fait, les peintres ont sous les yeux l'original qu'ils imitent pour faire leur peinture : ils font en premier lieu une esquisse, puis ils revêtent l'esquisse de couleurs. Si toutefois les Juifs s'opposent (à cette interprétation) et tentent de tirer à eux toute la prophétie, c'est la prophétie même qui me permettra, avec l'aide de Dieu, de les convaincre de mensonge. Les termes de cette prédiction s'appliquent donc ainsi, en quelque manière, également à l'ancienne Jérusalem qui, contre tout espoir, a reçu la splendeur d'autrefois ; mais ils s'appliquent particulièrement à l'Église de Dieu qui a reçu la lumière de la connaissance divine et qu'entoure la gloire du Sauveur[1].

2. *Car voici que les ténèbres recouvriront la terre et que l'obscurité (s'étendra) sur les nations ; mais sur toi se manifestera le Seigneur et sa gloire se manifestera sur toi.*

cité céleste. Cela confère au passage une valeur exemplaire évidente. Eusèbe, pour sa part, entend d'abord le verset de la première venue du Christ parmi le peuple juif, désigné ici par « Jérusalem » (*GCS* 368, 26 s.), puis de la Parousie, à la fin du monde (*id.*, 369, 26-34). Quant à Cyrille, il applique directement la prophétie au Christ « lumière » qui illumine ceux qui sont prompts à accueillir la splendeur de la connaissance de Dieu, le Fils en qui on contemple la « gloire » du Père (70, 1321 C).

φανήσεται. Καὶ τοῦτο ὡσαύτως διπλῆν ἔχει ἔννοιαν. (Κατέ)-
λυσε μὲν γὰρ τὴν Βαβυλωνίων δυναστείαν καὶ οἷόν τινι
σκότῳ τῇ πολιορκίᾳ καὶ τῇ δουλείᾳ (παρέ)δωκεν, ἐν δὲ
45 τοῖς κατὰ τὴν Ἱερουσαλὴμ τὴν οἰκείαν δύναμιν ἔδειξεν
ἀνεγείρας αὐτὴν καὶ περίβλε(πτον) ἀποφήνας. Ταὐτὸ δὲ
τοῦτο καὶ ἐπὶ τῆς ἁγίας αὐτοῦ πεποίηκεν ἐκκλησίας ·
αἰσχύνη μὲν γὰρ (καὶ σκότῳ) παρέδωκε τοὺς διώκοντας,
αὐτὴν δὲ περίβλεπτον ἀπειργάσατο. Καὶ παρὰ πάντων (τὸ
50 ἄμαχον) αὐτοῦ κηρύττεται τῆς δυνάμεως.
   [3] **Καὶ πορεύσονται βασιλεῖς τῷ φωτί σου καὶ ἔθνη τῇ
λαμπρότητι τῆς (ἀνατολῆς σ)ου.** Εἰπάτωσαν Ἰουδαῖοι ποῖοι
βασιλεῖς τὴν κατὰ νόμον λατρείαν ἠσπάσαντο, ποῖα δὲ
ἔθνη δι' (αὐτῶν ἐπ)οδηγήθη πρὸς τὸν τῶν ὅλων θεόν.
55 Ἀλλ' ἐκεῖνοι μὲν οὐκ ἂν δείξαιεν, παρ' ἡμῖν δὲ ὁρᾶται τῆς
προ(φητείας τὸ) τέλος · τῆς γὰρ ἁγίας τοῦ θεοῦ ἐκκλησίας
τὸ φῶς καὶ τὰ ἔθνη κατηύγασε καὶ βασιλεῖς πρὸς (τὴν
ἀλήθειαν) ἐποδήγησεν.
   [4] **Ἄρον κύκλῳ τοὺς ὀφθαλμούς σου καὶ ἴδε συνηγμένα
60 πάντα τὰ τέκνα σου · (ἥκασι) πάντες ⟨οἱ⟩ υἱοί σου μακρόθεν.
Καὶ αἱ θυγατέρες σου ἐπ' ὤμων ἀρθήσονται.** Οὐδὲ τοῦτο
κατ' ἀκρί(βει)αν τοῖς Ἰουδαίοις ἁρμόττει · οὐδὲ γὰρ ἅπαντες
ἐπανῆλθον οἱ γενόμενοι δορυάλωτοι ἀλλ' οἱ ἐκ τῆς τοῦ Ἰούδα
φυλῆς καὶ οὐδὲ οὗτοι πάντες ἀλλ' ὅσοι τῆς προγονικῆς εὐσε-
65 βείας ἀντείχοντο · μεμενήκασι γὰρ οἱ μὲν τὴν παρ' Ἀσσυρίοις
διαγωγὴν ἀσπασάμενοι, οἱ δὲ τῆς Αἰγύπτου τὴν οἴκησιν

C : 42-50 καὶ — δυνάμεως ‖ 52-58 εἰπάτωσαν — ἐποδήγησεν ‖
61-67 οὐδὲ — ἔθνη

52 Ἰουδαῖοι K : οἱ Ἰουδαῖοι C ‖ 56 ἁγίας K : > C ‖ 62 ἅπαντες
K : πάντες C

---

1. C'est de cette manière que Théodoret désigne à plusieurs
reprises l'interprétation typologique (cf. *In Is.*, 7, 185-186.760 et
In Ez., 81, 1156 B ; 1164 B), expression certes un peu ambiguë prise
isolément, car elle pourrait laisser entendre que Théodoret reconnaît
l'existence de deux sens littéraux à la prophétie, alors qu'il veut

Cela aussi, de la même manière, a une double signification[1].
Il a, en effet, mis fin à la domination des Babyloniens
et (les) a livrés, en guise de ténèbres, au siège de leur cité
et à l'esclavage, tandis que, dans le cas de Jérusalem,
il a montré sa propre puissance en réveillant cette ville
et en la rendant illustre. Mais il a également accompli
cette même action au sujet de sa sainte Église : il a livré
à la honte et aux ténèbres ses persécuteurs, tandis qu'il
l'a rendue illustre[2]. Ainsi tous proclament le caractère
invincible de sa puissance.

3. *Des rois avanceront dans la lumière et des nations dans
la splendeur de ton lever.* Que les Juifs disent[3] quels rois
ont embrassé le culte selon la Loi, quelles nations ont
été guidées grâce à eux vers le Dieu de l'univers. Mais ils
ne sauraient le montrer, tandis que l'on voit chez nous
l'accomplissement de la prophétie : la lumière de la sainte
Église de Dieu a, en effet, illuminé les nations et guidé
les rois vers la vérité.

4. *Lève autour de toi les yeux et vois tous tes enfants
rassemblés : tous tes fils sont arrivés de loin et tes filles seront
portées sur les épaules.* Cela non plus ne s'applique pas
exactement aux Juifs : car ils ne sont même pas tous
revenus, ceux qui avaient été faits prisonniers, mais (seuls)
les membres de la tribu de Juda, et même non pas tous
ces derniers, mais tous ceux qui étaient attachés à la piété
ancestrale ; parmi ceux qui sont restés (à l'étranger),
les uns ont embrassé le mode de vie des Assyriens, les
autres ont préféré habiter en Égypte, d'autres se sont

---

manifestemment dire — l'adverbe ὡσαύτως qui renvoie au développement précédent le prouve — que la prédiction s'est vérifiée à deux
reprises : la première fois dans l'histoire de l'A.T. et la seconde dans
l'histoire de l'Église (cf. A. VACCARI, « La Θεωρία... », *op. cit.*).

2. Thème habituel chez Théodoret du triomphe de l'Église, cf.
t. I, SC 276, Introd., p. 65 ; rapprocher de *Thérap.* IX, 28-29.

3. Sur cette polémique anti-juive, cf. *supra*, 14, 241-249.288-299 ;
17, 426-430 et t. I, SC 276, Introd., p. 84.

προελόμενοι, οἱ δὲ εἰς ἄπαντα διεσπαρμένοι τὰ ἔθνη. ˊΗ
δὲ τοῦ θεοῦ ἐκκλησία ἐκ τῶν ἐθνῶν ἁπάντων συλλέγει τὰ
τέκνα · καὶ ἔστιν ἰδεῖν ἐξ ἁπάσης τῆς οἰκουμένης εἰς τὴν
70 τῶν ˊΙεροσολύμων συντρέχοντας |176 a| πόλιν, οὐχ ἵνα ἐν
τῷ ˊΙουδαίων ναῷ τὸν θεὸν προσκυνήσωσιν ἀλλ᾽ ἵνα τοῦ
σταυροῦ καὶ τῆς ἀναστάσεως καὶ τῆς ἀναλήψεως τοὺς
πολυθρυλήτους ἴδωσι τόπους.

⁵Τότε ὄψῃ καὶ χαρήσῃ καὶ φοβηθήσῃ καὶ ἐκστήσῃ τῇ
75 καρδίᾳ, ὅτι μεταβαλεῖ εἰς σὲ πλοῦτος θαλάσσης καὶ ἐθνῶν
καὶ λαῶν. Οὐδὲ τοῦτο τοῖς ˊΙουδαίοις ἁρμόττει · ποίων γὰρ
αὐτ(οῖς) ἐθνῶν καὶ λαῶν προσηνέχθη πλοῦτος ; ˊΗ δὲ τοῦ
θεοῦ ἐκκλησία τὰ πάλαι τοῖς δαίμοσι προσφερόμενα δέχεται,
(καὶ) ἡ πάλαι πικρὰ τῶν ἐθνῶν θάλασσα τῷ ξύλῳ τοῦ
80 σωτηρίου σταυροῦ γλυκανθεῖσα καὶ τὴν παράδοξον δεξ(α-
μένη) μεταβολὴν τῇ τοῦ θεοῦ ἐκκλησίᾳ προσφέρει τὰ δῶρα,
διαφερόντως δὲ εἰς τὴν ˊΙεροσολύμων ταῦτα προσφέρουσι
πόλιν ἐκ πάσης γῆς καὶ θαλάττης συντρέχοντες.

Καὶ ἥξουσιν ⁶ ἀγέλαι καμήλων, καὶ καλύψουσί σε κάμηλοι
85 Μαδιὰμ καὶ Γηφά, πάντες ἐκ Σαβὰ ἥξουσι φέροντες χρυσίον,
καὶ λίβανον οἴσουσί σοι, καὶ τὸ σωτήριον παρὰ κυρίου
εὐαγγελιοῦνται, ⁷ καὶ πάντα τὰ πρόβατα Κηδὰρ συναχθήσεταί
σοι, καὶ κριοὶ Ναβεὼθ ἥξουσί σοι, κ(αὶ) ἀνενεχθήσεταί σοι
δῶρα δεκτὰ ἐπὶ τὸ θυσιαστήριόν μου, καὶ ὁ οἶκος τῆς
90 προσευχῆς μου δοξασθήσεται. Μαδιὰμ καὶ Κηδὰρ καὶ Γεφὰ

C : 76-83 οὐδὲ — συντρέχοντες
76 ποίων C : ποῖος K

---

1. CHRYSOSTOME (M., p. 439, l. 2-6) entend le verset du retour
d'exil, mais signale que plusieurs interprètes (nonnulli) l'entendent
de l'Église et tous les autres (caeteri), de la résurrection. Pour
CYRILLE (70, 1325 B), il s'agit de l'Église rassemblée de toute nation
et de toute région de l'univers.

2. Nouvelle allusion aux pèlerinages chrétiens à Jérusalem, cf.
t. I, SC 276, Introd., p. 66, n. 2 et In Psal., 80, 1561 B.

3. Sur l'utilisation de ce symbolisme, cf. t. II, SC 295, p. 221,

dispersés à travers toutes les nations. L'Église de Dieu, au contraire, c'est de toutes les nations qu'elle rassemble ses enfants[1] : il est même possible de les voir accourir du monde entier vers la ville de Jérusalem, non pour adorer Dieu dans le Temple des Juifs, mais pour voir les lieux fameux de la crucifixion, de la résurrection et de l'ascension[2].

L'Église universellement reconnue

5. *Alors tu verras et tu seras dans la joie, tu seras effrayée et troublée dans ton cœur, parce que passeront en toi la richesse de la mer, celle des nations et des peuples.* Cela non plus ne s'applique pas aux Juifs : quelles sont, en effet, les nations et les peuples dont la richesse leur a été apportée ? L'Église de Dieu, au contraire, reçoit les offrandes que l'on présentait jadis aux démons, et la mer, jadis pleine d'amertume, que forment les nations, depuis qu'elle a été adoucie par le bois de la croix du Sauveur[3] et qu'elle a subi cet extraordinaire changement, offre à l'Église de Dieu ses présents ; c'est particulièrement dans la ville de Jérusalem qu'on vient les offrir en accourant de tous les points de la terre et de la mer.

Et viendront 6. des troupeaux de chameaux et ils te couvriront, les chameaux de Madian et de Gépha; tous viendront de Saba en apportant de l'or, ils t'apporteront de l'encens et ils annonceront la bonne nouvelle du salut qui vient du Seigneur; 7. tous les troupeaux de Kédar se rassembleront pour toi et les béliers de Nabeoth viendront pour toi; ils te seront offerts pour servir de présents agréés sur mon autel, et la maison de ma prière sera glorifiée. Madian, Kédar et Gépha sont des nations de barbares

---

n. 2 ; voir encore *In Psal.*, 80, 1628 A et *Quaestiones in Ex. XXVI* (N. Fernandez-Marcos - A. Saens-Balillos, *Theodoreti Cyrensis Quaestiones in Octateuchum*, Madrid 1979, p. 122). Cyrille rapporte lui aussi le verset à la foule des nations appelée à reconnaître la vérité (70, 1328 CD).

ἔθνη ἐστὶ βαρβάρων νομάδων ἐκ τοῦ Ἰσμαὴλ καταγόντων
τὸ γένος, [Σαβὰ] δὲ φῦλόν ἐστιν Αἰθιοπικόν. Διδάσκει δὲ
καὶ ὁ κύριος ἐν τοῖς ἱεροῖς εὐαγγελίοις · ἦν γὰρ τῶν
Βασιλειῶν ἡ ἱστο[ρία] βασίλισσα<ν> ὀνομάζει Σαβά, ταύτην
95 ὁ κύριος βασίλισσαν Αἰθιόπων καλεῖ, φησὶ δὲ οὕτως ·
« Βασίλισσα Αἰθιόπων ἀναστήσεται καὶ κατακρινεῖ τὴν
γενεὰν ταύτην · ὅτι ἦλθεν ἐκ τῶν περάτων τῆς γῆς ἀκοῦσαι
τῆς σοφίας Σολομῶντος, καὶ ἰδοὺ πλεῖον Σολομῶντος
ὧδε. » Ἐκ τούτων ἦν καὶ ὁ εὐνοῦχος [ὃν ὁ] Φίλιππος
100 μυσταγωγήσας ἐβάπτισεν.

Ταῦτα δὲ καὶ ὁ θεσπέσιος εἶπε Δαυὶδ τοῦ κυρίου προλέγων
τὴν ἐνα[νθρώπησιν]. Εἰρηκὼς γάρ · « Καταβήσεται ὡς
ὑετὸς ἐπὶ πόκον καὶ ὡσεὶ σταγόνες στάζουσαι ἐπὶ τὴν γῆν,
ἀνατελεῖ ἐν ταῖς ἡμέραις αὐτοῦ δικαιοσύνη » ἐπάγει ·
105 « Καὶ κατακυριεύσει ἀπὸ θαλάσσης ἕως θαλάσσης καὶ ἀπὸ
ποταμῶν ἕως τῶν περάτων τῆς οἰκουμένης. Ἐνώπιον αὐτοῦ
προπεσοῦνται Αἰθίοπες, καὶ οἱ ἐχθροὶ αὐτοῦ χοῦν λεί(ξουσι),
βασιλεῖς Θαρσὶς καὶ νῆσοι δῶρα προσοίσουσι, βασιλεῖς
Ἀράβων καὶ Σαβὰ δῶρα (προσά)ξουσι, καὶ προσκυνήσουσιν

93-94 τῶν βασιλειῶν ἡ ἱστορία Mö. : τῶν βασιλειῶν ἡ ἱστορία
τῶν βασιλειῶν K

93-94 cf. III Rois 10, 1   96 Matth. 12, 42   99-100 cf. Act.
8, 26-39   102 Ps. 71, 6-7   105 Ps. 71, 8-11

1. Sur Kédar, cf. In Is., 6, 596-597 ; 12, 620-621 et infra, 19, 111 ;
voir aussi In Psal., 80, 1877 A ; In Jer., 81, 505 D ; 733 D. Les
renseignements donnés par Théodoret sont presque toujours les
mêmes, mais se complètent à l'occasion : les descendants de ce
deuxième fils d'Ismaël ont eu pour capitale Pétra et habitent encore à
l'époque de Théodoret non loin de la ville de Babylone, dans le désert ;
ce sont des nomades appelés aussi « Arabes » ou « Saracènes », nom
qu'ils devraient, selon Théodoret (In Jer., 81, 733 D-736 A), au fait
d'habiter sous des tentes (σκηνή/Σαρακηνοί). En outre, c'est sous le
nom général d'« Arabes » que Théodoret désigne plus bas les divers
peuples nommés ici avec Kédar. CYRILLE se contente de dire à cet

nomades qui font descendre leur race d'Ismaël[1] ; quant à
« Saba », c'est une tribu d'Éthiopie[2]. C'est ce qu'enseigne
également le Seigneur dans les saints Évangiles : celle que
l'histoire des Règnes nomme la reine de Saba, le Seigneur
l'appelle « reine d'Éthiopie » et il fait la déclaration
suivante : « La reine d'Éthiopie se lèvera et condamnera
cette génération ; parce qu'elle est venue des extrémités
de la terre pour écouter la sagesse de Salomon, et voici
qu'il y a ici plus que Salomon. » C'est de cette nation que
faisait également partie l'eunuque que Philippe a instruit
des mystères, puis baptisé.

Et voici les paroles de David l'inspiré prédisant l'incarnation du Seigneur. Après avoir dit : « Il descendra comme
la pluie sur une toison et comme des gouttes d'eau qui
tombent sur la terre ; en ses jours fleurira la justice »,
il ajoute : « Et il exercera sa souveraineté depuis la mer
jusqu'à la mer, et depuis les fleuves jusqu'aux extrémités
du monde. Devant lui se prosterneront les Éthiopiens, et
ses ennemis lécheront la poussière, les rois de Tharsis et
les îles lui offriront des présents, les rois d'Arabie et ceux
de Saba lui apporteront des présents, et se prosterneront

---

endroit que Madian et Gépha sont des nations voisines de Jérusalem,
des gens impudents, incirconcis et idolâtres (70, 1329 A), que Kédar et
Nabeoth sont des régions riches en pâturages, pourvues de nombreux
habitants, mais idolâtres et dans l'erreur (*ibid.*, C). Eusèbe (*GCS*
373, 23-24) présente Kédar comme une région proche du désert
habitée par des barbares appelés Sarrasins.

2. Cf. *In Is.*, 13, 89-91 ; *In Psal.*, 80, 1436 A ; voir aussi J. Ziegler,
Eusebius Jesajakommentar, Introd., p. xlix où le commentaire de
Théodoret est rapproché de ceux d'Eusèbe, de Procope et de Jérôme
pour prouver que, si Théodoret emprunte à ses devanciers, c'est
toujours librement. Pour Cyrille, « Saba » désignerait la région située
au-delà du pays des Arabes (cf. Eusèbe *GCS* 372, 28) et proche de la
mer Rouge, région riche en encens, en or et en pierres indiennes (70,
1329 B) ; rapprocher de *In Psal.*, 80, 1347 A où Théodoret note que
tous les autres interprètes donnent « Saba » au lieu d'« Arabie » que
porte son texte (*Ps.* 71, 15).

110 αὐτῷ πάντες οἱ βασιλεῖς τῆς γῆς, πάντα τὰ ἔθνη δουλεύ-
σου(σιν αὐ)τῷ. » Ἄραβες δὲ καλοῦνται καὶ οἱ τοῦ Κηδὰρ
καὶ οἱ τοῦ Μαδιὰμ καὶ Γεφὰ καὶ Ναβεώθ, [οἳ τῆς] Ἀραβίας
οἰκοῦσι τὰ ἔρημα · ἐπὶ καμήλων δὲ οὗτοι καὶ δρομάδων
ὀχοῦνται. Καὶ μέντοι καὶ [δῶρα προσ]φέρειν ἐκ τούτων
115 εἰώθασι τῷ τῶν ὅλων θεῷ · καὶ οἱ μὲν τῷδε τῷ ἀποστόλῳ
πελάζοντες ἐκ[είνῳ δῶ]ρα προσφέρουσιν, οἱ δὲ <τῷδε> τῷ
μάρτυρι γειτνιάζοντες δι᾽ ἐκείνου τὸν θεὸν ἱλεοῦνται καὶ
οἷόν τινας [ἀ]παρχὰς ἅπερ ἂν ὑπόσχωνται προσκομίζουσιν.
Πρὸς δὲ ταῖς καμήλοις καὶ τὰ πρόβατα [προσφέρειν
120 εἰώ]θασιν.
    Εἰ δέ τις ἀκριβῶς τῶν ῥητῶν καταμάθοι τὴν ἔννοιαν,
αὐτοὺς εὑρήσει τοὺς ἀν(θρώπους πρό)βατα καὶ κριοὺς καὶ
καμήλους προσηγορευμένους. Οὐ γὰρ εἶπεν · Οἴσουσι
καμήλους, ἀλλ᾽ · (Ἥξουσιν) ἀγέλαι καμήλων καὶ καλύψουσί
125 σε κάμηλοι Μαδιάμ, καὶ πάντα τὰ πρόβατα Κηδὰρ συν(αχ-
θήσεταί σοι). Διδάσκει δὲ ὁ λόγος ὅτι καὶ οἱ ἀλογώτερον
διακείμενοι τοῦ τῆς θεογνωσίας φωτὸς [κοινωνή]σουσιν.
Καὶ μὲν δὴ καὶ ἐπὶ τὸ θυσιαστήριον οὐκ ἄλογα εἶπεν
ἀνενεχθήσεσθαι [δῶρα ἀλλὰ |176 b| δε]κτά, τουτέστιν

C : 121-126 εἰ — σοι
113 δρομάδων : falso δρομίδων Mö.

---

1. Témoignage sur le culte des martyrs (cf. *infra*, 19, 145) ; voir
Thérap. VII, 62-65.

2. Théodoret paraît manifestement préférer ici au sens littéral
donné en premier lieu un sens figuré plus riche. C'est ce dernier sens
qui est seul retenu par Eusèbe : « chameaux » portant or et encens
serait à entendre de ceux qui dans l'Église regorgent de richesses et
dont le Christ parle dans l'Évangile (*Matth.* 19, 24) pour dire combien
il leur sera difficile d'entrer dans le royaume des cieux (*GCS* 372, 9-14) ;
il s'agit donc bien de « chameaux » raisonnables (λογικαί *ibid.*, 21) ;
de même, « brebis » (πρόβατα) désigne les âmes simple (*id.*, 373,
18-21). Eusèbe résume enfin cette longue explication : « Donc par

devant lui tous les rois de la terre, toutes les nations le
serviront. » Or, sont appelés « Arabes » les gens de Kédar,
ceux de Madian, de Gépha et de Nabeoth, qui habitent
les déserts de l'Arabie : ce sont gens qui se déplacent à
dos de chameaux et de dromadaires. Et qui plus est, ils ont
même l'habitude d'offrir ces bêtes en présents au Dieu de
l'univers : les uns, en se rendant auprès de tel apôtre,
(les) lui offrent en présents ; les autres, en s'approchant
de tel martyr, cherchent par son intermédiaire à se
concilier Dieu et amènent (leurs bêtes) en guise de prémices
des offrandes qu'ils ont promis de faire[1]. Outre les chameaux, ils ont aussi l'habitude d'offrir des moutons.

Si l'on veut, toutefois, comprendre exactement le sens
des mots, on découvrira que ce sont les hommes eux-mêmes
qui ont été appelés « moutons, béliers et chameaux »[2].
Car il n'a pas dit : « Ils conduiront des chameaux », mais :
« Viendront des troupeaux de chameaux et ils te couvriront,
les chameaux de Madian, et tous les troupeaux de Kédar
se rassembleront pour toi. » Le texte enseigne donc que
même les gens fort dépourvus de raison auront part à la
lumière de la connaissance de Dieu. Et qui plus est, ce ne
sont pas des présents dépourvus de raison qui seront
offerts sur (son) autel, dit-il, mais des présents « acceptés »,

' chameaux ' étaient désignés ceux qui parmi les hommes ont abondance de biens et de richesse, par ' brebis ' ceux qui sont le plus remplis
de douceur et de simplicité, par ' béliers ' ceux qui sont davantage
propres à commander les convertis venus des nations ; ce sont eux
qui ' seront offerts en présents sur l'autel de Dieu ' selon le texte
prophétique. Et il est possible de contempler la réalisation de la
parole divine lorsqu'on voit, à la suite de la conversion des nations,
de telles âmes se consacrer à la parole de la piété et s'occuper assidûment du service de l'autel de Dieu : c'est alors surtout qu'en raison de
la conversion de telles âmes et de leur salut, l'Église de Dieu est
glorifiée. C'est pourquoi il est dit dans la suite ' Et ma maison de
prière sera glorifiée ' (GCS 373, 28-36). »

130 ἀρεστά. Αὐτοῦ ἔστι φωνή · « Θυσία αἰνέσεως δοξάσει με »,
καί · « Θῦσον τῷ θεῷ (θυσίαν αἰ)νέσεως. »
⁸ Τίνες οἶδε ὡσεὶ νεφέλαι πέτονται καὶ ὡσεὶ περιστεραὶ
σὺν νεοσσοῖς αὐτῶν ἐπ᾽ ἐμέ ; (᾽Εστὶ Σι)ών. Τὸ Σιὼν ἔνια
τῶν ἀντιγράφων οὐκ ἔχει οὐδὲ τὸ ῾Εξαπλοῦν οὐδὲ ἡ ᾽Ακύλα
135 καὶ Συμμάχου καὶ Θεοδοτίωνος ἔκδοσις οὐδ᾽ αὐτὴ ἡ
῾Εβραϊκὴ γραφή, ἀλλ᾽ ὅμως ἡμεῖς ὡς κείμενον ἑρμηνεύσομεν.
[Σι]ὼν γὰρ πολλάκις ἐδείξαμεν οὐ μόνον τὴν παλαιὰν
ἐκείνην ὀνομαζομένην ἀλλὰ καὶ τὴν τοῦ θεοῦ ἐκκλησίαν
καὶ τὴν τῶν οὐρανῶν πολιτείαν · « Προσεληλύθατε » γάρ
140 φησι « Σιὼν ὄρει καὶ πόλει θεοῦ ζῶντος, (῾Ιερουσα)λὴμ
ἐπουρανίῳ. » ᾽Εκπλήττεται τοίνυν ἡ τοῦ θεοῦ ἐκκλησία τὰ
νέφη τῶν πρὸς αὐτὴν συντρεχόντων θεωμένη (δήμ)ων, οἳ
μιμοῦνται περιστερὰς μετὰ τῶν νεοττῶν πετομένας. Εἰ δέ
τις ἀκριβῶς νοῆσαι βούλεται τὸ χωρίον, ἐν ταῖς δημοτελέσιν
145 ἑορταῖς, ἢ ταῖς δεσποτικαῖς ἢ ταῖς τῶν ἁγίων μαρτύρων,
θεα(σάσθ)ω τὰ πλήθη συρρέοντα καὶ τὰς μὲν τὰς θυγατέρας
ἢ ταῖς ἀγκάλαις φερούσας ἢ ταῖς χερσὶ πο(δηγού)σας τοὺς
δὲ μετὰ τῶν υἱέων βαδίζοντας, καὶ ὄψεται ἀληθῶς πνευμα-
τικὰς περιστερὰς μετὰ τῶν νεο(ττῶ)ν πετομένας καὶ πρὸς
150 τὴν νέαν παραγινομένας Σιών.

⁹ ᾽Εμὲ νῆσοι ὑπομένουσι καὶ πλοῖα Θαρ(σὶς) ἐν πρώτοις
τοῦ ἀγαγεῖν τὰ τέκνα σου μακρόθεν καὶ τὸ ἀργύριον αὐτῶν
καὶ τὸ χρυσίον αὐτῶν μετ᾽ αὐ(τῶ)ν διὰ τὸ ὄνομα κυρίου τὸ
ἅγιον καὶ διὰ τὸ τὸν ἅγιον ᾽Ισραὴλ ἔνδοξον εἶναι. ῾Ηκούσα-
155 μεν τοῦ μακαρίου Δαυὶδ λέγον[τος] · « Βασιλεῖς Θαρσὶς

C : 141-150 ἐκπλήττεται — Σιών

146 θεασάσθω C³⁰⁹·⁵⁶⁴ : θεάσθω Cᵛ·⁸⁷·⁹⁰·⁹¹·⁵⁶⁵ ‖ τὰς² C : > K ‖
147 ποδηγούσας K : ὁδηγούσας C ‖ 148 υἱέων K : υἱῶν C ‖ 150
παραγινομένας C : παραγενομένας K

130 Ps. 49, 23   131 Ps. 49, 14   139 Hébr. 12, 22   155 Ps.
71, 10

---

1. On voit par cet exemple le respect que porte Théodoret au

c'est-à-dire « agréables ». Il est l'auteur de ces mots :
« C'est un sacrifice d'action de grâces qui me glorifiera »,
et « Offre à Dieu un sacrifice d'action de grâces. »

**Fêtes
et pèlerinages
chrétiens
à Jérusalem**

8. *Qui sont ceux-ci qui volent comme
des nuages et comme des colombes avec
leurs petits vers moi? C'est Sion.* Quelques exemplaires ne portent pas le
terme « Sion », absent des Hexaples, de la version
d'Aquila, de Symmaque et de Théodotion, et du texte
hébreu lui-même ; néanmoins, pour notre part, nous
interpréterons le texte comme il se présente[1]. Nous avons,
en effet, souvent montré que le nom de « Sion » était donné,
non seulement à cette ancienne (cité), mais aussi à l'Église
de Dieu et à la cité céleste : « Vous vous êtes approchés »,
dit (l'Apôtre), « de la montagne de Sion et de la cité du
Dieu vivant, de la Jérusalem céleste. » L'Église de Dieu
est donc saisie d'étonnement en contemplant les nuées
de peuples qui accourent vers elle : on dirait des colombes
qui volent en compagnie de leurs petits. Si l'on veut,
toutefois, comprendre exactement ce passage, que l'on
contemple (ce qui se passe) au cours des fêtes publiques,
des fêtes du Seigneur ou de celles des saints martyrs :
(on y verra) se déverser en flots les foules, les femmes
porter leurs filles dans les bras ou guider leurs pas de la
main, et les hommes s'avancer avec leurs fils, et l'on verra
en vérité des colombes spirituelles voler en compagnie de
leurs petits et s'approcher de la nouvelle Sion.

9. *C'est moi qu'attendent les îles, et les navires de Tharsis
parmi les premiers, pour ramener tes fils de loin, leur argent et
leur or avec eux, à cause du saint nom du Seigneur et à cause
du fait que le Saint d'Israël est glorieux.* Nous avons entendu
dire au bienheureux David : « Les rois de Tharsis et les

texte des LXX qu'il utilise ; cela permet d'apprécier la manière dont
il envisage très souvent la critique textuelle et la fonction des
variantes qu'il signale (cf. t. I, *SC* 276, Introd., p. 55).

καὶ νῆσοι δῶρα προσοίσουσιν », καὶ πάλιν · « Ζήσεται καὶ
δοθήσεται αὐτῷ ἐκ τοῦ χρυσίου (τῆς Ἀρα)βίας. » Θαρσὶς
δὲ τὴν Καρχηδόνα καλεῖ τῆς πάλαι μὲν Λιβύης νῦν δὲ
Ἀφρικῆς ὀνομαζο(μένης) τὴν μητρόπολιν. Καὶ γὰρ ἡνίκα
160 ὁ αὐτὸς εἶπε προφήτης · « Ὀλολύζετε πλοῖα Καρχηδόνος
ὅτι (ἀπώ)λετο », παρὰ τῷ Ἑβραίῳ « Θαρσὶς » εὕρομεν
κείμενον.

¹⁰ Καὶ οἰκοδομήσουσιν υἱοὶ ἀλλογενεῖς τὰ (τείχη σου καὶ)
οἱ βασιλεῖς αὐτῶν παραστήσονταί σοι. Κῦρος μὲν τὴν Ἱερου-
165 σαλὴμ οἰκοδομηθῆναι προσέ[ταξε], μεμένηκε δὲ τὸ ἔργον
ἀτέλεστον · ἐπὶ Δαρείου δὲ τοῦ Ὑστάσπου ὁ θεῖος μόνος
ἀνῳκοδομήθη [νεώς] · ἐπὶ Ἀρταξέρξου δὲ τοῦ Μακρόχειρος
Νεεμίας οὐκ ἀλλογενὴς ὢν ἀλλ' Ἰουδαῖος τῆς τῶν τειχῶν
[οἰκοδο]μίας ἐφρόντισεν οὐ βασιλικῶν χρημάτων ἔχων
170 δαπάνην ἀλλ' ἐξ ἐράνου ταύτην συλ[λέξας] · μετὰ μέντοι
τὴν τῶν Ἰουδαίων κατάλυσιν οἱ Ῥωμαίων βασιλεῖς τῆς
Ἱερουσαλὴμ τοὺς περι[βό]λους ἐδείμαντο. Εὕροι δ' ἄν τις
ἀκριβέστερον νοῆσαι θελήσας τοὺς ἐξ ἀλλοφύλων ἐθνῶν
διδασκά[λους] εὐχαῖς ταύτην καὶ διδασκαλίαις φρουροῦντάς
175 τε καὶ φυλάττοντας.

C : 157-162 Θαρσὶς — κείμενον
161 Θαρσὶς C : > K
156 Ps. 71, 15   160 Is. 23, 1

---

1. Cf. In Is., 7, 7-9 ; 20, 717-718 ; In Abd., 81, 1724 D-1725 A ;
In Ez., 81, 1080 AB ; 1204 D ; In Jer., 81, 565 A. Selon CYRILLE,
« Tharsis » dans l'Écriture désignerait les Indes, mais il y aurait, dit-on
à Chypre, une ville du nom de Tharsis ; CYRILLE note, en outre,
qu'il serait stupide d'entendre « îles » et « navires » au sens littéral ;
ces termes désignent ceux qui habitent dans ces îles ou ceux qui s'y
rendent (70, 1332 C). Pour EUSÈBE, le mot « îles » désigne les Églises
et « navires de Tharsis », le corps sur lequel, pendant la vie mortelle,
« ont navigué » (ἐπενήξαντο) les âmes ; Tharsis était selon lui, une
contrée des Allophyles (GCS 375, 15-20).
2. Sur ce « topos », cf. t. I, SC 276, Introd., p. 62.

îles offriront des présents », et encore « Il vivra et recevra
en présent de l'or d'Arabie. » Or, il appelle « Tharsis »
Carthage qui est la capitale de la (contrée) qui portait
jadis le nom de Libye et aujourd'hui celui d'Afrique[1].
De fait, lorsque le même prophète a dit : « Poussez des
cris de douleur, navires de Carthage, parce qu'elle a
été détruite », nous avons trouvé dans le texte hébreu
« Tharsis ».

La reconstruction de Jérusalem

10. *Des fils étrangers (re)construi-
ront les murs et leurs rois se mettront
sous ta loi.* Cyrus ordonna de recons-
truire Jérusalem, mais l'œuvre est restée inachevée ; sous
Darius, le fils d'Hystaspès, seul le Temple de Dieu fut
reconstruit ; sous Artaxerxès Longue-Main, Néémias —
qui n'était pas un étranger, mais un juif — s'occupa de la
reconstruction des remparts : l'argent qu'il possédait
pour couvrir la dépense ne provenait pas des richesses
royales, mais il l'avait réuni à la suite d'une collecte ;
et, après la ruine des Juifs, les empereurs romains rebâtirent
les remparts de Jérusalem[2]. Qui voudrait, toutefois,
comprendre plus exactement (le texte), trouverait que ce
sont les maîtres venus de nations étrangères qui veillent sur
elle et la gardent par leurs prières et leurs enseignements[3].

3. Eusèbe ne retient que cette interprétation pour la première
partie du verset « Des étrangers reconstruiront tes remparts » (*GCS*
374, 31-375, 1) ; la réalisation de la deuxième partie du verset lui
paraît évidente : les chefs des armées romaines et la crainte qu'ins-
pirent des empereurs puissants — « les rois des nations étrangères » —
contribuent grandement à la ruine de ceux qui tentent de conspirer
contre l'Église de Dieu (*id.*, 375, 2-5). Cyrille recourt également à
l'interprétation figurée : « les murs et les enceintes », c'est la foi droite
et sans reproche, mais ce peut être aussi tous ceux (εἰσηγηταί,
διδάσκαλοι, ἱερουργοί) qui sont des guides dans la foi, en tout premier
lieu les apôtres et ceux qui ont suivi leurs traces, sans pour autant
appartenir par le sang à la race d'Israël (« étrangers ») ; quant aux
« rois des nations étrangères », ce sont les princes et les chefs des
peuples qui assistent l'Église du Christ et la protègent, ainsi que ses

Διὰ γὰρ ὀργήν μου ἐπάταξά σε καὶ (διὰ ἔλε)όν μου
ἠγάπησά σε. Καὶ τῇ πάλαι Ἱερουσαλὴμ ἁρμόττει ταῦτα
καταλυθείσῃ μὲν δι' ἁμαρτίας, ἀνοικοδο(μηθείσῃ) δὲ διὰ
μόνην φιλανθρωπίαν, καὶ τῇ τοῦ θεοῦ ἐκκλησίᾳ, ἥτις πάλαι
180 μὲν ἐρήμῳ ἀπείκασται θείας οὐκ (ἀξιουμ)ένη κηδεμονίας,
μετὰ δὲ ταῦτα τῆς τοῦ σωτῆρος προνοίας ἀπήλαυσεν.
¹¹ Καὶ ἀν(οιχ)θήσ(ον)ται (αἱ πύλαι σου) διὰ παντὸς
ἡμέρας καὶ νυκτὸς καὶ οὐ κλεισθήσονται τοῦ εἰσαγαγεῖν
πρὸς σὲ δύναμιν ἐθνῶν καὶ (βασιλεῖς) αὐτῶν ἀγομένους.
185 Ποία δύναμις ἐθνῶν εἰς τὴν παλαιὰν ἔδραμεν Ἱερουσαλὴμ
προσκυνήσεως (χάριν) ; Ποῖοι δὲ βασιλεῖς ὑπ' ἄλλων
ἀγόμενοι τὸν τῶν ὅλων θεὸν ἐκεῖ προσεκύνησαν ; Τῆς δὲ
τοῦ θεοῦ ἐκκλησίας (αἱ πύ)λαι διὰ παντὸς ἀνεῴγασι τοὺς
προσιόντας ὑποδεχόμεναι, αἳ καὶ τοὺς εὐσεβεῖς ὑποδέχονται
190 (βασιλέ)ας ὑπὸ τῆς τῶν ἱερῶν ἀποστόλων ἀγομένους
διδασκαλίας. ¹² Τὰ γὰρ ἔθνη καὶ οἱ βασιλεῖς οἵτινες (οὐ δου-
λεύ)σουσί σοι ἀπολοῦνται, καὶ τὰ ἔθνη ἐρημίᾳ ἐρημωθήσεται.
Καὶ τοῦτο σαφῶς ἐλέγχει τὴν Ἰουδαί(ων παροινίαν) · οὔτε
γὰρ ἔθνη οὔτε βασιλεῖς μετὰ τὴν ἀπὸ Βαβυλῶνος ἐπάνοδον
195 Ἰουδαίοις ἐδούλευσαν, (τῇ δὲ ἐκ)κλησίᾳ τοῦ θεοῦ δουλεύουσι
καὶ ὅσοι τὴν δουλείαν ἠρνήθησαν καταγέλαστοι μὲν καὶ
δείλαιοι καὶ τρισάθλιοι (κατὰ τὸν) παρόντα βίον ἐγένοντο,
οὐκ ὄψονται δὲ τὴν αἰώνιον ζωήν.

C : 177-181 καὶ — ἀπήλαυσεν ‖ 185-191 ποία — διδασκαλίας ‖
193-198 καὶ — ζωήν
189 αἱ Κ : > C ‖ 195 ἐκκλησίᾳ / τοῦ θεοῦ Κ : ∼ C

---

enfants, contre les ennemis visibles ou invisibles, ou encore ceux qui,
parés des plus grands honneurs et détenteurs du sceptre royal
assistent également l'Église — i.e. obéissent aux enseignements
divins et font grand cas de la prédication de l'Église (70, 1333 BD).

1. Cf. supra, p. 243, n. 3.
2. Eusèbe s'en tient encore à l'interprétation figurée : les « portes »,
ce sont les enseignements élémentaires, l'introduction à la foi (οἱ
στοιχειώδεις καὶ εἰσακτικαὶ διδασκαλίαι), offerts à tous ; « la puissance des nations » désigne ceux qui peuvent reprendre à leur compte
la parole de l'Apôtre (Phil. 4, 13) ; les « rois », ceux qui sont dignes

*Car dans ma colère je t'ai frappée et dans ma miséricorde
je t'ai chérie.* Cela s'applique à la fois à l'ancienne Jérusalem
qui a été détruite en raison de (ses) péchés, et reconstruite
en raison de la seule bonté (divine), et à l'Église de Dieu
qui était jadis semblable à un désert, puisqu'elle ne béné-
ficiait pas de la sollicitude divine, mais qui a joui par la
suite de la providence du Sauveur.

**L'Église,
nouvelle Jérusalem**

11. *Tes portes seront continuellement
ouvertes, jour et nuit, et elles ne seront
pas fermées, afin qu'on fasse entrer chez
toi la puissance des nations et que leurs rois (te) soient
amenés.* Quelle est la puissance des nations qui est accourue
vers l'ancienne Jérusalem pour faire acte d'adoration ?
Quels sont les rois que d'autres ont amenés et qui ont
adoré ici le Dieu de l'univers[1] ? Les portes de l'Église de
Dieu sont, au contraire, continuellement ouvertes pour
recevoir ceux qui arrivent, elles qui reçoivent aussi les
rois pieux qu'amène l'enseignement des saints apôtres[2].
12. *Car les nations et les rois qui ne seront pas tes esclaves
périront, et les nations seront entièrement dévastées.* Cela
encore dénonce clairement le délire des Juifs : car il n'y a
pas de nations ni de rois qui aient été esclaves des Juifs
après leur retour de Babylone ; ils sont, en revanche,
esclaves de l'Église de Dieu ; et tous ceux qui ont refusé
cet esclavage sont devenus ridicules, infortunés et très
malheureux au cours de l'existence présente, et ils ne
verront pas la vie éternelle[3].

du royaume des cieux ; pourtant, au sens propre, le terme peut désigner les empereurs romains qui franchissent les portes de l'Église de
Dieu et participent aux mystères ; ce sont eux qu'accueilleront aussi
les portes du royaume des cieux (*GCS* 375, 14-25). CHRYSOSTOME
recourt ici à l'interprétation typologique : cette déclaration tend à
exhorter le peuple au retour, mais a trouvé son accomplissement
véritable dans l'Église dont les portes ne sont jamais fermées (*M.*,
p. 439, l. 12-14). De même, pour CYRILLE, il s'agit de l'Église ouverte
à qui veut entrer (70, 1336 C).

3. La même idée est développée par EUSÈBE (*GCS* 375, 25-31).

¹³Καὶ ἡ δόξα τοῦ Λιβάνου πρὸς σὲ (ἥξει ἐν κυ)παρίσσῳ
200 καὶ πεύκῃ καὶ κέδρῳ ἅμα δοξάσαι τὸν τόπον τὸν ἅγιόν μου,
καὶ τὸν τόπον τῶν ποδῶν μου (δοξάσω). Ταῦτα εἰκὸς μὲν
καὶ ἐπὶ τοῦ προτέρου γεγενῆσθαι νεὼ καὶ μετακομίσαι
πάλαι αὐτοὺς ἀπὸ |177 a| τοῦ Λιβάνου ξύλα. Ἐγὼ δὲ οἶμαι
Λίβανον τὴν Ἰουδαίων καλεῖσθαι μητρόπολιν · τοῦτο γὰρ
205 πολλάκις ἐδειξάμην · « Ἡ δόξα » γάρ φησι « τοῦ Λιβάνου
ἐδόθη αὐτῇ », τουτέστι τῇ ἐρήμῳ, « καὶ ἡ τιμὴ τοῦ
Καρμήλου. » Καὶ ἐνταῦθα ὁ προφητικὸς λόγος τὴν δόξαν
τοῦ Λιβάνου, τουτέστι τὴν Ἰουδαϊκὴν περιφάνειαν, ἣν <ἡ>
τοῦ ἁ[γίου] πνεύματος αὐτοῖς ἐδεδώρητο χάρις, εἰς τὴν
210 ἐκκλησίαν μετα<τε>θήσεσθαι προεθέσπισεν. Κυπαρίσσους
δὲ καὶ πεύκας καὶ κέδρους οὐκ ἄν τις ἁμάρτοι τοὺς ἁγίους
ὀνομάζων προφήτας διαφορὰν ἔχοντας κατὰ τὸ μέτρον τῆς
χάριτος · « Δίκαιος » γάρ φησιν « ὡς φοῖνιξ ἀνθήσει, ὡσεὶ
κέδρος ἡ ἐν τῷ Λιβάνῳ πληθυνθήσεται. » Πάντες δὲ οὗτοι
215 νῦν τῇ τοῦ θεοῦ ἐκκλησίᾳ τὴν προφητικὴν διδασκαλίαν
προσφέ[ρουσιν].

¹⁴Καὶ πορεύσονται πρὸς σὲ δεδοικότες υἱοὶ ταπεινῶν τῶν
ταπεινωσάντων σε καὶ παροξυνάντων σε, καὶ προσκυνήσουσιν
ἐπὶ τὰ ἴχνη τῶν ποδῶν σου πάντες οἱ παροξύναντές σε.
220 Τὴν μὲν Ἰερουσαλὴμ οὐ προσεκύνησ(αν) Βαβυλώνιοι, τὴν
δὲ τοῦ θεοῦ ἐκκλησίαν οἱ πλεῖστοι τῶν ἐθνῶν προσκυνοῦσι,
μάλιστα δὲ οἱ τούτων (υἱοί). Ἐκείνων γὰρ δεξαμένων τοῦ

C : 201-203 ταῦτα — ξύλα ‖ 220-225 τὴν¹ — προσκύνησιν
203 πάλαι Μὅ. : πάλιν Κ ‖ 208 ἡ add. Ka.Po.
205 Is. 35, 2   213 Ps. 91, 13

---

1. Cette interprétation de « Liban » n'est pas la plus courante chez
Théodoret (cf. t. II, SC 295, p. 338, n. 2). Il est intéressant de voir
comment la citation d'*Is.* 35, 2 permet à Théodoret d'introduire le
terme « désert », absent du verset commenté, pour développer une fois
encore le thème du transfert des Promesses.
2. L'interprétation d'Eusèbe va dans le même sens, mais reste plus

13. *La gloire du Liban viendra vers toi en cyprès, en pin et cèdre tout à la fois, pour glorifier mon saint lieu, et je glorifierai le lieu (où reposent) mes pieds.* Il est vraisemblable que cela se soit produit à l'époque du premier Temple et qu'ils aient jadis eux-mêmes transporté des bois en provenance du Liban. Mais je pense, pour ma part, que c'est la capitale des Juifs qui est appelée « Liban », comme je l'ai souvent montré[1] : « La gloire du Liban, dit-il, lui a été donnée » — c'est-à-dire au désert — « ainsi que la splendeur du Carmel. » Ici également le texte prophétique a prophétisé que la gloire du Liban — c'est-à-dire la position éclatante des Juifs dont la grâce du Saint Esprit leur a fait don —, serait transférée à l'Église. On ne se tromperait donc pas si l'on donnait les noms de « cyprès », de « pins » et de « cèdres » aux saints prophètes[2] qui étaient différents à proportion de la grâce (reçue) : « Le juste croîtra comme le palmier », dit (l'Écriture), « comme le cèdre du Liban il se multipliera. » Or, ce sont eux tous qui présentent maintenant à l'Église de Dieu l'enseignement prophétique.

14. *Ils viendront vers toi dans la crainte, les fils des humiliés qui t'ont humiliée et t'ont exaspérée, ils adoreront les traces de tes pieds, tous ceux qui t'ont exaspérée.* Les Babyloniens n'ont pas adoré Jérusalem, tandis que la plupart des membres des nations adorent l'Église de Dieu, et cela est surtout vrai de leurs fils[3]. Lorsque ceux-là eurent

---

générale ; il s'agit de tous ceux qui forment la parure de l'Église, comme les grands arbres sont celle du Liban (*GCS* 375, 34-376, 5). De même, pour Cyrille, ces termes désignent la foule des saints qui nourissent l'Église et en sont l'ornement, parce qu'ils se sont élevés vers la vertu et qu'ils n'ont pas un esprit terrestre et charnel (70, 1337 AC).

3. Cyrille propose une interprétation voisine (70, 1337 D), mais pense qu'il peut s'agir aussi des descendants de ceux qui ont persécuté l'Église (*id.*, 1340 A). C'est cette dernière interprétation que retenait déjà Eusèbe (*GCS* 376, 9-13).

βίου τὸ πέρας οὗτοι μεταμαθόντες τὴν ἀλήθειαν προσφέρουσι
τῷ σωτῆρι τὸ σέβας ἐν τοῖς εὐκτηρίοις αὐτοῦ οἴκοις
225 ποιούμενοι τὴν προσκύνησιν.
Καὶ κληθήσῃ πόλις κυρίου Σιὼν τοῦ ἁγίου Ἰσραὴλ ¹⁵ διὰ
τὸ γενέσθαι σε ἐγκαταλελειμμένην καὶ μεμισημένην, καὶ οὐκ
ἦν ὁ βοηθῶν σ(οι). Καὶ μὴν ἡ Ἱερουσαλὴμ ἑτέραν προσηγορίαν ἐδέξατο · Αἰλίαν γὰρ αὐτὴν οἱ Ῥωμαίων ἐκάλεσαν
230 βασι(λεῖς). Πῶς τοίνυν δείκνυται τῆς προφητείας τὸ
ἀψευδές, εἰ μή τις πνευματικώτερον τὴν Σιὼν νοήσοι ;
(Καὶ) θήσω σε ἀγαλλίαμα αἰώνιον, εὐφροσύνην γενεαῖς
γενεῶν. Πῶς τοῦτο ἁρμόττει τῷ τῶν Ἰουδ[αίων] ναῷ πρὸ
τετρακοσίων ἢ καὶ πλειόνων ἐτῶν δεξαμένῳ τὴν ἐρημίαν ;
235 ¹⁶ Καὶ θηλάσεις γάλα ἐθ(νῶν) καὶ πλοῦτον βασιλέων φάγεσαι
καὶ γνώσῃ ὅτι ἐγὼ κύριος ὁ σῴζων σε καὶ ὁ ἐξαιρούμενός
σε θεὸς (Ἰσραήλ). Ποίων βασιλέων ἡ παλαιὰ Ἱερουσαλὴμ
μετὰ τὴν ἐπάνοδον ἐκομίσατο πλοῦτον ; Ἢ ποίων ἐθνῶν
καθάπερ γάλα τὴν τῶν ἀγαθῶν ἐθήλασεν ἀφθονίαν ; Ἀλλὰ
240 καὶ τοῖς λίαν ἀναισχυντοῦσι δῆλον οἶμαι (κα)θέστηκεν, ὡς
ἡ τοῦ θεοῦ ἐκκλησία δείκνυσι τῆς προρρήσεως τὴν ἀλήθειαν ·
αὕτη γὰρ διηνεκῶς καὶ τὰ (βασι)λικὰ δέχεται δῶρα καὶ
τὰ παρὰ τῶν ἐθνῶν προσφερόμενα κομιζομένη τὸν τούτων
αἴτιον ἀν(υμνεῖ).

C : 228-231 καὶ — νοήσοι ‖ 237-244 ποίων — ἀνυμνεῖ

223 μεταμαθόντες ... προσφέρουσι K : μετέμαθον ... καὶ προσφέρουσι C ‖ 225 ποιούμενοι K : προσφέροντες C ‖ 228 ἦ K : > C

---

1. En 130, Hadrien décide la reconstruction de Jérusalem sous le
nom d'Aelia Capitolina (d'après son surnom Aelius et son titre
Capitolinus ou Olympien) et du Temple qui sera consacré à Jupiter.
2. Cette indication, qui pourrait être un élément décisif pour
déterminer la date de l'*In Isaiam*, pose en réalité un problème : la
date de 470 que l'on obtient en calculant au plus juste est invrai-
semblable ; elle contredit les témoignages fournis par la correspondance de Théodoret et obligerait en outre à placer sa mort plus tard
qu'on ne l'a jamais fait (cf. P. CANIVET, *Thérap., op. cit.*, Introd.,

atteint le terme de leur vie, ce sont eux, en effet, qui,
après avoir appris à leur suite la vérité, présentent au
Sauveur le culte (qui lui revient), en accomplissant dans
ses maisons de prières l'acte d'adoration.

*Et tu seras appelée la ville du Seigneur, la Sion du Saint
d'Israël*, 15. *parce que tu as été abandonnée et haïe et qu'il
n'y avait personne pour te secourir.* Or, Jérusalem a reçu
un autre nom : les empereurs romains l'ont appelée Aelia[1].
Comment donc montrer le caractère véridique de la
prophétie, à moins d'entendre « Sion » en un sens plus
spirituel ? *Et je ferai de toi (un sujet) éternel de réjouissance,
(un sujet) de joie pour les générations des générations.*
Comment cela (peut-il) s'appliquer au Temple des Juifs
qui a subi la destruction voici quatre cents ans ou plus[2] ?
16. *Tu suceras le lait des nations et tu mangeras la richesse
des rois ; tu reconnaîtras que moi je suis le Seigneur qui te
sauve et que celui qui te rachète, c'est le Dieu d'Israël.* Quels
sont les rois dont l'ancienne Jérusalem, après le retour
d'exil, a recueilli la richesse ? Ou bien quelles sont les
nations dont elle a sucé, comme un lait, l'abondance des
biens ? Mais, même pour des gens fort impudents, il se
trouve, à mon avis, clairement établi que l'Église de Dieu
montre la vérité de (cette) prédiction : c'est elle, en effet,
qui continuellement reçoit les présents des rois[3], elle qui
recueille ceux qu'offrent les nations et célèbre dans des
hymnes l'auteur de ces biens.

p. 23, n. 2). Il faudrait donc voir là une erreur d'attention de la part
de Théodoret dont les indications chronologiques sont parfois fantai-
sistes (cf. t. II, *SC* 295, p. 81, n. 4), ou plus vraisemblablement encore
celle d'un copiste.

3. Comme plus haut (cf. p. 255, n. 2), EUSÈBE entend « rois » en
un sens spirituel : les bienheureux à qui est promis le royaume des
cieux (*GCS* 376, 34-36) ; mais il ne rejette pas le sens propre que
retient Théodoret (*id.*, 376, 36-377, 3). On entrevoit ainsi, bien que
de façon très générale, les rapports existant entre l'Église et le
pouvoir.

245 Εἶτα δείκνυσι καὶ τῶν δώρων τὴν πολυτέλειαν · ¹⁷ Καὶ
ἀντὶ χαλκοῦ οἴσω σοι χρυσόν, ἀντὶ δὲ σιδ(ήρου) οἴσω σοι
ἀργύριον, ἀντὶ δὲ ξύλων οἴσω σοι χαλκόν, ἀντὶ δὲ λίθων
σίδηρον. Καὶ ταύτης ἔστιν (ἰδεῖν) ἐν ταῖς τῶν εὐκτηρίων
οἴκων οἰκοδομίαις τῆς προφητείας τὴν ἀλήθειαν · χρυσῷ
250 γὰρ καὶ (ἀρ)γύρῳ πεποικιλμένοι διαλάμπουσιν, οὐχ ἵνα τοῦ
θεοῦ τὴν χρείαν πληρώσωσιν ἀλλ' ἵνα τῶν εὐσε(βῶν) τὸ
φιλότιμον δείξωσιν.

Καὶ δώσω τοὺς ἄρχοντάς σου ἐν εἰρήνῃ καὶ τοὺς ἐπισκόπους
σου ἐν δικαιο(σύνῃ), ¹⁸ καὶ οὐκ ἀκουσθήσεται ἔτι ἀδικία ἐν
255 τῇ γῇ σου οὐδὲ σύντριμμα καὶ ταλαιπωρία ἐν τοῖς ὁ(ρίοις
σου). Το(ύτων) ἔκβασιν ἀληθεστέραν ὄψεται πᾶς ἐν τῷ
μέλλοντι βίῳ · ἐκεῖνος γὰρ ὁ βίος (ἀδι)κίας ἐλεύθερος,
ἐκεῖνος τῇ ἄκρᾳ δικαιοσύνῃ κοσμεῖται, ἐκεῖνος ἀληθῶς
ἀταλαί(πωρος) καὶ φροντίδων ἀπηλλαγμένος. Ὡς ἐν τύπῳ
260 δὲ εὕροι τις ἂν καὶ ἐν τῇ τοῦ θεοῦ ἐκκλησίᾳ ταῦτα · (τῆς)
γὰρ τῶν εἰδώλων ἀπήλλακται πλάνης, τὸν δὲ τῶν ὅλων
θεὸν διηνεκῶς ἀνυμνεῖ, προμη(θοῦνται δὲ) τῶν ἀδικουμένων
οἱ ταύτης ἡγεμόνες ὡς οἷόν τε. Ἀλλὰ κληθήσεται σωτήριον
τὰ τείχη σ(ου καὶ αἱ) πύλαι σου γλύμματα. Τὸ γλύμμα ὁ
265 μὲν Ἀκύλας « ὕμνησιν » ἡρμήνευσεν, ὁ δὲ Θεοδοτίων
« (καύχημα) », ὁ δὲ Σύμμαχος « αἴνεσιν ». Οἱ γὰρ πνευμα-
τικοὶ τῆς ἐκκλησίας περίβολοι τοῖς πεπιστευκόσι σωτηρί[αν
πο]ρίζουσιν, αἰνέσεως δὲ καὶ ὕμνων αἱ ταύτης πύλαι
πεπλήρωνται.

C : 248-252 καὶ — δείξωσιν ‖ 256-263 τούτων — τε
256 ἀληθεστέραν C : ἀληθέστερον K ‖ πᾶς K : τις C

---

1. Alors que Théodoret s'en tient à une interprétation littérale
(cf. *Thérap.* VIII, 62), Eusèbe entend le verset en un sens spirituel
(*GCS* 377, 5-14). De même Cyrille (70, 1341 AC), mais de façon
beaucoup plus précise : selon lui, ces termes traduisent l'opposition
entre la loi mosaïque (airain) et la loi chrétienne (or), entre la manière
de vivre selon la loi (fer) et celle selon le Christ et l'Évangile (argent) ;
« bois et pierres » désigneraient l'enseignement des scribes et des

Puis il montre aussi la magnificence des présents :
17. *Au lieu de bronze je t'apporterai de l'or, au lieu de fer
je t'apporterai de l'argent, au lieu de bois je t'apporterai du
bronze ; au lieu de pierres, du fer.* Il est également possible
de voir la vérité de cette prophétie dans les constructions
des maisons de prières : émaillées d'or et d'argent, elles
étincellent, non pour satisfaire le besoin qu'en éprouverait
Dieu, mais pour montrer l'empressement des gens pieux[1].

**Annonce
de la vie future
dans
la Jérusalem céleste**
*J'établirai tes chefs dans la paix et
les magistrats dans la justice ;* 18. *on
n'entendra plus parler d'injustice dans
ta terre ni de ruine et de misère à l'inté-
rieur de tes frontières.* On verra une réalisation plus vraie
de ces (promesses) durant la vie future : cette vie-là est
affranchie de (toute) injustice, cette vie-là est parée de
la plus haute justice, cette vie-là est en vérité sans misère
et exempte de soucis[2]. On trouverait, toutefois, comme
en figure, cet état de choses également dans l'Église de
Dieu : elle a été libérée de l'erreur des idoles, elle célèbre
continuellement dans des hymnes le Dieu de l'univers et
ses dirigeants veillent, autant qu'il est en leur pouvoir,
aux intérêts de ceux qui sont victimes de l'injustice.
Mais tes murs seront appelés « salut » et tes portes, « ciselures ».
Aquila a traduit le terme « ciselure » par « célébration
dans des hymnes », Théodotion par « sujet de gloire » et
Symmaque par « louange ». De fait, les remparts spirituels
de l'Église procurent aux croyants le salut, et ses portes
sont remplies de louanges et d'hymnes[3].

Pharisiens et, de manière générale, les directives (ὑφήγησις) des Juifs
infidèles : comparés aux enseignements du Christ et de l'Évangile,
ceux-là sont dans le rapport de l'airain au bois et du fer à la pierre.

2. Cf. *supra*, 19, 24-26 et *infra*, 19, 281-285 ; rapprocher de *Thérap.*
XI, 52 ; c'est encore là une manière de « topos ».

3. CYRILLE donne aussi du verset une interprétation figurée ; les
« murs » sont les saints pédagogues qui, par leurs enseignements,
font comme un rempart à l'Église ; ce sont eux que désigne encore le

270   ¹⁹Καὶ οὐκ ἔσται σοι ἔτι (ὁ ἥλιος) εἰς φῶς ἡμέρας, οὐδὲ
ἀνατολὴ σελήνης φωτίσει σοι τὴν νύκτα · ἔσται γάρ σοι ὁ
θεὸς φῶς αἰ(ώνιον) καὶ ὁ θεὸς δόξα σου. ²⁰Οὐ γὰρ δύσεταί
σοι ὁ ἥλιος, καὶ ἡ σελήνη οὐκ ἐκλείψει · ἔσται γάρ σοι
κύριος (φῶς |177 b| αἰώνιον. Καὶ τοῦ)το ἀκριβῶς ὁ μέλλων
275   ἔχει βίος · ἐκεῖνος γὰρ οὔτε σελήνης οὔτε ἡλίου χρῄζει ·
αὐτὸ γὰρ ἔχει τοῦ θεοῦ τὸ ἄρρητον (φῶς). Τούτου δὲ ὡς
ἐν τύπῳ καὶ νῦν οἱ πιστεύοντες ἀπολαύουσιν · ὑπὸ γὰρ
τούτου φωτιζόμενοι τὴν ἀπλανῆ πορείαν (ὁδεύ)ουσιν.
Καὶ ἀναπληρωθήσονται αἱ ἡμέραι τοῦ σπέρματός σου.
280   ²¹Καὶ ὁ λαός σου πᾶς ⟨δίκαιος⟩ δι᾽ αἰῶνος, καὶ κληρονο-
μήσουσι (τὴν γῆν). Καὶ ταῦτα περὶ τοῦ μέλλοντος προηγό-
ρευσε βίου · ἐκεῖνος γὰρ ἔχει τῆς γνώμης τὸ ἄτρεπτον,
ἐκεῖνος τῇ αἰ(ωνίῳ) δικαιοσύνῃ κεκόσμηται, ἐκεῖνος ἁμαρτίας
ἐλεύθερος, ἐκεῖνος οὐκ ἔχει ἄωρον οὐδὲ πρεσβύτην ἀλλὰ
285   (ζωὴν) ἀτελεύτητον, ἐν ἐκείνῳ κληρονομοῦσι τὴν γῆν τῶν
ζώντων οἱ ἄξιοι. «Ἔσται γάρ » φησιν « ὁ οὐρανὸς καινὸς
καὶ (ἡ γῆ κ)αινή. » Φυλάσσων τὸ βλάστημα τῆς φυτείας
μου, ἔργον χειρῶν μου εἰς δόξαν. Ὁ δὲ Σύμμαχος οὕτως ·
« (Β)λαστὸς τῆς φυτείας μου ἔργον χειρῶν μου εἰς τὸ
290   ἐνδοξασθῆναι », ὁ δὲ Θεοδοτίων οὕτως · « Βλαστὸς τῆς

C : 274-278 καὶ — ὁδεύουσιν ‖ 281-286 καὶ — ἄξιοι

275 σελήνης ... ἡλίου Κ : ∼ C ‖ 283 κεκόσμηται Κ : κοσμεῖται
C ‖ 285 ἐν ἐκείνῳ C : ἐκείνην Κ

286 Is. 65, 17

---

mot « portes » dans la mesure où par leurs enseignements ils amènent
à la vérité ceux qui en étaient éloignés. CYRILLE note, en outre, que
d'autres interprètes (οἱ δὲ ἕτεροι τῶν ἑρμηνευτῶν) donnent Ἰησοῦν
au lieu de γλύμμα, d'où l'interprétation selon laquelle le Christ que
nous avons comme « murs » et comme « portes » nous protège de sa
puissance (70, 1345 A). Cette dernière interprétation pourrait provenir
d'EUSÈBE qui note la leçon Ἰησοῦν donnée par l'hébreu à la place
du σωτήριον — et non de γλύμμα — des LXX et la fait suivre d'un
commentaire peu différent de celui qu'on trouve chez CYRILLE

19. *Le soleil ne te servira plus de lumière pendant le jour et le lever de la lune n'éclairera pas pour toi la nuit : car pour toi Dieu sera une lumière éternelle et Dieu sera ta gloire.* **20.** *Car le soleil ne se couchera pas pour toi et la lune ne s'éclipsera pas : car pour toi le Seigneur sera une lumière éternelle.* Cela encore la vie à venir le possède exactement : cette vie-là n'a pas besoin de la lune ni du soleil, car elle possède précisément la lumière ineffable de Dieu[1]. Toutefois, comme en figure, les croyants jouissent dès maintenant de cette lumière : illuminés par elle, ils empruntent la route qui est exempte d'erreur.

Et ils seront accomplis les jours de ta descendance. **21.** *Ton peuple entier sera juste pour l'éternité et ils auront la terre en héritage.* Cela encore il l'a annoncé à propos de la vie future : c'est elle qui possède l'immutabilité de la pensée, elle qui est parée de la justice éternelle, elle qui est affranchie de tout péché, elle qui n'a ni trop grande jeunesse ni vieillesse, mais une existence sans fin ; c'est dans cette vie-là qu'auront en héritage la terre des vivants ceux qui en auront été dignes. « Car il y aura », dit (le prophète), « un nouveau ciel et une nouvelle terre. » *Ton peuple gardera le rejeton de ma plantation, l'œuvre de mes mains pour (ma) gloire.* Voici (la version de) Symmaque : « Jeune pousse de ma plantation, œuvre de mes mains pour (me) glorifier », et celle de Théodotion : « Jeune pousse de ma

---

(*GCS* 377, 24-28). Eusèbe donne, en outre, pour γλύμμα les variantes d'Aquila et de Symmaque notées par Théodoret, d'où une interprétation figurée qu'on peut rapprocher de celle de notre auteur (*id.*, 377, 30-36).

1. Cyrille signale l'opinion de ceux qui rapportent le verset à la fin du monde (70, 1345 CD) et ajoute une explication figurée : la lumière divine, celle de l'intelligence, que le Sauveur a envoyée dans le cœur des croyants par l'intermédiaire du Saint-Esprit et de ceux qui savent transmettre les mystères ne s'éteindra jamais ; elle rend inutile la lumière du jour, puisque l'Esprit n'est pas illuminé par la lumière sensible, mais par le Saint-Esprit et par le Christ, lumière éternelle (*id.*, 1345 D - 1348 A).

(φυ)τείας αὐτοῦ τὰ ἔργα τῶν χειρῶν δοξάσει.» Καὶ διὰ
τούτων τοίνυν καὶ διὰ τῶν Ἑβδομήκοντα αἴτιον τῶν
εἰρημένων [κ]αὶ οἱονεὶ φυτουργὸν εὑρίσκομεν τὸν τῶν ὅλων
θεόν · αὐτὸς γὰρ αὐτοῦ τὴν ἐκκλησίαν ἐφύτευσεν, αὐτὸς
295 [δι]αφυλάττει βλαστήσασαν καὶ τὴν ἐντεῦθεν προσγινομένην
δέχεται δόξαν.

²² Ὁ ὀλιγοστὸς ἔσται εἰς χι(λι)άδας καὶ ὁ ἐλάχιστος εἰς
ἔθνος μέγα · ἐγὼ κύριος κατὰ καιρὸν συνάξω αὐτούς. Ταῦτα
καὶ ἐν τοῖς ἱεροῖς [εὐαγ]γελίοις ἔφη · «Ἀποστελεῖ γὰρ
300 τοὺς ἀγγέλους αὐτοῦ καὶ συνάξουσι τοὺς ἐκλεκτοὺς αὐτοῦ
ἀπ' ἄκρων οὐρανῶν (ἕως τῶν) ἄκρων αὐτῶν.» Τότε καὶ
τὰς ἐν τοῖς οὐρανοῖς ἀποδώσει μονὰς πρὸς τὴν ἀξίαν ἑκάστῳ,
τότε τῶν [εἰς] συμμορίας καὶ βίους ἡγήσονται διαιρουμένων
οἱ τούτων πρωτεύοντες.

305 Οὕτω ταῦτα συμπεράνας πάλιν [εἰς τὸν] δεσπότην
Χριστὸν μεταφέρει τὴν πρόρρησιν, ὃς κατὰ τὸν παρόντα
βίον ταῦτα τῇ ἐκκλησίᾳ δεδώρηται [καὶ τ]ὴν μέλλουσαν
πολιτείαν ὑπέσχετο. 61¹ Πνεῦμα κυρίου ἐπ' ἐμέ, οὗ εἴνεκεν
ἔχρισέ με κύριος. Οὐ δεόμεθα (πολλ)ῶν ἀποδείξεων ταύτην
310 ἑρμηνεύοντες τὴν προφητείαν · αὐτὸς γὰρ ἡμῖν ταύτην σαφῆ
πεποί(ηκεν) ὁ δεσπότης. Εἰς γὰρ τὴν συναγωγὴν εἰσελθὼν
καὶ τόδε τὸ βιβλίον λαβών, εἶτα ἀναπτύξας καὶ (τήνδε) τὴν
προφητείαν ἀναγνοὺς ἔφη πρὸς τοὺς ἀκούοντας · «Σήμερον
ἐπληρώθη ἡ γραφὴ αὕτη (ἐν τοῖς) ὠσὶν ὑμῶν» καὶ ἔδειξεν
315 ἄντικρυς ἑαυτὸν διὰ τοῦ προφήτου περὶ αὐτοῦ ταῦτα
φθεγξάμενον. Ἐχρίσθη δὲ τῷ παναγίῳ πνεύματι οὐχ ὡς
θεὸς ἀλλ' ὡς ἄνθρωπος. Καὶ ἤδη δὲ ἐν τοῖς ἔμπροσθεν

309-316 οὐ — φθεγξάμενον
299 Matth. 24, 31   302 cf. Jn 14, 2   313 Lc 4, 21

1. EUSÈBE fait le même rapprochement, mais évoque plus longuement la scène rapportée par Lc 4, 16-22 (GCS 379, 9-21).
2. CHRYSOSTOME note que le Christ reçoit l'Esprit-Saint, non parce
qu'il en est privé (quod eo indigeret), mais seulement pour en témoigner (solum in testimonium) et pour manifester que l'Esprit a la même

plantation, les œuvres de (ses) mains (le) glorifieront. »
D'après eux et d'après les Septante, l'auteur de ces paroles
et, pour ainsi dire, le jardinier, nous découvrons que c'est
le Dieu de l'univers : c'est lui, en effet, qui a planté son
Église, c'est lui qui veille sur elle maintenant qu'elle a
grandi, et qui reçoit la gloire qui en provient.

22. *Le plus petit (de tes enfants) deviendra des milliers
et le moindre, une grande nation : moi, le Seigneur, en temps
voulu, je les rassemblerai.* C'est ce qu'il a dit également
dans les saints Évangiles : « Il enverra, en effet, ses anges
et ils rassembleront ses élus d'une extrémité des cieux à
l'autre extrémité ! » C'est alors aussi qu'il attribuera les
demeures qui sont dans les cieux, à chacun selon son
mérite ; c'est alors que ceux d'entre eux qui occupent la
première place exerceront le commandement sur ceux
qui sont répartis en groupes et en séjours.

**Annonce du Christ
et d'une ère nouvelle** Après avoir mis fin en ces termes
à ces (annonces), il ramène de nouveau
la prédiction à notre Maître le Christ,
qui a gratifié de la sorte son Église pendant la vie présente
et qui (lui) a fait la promesse de la vie future. **61,** 1. *L'esprit
du Seigneur est sur moi, parce que le Seigneur m'a oint.*
Nous n'avons pas besoin de nombreuses démonstrations
pour expliquer le sens de cette prophétie : le Maître en
personne nous l'a, en effet, rendue évidente. Il entra
dans la synagogue et prit ce livre-ci[1] ; puis il le déroula,
lut la présente prophétie et dit à ceux qui l'écoutaient :
« Aujourd'hui s'est accompli à vos oreilles ce passage de
l'Écriture », et il montra ouvertement qu'il avait en
personne, par l'intermédiaire du prophète, fait cette
déclaration à son propre sujet. Or, il reçut l'onction du
très saint Esprit non pas en tant que Dieu, mais en tant
qu'homme[2]. C'est ce que déjà, en de précédents ouvrages,

nature que lui (*M.*, p. 441-442). CYRILLE, comme Théodoret, note
qu'il faut entendre cela de l'humanité du Christ (κατὰ τὸ ἀνθρώπινον), remarque toute « antiochienne » (70, 1349 D-1352 A).

τοῦτο [πολ]λάκις ἐδείξαμεν. Εὕραμεν δὲ ἐν τῷδε τῷ βιβλίῳ
κείμενον · « Ἰακὼβ ὁ παῖς μου ἀντιλήψομαι (αὐ)τοῦ,
320 Ἰσραὴλ ὁ ἐκλεκτός μου προσεδέξατο αὐτὸν ἡ ψυχή μου ·
θήσω τὸ πνεῦμά μου ἐπ' αὐτόν, κρίσιν τοῖς ἔθνεσιν (ἐξ)οίσει »,
καὶ πάλιν · « Ἐξελεύσεται ῥάβδος ἐκ τῆς ῥίζης Ἰεσσαί,
καὶ ἄνθος ἐκ τῆς ῥίζης ἀναβήσεται. Καὶ (ἐπ)αναπαύσεται
ἐπ' αὐτὸν πνεῦμα τοῦ θεοῦ, πνεῦμα σοφίας καὶ συνέσεως,
325 πνεῦμα βουλῆς καὶ ἰσχύος, (πνεῦμα) γνώσεως καὶ εὐσεβείας,
πνεῦμα φόβου θεοῦ ἐμπλήσει αὐτόν. » Αὐτὸς τοίνυν ἐνταῦθά
φησιν · Πνεῦμα (κυρίου ἐ)π' ἐμέ, οὗ εἵνεκεν ἔχρισέ με
κύριος.
Καὶ τὰς αἰτίας λέγει τῆς χρίσεως · Εὐαγγελίσασθαι
330 πτω(χοῖς) ἀπέσταλκέ με. Εἰς ἐσχάτην γὰρ πτωχείαν ἐξέπεσε τῶν ἀνθρώπων ἡ φύσις, διαφερόντως δὲ (τὰ ἔθνη)
τοῖς εἰδώλοις δουλεύοντα. Ἰάσασθαι τοὺς συντετριμμένους τῇ
καρδίᾳ, κηρύξαι αἰχ(μαλώτοι)ς ἄφεσιν καὶ τυφλοῖς ἀνάβλε-
ψιν. Ταῦτα πάντα τοὺς ἀνθρώπους καλεῖ · πτωχοὺς μὲν
335 (ὡς τὸν) οὐράνιον ἀπολέσαντας πλοῦτον, συντετριμμένους
δὲ τὴν καρδίαν ὡς τὸ λογικὸν διαφθείρ(αντας), τυφλοὺς
δὲ ὡς θεὸν ἀγνοήσαντας καὶ τῇ κτίσει λατρεύσαντας,
αἰχμαλώτους δὲ ὡς πρὸς (τὸν τύραν)νον αὐτομολήσαντας
καὶ τῆς προτέρας ἐκπεσόντας ἐλευθερίας.

C : 330-332 εἰς — δουλεύοντα ‖ 334-339 ταῦτα — ἐλευθερίας
336 δὲ C : > K
319 Is. 42, 1   322 Is. 11, 1-3

---

1. La mention πολλάκις paraît interdire d'entendre ἐν τοῖς
ἔμπροσθεν des passages précédemment commentés : Théodoret n'y
fait qu'une fois cette remarque (In Is., 12, 526-531) à propos d'Is.
42, 1 ; or, c'est précisément le verset qu'il cite ici pour montrer que,
dans ce livre-ci (ἐν τῷδε τῷ βιβλίῳ) — i.e. celui d'Isaïe par opposition
à d'autres ouvrages —, il a déjà souligné ce point. Si l'on trouve déjà
la remarque dans l'In Cant., 81, 200 BD et dans l'In Psal., 80, 1192 C,
elle reste peu fréquente dans les commentaires et l'adverbe πολλάκις
serait à cet égard abusif. Il est donc possible que Théodoret fasse
allusion à d'autres écrits, à ses ouvrages dogmatiques par exemple.

nous avons souvent montré[1]. Nous avons, d'autre part, trouvé dans ce livre-ci ce passage : « Jacob mon serviteur, je m'occuperai de lui ; Israël mon élu, mon âme l'a accueilli ; je mettrai sur lui mon esprit, il apportera le jugement aux nations », et encore : « Un rejeton sortira de la souche de Jessé et une fleur poussera de sa souche. Et sur lui reposera l'esprit de Dieu, un esprit de sagesse et d'intelligence, un esprit de conseil et de force, un esprit de science et de piété, un esprit de crainte de Dieu le remplira. » C'est donc lui qui déclare ici : « L'esprit du Seigneur est sur moi, parce que le Seigneur m'a oint. »

Et il donne les raisons de l'onction : *C'est pour annoncer la bonne nouvelle aux pauvres qu'il m'a envoyé.* C'est, en effet, dans une pauvreté extrême qu'est tombée la nature humaine, mais tout particulièrement les nations qui étaient esclaves des idoles. *Pour guérir ceux qui ont le cœur brisé, pour annoncer aux captifs la délivrance et aux aveugles le retour à la vue.* Par tous ces termes il désigne les hommes[2] : (il les appelle) « pauvres », parce qu'ils ont perdu la richesse du ciel ; « cœurs brisés », parce qu'ils ont corrompu leur faculté de raisonnement ; « aveugles », parce qu'ils ont méconnu Dieu et rendu un culte à la création ; « captifs », parce qu'ils sont passés en transfuges au camp du tyran[3] et ont perdu leur liberté première.

2. CHRYSOSTOME commente longuement chaque terme de manière figurée (*M.*, p. 442-444). Interprétation figurée également chez CYRILLE : les « pauvres » sont ceux qui manquent de tout bien, qui n'ont aucun espoir et qui sont sans Dieu — il faudrait voir là les membres des nations, devenus riches par leur croyance en Dieu et grâce au trésor du message évangélique ; les « cœurs brisés » sont les esprits faibles, incapables de résister aux attaques des passions ; les « aveugles » et les « captifs », ceux qui sont prisonniers de l'idolâtrie (70, 1352 BC).

3. C'est-à-dire du diable (cf. le commentaire du verset suivant), souvent désigné de la sorte par Théodoret et chez les Pères (cf. Index des mots grecs).

340   ² Καλέσαι ἐνιαυτὸν (κυρίου δεκ)τὸν καὶ ἡμέραν ἀνταπο-
δόσεως τῷ θεῷ ἡμῶν. Οὐ γὰρ μόνον ἡμῖν τὴν τῶν ἁμαρτημάτων (ἄφεσιν) ἐδωρήσατο καὶ τῆς τοῦ διαβόλου τυραννίδος
ἀπήλλαξε καὶ τὸ θεῖον ὑπέδειξε φῶς, (ἀλλὰ) καὶ τὴν
μέλλουσαν ἐπηγγείλατο βιοτὴν καὶ τὴν δικαίαν ἠπείλησε
345 κρίσιν. Ἐνιαυτὸν γὰρ |178 a| δεκτὸν τὴν προτέραν αὐτοῦ
παρουσίαν οἶμαι χρηματίζεσθαι, ἡμέραν δὲ ἀντα(ποδόσεως)
τῆς κρίσεως τὴν ἡμέραν. Παρακαλέσαι πάντας τοὺς πενθοῦντας. Τῇ γὰρ ἐλπίδι τῆς ἀναστ(άσεως) ἐκέρασε τοῦ θανάτου
τὴν ἀθυμίαν.

350   ³ Δοθῆναι τοῖς πενθοῦσι Σιὼν δόξαν αὐτοῖς (ἀντὶ σποδοῦ),
ἄλειμμα εὐφροσύνης τοῖς πενθοῦσι, καταστολὴν δόξης ἀντὶ
πνεύματος ἀκηδίας. Τό · ἄ(λειμμα) εὐφροσύνης, ὁ Θεοδοτίων
καὶ ὁ Σύμμαχος « ἔλεον ἀγαλλιάσεως » ἡρμήνευσαν.
Αἰνίττεται δὲ (τὸ μυστικὸν) χρῖσμα, οὗ ἀξιούμενοι τὴν
355 εὐφροσύνην δεχόμεθα καὶ τῆς δόξης τὴν ἀμπεχόνην · τὴν
γὰρ καταστο(λὴν) στολὴν νοητέον. Οὕτω γὰρ καὶ ὁ
Θεοδοτίων · « περιβόλαιον καυχήματος », καὶ ὁ Σύμμαχος ·
« περι(βό)λαιον ὑμνήσεως ». Τὸ δέ · ἀντὶ πνεύματος ἀκηδίας, οἱ Τρεῖς « ἀντὶ πνεύματος ἀμαυροῦ » τεθείκας[ιν].
360 Ἐξελάσας γὰρ ἀφ' ἡμῶν τὸ ἀμαυρὸν καὶ σκυθρωπὸν τῆς
ἀκηδίας πνεῦμα, τῆς δόξης ἡ[μῖν] τὴν περιβολὴν τέθεικεν.
Ἐθρηνῴδουν δὲ διαφερόντως οἱ τὴν Σιὼν οἰκοῦντες ἅγιοι
τὴν τῶν οἰκητόρων αὐτῆς ὁρῶντες ἀσέβειαν. Ἐκ τούτων
ὁ μέγας ἐκεῖνος Συμεὼν ὁ καὶ χρηματισθεὶς τοῦ « μὴ
365 ἰδεῖν θάνατον, ἕως ἂν ἴδῃ τὸν χριστὸν κυρίου », ἐκ τούτων
ἡ προφῆτις Ἄννα καὶ ἕτερ[οι] ἦσαν πολλοὶ τὴν μὲν Ἰουδαίων

C : 341-347 οὐ — ἡμέραν ‖ 348-349 τῇ — ἀθυμίαν ‖ 354-356
αἰνίττεται — νοητέον

361 ἡ[μῖν] coni. Po.

364 Lc 2, 26   364-367 cf. Lc 2, 25-38

---

1. La remarque de Théodoret, comme l'appel aux versions de
Théodotion et de Symmaque, prouvent que le mot καταστολή est
source d'obscurité pour un lecteur du vᵉ siècle. L'interprétation de

2. *Pour annoncer un an de grâce du Seigneur et un jour de rétribution pour notre Dieu.* Il nous a non seulement gratifiés de la rémission des péchés, délivrés de la tyrannie du diable et montré la lumière divine, mais il nous a également promis l'existence future et menacés d'un juste jugement. Je pense, en effet, qu'est qualifiée d'« an de grâce » sa première venue et de « jour de rétribution », le jour du jugement. *Pour consoler tous les affligés.* Par l'espérance de la résurrection il a, en effet, tempéré l'abattement que provoque la mort.

3. *Pour que soit donnée aux affligés qui habitent en Sion la gloire au lieu de la cendre, pour que soient donnés un parfum de joie aux affligés, un sur-vêtement de gloire au lieu d'un esprit de tristesse.* Le terme « parfum de joie », Théodotion et Symmaque l'ont traduit par « huile d'allégresse ». Il fait donc allusion au chrême mystique : pour en être gratifiés, nous recevons la joie et la robe de gloire, car par « sur-vêtement » il faut entendre un « vêtement »[1]. Telle est aussi l'interprétation de Théodotion « un manteau d'orgueil », et celle de Symmaque « un manteau de louange ». Quant à l'expression « au lieu d'un esprit de tristesse », les trois (interprètes) l'ont rendue par « au lieu d'un esprit sombre ». Il a, en effet, chassé loin de nous l'esprit sombre et chagrin de la tristesse et nous a revêtus de l'habit de la gloire. Mais c'étaient tout particulièrement les saints qui habitaient Sion qui se lamentaient à la vue de l'impiété de ses habitants. De ce nombre était le grand et illustre Syméon qui avait précisément reçu la révélation qu'« il ne verrait pas la mort avant d'avoir vu l'Oint du Seigneur »; de ce nombre était la prophétesse Anne, et il y en avait beaucoup d'autres qui déploraient l'iniquité

CYRILLE est tout à fait comparable : « et ‘ un sur-vêtement de gloire ’ — c'est-à-dire ‘ un manteau (περίβλημα) ’ ou encore ‘ un vêtement (στολὴν) ’ — et ‘ un habit (ἄμφιον) (de gloire) au lieu d'un esprit de tristesse ’, c'est-à-dire au lieu de leur faiblesse d'âme d'autrefois » (70, 1357 B).

παρανομίαν θρηνοῦντες τὴν δὲ τοῦ θεοῦ σωτηρίαν προσ-
μένοντες · [τού]τοις ἔλυσε τὸ πένθος ἐπιφανείς.
Καὶ κληθήσονται γενεαὶ δικαιοσύνης, φύτευμα κυρίου εἰς
370 **(δόξαν).** Τουτέστιν οὗτοι οἱ ἐκ τῆς Σιὼν ἐκλεγόμενοι,
οἱ δυοκαίδεκα, οἱ ἑβδομήκοντα, οἱ ἑκατὸν εἴκοσι, οἱ πεντα-
(κόσιοι), οἱ τρισχίλιοι, αἱ πολλαὶ μυριάδες. Οὕτω καὶ ὁ
μακάριος λέγει Δαυίδ · « Αὕτη ἡ γενεὰ ζητούν(των)
τὸν κύριον.» Οἱ δὲ Τρεῖς ἀντὶ τοῦ · γενεαὶ δικαιοσύνης,
375 « ἰσχυροὶ τῆς δικαιοσύνης, φυτὸν κυρίου εἰς (τὸ) δοξασθῆναι » τεθείκασιν. Οἷον γάρ τινες ἄριστοι τῆς εὐσεβείας
στρατηγοὶ τὴν οἰκουμένην [περινο]στήσαντες κατέλυσαν
τὴν ἀσέβειαν καὶ πρῶτοι γενόμενοι τοῦ κυρίου φυτὰ τὴν
ἔρημον κα[τε]φύτευσαν.
380   **[4] Καὶ οἰκοδομήσουσιν ἐρήμους αἰωνίας, ἐξερημωμένας**
πρότερον (ἐξαναστή)σουσι καὶ ἀνακαινιοῦσι πόλεις ἐρήμους,
ἐξερημωμένας ἀπὸ γενεᾶς καὶ γενεᾶς. (Δει)ξάτωσαν ταῦτα
Ἰουδαῖοι γεγενημένα. Ἡμεῖς δὲ δείκνυμεν τὰς ὑπὸ τῆς
δυσσεβείας διαφθαρείσας πόλεις ὑπὸ τῶν ἱερῶν ἀποστόλων
385 καὶ τῶν τὸ ἐκείνων κήρυγμα διαδεξαμ(ένων) εὐσεβῶς
ἀνοικοδομηθείσας τε καὶ νεουργηθείσας. **[5] Καὶ ἥξουσιν**
ἀλλογενεῖς ποιμαίνοντες τὰ (πρό)βατά σου καὶ ἀλλόφυλοι
ἀροτῆρες καὶ ἀμπελουργοὶ ὑμῶν. Ἐξ ἀλλοφύλων γὰρ ἐθνῶν
οἱ τῆς ἐκκλησίας διδάσκαλοι, οὓς καὶ ποιμένας καὶ ἀροτῆρας
390 καὶ ἀμπελουργοὺς ὠνόμασεν.

C : 370-374 τουτέστιν — κύριον ‖ 382-386 δειξάτωσαν — νεουργηθείσας ‖ 388-390 ἐξ — ὠνόμασεν
370 οἱ C : > K ‖ 383 δὲ K : > C
371-372 cf. Lc 10, 1 ; Act. 1, 15 ; I Cor. 15, 6 ; Act. 2, 41 ; 21, 20
373 Ps. 23, 6

1. C'est-à-dire les nations (cf. le commentaire du verset suivant) ;
voir l'interprétation de CYRILLE (70, 1357 D) : le Sauveur, comme
un agriculteur, nous cultive grâce aux saints mystagogues, qui sont
les collaborateurs de Dieu (συνεργοὺς Θεοῦ).
2. L'interprétation de CHRYSOSTOME va dans le même sens

des Juifs et attendaient le salut de Dieu : ce sont eux qu'il a délivrés du deuil, lorsqu'il s'est manifesté.

L'ère apostolique *Et ils seront appelés générations de justice, plantation du Seigneur pour sa gloire.* Il s'agit des habitants de Sion qui iont été choisis : les douze, les soixante-dix, les cinq cents, les trois mille, les nombreux milliers. De la même manière le bienheureux David déclare de son côté : « Voici la génération de ceux qui cherchent le Seigneur. » Les trois (interprètes), toutefois, au lieu de « générations de justice », ont écrit : « champions de la justice, plante du Seigneur pour qu'il soit glorifié. » De fait, en excellents généraux de la piété, pourrait-on dire, ils ont fait le tour du monde et détruit l'impiété ; premiers à être devenus « les plantes du Seigneur », ils ont planté le désert[1].

4. *Ils rempliront de constructions des lieux déserts depuis des siècles, ils relèveront des lieux précédemment dévastés et ils renouvelleront des villes désertées, dévastées depuis des générations et des générations.* Que les Juifs montrent que cela s'est produit ! Nous montrons, quant à nous, que les cités détruites par l'impiété ont été reconstruites et restaurées par les saints apôtres et par ceux qui leur ont pieusement succédé dans leur prédication[2]. 5. *Des étrangers viendront faire paître tes troupeaux, et ils seront étrangers vos laboureurs et vos vignerons.* C'est, en effet, de nations étrangères que sont issus les maîtres de l'Église qu'il a nommés « pasteurs, laboureurs et vignerons »[3].

(*M.*, p. 445, l. 1-4) : les villes désertes — celles qui étaient privées d'hommes connaissant Dieu et non celles dont les remparts auraient été détruits et les habitations abandonnées — ont été maintenant reconstruites : en elles vivent des hommes qui connaissent Dieu.

3. Cf. CHRYSOSTOME : « Or, on doit admirer le fait qu'il parle ouvertement des chefs de l'Église » (*M.*, p. 445, l. 7-8). Pour CYRILLE également, il s'agit des διδάσκαλοι Ἐκκλησιῶν, des hommes venus du « troupeau grec », i.e. du paganisme, et non issus du sang d'Israël (70, 13-1 AB).

⁶ Ὑμεῖς δὲ ἱερεῖς κυρίου κληθήσεσθε, λειτουργοὶ θεοῦ ἡμῶν ῥηθήσεται ὑμῖν. Τὸ δὲ ἀποστολικὸν ὄνομα ἐξαί(ρετον) οἱ τρισμακάριοι ἔσχον ἐκεῖνοι · εἰ γὰρ καὶ τὸ ἐκείνων οὗτοι διεδέξαντο ἔργον, ἀλλ᾽ οὖν τὴν (ἐκείνων) προσηγορίαν 395 οὐδεὶς ἁρπάσαι τολμᾷ. Ἰσχὺν ἐθνῶν κατέδεσθε καὶ ἐν τῷ πλού(τῳ αὐτῶν) θαυμασθήσεσθε. Τὴν γὰρ κρατοῦσαν ἀσέβειαν καταλύσαντες τὸν πνευματικὸν αὐτοῖς (χορη-γήσατε) πλοῦτον θαυμαζόμενοι παρὰ πάντων ἐπὶ τῇ ξένῃ μεταβολῇ. ⁷ Ἀντὶ τῆς αἰσχύνης αὐτῶν τῆς (διπλῆς) καὶ 400 ἀντὶ τῆς ἐντροπῆς ἀγαλλιάσεται ἡ μερὶς αὐτῶν. Πρὸς τοὺς ἱεροὺς ἀποστόλους [ταῦτα λέγει] · Μὴ δυσχεράνητε διωκόμενοι καὶ στρεβλούμενοι καὶ ὀνείδη παρὰ πάντων δεχόμενοι καὶ [μυρία] θανάτου ὑπομένοντες εἴδη · διὰ γὰρ τῶν ὑμετέρων παθημάτων τεύξεται τῆς σωτηρίας 405 τὰ ἔ[θνη καὶ] τῆς τῶν εὐφραινομένων μερίδος γενήσεται. Διὰ τοῦτο τὴν γῆν αὐτῶν ἐκ δευτέρου κληρονομ(ήσουσιν). Καὶ δεικνὺς τῆς κληρονομίας τὸν τρόπον ἐπήγαγεν · Καὶ εὐφροσύνη αἰώνιος ὑπὲρ κεφ(αλῆς αὐτῶν). Ἀπαλλαγήσε-ται γὰρ ἡ γῆ τῆς προτέρας ἀρᾶς καὶ ἔσται καινή, ἣν 410 περίκειται νῦν (ἀποδυομένη |178 b| φθορ)άν. Οὕτω γὰρ καὶ ὁ θεῖος ἀπόστολος ἔφη · « Καὶ αὐτὴ ἡ κτίσις ἐλευθερωθή-σεται ἀπὸ τῆς δουλείας τῆς (φθο)ρᾶς εἰς τὴν ἐλευθερίαν τῆς δόξης τῶν τέκνων τοῦ θεοῦ.» Δευτέραν τοίνυν κληρο-νομίαν τὸν μέλλοντα βίον ἐκάλεσεν.

415   ⁸ Ἐγὼ γάρ εἰμι κύριος ὁ ἀγαπῶν δικαιοσύνην καὶ μισῶν ἁρπάγματα ἐξ ἀ(δικία)ς καὶ δώσω τὸν μόχθον αὐτῶν δικαίοις ⟨καὶ διαθήκην αἰώνιον διαθήσομαι αὐτοῖς⟩. ⟨ . . . ⟩ ⟨Τὸ δέ ·

___

C : 392-395 τὸ — τολμᾷ ‖ 396-399 τὴν — μεταβολῇ ‖ 408-410 ἀπαλλαγήσεται — φθοράν

393 καὶ Κ : > C ‖ 409 ἀρᾶς Κ : κατάρας C

411 Rom. 8, 21

___

1. Selon CYRILLE, « force des nations » désignerait les hommes qui au sein de ces nations étaient illustres ou très diserts et avaient

6. *Mais vous, vous serez appelés prêtres du Seigneur, on vous nommera ministres de notre Dieu.* Le nom spécial d'apôtres fut celui de ces personnages trois fois bienheureux ; quoique d'autres leur aient succédé dans leur tâche, personne n'ose néanmoins s'arroger leur titre. *Vous dévorerez la force des nations et dans leur richesse vous serez admirés.* Vous avez détruit l'impiété qui régnait en souveraine[1] et vous leur avez fourni la richesse spirituelle : cet étrange changement vous vaut l'admiration de tous. 7. *Au lieu de leur double honte et de leur confusion, leur lot sera dans l'allégresse.* Il dit cela à l'adresse des saints apôtres : Ne soyez pas fâchés d'être persécutés et torturés, de recevoir des outrages de la part de tous et d'endurer mille espèces de mort : c'est grâce à vos souffrances que les nations obtiendront le salut et qu'elles feront partie du lot de ceux qui sont dans la joie.

C'est pourquoi ils recevront leur terre en héritage pour la seconde fois. Et, pour montrer le mode dont s'effectuera l'héritage, il a ajouté : *Et une joie éternelle (sera) sur leur tête.* La terre sera délivrée de la malédiction première et sera nouvelle, une fois dépouillée de la corruption dont elle est maintenant enveloppée. De même le divin Apôtre a dit à son tour : « Et la création elle-même sera délivrée de la servitude de la corruption pour entrer dans la liberté de la gloire des enfants de Dieu. » Il a donc appelé « second héritage » la vie future.

8. *Car moi, je suis le Seigneur qui aime la justice et qui hait les rapines qu'exerce l'injustice ; et je donnerai le fruit de leur peine aux justes et j'établirai avec eux une alliance éternelle.* (...) Quant à l'expression « Et je donnerai le fruit

la sagesse du monde en partage : c'est d'eux qu'a triomphé la parole des saints mystagogues (70, 1361 C). L'interprétation d'Eusèbe est différente : il s'agirait, selon lui, des martyrs du monde entier et de ceux qui, dans toutes les nations, luttent pour la vérité : pour « les prêtres de Dieu, pour les pasteurs, vignerons et laboureurs de l'Église », ils constituent la véritable nourriture (*GCS* 381, 11-16).

καὶ δώσω τὸν μόχθον αὐτῶν δικαίοις, > οὕτως οἱ Τρεῖς
ἡρμήνευσαν · « καὶ δώσω τὴν ἐργασίαν (αὐτῶν) ἐν ἀληθείᾳ » ·
420 ἀποδώσω γὰρ αὐτοῖς τὸν μισθὸν πληρῶν μου τὴν ὑπόσχεσιν.
⁹ Καὶ γνωσθήσεται (ἐν τοῖς) ἔθνεσι τὸ σπέρμα αὐτῶν καὶ
τὰ ἔγγονα αὐτῶν ἐν μέσῳ τῶν λαῶν. Τῶν ἱερῶν ἀποστόλων
(σπ)έρμα καλεῖ καὶ ἔγγονα τοὺς τὸ ἐκείνων κήρυγμα
διαδεξαμένους. Πᾶς ὁ ὁρῶν αὐτοὺς ἐπι(γνώ)σεται αὐτούς,
425 ὅτι οὗτοί εἰσι σπέρμα εὐλογημένον ὑπὸ τοῦ θεοῦ. ¹⁰ Καὶ
εὐφροσύνῃ εὐφρανθήσονται (ἐ)πὶ τῷ κυρίῳ. « Ἐκ γὰρ τοῦ
καρποῦ τὸ δένδρον γινώσκεται » κατὰ τὴν τοῦ κυρίου
διδασκαλίαν. Ὅπως δέ (εἴ)σιν ἐπίσημοι τοῦ σωτῆρος ἡμῶν
οἱ θεράποντες, αὐτὰ μαρτυρεῖ τὰ πράγματα · ὁρῶμεν γὰρ
430 τοὺς τὰς μεγίστας πεπιστευμένους ἀρχὰς διηνεκῶς πρὸς
τούτους συντρέχοντας καὶ σὺν θερμῇ προθυμίᾳ τὴν παρὰ
τούτων εὐλογίαν κομιζομένους.

Οὕτω ταῦτα προθεσπίσας μεταβάλλει τοῦ λόγου τὸ
[σχῆ]μα καὶ ἐκ προσώπου τῆς ἐκκλησίας πρὸς τὸν εὐεργέτην
435 βοᾷ · Ἀγαλλιάσθω ἡ ψυχή μου (ἐπὶ) τῷ κυρίῳ · ἐνέδυσε
γάρ με ἱμάτιον σωτηρίου καὶ χιτῶνα εὐφροσύνης περιέβαλέ
με. Ἱμάτιον σωτηρίου καὶ (χιτ)ῶνα εὐφροσύνης τοῦ παναγίου
βαπτίσματος τὴν χάριν καλεῖ · « Ὅσοι γὰρ » φησιν « εἰς
Χριστὸν ἐβαπτίσθητε, Χριστὸν (ἐνε)δύσασθε. » Διὸ καὶ ἐν
440 τῇ Ἑβραίων φωνῇ τὸ ἱμάτιον σωτηρίου ἱμάτιον ἰεσῶα
καλεῖται, (του)τέστιν Ἰησοῦ.
Ὡς νυμφίῳ περιέθηκέ μοι μίτραν καὶ ὡς νύμφην κατε-
κόσμησέ με κόσ(μ)ῳ. Νύμφην μὲν ἑαυτὴν καλεῖ ὡς τῷ

C : 422-424 τῶν² — διαδεξαμένους ‖ 426-432 ἐκ — κομιζομένους ‖
437-441 ἱμάτιον — Ἰησοῦ ‖ 443-450 νύμφην — χαρίσματα

432 τούτων C : τὴν Κ ‖ 438 φησιν C : post Ἑβραίων (440)
posuit Κ ‖ 440 ἰεσῶα Κ : ἰεσῶσα C ‖ 441 καλεῖται Κ : κεῖται C ‖
ιυ Κ : χυ C ‖ 443 καλεῖ Κ : +ἡ ἐκκλησία C

426 Matth. 12, 33   438 Gal. 3, 27

1. Cf. supra, 19, 384-385. CHRYSOSTOME (M., p. 445, l. 22-24)
rapporte également le passage aux apôtres.

de leur peine aux justes », les trois (interprètes) l'ont rendue de la manière suivante : « Et je (leur) donnerai le prix de leur travail en vérité » ; en effet, je leur remettrai leur salaire en accomplissant ma promesse. 9. *Et leur postérité sera connue parmi les nations et leurs descendants au milieu des peuples.* Il appelle « postérité » et « descendants » des saints apôtres les hommes qui leur ont succédé dans leur prédication[1]. *Tout homme qui les verra les reconnaîtra, parce qu'ils sont la postérité qu'a bénie Dieu.* 10. *Et ils se réjouiront de joie dans le Seigneur.* « Car c'est à son fruit qu'on reconnaît l'arbre » selon l'enseignement du Seigneur. Or, les faits eux-mêmes témoignent à quel point sont illustres les serviteurs de notre Sauveur : nous voyons, en effet, les hommes qui se sont vu confier les plus hautes charges accourir continuellement vers eux et remporter avec un zèle ardent leur bénédiction.

Action de grâce de l'Église Après avoir de la sorte fait cette prophétie, il change l'allure de son propos et, au nom de l'Église, il s'écrie à l'adresse de son bienfaiteur : *Que mon âme exulte de joie dans le Seigneur : car il m'a revêtu du vêtement de salut et il m'a enveloppé du manteau de joie.* Il appelle « vêtement de salut » et « manteau de joie » la grâce du très saint baptême[2] : « Car vous tous », dit (l'Apôtre), « vous avez été baptisés dans le Christ, vous avez revêtu le Christ. » Car précisément, en langue hébraïque, « vêtement de salut » se dit vêtement de « jésoa », c'est-à-dire de Jésus[3].

Comme un jeune époux il m'a coiffé d'un diadème et comme une épouse il m'a parée d'une parure. Elle s'appelle elle-

---

2. De même, CHRYSOSTOME voit, dans « vêtement de salut », le Christ *(Christum enim vestimentum salutis est)* et cite également *Gal.* 3, 27 *(M.,* p. 447, l. 1 s.). Pour CYRILLE aussi, qui renvoie à *Rom.* 13, 14 les mots « manteau » et « vêtement » désignent le Christ (70, 1365 C).

3. EUSÈBE fait la même remarque, mais à propos d'*Is.* 52, 7 *(GCS* 330, 34-36).

νυμφίῳ συνεζευγμένη, νυμφίον δὲ ὡς τὸν νυμφίον ἐν(δε)δυ-
445 μένη. Τὴν δὲ μίτραν « στέφανον » οἱ Τρεῖς Ἑρμηνευταὶ
προσηγόρευσαν. Τούτου τοῦ κόσμου καὶ (ὁ μ)ακάριος
μέμνηται Δαυίδ · « Παρέστη » γὰρ « ἡ βασίλισσά » φησιν
« ἐκ δεξιῶν σου, ἐν ἱματισμῷ (δι)αχρύσῳ περιβεβλημένη
πεποικιλμένη.» Δηλοῖ δὲ ὁ λόγος τοῦ παναγίου πνεύματος
450 τὰ (ποικ)ίλα χαρίσματα.

11 Καὶ ὡς γῆ αὔξουσα τὸ κάλλος καὶ ἄνθος αὐτῆς καὶ
ὡς κῆπος τὰ σπέρματα (αὐτ)οῦ ἐκφύει, οὕτως ἀνατελεῖ
κύριος δικαιοσύνην καὶ ἀγαλλίαμα ἐναντίον πάντων τῶν
ἐθνῶν. (Ἔ)δειξε πᾶσαν τὴν οἰκουμένην ἕνα δικαιοσύνης
455 γεγενημένην παράδεισον.

62¹ Διὰ Σιὼν οὐ (σιω)πήσομαι καὶ διὰ Ἱερουσαλὴμ οὐκ
ἀνήσω, ἕως ἂν ἐξέλθῃ ὡς φῶς δικαιοσύνη μου καὶ τὸ σωτήριόν
μου (ὡσ)εὶ λαμπὰς καυθήσεται. Ταῦτα αὐτὸς λοιπὸν ὁ
νυμφίος φησίν · Δείξω γάρ φησι τῇ Σιὼν καὶ τῇ Ἱερουσαλήμ,
460 ὡς τὸν ὑπ' αὐτῆς σταυρωθέντα πάντα προσκυνήσει τὰ ἔθνη
καὶ πᾶσαν τῆς ἐμῆς σωτηρίας αἱ ἀκτῖνες διαδραμοῦνται
τὴν οἰκουμένην.

² Καὶ ὄψεται τὰ ἔθνη τὴν δικαιοσύνην σου (καὶ) βασιλεῖς
τὴν δόξαν σου. Σοῦ, τῆς ἀγαλλομένης ἐπὶ τῇ σωτηρίῳ
465 περιβολῇ, τῆς ἀρε(στ)ῆς μου νύμφης (ἣν) παντοδαπῷ
κατεκόσμησα κόσμῳ. Καὶ καλέσει σε τὸ ὄνομά σου τὸ καινὸν
ὃ ὁ κύριος ὀνο(μάσει) αὐτό. Εἰπάτωσαν Ἰουδαῖοι, ποῖον
ἐσχήκασι καινὸν ὄνομα · μέχρι γὰρ τοῦ παρόντος Ἰουδαῖοι
(καλοῦν)ται. Οἱ δὲ τῷ κυρίῳ πεπιστευκότες τὴν καινὴν
470 προσηγορίαν ἐδέξαντο, οὐκ ἐξ Ἀβραὰμ (ἢ Ἰσραὴλ ἢ) Ἰούδα

C : 454-455 ἔδειξε — παράδεισον ‖ 458-462 ταῦτα — οἰκουμένην
‖ 464-466 σοῦ — κόσμῳ ‖ 467-473 εἰπάτωσαν — ἐνδυσάμενοι

447 ἡ βασίλισσά / φησιν K : ∼ C ‖ 459 φησι K : > C ‖ 460
πάντα C : ταῦτα K ‖ 464 τῇ K : > C

447 Ps. 44, 10

1. Pour CYRILLE, « Sion » désigne ici l'Église (70, 1368 D), à qui
il applique l'ensemble de la prophétie.

même « épouse », parce qu'elle s'est unie à l'époux, et « époux », parce qu'elle a revêtu l'époux. Quant au « diadème », les trois interprètes l'ont appelé « couronne ». De cette parure le bienheureux David a lui aussi fait mention : « La reine se tint à ta droite, dit-il, enveloppée d'un vêtement tissé d'or, dans des atours variés. » Le texte fait donc voir la diversité des grâces qu'accorde le très saint Esprit.

11. *Comme la terre fait croître sa beauté et sa fleur, et comme un jardin fait lever ses semences, ainsi le Seigneur fera monter justice et joie devant toutes les nations.* Il a montré le monde entier devenu un unique paradis de justice.

Promesses du Seigneur à son Église

62, 1. *A cause de Sion je ne me tairai pas et à cause de Jérusalem je n'aurai pas de trêve, jusqu'à ce que jaillisse comme une lumière ma justice et que mon salut s'allume comme un flambeau.* C'est, du reste, l'époux en personne qui fait cette déclaration : Je montrerai à Sion[1] et à Jérusalem, dit-il, que, celui qu'elles ont crucifié, toutes les nations l'adoreront et que les rayons de mon salut parcourront le monde entier.

2. *Les nations verront ta justice et les rois, ta gloire.* (Justice et gloire) t'appartiennent[2], à toi que le vêtement du salut fait exulter de joie, à toi mon épouse bien-aimée que j'ai parée de toutes sortes d'ornements. *Et elles t'appelleront du nom nouveau dont le Seigneur te nommera.* Que les Juifs disent quel est le nom nouveau qu'ils ont eu ! car jusqu'à ce jour on les appelle des « Juifs »[3] ! Mais ceux qui ont cru au Seigneur ont reçu une appellation nouvelle : on ne les appelle pas d'après le nom d'Abraham, d'Israël

---

2. « Justice et gloire », selon CYRILLE, désignent notre Seigneur (70, 1369 B).

3. Théodoret veut exprimer de la sorte le mépris qui s'attache à ce nom ; cf. *In Is.*, 20, 396-397.

καλούμενοι ἀλλ' ἐξ αὐτοῦ προσαγορευόμενοι τοῦ δεσπότου
Χριστοῦ · Χριστιανοὶ γὰρ παρὰ (πάντων) καλοῦνται ἅτε
δὴ διὰ τοῦ παναγίου βαπτίσματος τὸν Χριστὸν ἐνδυσάμενοι.

475 ³ Καὶ ἔσῃ στέφανος (κάλλους) ἐν χειρὶ κυρίου καὶ διάδημα
βασιλείας ἐν χειρὶ κυρίου θεοῦ σου ⁴ καὶ οὐκέτι κληθήσῃ
Ἐγκαταλελειμ(μένη), καὶ ἡ γῆ σου οὐκέτι κληθήσεται
Ἔρημος. Πολλάκις ἔρημον τὰ ἔθνη ὁ προφητικὸς προσηγό[ρευσε] (λ)όγος · καὶ ἐπὶ πλεῖστον δὲ ἐγκατελείφθησαν
χρόνον οὔτε προφήτην οὔτε νομοθέτην θεῖον (δεχόμενοι.

480 Ἀλλ') ὅμως αὐτοῖς καὶ καινὸν δέδωκεν ὄνομα καὶ διάδημα
βασιλείας αὐτοὺς |179 a| καὶ στέφανον νυμφικὸν ὀνομάζει ·
καὶ γὰρ νύμφην αὐτοὺς προσηγόρευ(σε) καὶ βασιλ(είαν
οὐρανῶν) αὐτοῖς ἐπηγγείλατο. Σοὶ γὰρ κληθήσεται Θέλημα -
ἐμὸν καὶ τῇ γῇ σου Οἰκουμένη, ὅτι εὐδοκ(ήσει) κύριος ἐν

485 σοί, καὶ ἡ γῆ σου συνοικισθήσεται. Εὐδοκίαν αὐτὴν καὶ ἐν
τῷ Ἄισματι Ἀισμάτων καλεῖ. [Εὐδο]κία<ν> δὲ καλεῖ τὸ
ἀγαθὸν θέλημα. Οὕτως καὶ ὁ θεῖος ἀπόστολος · « κατὰ
τὴν εὐδοκίαν τοῦ θελήματος αὐτοῦ ». [Δει]κνὺς δὲ τὸ
πλῆθος τῶν πεπιστευκότων οἰκουμένην αὐτὴν ὀνομάζει.

490 ⁵ Καὶ ὡς συνοικῶν νεανίσκος παρθένῳ οὕτως κατοικήσουσιν
οἱ υἱοί σου · καὶ ὃν τρόπον εὐφρανθήσεται νυμφίος ἐπὶ
νύμφῃ, οὕτως (εὐφρανθήσ)εται κύριος ἐπὶ σοί. Ἐπειδὴ τῆς
νύμφης ἐμνημόνευσεν, ἀναγκαίως καὶ τῆς παρθένου τέθεικε
τὴν εἰκόνα, (ἵνα δεί)ξῃ τοῦ γάμου τὸ διάφορον.

C : 477-483 πολλάκις — ἐπηγγείλατο ‖ 492-494 ἐπειδὴ — διάφορον
472 Χριστοῦ C : > K ‖ 477-478 ἔρημον — προσηγό . . . . . K : γὰρ
τὰ ἔθνη ἔρημον ὁ προφητικὸς ἡρμήνευσε C
485-486 cf. Cant. 6, 3   487 Éphés. 1, 5

1. C'est à Antioche que les disciples du Christ ont reçu ce nom de
« chrétiens » (Act. 11, 26) ; notons à propos du baptême une nouvelle
allusion à Gal. 3, 27 (cf. supra, 19, 437-439). Pour Eusèbe (GCS
383, 16-18), ce « nom nouveau » est celui du Christ qui sert de parure
à son Église (τὸ γὰρ ἐπώνυμον κυρίου τὴν ἐκκλησίαν αὐτοῦ κοσμεῖ).
Voir encore Cyrille qui applique le passage à « l'Église constituée à
partir du troupeau juif » : « En effet, on ne l'a plus davantage appelée

ou de Juda, mais on les désigne d'après le nom de notre
Maître le Christ en personne : de fait, tout le monde les
appelle « chrétiens », étant donné précisément qu'ils ont
par le très saint baptême revêtu le Christ[1].

3. *Tu seras une couronne de beauté dans la main du
Seigneur et un diadème royal dans la main du Seigneur ton
Dieu; 4. tu ne seras plus appelée « Abandonnée » et ta terre
ne sera plus appelée « Désert ».* Souvent le texte prophétique
a désigné sous le nom de « désert » les nations[2] ; pendant
très longtemps précisément leurs membres ont été abandonnés, sans recevoir de prophète ou de législateur divin.
Il leur a néanmoins donné à eux aussi un nom nouveau
et les a nommés « diadème royal » et « couronne nuptiale » :
de fait, il leur a donné le titre d'épouse et leur a promis le
royaume des cieux[3]. *Car on t'appellera « Ma-Volonté » et
ta terre « Habitée », parce que le Seigneur se complaira en
toi et que ta terre sera peuplée.* Dans le *Cantique des Cantiques*
également il l'appelle « (Mon)-Bon-Plaisir ». Or, ce qu'il
appelle « Bon-Plaisir », c'est (son) bon vouloir. Ainsi le
divin Apôtre (dit) à son tour : « Selon le bon plaisir de sa
volonté. » D'autre part, pour montrer le grand nombre
des croyants, il l'appelle « habitée ».

5. *Comme un jeune homme demeure avec une vierge,
ainsi tes fils habiteront en toi; et tout comme l'époux se
réjouira en son épouse, ainsi le Seigneur se réjouira en toi.*
Puisqu'il a fait mention de l'épouse, il a nécessairement
présenté aussi l'image de la vierge, afin de montrer le
caractère exceptionnel de ce mariage.

Synagogue, mais Église du Dieu vivant, sa cité et sa demeure »
(70, 1369 C).

2. Cf. *In Is.*, 9, 452-453 ; 10, 194.384.394 s. et *supra*, 19, 205-206 ;
sur le thème du transfert des Promesses, cf. t. I, *SC* 276, Introd.,
p. 83.

3. Selon Eusèbe (*GCS* 383, 22-24), sont en vérité « la couronne du
Christ » ceux qui, avec son aide, se conduisent droitement (οἱ δι'
αὐτοῦ κατορθοῦντες), tandis que « le diadème royal », ce sont les saints
martyrs qui ont soutenu la lutte à cause de lui.

495　⁶ Καὶ ἐπὶ τῶν τειχῶν σου, Ἰερουσαλήμ, κατέστησα φύλακας
ὅλην τὴν ἡμέραν καὶ ὅλην τὴν νύκτα, οἳ διὰ τέλους οὐ
σιωπήσουσι μιμνησκόμενοι κυρίου. Ἰερουσαλὴμ πάλ(ιν)
αὐτὴν ὀνομ(άζει) τὴν νύμφην, φύλακας δὲ καλεῖ τοὺς κατὰ
πόλιν καὶ κώμην τῶν εὐσεβῶν λαῶν ἡγουμένους, οἵτινες
500　νύκτωρ καὶ μεθ' ἡμέραν τὸν θεὸν ἀνυμνοῦντες τὴν θείαν
φυλάττουσι πόλιν. Εἰ δὲ καὶ ἀγγ(έλους) τούτους ὑπολάβοι
τις εἶναι, οὐκ ἂν ἁμάρτοι τῆς ἀληθείας. « Παρεμβαλεῖ »
γάρ φησιν « ἄγγελος κυρίου κύκλῳ τῶν φοβουμένων αὐτὸν
καὶ ῥύσεται αὐτούς. »
505　⁷ Οὐκ ἔστι γὰρ ὅμοιος ὑμῖν. Οὐδένα γὰρ ἄλλον φησὶ
τοιο[ῦτον] εὑρήσετε δίκαιον, ἅγιον, ἀληθῶς θεόν, ἐπιμελῶς
ὑμῶν προμηθούμενον. Οὕτω καὶ ὁ μακάριος [ἔφη] Μωυσῆς ·
« Τίς ὅμοιός σοι ἐν θεοῖς κύριε ; Τίς ὅμοιός σοι, δεδοξασμένος
ἐν ἁγίοις ; » Οὕτω καὶ ὁ θ[εῖος] Δαυίδ · « Οὐκ ἔστιν
510　ὅμοιός σοι ἐν θεοῖς κύριε καὶ οὐκ ἔστι κατὰ τὰ ἔργα σου. »
Οὕτω καὶ ὁ θεῖος Ἰερε[μίας] · « Πόθεν ὅμοιός σοι κύριε ;
Πόθεν ὅμοιός σοι βασιλεῦ τῶν ἐθνῶν ; » Ἐὰν διορθώσῃ καὶ
ποιήσῃ Ἰ(ερουσαλὴμ ἀ)γαυρίαμα ἐπὶ τῆς γῆς, καύχημα
ἐν τῇ γῇ. Τοῦτο δὲ μαθήσῃ τῆς προτέρας ἀγνοίας ἀπαλλα-
515　γ[εῖσα] καὶ τοὺς αἰχμαλωτεύσαντάς σε δαίμονας ἀνδρείως
καταγωνισαμένη.

⁸ Ὤμοσε κύριος κ(ατὰ) τῆς δόξης αὐτοῦ καὶ κατὰ τῆς
ἰσχύος τοῦ βραχίονος αὐτοῦ, εἰ ἔτι δώσει τὸν σῖτόν σου καὶ

C : 497-504 Ἰερουσαλήμ — αὐτούς

500 ἀνυμνοῦντες K : ὑμνοῦντες C ‖ 501 καὶ K : > C ‖ 501-502
τούτους ὑπολάβοι τις K : τις ὑπολάβοι τούτους C

502 Ps. 33, 8　　508 Ex. 15, 11　　509 Ps. 85, 8　　511 Jér.
10, 6-7

---

1. Telle est l'interprétation d'EusèBE (GCS 384, 3-4) pour qui ces
« gardes » sont évidemment (δηλαδή) les divins anges et les puissances
saintes qui veillent sur les murs de la nouvelle Jérusalem. CHRYSOSTOME
s'en tient à une interprétation plus « humaine » : le terme désigne,
selon lui, les chefs ou les prêtres (M., p. 448, l. 15), tandis que pour

6. *Sur tes murs, Jérusalem, j'ai établi des gardes pendant toute la durée du jour et toute celle de la nuit, qui jamais ne se tairont, eux qui se souviennent du Seigneur.* De nouveau, il donne à l'épouse en personne le nom de Jérusalem et appelle « gardes » ceux qui dans les villes et les bourgs ont la direction des foules pieuses, eux qui nuit et jour célèbrent Dieu dans des hymnes et gardent la cité divine. Si toutefois on voulait aussi entendre par eux les anges, on ne s'écarterait pas de la vérité[1]. Car « L'ange du Seigneur », dit (l'Écriture), « campera autour de ceux qui le craignent et il les protégera. »

7. *Car il n'est pour vous personne de semblable.* Vous ne trouverez, en effet, personne d'autre, dit-il, qui ait telle nature, qui soit juste, saint, véritablement Dieu, qui veille sur vous avec soin. De même le bienheureux Moïse a également déclaré : « Qui est semblable à toi parmi les dieux, Seigneur ? Qui est semblable à toi, glorifié parmi les saints ? » De même aussi le divin David : « Il n'y a personne qui soit semblable à toi parmi les dieux, Seigneur, et il n'y a rien de comparable à tes œuvres. » De même encore le divin Jérémie : « Où est celui qui est semblable à toi, Seigneur ? Où est celui qui est semblable à toi, roi des nations ? » *S'il va redresser Jérusalem et en faire un sujet de gloire sur la terre, un sujet d'orgueil au milieu de la terre.* Voilà ce que tu apprendras, quand tu auras été délivrée de ton ignorance première et que tu auras courageusement vaincu les démons qui t'ont faite prisonnière.

8. *Le Seigneur l'a juré par sa gloire et par la force de son bras : Il ne donnera plus[2] ton blé et les aliments à tes ennemis,*

CYRILLE dont l'interprétation est plus proche de celle de Théodoret, il s'agit des anges qui protègent l'Église, mais aussi des « saints mystagogues » qui ne cessent de rappeler la gloire et les merveilles du Seigneur (70, 1373 BC).

2. Litt. : « S'il donne encore ton blé... » : formule de serment ; les Septante ont cherché à décalquer de la sorte le tour hébreu.

τὰ β(ρώμα)τά σου τοῖς ἐχθροῖς σου καὶ εἰ ἔτι πίονται υἱοὶ
520 ἀλλότριοι τὸν οἶνόν σου ἐφ' ᾧ ἐμόχθησας, ⁹ ἀλλ' οἱ σ(υναγα)-
γόντες φάγονται αὐτὸν καὶ αἰνέσουσι τὸν κύριον καὶ οἱ
συναγαγόντες πίονται αὐτὸν ἐν ταῖς ἐπαύλεσί μου ταῖ(ς
ἁγίαις). Σοῦ γὰρ γενναίως ἀγωνιζομένης ἐγὼ στρατηγήσω
καί, ἐπειδὴ οὐδένα ἄλλον ἔχω μείζονα καθ' [ὃν ὀμνύναι]
525 δεῖ, κατὰ τῆς οἰκείας δόξης καὶ κατὰ τῆς οἰκείας δυνάμεως
ὄμνυμι, ὡς σοὶ τοὺς σοὺς φυλάξω καρποὺς καὶ οὐ συγχωρήσω
τούτους ἀρπαγῆναι συνήθως, ἀλλὰ σὺ τῶν πόνων ἀπολαύσῃ
τῶν σῶν. Σῖ(τον) δὲ καὶ οἶνον καὶ βρώματα τροπικῶς τοὺς
τῆς δικαιοσύνης νοητέον καρπούς.

530   ¹⁰ Πορεύεσθε, περιέλθε(τε) διὰ τῶν πυλῶν μου, σκευάσατε
τὴν ὁδὸν καὶ ὁδοποιήσατε τῷ λαῷ μου καὶ τοὺς λίθους ἐκ
τῆς ὁδοῦ ῥίψατε. Καὶ ταῦτα νομίζουσιν Ἰουδαῖοι τὴν αὐτῶν
προλέγειν ἐπάνοδον, ἀλλ' οὐκ ἐᾷ νοεῖν οὕτω τὰ ἑξῆς. Φησὶ
γάρ · Ἐξάρατε σύσσημον εἰς τὰ ἔθνη · ¹¹ Ἰδοὺ γὰρ κύριος
535 ἐποίησεν ἀκουστὸν ἕως ἐσχάτου τῆς γῆς. Ἀκουστὸν δὲ
ἕως ἐσχάτου τῆς γῆς πεποίηκεν ὁ θεὸς οὐ τὸ οἰκοδόμημα
τῆς Ἰερουσαλὴμ ἀλλὰ τὸν σταυρὸν καὶ τὸ πάθος καὶ τὴν
ἀνάστασιν καὶ τὴν εἰς οὐρανοὺς τοῦ δεσπότου ἀνάληψιν καὶ
τοῦ πνεύματος τοῦ ἁγίου τὴν ἐπιφοίτησιν καὶ τῶν (μελ-
540 λόντων) ἀγαθῶν τὴν ἐλπίδα. Τούτοις εὐτρεπισθῆναι κελεύει
τοῖς κήρυξι τὴν ὁδὸν καὶ ὁμαλὴν ταύτην (καὶ λείαν) γενέσθαι
τῆς δυσκολίας ἀναιρουμένης. Λίθους γὰρ καλεῖ τὰ κωλύματα.
Οὕτω καὶ ἐν τοῖς πρόσθεν ὁ προφητικὸς ἔφη λόγος · « Ἔσται
πάντα τὰ σκολιὰ εἰς εὐθεῖαν καὶ ἡ τραχεῖα εἰς πεδία. »

C : 528-529 σῖτον — καρπούς ‖ 532-533 καὶ — ἑξῆς ‖ 535-542
ἀκουστὸν — ἀναιρουμένης

538 τοῦ δεσπότου ἀνάληψιν Κ : ἀνάληψιν τοῦ σωτῆρος C ‖ 544
σκολιὰ e tx.rec. : σκῶλα Κ

543 Is. 40, 4

1. L'interprétation de Cyrille, bien qu'elle s'organise autour du
mot « étendard » est de nature assez voisine : cet « étendard » désigne

et des fils étrangers ne boiront plus ton vin, fruit de ta peine,
9. mais ceux qui l'ont moissonné le consommeront et ils
loueront le Seigneur ; ceux qui l'ont vendangé le boiront dans
mes saints parvis. Si tu combats avec vaillance, je prendrai
la tête de tes troupes et, puisque je n'ai personne d'autre
de plus grand (que moi) au nom duquel il me faut jurer,
c'est par ma propre gloire et ma propre puissance que je
jure : je te garderai tes récoltes et je ne permettrai pas
qu'elles te soient arrachées comme à l'accoutumée, mais
c'est toi qui profiteras de tes peines. Par blé, vin et aliments,
il faut comprendre de manière figurée les fruits de la
justice.

10. *Avancez, franchissez mes portes, préparez la route,*
faites un chemin à mon peuple et enlevez les pierres de la
route. Les Juifs pensent que cela aussi prédit leur retour
d'exil, mais la suite du passage ne permet pas de comprendre ainsi. (Le prophète) dit en effet : *Élevez l'étendard sur*
les nations ! 11. *Car voici ce que le Seigneur a fait entendre*
jusqu'aux extrémités de la terre. Or, ce que Dieu a fait
entendre jusqu'aux extrémités de la terre, ce n'est pas
la reconstruction de Jérusalem, mais la croix, la passion,
la résurrection, l'ascension du Maître dans les cieux, la
venue du Saint-Esprit et l'espérance des biens futurs[1].
A ces hérauts[2] il ordonne de mettre en état la route, de la
rendre plane et unie par la suppression des difficultés
(qu'elle présente). Car il appelle « pierres » les obstacles[3].
De même déjà, en un passage précédent, le texte prophétique a dit : « Tous les chemins tortueux deviendront
route droite et (tout) escarpement, une plaine. »

le symbole de la Passion salvatrice, i.e. la croix, mais aussi la proclamation de la foi au Seigneur Jésus, ressuscité des morts, qui sauve de
la mort et du péché non seulement les Juifs croyants, mais aussi
toutes les nations (70, 1377 D-1380 A).

2. Dans l'esprit de Théodoret, le terme paraît bien désigner les
apôtres, fréquemment nommés par lui « les hérauts de la vérité ».

3. Même remarque chez CYRILLE (70, 1377 A).

545   Εἶτα τῆς [ὁδοῦ] σκευασθείσης κελεύει τοῖς κήρυξιν εἰπεῖν
τῇ θυγατρὶ Σιών, τουτέστι τῇ κατὰ τὴν οἰκουμένην ἐκκλησίᾳ ·
'Ιδοὺ ὁ σωτήρ σου παραγέγονεν ἔχων τὸν ἑαυτοῦ μισθὸν
μετ' αὐτοῦ καὶ τὸ ἔργον αὐτοῦ πρὸ προσώπου αὐτοῦ ¹² καὶ
καλέσει αὐτὸν λαὸν ἅγιον λελυτρωμένον ὑπὸ κυρίου. Οἱ προ-
550 φῆται ἔλεγον · « 'Ιδοὺ κύριος (μετὰ |179 b| ἰσχύος
ἔρχεται) », ἐνταῦθα δὲ ἐκ προσώπου τῶν ἀποστόλων · 'Ιδοὺ
ὁ σωτήρ σου παραγέγονεν ἔχων τὸν (ἑαυτοῦ μι)σθόν. Τούτου
δὲ τοῦ μισθοῦ καὶ ἄνω ἐμνήσθη καὶ τοῦ ἔργου ὁμοίως,
καὶ οὐ χρὴ ταυ[το]λογίᾳ κεχρῆσθαι. Σὺ δὲ κληθήσῃ ἐπιζη-
555 τουμένη πόλις καὶ οὐκ ἐγκαταλελειμμένη. Πάλαι γὰρ ἐγκα-
[τε]λέλειπτο · οὔτε γὰρ Μωυσέα τὸν μέγαν οὔτε ἄλλον
τινὰ ἐδέξατο τῶν προφητῶν οἰκιστήν.

[Ἐ]ντεῦθεν ἡμᾶς ἡ προφητεία διδάσκει τοῦ πολέμου
τὸν τρόπον, ὃν ὑπὲρ ἡμῶν ὁ δεσπότης ἀ[ναδεξ]άμενος καὶ
560 νενίκηκε καὶ κατέλυσε τὸν πολέμιον καὶ συνέτριψε τὸν τῆς
δουλείας ζυγόν. 63¹ Τίς οὗτος (ὁ παραγενό)μενος ἐξ 'Εδώμ,
ἐρύθημα ἱματίων αὐτοῦ ἐκ Βοσόρ, οὗτος ὡραῖος ἐν στολῇ,
βίᾳ (μετὰ) ἰσχύος πολλῆς ; Σχηματίζει τὸν λόγον εἰς
ἐρώτησιν ὁ προφήτης · μηνύει δὲ ὡς οἶμαι τὴν εἰς οὐρανοὺς
565 ἄνοδον τοῦ δεσπότου. Καὶ τὸ ψαλμικὸν μεμίμηται σχῆμα ·
καὶ γὰρ ἐκεῖ ὁμοίως ἐρωτῶσί τινες · « Τίς ἐστιν οὗτος ὁ
βασιλεὺς τῆς δόξης ; » οὐκ ἐπειδὴ ἠγνόουν αἱ ἐπουράνιαι
δυνάμεις τὸν ἀνιόντα, ἀλλὰ διὰ (τῆ)ς ἐρωτήσεως καὶ

C : 549-552 οἱ — παραγέγονεν ‖ 563-572 σχηματίζει — γῆν

551 ἐνταῦθα — ἀποστόλων K : οἱ ἀπόστολοι C ‖ 552 παραγέγονεν
K : +καὶ ἐῴκεσαν οἱ μὲν προφῆται στρατιώταις βασιλέως προτρέχουσι
καὶ τὴν τούτου παρουσίαν μηνύουσιν οἱ δὲ ἀπόστολοι στρατηγοῖς
ἑπομένοις καὶ τοὺς ἀγνοοῦντας διδάσκουσιν ὡς ἐλήλυθεν ὁ βασιλεὺς
καὶ οὗτός ἐστιν ὃν ἐκεῖνοι μηνύουσιν Cʳ·⁹⁰·⁵⁶⁴

550 Is. 40, 10   566 Ps. 23, 8

_____

1. Paraphrase d'*Is.* 62, 11 (« Dites à la fille de Sion ») ; EUSÈBE
(GCS 385, 16-19) et CYRILLE (70, 1380 A) précisent eux aussi que
l'expression « fille de Sion » désigne l'Église de Dieu.

Puis, une fois la route aménagée, il ordonne aux hérauts de dire à la fille de Sion, c'est-à-dire l'Église répandue à travers le monde[1] : *Voici que ton Sauveur est arrivé: il a son salaire avec lui et son œuvre est devant sa face;* 12. *on l'appellera « Peuple saint », racheté par le Seigneur.* Les prophètes disaient : « Voici que le Seigneur vient avec puissance » ; ici, au nom des apôtres, (il dit) : « Voici que ton Sauveur est arrivé : il a son salaire avec lui. » De ce salaire il a également fait mention plus haut et de cette œuvre pareillement, et il n'est pas nécessaire de se répéter[2]. *Et toi, tu seras appelée « Cité recherchée » et « Cité non délaissée ».* De fait, elle avait été autrefois délaissée : car elle ne reçut ni le grand Moïse ni un autre des prophètes pour fondateur[3].

Le combat du Christ contre les puissances du mal   A partir de là, la prophétie nous enseigne le type de guerre que le Maître a soutenue pour nous, avant de remporter la victoire, d'abattre l'ennemi et de briser le joug de la servitude : *63, 1. Qui est-il celui qui arrive d'Édom, de Bosor, dans la rougeur de ses vêtements, celui qui est beau dans son vêtement, une force avec grande puissance?* Le prophète donne à ses paroles la forme interrogative ; il révèle, à mon avis, l'ascension du Maître dans les cieux[4]. Il a imité aussi la forme des Psaumes ; de fait, dans les Psaumes, d'aucuns demandent de la même manière : « Qui est-il ce roi de gloire ? », non parce que les puissances célestes ne connaissaient pas celui qui s'élevait, mais pour nous enseigner

---

2. Cf. *Is.* 40, 10 (*In Is.*, 12, 107 s.). Nouvelle preuve du goût de Théodoret pour la concision.

3. Il s'agit bien entendu de l'Église venue des nations qui n'a pas reçu, comme le peuple Juif, l'enseignement de la Loi ni celui des prophètes ; sur cette idée, reprise dans tous les commentaires de Théodoret à la manière d'un « topos », voir l'index des mots grecs et l'index thématique.

4. C'est aussi l'interprétation de CYRILLE (70, 1381 BC).

ἀποκρίσεως ἡμᾶς ἀκριβέστερον ἐκδιδάσκουσαι τοῦ ἀναληφ-
570 θέντος τὴν φύσιν. (Οὕ)τω καὶ ἐνταῦθα πυνθάνονταί τινες ·
Τίς οὗτος ὁ παραγενόμενος ἐξ Ἐδώμ ; Ἐδὼμ δὲ τὴν
ἐρυθρὰν ὁ(νομ)άζουσι γῆν, Βοσὸρ δὲ τὴν σάρκα · θαυμάζουσι
δὲ ὅτι ἐν γηίνῃ καὶ σαρκίνῃ στολῇ ἄρρητον τοῦ περιβε-
[βλη]μένου τὸ κάλλος καὶ τοσοῦτον ὡς βιάζεσθαι τοὺς
575 ὁρῶντας εἰς ἔρωτα. Τούτου τοῦ κάλλους καὶ ὁ μακάριος
[μέμ]νηται Δαυίδ · « Ὡραῖος » γάρ φησι « κάλλει παρὰ
τοὺς υἱοὺς τῶν ἀνθρώπων. » Ὅτι Ἐδὼμ τὸ πυρρὸν
ἑρμηνεύεται, ἄ[ντικρυς] τῆς νύμφης ἐν τῷ ᾌσματι τῶν
Ἀισμάτων βοώσης . « Ὁ ἀδελφιδός μου πυρρὸς καὶ
580 λευκός ». Δι[πλῆ ἡ] φύσις · διὸ λευκὸν μὲν καλεῖ τὸ
ἀπρόσιτον τῆς θεότητος φῶς, πυρρὸν δὲ τὸ ἀνθρώπειον εἶδος.

(Ἐγὼ) διαλέγομαι δικαιοσύνην καὶ κρίσιν σωτηρίου. Τοῖς
θαυμάζουσιν αὐτοῦ τὸ κάλλος ταύτην δέδωκε τὴν (ἀπό)-
κρισιν · Ἐγώ φησι διδάξω ὑμᾶς τῆς δικαίως γεγενημένης
585 σωτηρίας τὸν τρόπον.

Εἶτα πάλιν [ἐρωτῶσιν] · ²Ἵνα τί σου ἐρυθρὰ τὰ ἱμάτια
καὶ τὰ ἐνδύματά σου ὡς πάτημα τοῦ ληνοῦ ; ³Πλήρης

C : 582-585 τοῖς — τρόπον

569 ἐπιδιδάσκουσαι K : ἐκπαιδεύουσαι C ‖ 587 πάτημα e tx.rec. :
ἀπάτημα K

576 Ps. 44, 3   579 Cant. 5, 10

---

1. Rapprocher de *In Cant.*, 81, 117 C-120 A. L'interprétation
de Théodoret n'est pas sans parenté avec celle de CYRILLE, selon
qui Édom se traduirait par « feu » ou par « terrestre » et Bosor
par « chair » ou « de chair » (σάρκινος) ; de là son interprétation de
l'expression ἐρύθημα ἱματίων ἐκ βοσόρ : il s'agit du vêtement teint
de chair ou de sang (ἀπὸ σαρκὸς ἤγουν αἵματος) — i.e. sa nature
humaine — dans lequel le Christ apparaît aux puissances célestes
stupéfaites de cette apparition (70, 1381 D-1384 A). Il est probable
que le sens de « chair » donné à Bosor par les deux exégètes résulte
d'une confusion entre ce mot, qui est une mauvaise transcription de
l'hébreu « Bosra » (forme attestée par d'autres mss de la Septante), et
le terme hébreu « basar » qui signifie précisément « chair ». Cette interprétation ne provient pas d'EUSÈBE (*GCS* 386, 23-27) pour qui ces noms

de façon plus précise, au moyen de l'interrogation et de la réponse, la nature de celui qui est monté au ciel. De même ici également d'aucuns s'enquièrent : « Qui est-il celui qui arrive d'Édom ? ». Or, ils donnent le nom d'« Édom » à la terre rouge et celui de « Bosor » à la chair ; ils s'étonnent donc de ce que la beauté de celui qui est revêtu d'un vêtement terrestre et charnel soit indicible et qu'elle soit grande au point de forcer l'amour de ceux qui la voient[1]. De cette beauté le bienheureux David a également fait mention : « (Tu es) beau, dit-il, en comparaison des fils des hommes. » Qu'« Édom » se traduise par « vermeil », la preuve patente en est donnée par l'épouse qui s'écrie dans le *Cantique des Cantiques* : « Mon bien-aimé est vermeil et blanc. » Double est sa nature : c'est pourquoi elle appelle « blanche » la lumière inaccessible de sa divinité, et « vermeille » son apparence humaine[2].

C'est moi qui proclame la justice et le jugement du salut. C'est à ceux qui s'étonnent de sa beauté qu'il a donné cette réponse : C'est moi qui vais vous enseigner, dit-il, le mode selon lequel le salut s'est opéré avec justice[3].

Puis, de nouveau, ils demandent : 2. *Pourquoi donc sont-ils rouges les vêtements et tes habits, comme grappe*

---

d'Édom et de Bosor, noms de peuples ennemis d'Israël, désignent ici de manière figurée les puissances du mal vaincues par le Christ. On rapprochera plutôt l'interprétation d'Eusèbe de celle de Chrysostome (*M.*, p. 452, l. 11 s.): si le Christ est couvert de sang, c'est qu'il est, selon lui, vainqueur des puissances du mal et, s'il vient d'Édom, c'est que Bethléem est sise dans le pays des Iduméens ; d'autre part, Chrysostome voit dans « vêtement » une manière de désigner l'Église (*id.*, 453, l. 10 s.).

2. Théodoret ne fait que reprendre ici, mais de façon plus concise, le long développement qui figure dans son *In Cant.* (81, 156 C-157 D) où il utilise abondamment la prophétie d'Isaïe (63, 2-3.9) pour montrer comment ce symbolisme des couleurs révèle la double nature, humaine et divine, du Christ.

3. Chrysostome voit dans ces paroles une manière de fermer la bouche aux schismatiques qui tentent de percer le mystère de la nature divine (*M.*, p. 453, l. 28 - 454, l. 1).

κατα(πεπ)ατημένης. Στολὴν αὐτοῦ καὶ ἱμάτιον τὴν ἀνθρω-
πότητα προσαγορεύει · ἀπὸ δὲ τῆς πλευρᾶς αὐτοῦ « (ἐξ)ῆλθεν
590 αἷμα καὶ ὕδωρ » κατὰ τὴν τοῦ εὐαγγελιστοῦ μαρτυρίαν.
Ληνὸν δὲ ὀνομάζει τὴν τῶν πολεμίων (κατά)λυσιν · καθάπερ
γὰρ ἐν ταῖς ληνοῖς ἅπαντες οἱ βότρυες ἀποθλίβονται, οὕτω
καὶ τὸν διάβολον (καὶ) πᾶσαν αὐτοῦ τὴν φάλαγγα παντελῶς
ὁ δεσπότης κατέλυσεν. Διδάσκει τοίνυν τοὺς ἐρομένους
595 (ὅ)περ μαθεῖν ἐβουλήθησαν · **Ληνὸν ἐπάτησα μονώτατος,**
καὶ τῶν ἐθνῶν οὐκ ἔστιν ἀνὴρ μετ' ἐμοῦ · καὶ κατεπάτησα
αὐτοὺς ἐν τῷ θυμῷ μου καὶ κατέθλασα αὐτοὺς ἐν τῇ ὀργῇ
μου καὶ κατήγαγον τὸ αἷμα (αὐ)τῶν εἰς γῆν. Καὶ κατερ-
ράνθαι λέγει τὰ ἱμάτια τῷ κατανικήματι τῶν ἐχθρῶν.
600 ⁴**Ἡμέρα γὰρ ἀντα(πο)δόσεως ἦλθεν αὐτοῖς καὶ ἐνιαυτὸς**
λυτρώσεως πάρεστιν. Καιρὸς γάρ ἐστι καὶ τούτους δοῦναι
ὧν ἐτόλ(μη)σαν δίκας καὶ τοὺς ἀδίκως αὐτοῖς δεδουλευκότας
ἐλευθερίας τυχεῖν. ⁵**Καὶ ἐπέβλεψα, καὶ οὐκ ἦν ὁ βοηθῶν ·**
καὶ προσενόησα, καὶ οὐθεὶς ἀντελαμβάνετο · καὶ ἐρρύσατό
605 **με ὁ βραχίων μου.** Τοῦτο καὶ ὁ θεῖος ἀπόστολος ἔφη ·
« Πάντες γὰρ (ἥμαρ)τον καὶ ὑστεροῦνται τῆς δόξης τοῦ
θεοῦ. » Οὕτω καὶ ἐνταῦθα ὁ κύριος ἔφη ὅτι οὐδεὶς ἦν ὁ
βοηθῶν καὶ οὐδεὶς (ἀντελαμ)βάνετο — οὐ γὰρ εἶχε συνερ-
γοῦσαν τὴν τῶν ἀνθρώπων δικαιοσύνην —, ἤρκεσε δὲ ὁ
610 ἐμὸς βραχίων [τοῦ καταλῦ]σαι τοὺς πολεμίους. Βραχίονα
δὲ καλεῖ τῆς δικαιοσύνης τὴν δύναμιν · ἀκηλίδωτον γὰρ
[καὶ ἀμ]αρτίας ἐλευθέραν διεφύλαξε καὶ ἣν ἀνέλαβε φύσιν.

C : 588-595 στολὴν — ἐβουλήθησαν ‖ 601-603 καιρὸς — τυχεῖν
609 ἤρκεσε Mö. : ἤρεσκε K

589 Jn 19, 34   606 Rom. 3, 23

---

1. Sur ces termes et leur utilisation dans le vocabulaire christologique, cf. t I, SC 276, Introd., p. 93.
2. L'interprétation de Théodoret rejoint maintenant celle d'Eusèbe
(GCS 387, 21-25) qui la présente déjà, ainsi que Chrysostome, en
Is. 63, 1 (cf. supra, p. 287, n. 1).
3. Théodoret se contente de paraphraser la fin du verset qu'il doit
lire dans son exemplaire des LXX, mais que ne retiennent pas d'ordi-

foulée aux pieds dans le pressoir ? 3. *(Tu es) couvert*
(du jus) d'un pressoir qui vient d'être foulé. Par son
« vêtement » et son « manteau », il désigne son humanité[1] ;
or, de son côté « sont sortis du sang et de l'eau », selon le
témoignage de l'évangéliste. D'autre part, il donne le
nom de « pressoir » à la défaite de ses ennemis : tout
comme dans les pressoirs on écrase avec force toutes
les grappes, le Maître a lui aussi complètement défait le
diable et toute sa cohorte[2]. Il enseigne donc à ceux qui
(l')interrogent ce que précisément ils ont voulu savoir :
J'ai foulé le pressoir absolument tout seul, et d'entre les
nations il n'y a pas un homme avec moi ; je les ai foulés aux
pieds dans ma colère, je les ai piétinés dans ma fureur et
j'ai fait couler leur sang sur la terre. Il dit même que ses
vêtements ont été éclaboussés par l'écrasement de ses
ennemis[3].

4. *Car le jour de la rétribution est arrivé pour eux et*
l'année du rachat est venue. C'est le moment pour eux de
payer le prix de leurs audaces et, pour ceux qui leur
étaient injustement asservis, d'obtenir la liberté. 5. *J'ai*
regardé autour (de moi), et il n'y avait personne pour me
porter secours ; j'ai cherché du regard, et personne ne me
soutenait : alors mon bras m'a sauvé. C'est ce qu'a dit aussi
le divin Apôtre : « Tous, en effet, ont péché et se sont
privés de la gloire de Dieu. » De même ici également le
Seigneur a dit : Il n'y avait personne pour me porter
secours et personne pour me soutenir — car il n'avait pas,
pour l'assister, la justice des hommes —, mais mon bras
m'a suffi pour défaire mes ennemis. Or, il appelle « bras »
la puissance de la justice[4] : car il a conservé sans tache et
exempte de péché même la nature qu'il a assumée[5].

---

naire les éditions de la Bible (voir J. ZIEGLER, *Isaïas*, p. 354 apparat) :
καὶ ἐρραντίσθη τῷ κατανικήματι αὐτῶν τὰ ἱμάτιά μου. Voir aussi
le texte de Symmaque cité par EUSÈBE (*GCS* 387, 8-9).
4. Cf. CYRILLE (70, 1835 B bras = puissance).
5. Cf. *supra*, 17, 136-139.

Καὶ ὁ θυμός μου αὐτὸς ὑπέστη, ⁶(καὶ κ)ατεπάτησα
αὐτοὺς ἐν τῇ ὀργῇ μου καὶ ἐμέθυσα αὐτοὺς ἐν τῷ θυμῷ μου
615 καὶ κατήγαγον (τὸ αἷμα) αὐτῶν εἰς τὴν γῆν. ᾽Αντὶ τοῦ
αἵματος οἱ Τρεῖς Ἑρμηνευταὶ « τὸ νεῖκος » τεθείκασιν.
Δικαίᾳ [χρησά]μενός φησι κατ᾽ αὐτῶν ὀργῇ πανωλεθρίᾳ
παρέδωκα · καὶ οἷόν τινι κάρῳ τῇ συμφορᾷ [κατε]χόμενοι
ἀκίνητοι κεῖνται ὑπὸ τῶν δορυαλώτων πατούμενοι.
620 Ταύτης τοίνυν τῆς εὐεργεσίας [ἀπολα]ύσαντες καὶ τῆς
πικρᾶς ἐκείνης ἀπαλλαγέντες δουλείας τὸν τούτων αἴτιον
ἀνυμνή|180 a|σωμεν. Αὐτὸς γὰρ τὸν ὑπὲρ ἡμῶν ἀναδεξάμενος
πόλεμον ἡμῖν ἔ[δωκ]ε [τῆς] νίκης καὶ τῆς εἰ[ρήνης] τὸ
δῶρον, ὧν εἰς τὸ τέλος ἀπολαύοιμεν χάριτι τοῦ νενικηκότος,
625 μεθ᾽ οὗ τῷ πατρὶ ἡ δόξα σὺν τῷ [πανα]γίῳ πνεύματι νῦν
καὶ ἀεὶ καὶ εἰς τοὺς αἰῶνας τῶν αἰώνων. ᾽Αμήν.

*Et ma fureur elle-même m'a soutenu ; 6. je les ai foulés
aux pieds dans ma colère, je les ai enivrés dans ma fureur
et j'ai fait couler leur sang sur la terre.* Au lieu de « sang »,
les trois interprètes ont écrit « la querelle »[1]. J'ai manifesté
contre eux une juste colère, dit-il, et je les ai livrés à une
ruine totale ; aussi, saisis par le malheur, comme par
une espèce d'engourdissement, restent-ils sans mouvement,
tandis que leurs prisonniers les foulent aux pieds.

Parénèse   Pour avoir joui de ce bienfait et
             pour avoir été délivrés de cet amer
esclavage, célébrons donc dans des hymnes l'auteur de
ces actions. C'est lui qui, pour nous, a soutenu la guerre
et qui nous a fait le don de la victoire et de la paix.
Puissions-nous en jouir jusqu'à la fin par la grâce de celui
qui a remporté la victoire. Gloire au Père, en union avec lui,
dans l'unité du très saint Esprit, maintenant et toujours,
et pour les siècles des siècles. Amen.

1. Confirmé par Eusèbe (*GCS* 388, 14).

ΤΟΜΟΣ Κ'.

[7] Τὸν ἔλεον κυρίου ἐμ(νή)σθην, τὰς ἀρετὰς ἀναμνήσω, τὴν αἴνεσιν κυρίου ἐπὶ πᾶσιν οἷς ἡμῖν ἀνταποδίδωσιν. Τὴν ἄφατον τοῦ δεσ(πότου) προθεσπίσας φιλανθρωπίαν καὶ τὴν
5 διὰ τῆς ἐνανθρωπήσεως γεγενημένην σωτηρίαν προαγορεύσας μά(λα) εἰκότως ἐπήγαγεν · τὸν ἔλεον κυρίου ἐμνήσθην. Ἐλέου γὰρ καὶ φιλανθρωπίας ἡ τῆς ἐνανθρωπήσεως χάρις. Τὰς μέντοι (ἀ)ρετὰς ὁ μὲν Ἀκύλας « ὑμνήσεις », ὁ δὲ Θεοδοτίων καὶ ὁ Σύμμαχος « αἰνέσεις » ἡρμήνευσαν · τὸ
10 δὲ ἀντα(πο)δίδωσιν ὁ Σύμμαχος « εὐεργέτησεν » εἶπεν. Ἀκριβέστερον μέντοι οἱ Ἑβδομήκοντα τὸ ἀνταποδίδωσι τεθείκασιν · [ἐπειδὴ] γὰρ τιμωρίαν ὠφείλομεν, σωτηρίαν δὲ ἀντὶ τιμωρίας ἐλάβομεν, εἰκότως τὸ ἀνταποδίδωσι τεθείκασιν ἀντὶ τοῦ · τοῖς ἐναντίοις ἡμᾶς ἀμείβεται ἀντὶ
15 κακῶν διδοὺς ἀγαθά. Ταύτην γὰρ τὴν διάνοιαν καὶ ὁ Ἀκύλας τέθεικεν.

Κύριος κριτὴς δίκαιος τῷ οἴκῳ Ἰσραήλ, ἐπάγει ἡμῖν κατὰ τὸν ἔλεον αὐτοῦ καὶ κατὰ τὸ πλῆθος τῆς δικαιοσύνης αὐτοῦ. Οὐ μόνῃ τῇ δικαιοσύνῃ κεχρημένος δικάζει, ἀλλ' ἐλέῳ κιρνᾷ
20 τὸ δίκαιον, [μᾶ]λλον δέ · νικᾷ ἡ φιλανθρωπία τὸ δίκαιον. [8] Καὶ εἶπεν · Οὐχὶ ὁ λαός μού ἐστι τέκνα μου καὶ οὐ μὴ ἀθετήσουσιν ; Καὶ ἐγ(ένετο) αὐτοῖς εἰς σωτηρίαν [9] ἐκ πάσης

C : 3-7 τὴν² — χάρις

1. La version d'Aquila donne en effet ἠμείψατο au lieu de ἀνταποδίδωσι.

L'Incarnation, signe de la miséricorde divine

7. *Je me suis souvenu de la miséricorde du Seigneur, je rappellerai les vertus, la louange du Seigneur, pour tout ce qu'il nous donne en rétribution.* Après avoir prophétisé la bonté indicible du Maître et annoncé le salut qui s'est opéré grâce à son incarnation, il a tout naturellement ajouté : « Je me suis souvenu de la miséricorde du Seigneur. » La grâce de l'Incarnation est signe, en effet, de miséricorde et de bonté. Aquila toutefois a traduit « vertus » par « hymnes », Théodotion et Symmaque par « louanges » ; quant au verbe « il nous donne en rétribution », Symmaque l'a rendu par « il a dispensé ses bienfaits ». C'est pourtant avec une exactitude plus grande que les Septante ont retenu le verbe « il nous donne en rétribution » : attendu que nous avions mérité un châtiment et que nous avons reçu le salut au lieu du châtiment, ils ont à juste titre écrit « il nous donne en rétribution », ce qui revient à dire : c'est du traitement contraire qu'il nous récompense, en nous donnant le bien en échange du mal. Voilà le sens qu'a également retenu Aquila[1].

Le Seigneur est un juste juge pour la maison d'Israël ; il nous traite selon sa miséricorde et selon l'abondance de sa justice. Il ne se sert pas uniquement de la justice pour juger, mais il tempère le droit légitime par la miséricorde, ou plutôt : la bonté l'emporte sur le droit légitime. 8. *Et il a dit: Mon peuple n'est-il pas mes enfants qui ne se rebelleront pas? Et il est devenu pour eux un instrument de*

θλίψεως. Ἐχρήσατο δὲ φιλανθρωπίᾳ εἰς τὸν νέον ἀποβλέψας
λαόν, ὃν καὶ τῆς υἱοθεσ[ίας] ἠξίωσεν · οἷς μαρτυρεῖ καὶ τὸ
25 ἑδραῖον τῆς πίστεως · οὐ γὰρ μὴ ἀθετήσουσιν.

Οὐ πρέσβυς οὐδὲ ἄγγελος ἀλλ᾽ (αὐ)τὸς ὁ κύριος ἔσωσεν
αὐτοὺς διὰ τὸ ἀγαπᾶν αὐτοὺς καὶ φείδεσθαι αὐτῶν, αὐτὸς
ἐλυτρώσατο αὐτοὺς (καὶ) ἀνέλαβεν αὐτοὺς καὶ ὕψωσεν
αὐτοὺς πάσας τὰς ἡμέρας τοῦ αἰῶνος. Διὰ τούτους φησὶ
30 καὶ τῶν ἄλλ[ων] τῶν παρανομούντων ἠνέσχετο καὶ πάντων
προμηθούμενος διετέλεσε καὶ παντοδαπῆς αὐτοὺς προνοίας
[ἠξί]ωσεν οὐκ ἀγγέλοις διακόνοις τῆς σωτηρίας χρησάμενος
ἀλλ᾽ αὐτὸς τῆς ἐνανθρωπήσεως ἀναδεξάμενος τὸ μυστήριον.
[Τὸ δέ ·] Οὐ πρέσβυς οὐδὲ ἄγγελος, ὁ Θεοδοτίων « Οὐ
35 πολιορκητὴς οὐδὲ ἄγγελος » ἔφη. Οὐδενὶ γὰρ ἄλλῳ τὸν
ὑπὲρ [ἡμῶν] ἐνεχείρισε πόλεμον ἀλλ᾽ αὐτὸς ἐπολέμησεν,
αὐτὸς ἠρίστευσεν, αὐτὸς κατέλυσε τοῦ τυράννου τὸ κράτος.
¹⁰ (Αὐ)τοὶ δὲ ἠπείθησαν καὶ παρώξυναν τὸ πνεῦμα τὸ
ἅγιον αὐτοῦ, καὶ ἐστράφη αὐτοῖς εἰς ἔχθραν, αὐτὸς κύριος
40 ἐπολέ(μησεν) αὐτούς. Αὐτὸς μὲν τῇ ἀρρήτῳ χρώμενος
ἀγαθότητι πάντα ὑπὲρ τῆς αὐτῶν ἐπραγματεύσατο σωτηρίας · (οἱ) δὲ πονηρίᾳ συζῶντες, τουτέστιν Ἰουδαῖοι, καὶ
« ἀεὶ τῷ πνεύματι τῷ ἁγίῳ ἀντιπίπτοντες », ᾗ φησιν ὁ
θεσπέσιος Στ(έφ)ανος — ἐντεῦθεν δὲ κἀκεῖνος τὴν κατηγορίαν
45 ὕφηνεν — οὐκ ἐδέξαντο τὴν σωτηρίαν ἀλλὰ τῆς εἰρήνης
τὴν ἀφορμὴν πολέμου πρόφασιν ἐποιήσαντο · οὗ δὴ χάριν
τῆς ἀχαριστίας αὐτοὺς εἰσεπράξατο δίκας.
¹¹ Καὶ ἐμνήσθη ἡμερῶν αἰωνίων, Μωσῆ καὶ λαοῦ αὐτοῦ.
Ἐμνήσθη δὲ καὶ τῶν πάλαι γεγενημένων ἐπὶ Μωυσέως

C : 40-47 αὐτὸς — δίκας ‖ 49-51 ἐμνήσθη — καταναλώθησαν
40 μὲν K : +οὖν C ‖ 42 τουτέστιν Ἰουδαῖοι K : > C
43 Act. 7, 51

---

1. C'est-à-dire l'Église.
2. Paraphrase comparable chez CYRILLE (70, 1388 C).
3. C'est-à-dire le pouvoir du diable.

salut, 9. *(pour les tirer) de toute affliction.* Il a fait preuve de bonté en jetant les yeux sur le nouveau peuple[1], qu'il a également jugé digne d'adopter comme ses fils ; il témoigne aussi de la fermeté de leur foi : car « ils ne se rebelleront pas. »

Ce n'est pas un envoyé ni un ange, mais le Seigneur en personne qui les a sauvés, en raison de son amour pour eux et de sa pitié pour eux; c'est lui qui les a rachetés, qui les a relevés et les a exaltés tous les jours du temps (passé). C'est à cause d'eux qu'il a supporté, dit-il, de voir les autres commettre l'iniquité, qu'il n'a cessé de veiller sur tous et qu'il les a jugés dignes de toutes sortes de soins, puisqu'il ne s'est pas servi des anges comme instruments du salut, mais qu'il s'est chargé en personne du mystère de l'Incarnation[2]. Au lieu des mots : « Ce n'est pas un envoyé ni un ange », Théodotion a dit : « Ce n'est pas un preneur de ville ni un ange. » Il n'a, en effet, remis à personne d'autre la charge de la guerre menée pour nous, mais c'est lui qui a conduit la guerre, c'est lui qui l'a emporté, c'est lui qui a abattu le pouvoir du tyran[3].

10. *Mais eux ont désobéi et ont irrité* **Ingratitude des Juifs** *son Esprit saint, aussi a-t-il changé son* **malgré** *attitude à leur égard en inimitié: le* **la sollicitude divine** *Seigneur en personne leur a fait la guerre.* Il a, quant à lui, en usant de son indicible bonté, tout mis en œuvre pour leur salut ; mais eux — c'est-à-dire les Juifs — qui vivaient dans la perversité et qui « toujours résistaient à l'Esprit-Saint », comme le dit Étienne l'inspiré — il a lui aussi commencé par ce reproche l'accusation qu'il a dressée contre eux —, n'ont pas accepté le salut, mais ont pris occasion de la paix pour en faire un prétexte à la guerre ; c'est précisément pourquoi il leur a fait payer le prix de leur ingratitude.

11. *Et il s'est souvenu des jours du temps passé, de Moïse et de son peuple.* Il s'est souvenu précisément des événements survenus jadis, à l'époque de Moïse le légis-

50 τοῦ νομοθέτου · καὶ γὰρ οἱ ἐπ' ἐκείνου δυσσεβοῦντες καὶ
παρανομοῦντες ἐν τῇ ἐρήμῳ καταναλώθησαν. Ποῦ ἐστιν ὁ
ἀναγαγὼν ἐκ τῆς γῆς τὸν ποιμένα τῶν προβάτων αὐτοῦ ; Ποῦ
ἐστιν ὁ θεὶς ἐν αὐτοῖς τὸ πνεῦμα τὸ ἅγιον, ¹²ὁ ἀναγα-
(γὼν) τῇ δεξιᾷ τὸν Μωυσῆν ; Ὁ δὲ Ἀκύλας οὕτως ·
55 « Ποῦ ὁ ἀναβιβάσας αὐτοὺς ἀπὸ θαλάσσης σὺν νομεῦσι
ποιμνίου αὐτοῦ ;» Καὶ ὁ Σύμμαχος δὲ καὶ ὁ Θεοδοτίων
« ἀπὸ θαλάττης » ἀντὶ τῆς γῆς τεθείκασιν · οὕτω δὲ καὶ
παρὰ τοῖς Ἑβδομήκοντα εὗρον κείμενον ἐν τῷ Ἑξαπλῷ.
Μέμνηται δὲ ὁ προφητικὸς λόγος τῆς διὰ θαλάττης γεγεν[η-
60 μένης] πορείας · προορῶν γὰρ αὐτοὺς τῆς θείας κηδεμονίας
ἐρήμους γεγενημένους καὶ κατὰ τὴν ἡ[μῖν] γ[εγε]νη[μέ]νην
πρόρρησιν διασπασθέντα μὲν τοῦ ἀμπελῶνος τὸν φραγμόν,
καταλυθέντα δὲ τὸν τοῖχ[ον, αὐτὸν] δὲ ὑπὸ πάντων πατού-
μενον, τῶν παλαιῶν ἐκείνων ἀναμιμνήσκεται, ὅτε διῃρέθη
65 μὲν τὸ [πέλαγος], ἐγένετο δὲ αὐτοῖς ἱππήλατον πεδίον ὁ
τῆς θαλάττης πυθμήν, εἶδον δὲ τοὺς πολεμίους ἅπαντ[ας]
ὑποβρυχίους γεγενημένους, ἀπήλαυον δὲ καὶ προφητικῆς
χάριτος, δι' ἐκείνων τοῦ παν[αγίου] πνεύματος τὰ ἐσόμενα
προδηλοῦντος. Ὁ μέντοι θεῖος ἀπόστολος τοῦτο εἰς τὸν
70 δεσπότην Χριστὸν οὐχ ὡς [ἀληθῶς |180 b| ἔλαβ]εν ἀλλ' ὡς
τυπικῶς ἐπὶ τὴν ἀλήθειαν μετήνεγκεν · καθάπερ <γὰρ> τοῦ
Φαραὼ καὶ τῶν Αἰγυπτίων [διωκ]όντων διέβη τὴν θάλατταν
ὁ λαὸς ἡγουμένου τοῦ Μωυσέως, οὕτως τοῦ διαβόλου καὶ
τῶν δαιμόνων πολεμούντων συνέτριψε μὲν ὁ δεσπότης
75 Χριστὸς τοῦ θανάτου τὰς πύλας καὶ πρῶτος ταύτας διῆλθεν,
ἐξάγει δὲ καὶ πᾶσαν τῶν ἀνθρώπων τὴν φύσιν. Τούτου
δὴ χάριν ὁ θεῖος ἀπόστολος ταῦτα τίθησιν ἐπὶ τοῦ δεσπότου
Χριστοῦ τὰ ῥητὰ καί φησιν · « Ὁ ἀναγαγὼν ἐκ γῆς τὸν
ποιμένα τῶν προβάτων τὸν μέγαν. » Τούτου ἐστὶν [ὁ]

71 γὰρ add. Po. ‖ 79 τούτου ἐστὶν Po. : τουτέστιν Κ
61-64 cf. Is. 5, 5   78 Hébr. 13, 20

1. Moïse, la sortie d'Égypte, le passage de la mer Rouge, autant de
« figures », traditionnelles chez les Pères, de la victoire du Christ sur

lateur : de fait, ceux qui, à l'époque de ce dernier, étaient impies et commettaient l'iniquité, périrent dans le désert. *Où est celui qui a tiré de la terre le berger de ses brebis? Où est celui qui a mis en eux son Esprit saint*, 12. *celui qui a tiré Moïse grâce à sa droite?* Aquila donne la version suivante : « Où est celui qui les a fait monter de la mer avec les pasteurs de son troupeau ? » Quant à Symmaque et à Théodotion, ils ont également écrit « de la mer » au lieu de « la terre » ; c'est aussi ce que j'ai trouvé chez les Septante dans l'édition hexaplaire. Le texte prophétique a donc fait mention de l'événement que fut la traversée de la mer : prévoyant qu'ils seraient privés de la sollicitude divine et que, selon la prédiction qui nous a été faite, la clôture du vignoble serait mise en pièces, que le mur serait renversé, que le vignoble lui-même serait foulé aux pieds par tous, (le prophète) se rappelle ces anciens événements : alors la mer fut divisée en deux parts, le fond de la mer devint pour eux une plaine que pouvaient fouler les chevaux, ils virent tous leurs ennemis submergés par l'eau ; ils jouissaient aussi de la grâce prophétique et, par l'intermédiaire de ces événements, le très saint Esprit faisait voir par avance les événements futurs. Pourtant le divin Apôtre n'a pas appliqué ce passage à notre Maître le Christ à titre de vérité, mais c'est à titre de figure qu'il l'a rapporté à la vérité : alors que le Pharaon et les Égyptiens étaient à sa poursuite, le peuple a franchi la mer sous la conduite de Moïse ; de même, alors que le diable et les démons menaient la guerre, notre Maître le Christ a brisé les portes de la mort et les a franchies le premier, et il entraîne également à sa suite toute la nature humaine[1]. Voilà précisément pourquoi le divin Apôtre applique ces paroles à notre Maître le Christ et dit : « Celui qui a tiré de la terre le grand Pasteur des brebis. » De ce

la tyrannie du diable et sur la mort ; la référence à S. Paul souligne en quelque manière le bien-fondé de l'explication typologique.

80 Μωυσῆς ὑπουργός τε καὶ τύπος · οὗτος γὰρ ὁ ἀληθινὸς
« ποιμὴν ὁ τὴν ψυχὴν αὐτοῦ τεθεικὼς ὑπὲρ (τῶν) προβάτων ».

Εἶτα τῶν τῇ Ἐρυθρᾷ Θαλάττῃ γεγενημένων ἀναμιμνήσκει · Ὁ βραχίων τῆς δό(ξης) αὐτοῦ κατίσχυσεν ὕδωρ
85 ἀπὸ προσώπου αὐτοῦ ποιῆσαι ἐν αὐτῷ ὄνομα αἰώνιον.
Τῇ γὰρ ἐνεργείᾳ τοῦ (θείου) προστάγματος διηρέθη τὸ
πέλαγος καὶ ἐγένετο αὐτοῖς « τὸ ὕδωρ τεῖχος ἐκ δεξιῶν
καὶ τεῖχος ἐξ εὐωνύμων ». Τοῦτο γὰρ εἶπεν · κατίσχυσεν,
τουτέστιν · ἔστη καὶ ἡ ῥοώδης φύσις ἐμιμεῖτο τειχῶν
90 οἰκοδομίαν. ¹³(Ἤγ)αγεν αὐτοὺς δι' ἀβύσσου ὡς ἵππον
δι' ἐρήμου ¹⁴ καὶ ὡς κτήνη διὰ πεδίου, καὶ οὐκ ἐκοπίασαν.
Ἐν ταῖς ἐρήμοις [εὐπετ]ῶς ὁ ἵππος δύναται τρέχειν · οὐ
γὰρ ἔστιν αἱμασιῶν καὶ δένδρων κωλύματα. Καὶ τὰ κτήνη
δὲ ὡσαύ[τως] μετὰ πολλῆς μὲν δυσκολίας τὰ ὄρη διαβαίνει,
95 εὐπετῶς δὲ μάλα τὰ πεδία διέρχεται. [Τὴν] πολλὴν τοίνυν
τῆς διαβάσεως διὰ τούτων δεδήλωκεν εὐκολίαν, ὑποδείκνυσι
δὲ καὶ τῶν γεγενημένων [τὸ αἴ]τιον · Κατέβη πνεῦμα παρὰ
κυρίου καὶ ὡδήγησεν αὐτούς · οὕτως ἤγαγες τὸν λαόν σου
τοῦ ποιῆσαι σεαυτῷ ὄνομα (δόξ)ης. Ἡ θεία γὰρ αὐτοὺς
100 ἐποδήγησε χάρις, καὶ δῆλος ἐγένετο πᾶσι τοῦ Ἰσραὴλ ὁ
θεός.

Ἐντεῦθεν πρὸς αὐτὸν τὸν (θεὸν ὁ) προφήτης μεταφέρει τὸν
λόγον ὑπὲρ τοῦ λαοῦ τὴν ἱκετείαν προσφέρων · ¹⁵ Ἐπίβλεψον
ἐκ τοῦ οὐρανοῦ (κύριε καὶ) ἴδε ἐκ τοῦ οἴκου τοῦ ἁγίου σου
105 καὶ δόξης. Ὁρῶν τὸν λαὸν τῆς προτέρας κηδεμονίας ἐστερη-
μένον [καὶ] τὸν ναὸν τῆς θείας χάριτος γενόμενον ἔρημον,
ἱλεούμενος αὐτὸν λέγει · Ἐπίστρεψον ἐκ τοῦ οὐρανοῦ κύριε,

C : 86-90 τῇ — οἰκοδομίαν ‖ 99-101 ἡ — θεός ‖ 102-103 ἐντεῦθεν
— προσφέρων

81 Jn 10, 11   87 Ex. 14, 22

dernier, Moïse est le serviteur et la figure : car c'est lui le véritable « pasteur qui a donné sa vie pour ses brebis ».

Il rappelle ensuite le souvenir des événements survenus (au passage) de la mer Rouge : *Le bras de sa gloire a soumis l'eau devant sa face pour se faire par elle un nom éternel.* Par la puissance du commandement divin, la mer se divisa en deux parts et « l'eau » devint pour eux « un mur à droite et un mur à gauche ». C'est ce qu'il a dit par « il a soumis », c'est-à-dire : elle s'immobilisa[1] et l'élément liquide imitait une construction de murs. 13. *Il les a conduits à travers l'abîme comme un cheval à travers un désert,* 14. *comme des bestiaux à travers la plaine, et ils ne se sont pas fatigués.* Dans les déserts le cheval peut courir avec facilité, car les obstacles que représentent les clôtures de pierres et les arbres n'existent pas. Il en va de même pour les bestiaux qui franchissent avec beaucoup de difficultés les montagnes, alors qu'ils parcourent les plaines avec une très grande facilité. Il a donc fait voir par ces exemples la grande commodité de la traversée et il fait entrevoir aussi la cause de ces événements : *L'Esprit du Seigneur est descendu et les a guidés ; ainsi tu as conduit ton peuple pour te faire un nom glorieux.* C'est la grâce de Dieu qui a guidé leurs pas, et le Dieu d'Israël est devenu manifeste pour tous.

Supplication en faveur du peuple A partir de là le prophète change de propos pour s'adresser à Dieu lui-même, et présente pour le peuple sa supplication : 15. *Regarde du haut du ciel, Seigneur, et vois du haut de ta maison sainte et de ta gloire.* C'est parce qu'il voit le peuple désormais privé de la sollicitude d'autrefois et le Temple dépourvu de la grâce divine, qu'il l'implore en disant : Tourne vers (nous) ton regard

---

1. D'une manière voisine, CYRILLE essaie lui aussi de rendre plus clair le sens du verbe κατίσχυσεν (70, 1381 D).

[ἄνω]θεν γὰρ ἐποπτεύειν δύνασαι τὰ ἡμέτερα · πλήρωσον
πάλιν τὸν ναὸν τῆς χάριτός σου.

110 Ποῦ ἐστιν (ὁ ζῆ)λός σου καὶ ἡ ἰσχύς σου ; ποῦ ἐστι τὸ
πλῆθος τοῦ ἐλέους σου καὶ τῶν οἰκτιρμῶν σου, ὅτε ἀνέσχου
ἡμῶν ; Μα(κρ)οθυμῶν ἡμῖν ἀεὶ δέσποτα διετέλεις, ἔφερες
τὴν ἡμετέραν παρανομίαν, ζήλῳ κατὰ τῶν πολεμίων
ἐκέχρησο καὶ τὴν ἄμαχόν σου δύναμιν δήλην ἐποίεις. ¹⁶ Σὺ
115 γὰρ ἡμῶν πατὴρ εἶ, ὅτι Ἀβραὰμ οὐκ ἔγνω ἡμᾶς καὶ
Ἰσραὴλ οὐκ ἐπέγνω ἡμᾶς, ἀλλὰ σὺ κύριε πατὴρ ἡμῶν,
ῥῦσαι ἡμᾶς, ἀπ' ἀρχῆς τὸ ὄνομά σου ἐφ' ἡμᾶς ἐστιν. Οὐδεὶς
ἡμᾶς ἐκείνων τῶν παλαιῶν προγόνων ἐπίσταται · διὸ σὲ
μόνον καὶ δεσπότην καὶ πατέρα καλοῦμεν · σὸς γὰρ λαὸς
120 ἐχρηματίσαμεν ἄνωθεν.

¹⁷ Τί ἐπλάνησας ἡμᾶς κύριε ἀπὸ τῆς ὁδοῦ σου, ἐσκλήρυνας
τὰς καρδίας ἡμῶν τοῦ μὴ φοβεῖσθαί σε ; Ἡ πολλή σου
μακροθυμία (ταύ)την ἡμῖν εἰργάσατο τὴν ἀναίδειαν · ἐπειδὴ
γὰρ παρανομοῦντας οὐκ ἠνείχου κολ(άζειν, ἐπεμεί)ναμεν
125 παρανομοῦντες καὶ τῶν σῶν νόμων καταφρονοῦντες.

Τοιοῦτόν ἐστι [καὶ τὸ τῷ] μακαρίῳ Μωυσῇ εἰρημένον ·
« Ἐγὼ δὲ σκληρυνῶ τὴν καρδίαν Φαραώ. » Ἀνεξικα[κ]ί[ᾳ
γὰρ] πολλῇ καὶ μακροθυμίᾳ χρησάμενος βατράχοις αὐτὸν
καὶ σκνιψὶ καὶ μυίαις κατ' ἀρχὰς ἐ[μασ]τίγωσεν, ὁ δὲ
130 ὑπέλαβε τὸν θεὸν μὴ δύνασθαι μείζοσιν αὐτὸν ὑποβάλλειν
τιμ[ωρίαις. Ὅτε δὲ] τὰ πρωτότοκα τῶν Αἰγυπτίων ὁ
ὀλοθρεύων διέφθειρε καὶ καθί[κετο αὐτοῦ τῆς σκληρᾶς] καὶ
ἀντιτύπου καρδίας ἡ τῆς ὀδύνης αἴσθησις, τότε εἴξας
ἀπέλυσε τὸν λαόν. Δῆλον δὲ το[ί]νυν [ὅτι, εἰ τοῦ]το εὐθὺς
135 ἐξ ἀρχῆς γενέσθαι προσέταξεν, ἀφέθη ἂν ἐξ ἀρχῆς ὁ λαός.
Ἐπειδὴ δὲ τῇ συ[νήθει] μακροθυμίᾳ καὶ φιλανθρωπίᾳ

C : 112-114 μακροθυμῶν — ἐποίεις ‖ 117-120 οὐδεὶς — ἄνωθεν ‖
122-125 ἡ — καταφρονοῦντες

112 ἔφερες Κ : ἄφηρες C⁹¹·⁵⁶⁴ ἀφεῖλες C⁸⁷·³⁰⁹ ‖ 119 δεσπότην ...
πατέρα Κ : ～ C ‖ 120 ἐχρηματίσαμεν Κ : ἐχρηματίσθημεν C ‖
123 ἡμῖν C : ἡμῶν Κ

du haut du ciel, Seigneur, car tu peux d'en haut contempler notre situation ; remplis de nouveau le Temple de ta grâce.

Où sont ton zèle et ta puissance? Où

1) Patience de Dieu et iniquité du peuple *est l'abondance de ta miséricorde et de ta compassion, au temps où tu nous supportais?* Tu ne cessais jamais d'être patient à notre égard, Maître, tu supportais notre iniquité, tu employais ton zèle contre nos ennemis et tu rendais manifeste ta puissance invincible. 16. *Car toi, tu es notre Père, parce qu'Abraham ne nous a pas connus et qu'Israël ne nous a pas connus, mais toi, Seigneur, tu es notre Père, sauve-nous, depuis le commencement ton nom est sur nous.* Aucun de ces antiques aïeux ne nous connaît : c'est pourquoi tu es le seul que nous appelons Maître et Père : car nous avons reçu le titre de « ton peuple » depuis l'origine.

17. *Pourquoi, Seigneur, nous as-tu fait errer loin de ta route, pourquoi as-tu endurci nos cœurs jusqu'à ne plus te craindre?* C'est ta grande patience qui a provoqué chez nous cette impudence : puisque tu ne te résignais pas à nous châtier alors que nous commettions l'iniquité, nous avons persisté à commettre l'iniquité et à mépriser tes lois.

Telle est aussi la déclaration qui fut faite au bienheureux Moïse : « Quant à moi, j'endurcirai le cœur de Pharaon. » Dieu usa, en effet, d'une grande résignation et d'une grande patience et il le frappa pour commencer au moyen de grenouilles, de moucherons et de mouches : lui, il pensa que Dieu ne pouvait pas lui infliger de plus grands châtiments. Mais, lorsque l'Exterminateur eut mis à mort les premiers-nés des Égyptiens et que la sensation de la douleur eut atteint son cœur endurci et récalcitrant, c'est alors qu'il céda et libéra le peuple. Il est donc évident que, s'il avait ordonné que cela se produisît dès le début, le peuple dès le début aurait été relâché. Mais, puisqu'en usant de sa patience et de sa bonté coutumières, il lui

127 Ex. 7, 3   129 cf. Ps. 104, 31

χρώμενος σμικρὰς αὐτῷ παιδείας προσήνεγκεν, ἀντέτεινεν
ὀνει[δίζων]. Οὗ δὴ χάριν εἶπεν ὁ τῶν ὅλων θεός · « Ἐγὼ
δὲ σκληρυνῶ τὴν καρδίαν Φαραώ », τουτέστιν ἀνεξικακῶν
140 [καὶ μακροθυ]μῶν. Καὶ γὰρ ἡμεῖς τοῖς συνεχῶς ἁμαρτάνουσιν
οἰκέταις εἰώθαμεν λέγειν · [Εἰ ἐξ ἀρχῆς ἐπαι]δεύθης, οὐκ
ἂν ἦσθα τοιοῦτος.

Οὕτω καὶ ὁ προφήτης ἐκ προσώπου τοῦ λαοῦ τὸν |181 a|
δεσπότην ἀντιβολῶν ἔλεγεν · Τί ἐπλάνησας ἡμᾶς κύριε ἀπὸ
145 τῆς ὁδοῦ σου, ἐσκλήρυν(ας τὰς) καρδίας ἡμῶν τοῦ μὴ
φοβεῖσθαί σε ; Ἐπὶ πλεῖστόν φησιν ἐμακροθύμησας, ὁρῶν
ἀδεῶς (παρα)νομοῦντας οὐκ ἐπαίδευσας · ἐντεῦθεν ἀντίτυπον
καρδίαν ἐσχήκαμεν, διὰ τοῦτο τὴν εὐθεῖαν ὁδὸν κατελίπομεν.
Ἐπίστρεψον διὰ τοὺς δούλους σου, διὰ τὰς φυλὰς τῆς
150 **κληρονομίας σου,** 18 **ἵνα μικρὸν κληρονομήσωμεν τοῦ ὄρους**
τοῦ ἁγίου σου. Ἀναμνήσθητι τῶν ἡμετέρων προγόνων, οἳ
σοὶ θεράποντες ἐχρημάτισαν, ἀναμνήσθητι τῶν ἡμετέρων
φυλῶν ἃς ἐν τῇ ἐρήμῳ διέκρινας, ἃς σὸν ὠνόμα[σας] κλῆρον,
καὶ μὴ παντελῶς ἡμᾶς ἐξελάσῃς τῶν ἁγίων σου περιβόλων.
155 **Οἱ ὑπεναντίοι ἡμῶν κατεπά(τησαν) τὸ ἁγίασμά σου.** Τὰ
ἄδυτα καὶ ἄψαυστα καὶ μόνοις τοῖς ἱερεῦσι βατὰ ἔρημα
ἐγένετο καὶ ὑπὸ τῶν δυσσε(βῶν) πολεμίων κατεπατήθη.
Δυσσεβεῖς γὰρ ἦσαν οὐ μόνον Βαβυλώνιοι ἀλλὰ καὶ
Μακεδόνες καὶ Ῥωμαῖοι, ἡνίκα τὴν Ἱερουσαλὴμ ἐξεπόρθη-
160 σαν. 19 Ἐγενόμεθα ὡς τὸ ἀπ᾽ ἀρχῆς ὅτε οὐκ ἦρξας ἡμῶν,

C : 146-148 ἐπὶ — κατελίπομεν ‖ 155-160 τὰ — ἐξεπόρθησαν
156 μόνοις C : μόνον K ‖ 159 ἐξεπόρθησαν K : ἐπόρθησαν C
138 Ex. 7, 3

---

1. Théodoret rapporte plus loin (20, 242-243.394-395) d'autres
expressions du même type, révélatrices de la langue parlée.
2. Ce long développement n'a d'autre but que d'expliquer le sens
de l'expression « Pourquoi nous as-tu fait errer? » : Théodoret, une
fois encore (cf. t. I, SC 276, p. 213, n. 1), veut montrer que ce n'est

a envoyé de petites punitions, le Pharaon persista dans son refus et dans ses invectives. Voilà pourquoi précisément le Dieu de l'univers a dit : « Quant à moi, j'endurcirai le cœur de Pharaon », c'est-à-dire en faisant preuve de résignation et de patience. De fait, nous avons coutume, quant à nous, de dire à des serviteurs qui commettent continuellement des fautes : « Si on t'avait châtié dès le début, tu ne serais pas ainsi[1]. »

De même, le prophète de son côté, au nom du peuple, suppliait le Maître en disant : « Pourquoi, Seigneur, nous as-tu fait errer loin de ta route, pourquoi as-tu endurci nos cœurs jusqu'à ne plus te craindre ? » Pendant très longtemps, dit-il, tu as été patient ; alors que tu nous voyais commettre sans crainte l'iniquité, tu ne nous as pas châtiés ; c'est de là que nous tenons un cœur récalcitrant, c'est à cause de cela que nous avons abandonné le droit chemin[2].

Reviens à cause de tes serviteurs, à cause des tribus de ton héritage, 18. afin que nous héritions d'une petite part de ta montagne sainte. Souviens-toi de nos ancêtres qui ont reçu le titre de « tes serviteurs », souviens-toi de nos tribus que tu as mises à part dans le désert, que tu as nommées « ton héritage », et ne nous bannis pas complètement de tes enceintes sacrées.

Nos ennemis ont foulé aux pieds ton sanctuaire. Les profondeurs du sanctuaire, qu'il était interdit de toucher et dont l'accès était réservé aux seuls prêtres, ont été désolées et foulées aux pieds par les ennemis impies. Car les Babyloniens n'étaient pas les seuls à être impies ; les Macédoniens et les Romains l'étaient aussi, quand ils ont dévasté Jérusalem.

19. Nous sommes devenus comme au commencement, lorsque tu n'exerças pas sur nous le commandement et que

pas Dieu qui fait errer le peuple — sinon les reproches seraient injustes —, mais qu'il permet son errance par sa trop grande bonté.

οὐδὲ ἐπεκλήθη τὸ ὄνομά σου ἐφ᾽ ἡμᾶς. Τῆς παντοδαπῆς
ἐκείνης ἐγυμνώθημεν προμηθείας καὶ τοῖς ἡμετέροις ἐοίκ(α)-
μεν προγόνοις, οἳ ἐν Αἰγύπτῳ δουλεύοντες οὐδέπω σὸς λαὸς
ἐχρημάτιζον.

165   Ἐὰν ἀνοίξῃς τὸν οὐρα(νόν), τρόμος λήψεται ἀπὸ σοῦ
ὄρη, καὶ τακήσονται 64¹ ὡς κηρὸς τήκεται ὑπὸ πυρός, καὶ
κατακαύσει πῦρ τοὺς ὑπεν(αντί)ους σου, καὶ φανερὸν ἔσται
τὸ ὄνομά σου τοῖς ὑπεναντίοις σου. Ταῦτα δὲ πεπόνθαμεν
οὐ διὰ τὴν σὴν ἀσθένειαν ἀλλὰ διὰ τὴν ἡμετέραν παρανομίαν.
170 Σοῦ γὰρ οὐρανόθεν τὴν οἰκείαν ἐπιφάνειαν ποιουμένου
κλονεῖται τὰ ὄρη καὶ κηροῦ δίκην πυρὶ πελάζοντος διαλυθήσεται. Πῦρ δὲ τοὺς ἡμετέρους δυσμενεῖς δαπανήσει καὶ
[φανερὰ] πᾶσιν ἡ σὴ γενήσεται δύναμις. Ἀπὸ προσώπου
σου ἔθνη ταραχθήσονται · ² ὅταν ποιῇς τὰ ἔνδοξα, τρόμος
175 λήψεται (ἀπὸ) σοῦ ὄρη. Πάντα σοι ῥᾴδια, πάντα σοι
εὐπετῆ · σεῖσαι τὴν γῆν, ταράξαι τὰ ἔθνη.

³ Ἀπὸ τοῦ αἰῶνος οὐκ ἠκούσ(αμεν), οὐδὲ οἱ ὀφθαλμοὶ
ἡμῶν εἶδον θεὸν πλὴν σοῦ. Δι᾽ αὐτῶν μεμαθήκαμεν τῶν
πραγμάτων ὡς σὺ μόνος ὑπάρχ(εις) θεός · ἑτέρου γὰρ
180 οὐδενὸς οὔτε ἐθεασάμεθα οὔτε ἠκούσαμεν ἔργα θεῷ πρέποντα.
Καὶ τὰ ἔργα σου ἀλη(θινά). Οὐ γὰρ ἔοικας τοῖς τῶν
εἰδώλων τεχνάσμασι καὶ ταῖς παντοδαπαῖς ἐξαπάταις.
Καὶ ποιήσεις τοῖς ὑπομένουσί σε ἔλεον · ⁴ συναντήσεται γὰρ
ἔλεος τοῖς ποιοῦσι τὸ δίκαιον, καὶ τῶν ὁδῶν σου μνησθήσονται.
185 Ἔδειξε τοῦ ἐλέου τὸ δίκαιον · οὔτε γὰρ ὁ ἔλεος τοῦ θεοῦ
ἄκριτος οὔτε ἡ κρίσις ἀνέλεος. Διά τοι τοῦτο τοῖς ὑπομένουσι
καὶ τοῖς ποιοῦσι τὸ δίκαιον τὴν τοῦ ἐλέου χορηγίαν συνέζευξεν.

C : 161-164 τῆς — ἐχρημάτιζον ‖ 168-172 ταῦτα — διαλυθήσεται
‖ 175-176 πάντα — ἔθνη ‖ 178-180 δι᾽ — πρέποντα ‖ 185-188 ἔδειξε
— συνέζευξεν

171 τὰ C : > K

ton nom ne fut pas invoqué sur nous. Nous avons été
dépouillés de cette sollicitude aux formes multiples et
nous avons ressemblé à nos ancêtres qui, au temps de
l'esclavage en Égypte, n'avaient pas encore reçu le titre
de « ton peuple ».

2) Confiance dans la puissance du Seigneur

Si tu ouvres le ciel, un tremblement saisira devant toi les montagnes et elles fondront 64, 1. comme la cire fond sous l'action du feu, le feu consumera totalement tes ennemis et ton nom sera manifeste pour tes ennemis.
Voilà les malheurs que nous avons éprouvés, non pas en
raison de ta faiblesse, mais en raison de notre iniquité.
Car, si tu te manifestes en personne du haut des cieux,
les montagnes s'agitent et, à la manière de la cire qu'on
approche du feu, elles seront détruites. Le feu dévorera
nos ennemis et ta puissance deviendra manifeste pour
tous. *Devant ta face les nations seront troublées; 2. lorsque
tu feras des prodiges, un tremblement saisira devant toi les
montagnes.* Tout est facile pour toi, tout est aisé pour toi :
ébranler la terre, bouleverser les nations.

*3. Depuis l'éternité nous n'avons pas entendu et nos yeux
n'ont pas vu de Dieu à l'exception de toi.* Des faits eux-mêmes
nous avons appris que toi seul, tu es Dieu : d'aucun autre,
en effet, nous n'avons contemplé ou entendu des œuvres
qui conviennent à un dieu. *Et tes œuvres sont véridiques.*
Tu n'as (rien) de semblable avec les machinations des
idoles et leurs tromperies de toutes sortes. *Tu feras miséricorde à ceux qui mettent en toi leur attente; 4. car la
miséricorde viendra au-devant de ceux qui pratiquent la
justice, et ils se souviendront de tes voies.* Il a montré la
justice de la miséricorde : car la miséricorde de Dieu n'est
pas exempte de jugement et son jugement n'est pas exempt
de miséricorde. C'est précisément pourquoi il a, pour ceux
qui attendent et qui pratiquent la justice, associé (à sa
justice) le don de sa miséricorde.

Ἰδοὺ σὺ ὠργίσθης, καὶ ἡμεῖς ἡμ(άρ)τομεν. Ἀγανακτεῖς
190 δὲ καθ᾽ ἡμῶν οὐκ ἀδίκως · ἡ γὰρ ἡμετέρα παρανομία τὴν
ὀργὴν παραθήγει. Οὕτω καὶ ὁ Σύμμαχος ἡρμήνευσεν ·
« Ἰδοὺ σὺ ὠργίσθης ἁμαρτανόντων ἡμῶν. » Οὐ γὰρ αὐτοῦ
ὀργισθέντος ἥμαρτον, ἀλλ᾽ ἐκείνων ἁμαρτόντων ὠργίσθη.
Διὰ τοῦτο ἐπλανήθημεν ⁵καὶ ἐγενήθημεν ὡς ἀκάθαρτοι
195 πάντες ⟨ἡμεῖς⟩. Ἡμαρτηκότων ἡμῶν ὠργίσθης · ὀργισθεὶς
δὲ τῆς σῆς ἡμᾶς προνοίας ἐγύμνωσας. Ἡμεῖς δὲ ταύτης
γυ[μνωθέν]τες τῇδε κἀκεῖσε περιπλανώμεθα καὶ τῆς σῆς
ἐστερήμεθα ἁγιωσύνης μυσαροί τινες καὶ ἀκάθαρτοι γεγε-
νημένοι. Καὶ ὡς ῥάκος ἀποκαθημένης πᾶσα ἡ δικαιοσύνη
200 ἡμῶν. Ἄξιον θαυμάσαι τοῦ προφήτου τὴν σύνεσιν · τῷ
γὰρ ἀκαθάρτῳ ῥάκει οὐ τὴν ἁμαρτίαν ἀλλὰ τὴν δικαιοσύνην
αὐτῶν ἀπ(είκ)ασεν. Εἰ δὲ ἡ δικαιοσύνη ἐκείνῳ ἀπείκασται,
οὐκ ἔχει εἰκόνα παραβαλλομένη ἡ ἁμαρτία.
(Καὶ) ἐξ(ερ)ρύημεν ὡς φύλλα πάντες ἡμεῖς διὰ τὰς
205 ἀνομίας ἡμῶν, οὕτως ἄνεμος οἴσει ἡμ(ᾶς). Ἔδειξε καὶ διὰ
τούτων τῆς τιμωρίας τὸ δίκαιον. Τῆς πολλῆς φησι παρανομίας
τίνομεν δίκας καὶ ἐοίκαμεν φύλλοις ὑπὸ λαίλαπος φερομένοις.
⁶Καὶ οὐκ ἔστιν ὁ ἐπικαλούμενος τὸ ὄνομά σου καὶ ὁ μνησθεὶς
ἀντιλαβέσθαι σου, ὅτι ἀπέστρεψας τὸ πρόσωπόν σου ἀφ᾽ ἡμῶν
210 καὶ παρέδωκα(ς ἡ)μᾶς ταῖς ἁμαρτίαις ἡμῶν. Εἰς ἀναλγησίαν
ἐξεπέσαμεν καὶ τῶν ἐπικειμένων οὐκ αἰ|181 b|(σθανό)μεθα
συμφορῶν οὐδὲ τὴν τούτων αἰτοῦμεν ἀπαλλαγήν · τῆς γὰρ
σῆς γυμνωθέντες ἐ(πι)μελείας διὰ τὴν πολλὴν παρανομίαν
ἐξεδόθημεν τῇ δουλείᾳ.

C : 200-203 ἄξιον — ἁμαρτία ‖ 205-207 ἔδειξε — φερομένοις ‖
210-214 εἰς — δουλείᾳ

206 τῆς² K : +γὰρ C ‖ 212-213 γὰρ σῆς K : ∼ C

---

1. La remarque de Théodoret vise ici encore à prévenir toute
accusation d'injustice portée contre Dieu. De même, CYRILLE
(70, 1400 B) note que certains interprètes ont cru bon (ἔδοξέ τισι

3) Conscience du péché

Voici que toi, tu t'es irrité et que nous, nous avons péché. Tu ne t'irrites pas contre nous injustement : c'est notre iniquité qui excite ta colère. Telle est aussi l'interprétation de Symmaque : « Voici que toi, tu t'es irrité, parce que nous avons péché. » Ce n'est pas, en effet, parce qu'il s'est irrité qu'ils ont péché, mais parce qu'ils ont péché qu'il s'est irrité[1]. *C'est pourquoi nous nous sommes égarés* 5. *et nous sommes tous devenus comme des (hommes) impurs.* C'est parce que nous avons péché que tu t'es irrité ; et, une fois que tu fus irrité, tu nous as dépouillés de ta Providence. Quand nous en fûmes dépouillés, nous avons erré çà et là et nous avons été privés de ta sainteté pour être devenus des êtres souillés et impurs. *Et comme le linge d'une femme qui a ses règles (est devenue) toute notre justice.* Il vaut la peine d'admirer la sagacité du prophète : il a comparé à un vêtement impur, non pas leur péché, mais leur justice. Or, si c'est la justice qu'on lui a comparé, c'est que l'on n'a pas d'image à laquelle comparer le péché.

Et nous sommes tous tombés comme des feuilles à cause de nos iniquités, ainsi le vent nous emportera-t-il. Par là encore il a montré la justice du châtiment. Nous payons le châtiment, dit-il, de bien des iniquités et nous ressemblons aux feuilles qu'emporte une tornade. 6. *Il n'y a personne qui invoque ton nom et qui se souvienne de s'attacher à toi, parce que tu as détourné de nous ta face et que tu nous a livrés à nos péchés.* Nous sommes tombés dans l'insensibilité, nous ne ressentons pas les calamités qui (nous) pressent et nous ne demandons pas à en être délivrés ; une fois dépouillés de ta sollicitude en raison de bien des iniquités, nous avons, en effet, été livrés à l'esclavage.

τῶν ἐξηγητῶν) d'intervertir l'ordre du verset de peur qu'on ne mît en doute la justice divine, si la colère de Dieu paraissait antérieure à la faute.

215   ⁷Καὶ νῦν κύριε πατὴρ ἡμῶν σὺ εἶ, ἡμεῖς δὲ πηλός · καὶ
σὺ ὁ πλάστης ἡμῶν, ἔργα τῶν χειρῶν σου πάντες ἡμεῖς.
Τῆς ἀρχαίας ἀναμιμνήσκει δημιουργίας καὶ πατέρα καλεῖ
καὶ δεσπότην καὶ πλάστην καὶ τὴν ἀνθρωπείαν φύσιν
ὀνομάζει πηλόν, (ἵνα) καὶ διὰ τούτων ἀνοίξῃ τὰς τοῦ ἐλέου
220   πηγάς. ⁸Μὴ ὀργίζου ἡμῖν κύριε ἕως σφόδρα καὶ μὴ ἐν
(καιρῷ) μνησθῇς ἁμαρτιῶν ἡμῶν. Τό · μὴ ἐν καιρῷ, «μὴ
εἰς τὸν αἰῶνα» ὁ Σύμμαχος εἴρηκεν ἀντὶ τοῦ · [εἰς] τέλος.
Οὕτω καὶ ὁ μακάριος ἔφη Δαυίδ · «Ἵνα τί ὁ θεὸς ἀπώσω
εἰς τέλος ;», καὶ πάλιν · «Μὴ εἰς τὸν αἰῶνα ὀργισθῇς
225   ἡμῖν», καὶ ἑτέρωθι · «Καὶ ἔσται ὁ καιρὸς αὐτῶν εἰς τὸν
αἰῶνα.» Κατὰ μέντοι τοὺς Ἑβδομήκοντα οὕτως [νοή]σω-
μεν · μὴ ἐν τῷ καιρῷ τῆς τῶν πολεμίων προσβολῆς τῶν
ἡμετέρων ἁμαρτημάτων μνησθῇς.
    (Καὶ) νῦν ἐπίβλεψον κύριε ὅτι λαός σου πάντες ἡμεῖς,
230   ⁹πόλις τοῦ ἁγίου σου, τουτέστι τοῦ Δαυίδ · αὐτοῦ ἐχρη-
μά(τιζε) πόλις. Ἐγενήθη ἔρημος Σιὼν ὡς ἔρημος ἐγενήθη
Ἱερουσαλήμ · εἰς κατάραν ¹⁰ὁ οἶκος τοῦ ἁγιάσματος ἡμῶν,
(καὶ ἡ) δόξα ἣν εὐλόγησαν οἱ πατέρες ἡμῶν ἐγενήθη πυρί-
καυστος, καὶ πάντα τὰ ἔνδοξα ἡμῶν συνέπεσαν. (Εἰ ἡ)μεῖς
235   φιλανθρωπίας φησὶν ἀνάξιοι οἱ σὸς λαὸς χρηματίσαντες,
τὴν πόλιν φειδοῦς διὰ τὸν ταύτης ἀ(ξίω)σον οἰκιστήν ·
ἔρημος γὰρ αὕτη γεγένηται. Καὶ τῇ μνήμῃ τῆς προσηγορίας
εἰς ἔλεον διεγείρει · Ἐγενήθη (ἔρημ)ος Σιὼν ὡς ἔρημος
ἐγενήθη Ἱερουσαλήμ. Τὸ δέ · εἰς κατάραν ὁ οἶκος τοῦ
240   ἁγιάσματος ἡμῶν, [οἱ μὲν] Ἄλλοι «εἰς ἀφανισμὸν»

C : 217-220 τῆς — πηγάς ‖ 227-228 μὴ — μνησθῇς ‖ 230-231
τουτέστι — πόλις ‖ 234-237 εἰ — γεγένηται

227 τῶνᵃ C : > K ‖ 230 αὐτοῦ K : +γὰρ C ‖ 235 φιλανθρωπίας
φησὶν K : ∼ C ‖ οἱ C : ὁ K

223 Ps. 73, 1   224 Ps. 84, 6   225 Ps. 80, 16

**4) Confiance
dans la miséricorde
de Dieu**

7. *Cependant, Seigneur, tu es notre
Père et nous sommes de l'argile; et toi,
tu es notre potier, nous tous, nous sommes les œuvres de tes mains.* (Le
prophète lui) rappelle le souvenir de la création primitive,
l'appelle « Père, Maître et potier » et donne à la nature
humaine le nom d'« argile », afin que, par l'emploi même de
ces termes, il fasse s'ouvrir les fontaines de la miséricorde.
8. *Ne t'irrite pas contre nous, Seigneur, jusqu'à l'extrême,
et ne te souviens pas de nos péchés au jour du châtiment.*
Au lieu de « Ne (te souviens) pas (de nos péchés) au jour du
châtiment », Symmaque a dit : « Ne (te souviens) pas
(de nos péchés) pour l'éternité », ce qui revient à dire
« jusqu'à la fin ». De même, le bienheureux David a dit
de son côté : « Pourquoi donc, mon Dieu, as-tu repoussé
loin de toi jusqu'à la fin (ton peuple) ? », et encore : « Ne
sois pas irrité contre nous pour l'éternité », et ailleurs :
« Et leur châtiment aura lieu pour l'éternité. » Toutefois,
selon le texte des Septante, comprenons de la manière
suivante : « Ne te souviens pas de nos fautes au moment
de l'attaque de nos ennemis. »
*Cependant tourne les yeux vers (nous), Seigneur, parce
que nous sommes tous ton peuple,* 9. *la cité de ton Saint,*
c'est-à-dire David : elle portait, en effet, le titre de « cité
de David ». *Sion est devenue un désert, comme Jérusalem
est devenue un désert; elle est devenue malédiction* 10. *la
maison de notre sanctuaire, la gloire que nos pères ont
célébrée est devenue la proie du feu et toutes nos gloires se
sont écroulées.* Si nous, qui portons le nom de « ton peuple »,
dit-il, nous sommes indignes de ta bonté, juge digne de
ménagement la cité en raison de son fondateur : elle est,
en effet, devenue un désert. Et il fait mention de son nom
pour provoquer la miséricorde : « Sion est devenue un
désert, comme Jérusalem est devenue un désert. » Quant
au passage « elle est devenue malédiction la maison de
notre sanctuaire », les autres interprètes l'ont traduit par

ἡρμήνευσαν. Ἔχει δὲ καὶ ἡ κατάρα διάνοιαν τῷ πάθει
πρόσφορον · εἰώθασι [γὰρ πάντ]ες λέγειν · Πάθοις ἃ
ὁ δεῖνα πέπονθεν. Ὁ πολυθρύλητος τοίνυν νεώς, ὁ πλήρης
ἁγιωσύνης, ὁ παρὰ [πᾶσιν] ἀοίδιμος πολεμικῷ μὲν ἐνεπρήσθη
245 πυρί, πρόκειται δὲ τοῖς ἐπιτωθάζουσιν εἰς κατάραν.
¹¹ Καὶ (ἐπὶ τού)τοις πᾶσιν ἀνέσχου κύριε καὶ ἐσιώπησας.
Ταῦτα δὲ πάντα ὁρῶ‹ν› ὑπὸ τῶν πολεμίων γιγνόμενα
[ἠνέσχου] μακροθυμῆσαι. Καὶ τὴν αἰτίαν διδάσκει · Καὶ
ἐταπείνωσας ἡμᾶς ἕως σφόδρα. Ἵνα γὰρ ἡ[μᾶς] ταπεινώσῃς
250 καὶ τὸ ἡμέτερον φρόνημα καταλύσῃς, οὐκ ἐβουλήθης κολάσαι
τοὺς ταῦτα [τετολ]μηκότας.

Ταύτης ὑπὸ τοῦ προφήτου τῆς ἱκετείας προσενεχθείσης
ἀποκρίνεται [ὁ τῶν] ὅλων θεὸς τῇ αὐτῇ χρώμενος γλώττῃ ·
65¹ Ἐμφανὴς ἐγενόμην τοῖς ἐμὲ μὴ ἐπερωτῶσιν, εὑ(ρέθη)ν
255 τοῖς ἐμὲ μὴ ζητοῦσιν, εἶπον · Ἰδού εἰμι ἰδού εἰμι ἐν ἔθνει
οἳ οὐκ ἐκάλεσαν τὸ ὄνομά μου. Οὐ δέχομαί φησι τὴν ὑπὲρ
τούτων πρεσβείαν · ἄλλον ἐξελεξάμην λαόν, οὐκέτι τῶν
ἀχαρίστων ἀνέξομαι. Δῆλος τοῖς κατὰ τὴν οἰκουμένην
ἔθνεσιν ἐγενόμην · εἶδον οἱ ἐν σκότει φῶς, ἔγνωσαν οἱ
260 ἀγνοοῦντες τὸν ποιητήν, εὗρον οἱ μὴ ζητοῦντες τὸν θησαυρόν,
οἱ προφήτας οὐκ ἐσχηκότες (τῷ ὑ)π' ἐκείνων κηρυττομένῳ
πιστεύουσιν.

² Ἐξεπέτασα τὰς χεῖράς μου ὅλην τὴν ἡμέ(ραν ἐπὶ) λαὸν
ἀπειθοῦντα καὶ ἀντιλέγοντα, τοῖς πορευομένοις ἐν ὁδῷ οὐ
265 καλῇ ἀλλ' ὀπίσω τ(ῶν ἁμαρ)τιῶν αὐτῶν. Τὰ μὲν οὖν ἔθνη
προφήτην οὐ δεξάμενα τὸν εὐεργέτην ἐπέγνω, οὗτοι δὲ

C : 256-262 οὐ — πιστεύουσιν ‖ 265-272 τὰ — ἐξέτεινεν

244 παρὰ Mö. : ε̅π̅ K ‖ 245 πρόκειται ... ἐπιτωθάζουσιν Mö. :
πρόσκειται ... ἐπιτωθάζειν K ‖ 259 σκότει K : τῷ σκότει τὸ C ‖
266 οὗτοι K : αὐτοὶ C

---

1. Cf. *supra*, p. 303, n. 1. Faut-il conclure à l'existence de formules
presque proverbiales du type « Puisses-tu subir le sort du temple de
Jérusalem ! » ? En tout cas, de telles formules de malédiction ou de
bénédiction sont fréquentes dans l'Écriture (v.g. *Jér.* 29, 22 ; *Ruth*
4, 11).

« (elle est allée) à sa disparition ». Pourtant le terme de « malédiction » offre également un sens en accord avec l'infortune subie ; tous les hommes ont, en effet, l'habitude de dire : « Puisses-tu subir l'infortune qu'un tel a subie ! » Donc, le Temple fameux, le Temple rempli de sainteté, le Temple chanté chez tous a été brûlé par un feu ennemi, et il reste pour servir de formule de malédiction aux railleurs[1].

11. *Après tout cela, tu as supporté, Seigneur, et tu as gardé le silence.* Alors que tu voyais les ennemis accomplir tous ces méfaits, tu as supporté d'être patient. Et il en indique la raison : *Et tu nous as humiliés jusqu'à l'extrême.* C'est afin de nous humilier et de détruire notre orgueil que tu n'as pas voulu châtier ceux qui ont osé faire cela.

Réponse divine à la supplique du prophète.
1) Refus de l'intercession en faveur des Juifs

A cette supplication que vient de présenter le prophète, le Dieu de l'univers répond en se servant de la même bouche : **65, 1.** *Je suis devenu manifeste pour ceux qui ne m'interrogeaient pas, ils m'ont trouvé ceux qui ne me cherchaient pas ; j'ai dit : « Me voici, me voici » au milieu d'une nation d'hommes qui n'ont pas invoqué mon nom.* Je n'accepte pas, dit-il, l'intercession en leur faveur : j'ai choisi un autre peuple, je ne supporterai plus les ingrats. Je me suis révélé aux nations répandues à travers le monde : ils ont vu la lumière ceux qui étaient dans les ténèbres, ils ont connu leur créateur ceux qui étaient dans l'ignorance, ils ont trouvé le trésor ceux qui ne le cherchaient pas ; ceux qui n'ont pas eu de prophètes croient à celui que proclament les prophètes.

2. *J'ai étendu mes mains le jour entier vers un peuple désobéissant et contradicteur, vers des hommes qui marchent dans une voie qui n'est pas bonne, mais à la suite de leurs péchés.* Ce sont donc les nations, elles qui n'ont pas reçu de prophète, qui ont reconnu leur bienfaiteur, tandis qu'eux, qui ont été l'objet de toutes sortes de soins, ils

παντοδαπῆς ἐπιμελείας τετυχηκότες ὄνησιν οὐδεμίαν ἐδέξαντο
ἀλλὰ τῇ συνήθει παρανομίᾳ προσμένουσιν. Τὸ δέ · ὅλην
τὴν ἡμέραν ἐξεπέτασα τὰς χεῖράς μου, δηλοῖ μὲν (τὴν)
270 ἐν παντὶ τῷ χρόνῳ γεγενημένην αὐτῶν ἐπιμέλειαν, αἰνίττεται
δὲ καὶ τοῦ σταυροῦ (τὸ) σωτήριον πάθος, ἐν ᾧ τὰς χεῖρας
ἐξέτεινεν.

Εἶτα καὶ τὴν πολλὴν αὐτῶν ἀσέβειαν καὶ παραν[ομίαν]
γυμνοῖ · ³ Ὁ λαὸς οὗτος ὁ παροξύνων με ἐναντίον ἐμοῦ διὰ
275 παντὸς αὐτοὶ θυμιάζουσιν ἐν τοῖς κήποις καὶ θυμιῶσιν ἐπὶ
ταῖς πλίνθοις ⁴ τοῖς δαιμονίοις καὶ τοῖς οὐκ οὖσιν. Εἰδότες (ὡς) ὁρῶ τὰ γιγνόμενα παρόντος μου τοὺς δαίμονας
θεραπεύουσι, παροξύνειν με διὰ τῶν τολ(μω)μένων βουλόμενοι. Ἐν τοῖς μνήμασι καὶ ἐν τοῖς σπηλαίοις κοιμῶνται δι'
280 ἐνύπνια. Σφᾶς |182 a| αὐτοὺς ἐκδεδωκότες τῇ πλάνῃ καὶ
ταῖς καθ' ὕπνον γινομέναις φαντασίαις ἀκολουθοῦσι (καὶ)
τούτου χάριν καὶ παρὰ τοὺς τάφους καθεύδειν ἀνέχονται
καὶ ἐν τοῖς ἀφωρισμένοις σπηλαίοις τ(οῖς δαί)μοσιν. Οἱ
ἐσθίοντες κρέας ὕειον καὶ ζωμοὺς θυσιῶν, μεμολυσμένα πάντα
285 τὰ σκεύη αὐτῶν. (Τῆς) τοῦ νόμου παραβάσεως κατηγορεῖ
διδάσκων, ὡς οὐκ ἀντεχόμενοι τοῦ νόμου οὐδὲ τὴν ἔννομον
πολι(τείαν) ἀσπαζόμενοι τὴν μιαιφονίαν ἐκείνην ἐτόλμησαν
καὶ τὸν εὐεργέτην τῷ ξύλῳ προσήλωσαν — [παρανομοῦσι]
γὰρ οἵ γε τὸν νόμον ἀεὶ ἀδεῶς παραβαίνοντες — ἀλλὰ
290 συνήθως ἀχάριστοι περὶ τὰς θείας γενόμενοι [εὐεργεσίας].
⁵ Οἱ λέγοντες · Πόρρω ἀπ' ἐμοῦ, μὴ ἐγγίσῃς μοι, ὅτι
καθαρός εἰμι. Τοιοῦτοι ἦσαν οἱ τοῦ σωτῆρος κατηγορ(οῦντες)
καὶ λέγοντες · « Ἵνα τί μετὰ τελωνῶν καὶ ἁμαρτωλῶν

C : 276-279 εἰδότες — βουλόμενοι ‖ 280-283 σφᾶς — δαίμοσιν ‖
285-288 τῆς — προσήλωσαν ‖ 292-299 τοιοῦτοι — τελώνης

277 γιγνόμενα Κ : γινόμενα C ‖ 283 ἐν C : > Κ ‖ 293 μετὰ Κ :
+τῶν C

293 Matth. 9, 11

---

1. CYRILLE (70, 1405 C) comprend le verset tout autrement :
cette « extension des mains » serait un geste d'agacement, comme

n'en ont retiré aucune utilité, mais persévèrent dans leurs habitudes d'iniquité. La phrase « le jour entier j'ai étendu mes mains » fait bien voir que les soins dont ils ont bénéficié se sont produits en tout temps, mais fait allusion aussi à la Passion salvatrice de la croix sur laquelle il a étendu les mains[1].

2) L'impiété du peuple juif   Puis il met à nu l'étendue de leur impiété et de leur iniquité : 3. *C'est un peuple qui m'irrite en me provoquant ouvertement, sans cesse: ils offrent des parfums dans les jardins et brûlent de l'encens sur les briques,* 4. *en l'honneur des démons et des êtres qui n'existent pas.* Parce qu'ils savent que je vois ce qui se passe, c'est en ma présence qu'ils rendent un culte aux démons, avec la volonté de m'irriter par leurs audaces. *Dans les sépulcres et dans les cavernes, ils dorment pour avoir des songes.* Parce qu'ils se sont livrés à l'erreur, ils obéissent même aux phantasmes qui surviennent pendant le sommeil ; c'est pourquoi ils supportent de dormir auprès des tombeaux et dans les cavernes consacrées aux démons. *Ils mangent de la viande de porc et le jus des victimes, tous leurs vases sont souillés.* Il (les) accuse de violer la Loi et enseigne ceci : ce n'est pas parce qu'ils étaient attachés à la Loi ou qu'ils chérissaient le mode de vie conforme à la Loi qu'ils ont osé se souiller de ce meurtre et qu'ils ont cloué sur le bois leur bienfaiteur — ils commettent, en effet, l'iniquité ceux qui sans cesse violent sans crainte la Loi —, mais parce qu'ils avaient l'habitude d'être ingrats à l'égard des bienfaits divins[2].

5. *Eux qui disent: Loin de moi! Ne m'approche pas, parce que je suis pur.* Tels étaient ceux qui accusaient le Sauveur et disaient : « Pourquoi donc votre Maître mange-

---

ceux qui accompagnent un haussement de ton, lorsqu'on s'adresse à des gens inattentifs.

2. Sur ce développement polémique, cf. t. I, *SC* 276, p. 185, n. 1.

ἐσθίει ὁ διδάσκαλος ὑμῶν ; » Τοιοῦτος ἦν ὁ Φα(ρισαῖος)
295 ὁ « ἐν αὐτῷ λέγων · Εἰ ἦν οὗτος προφήτης, ᾔδει τίς καὶ
ποταπὴ ἡ γυνὴ αὕτη ἡ ἁπτομένη αὐτου ». Τοιοῦτος ἦν ὁ
ἐν τῷ ἱερῷ προσευχόμενος καὶ λέγων · « Εὐχαριστῶ σοι, ὁ
θεός, ὅτι οὔκ εἰμι ὡς οἱ λοιποὶ τῶν ἀνθρώπων (ἄ)δικοι,
πλεονέκται, μοιχοί, οὐδὲ ὡς οὗτος ὁ τελώνης. » Εἶτα
300 δεικνὺς τοῦ τύφου τὴν βλάβην ἐ[πάγει] · Οὗτος καπνὸς τοῦ
θυμοῦ μου, πῦρ καίεται ἐν αὐτῷ πάσας τὰς ἡμέρας. Ὥσπερ
γὰρ τὰ ξύλα δι(εγείρει) τὴν φλόγα, οὕτως ὁ τῦφος, οὕτως
καὶ ἡ ἀλαζονεία τὸν ἐμὸν ἐξάπτει θυμόν.

6 Ἰδοὺ γέγραπται (ἐνώπιον) ἐμοῦ · Οὐ μὴ σιωπήσω, ἕως
305 ἂν ἀποδώσω εἰς τὸν κόλπον αὐτῶν 7 πάσας τὰς ἁμαρτίας
αὐτῶν καὶ τῶν πατέρων αὐτῶν ἐπὶ τὸ αὐτό, λέγει κύριος.
Ἐπειδὴ πάσῃ συζῶντες παρανομίᾳ ὡς ἄκ[ρας] ἀρετῆς
ἐπειλημμένοι τῶν ἄλλων ὑπερφρονοῦσι, δρέψονται ὧν
τολμῶσι τἀπίχειρα καὶ δι[δάσκει] ὡς οὐ μόνον κατὰ τὸν
310 παρόντα βίον ἀλλὰ κἂν τῷ μέλλοντι δώσουσι δίκας · τούτου
γὰρ χά[ριν] εἴρηκεν ·] (Καὶ) τῶν πατέρων αὐτῶν ἐπὶ τὸ
αὐτό, λέγει κύριος. Οἳ ἐθυμίασαν ἐπὶ τῶν ὀρέων. Περὶ τῶν
πατέρων αὐ[τῶν] ταῦτα λέγει. Καὶ ἐπὶ τῶν βουνῶν ὠνείδισάν
με. Ἀποδώσω τὰ ἔργα αὐτῶν πρῶτον εἰς τὸν κόλπον
315 (αὐτῶν). Τὴν ἐσομένην ἐν τῷ μέλλοντι βίῳ δεδήλωκε
κρίσιν.

Εἶτα διδάσκει, τίνος χάριν οὕτως α[ὐτῶν] παρανομούντων
ἐπὶ πλεῖστον ἠνέσχετο χρόνον · 8 Οὕτως λέγει κύριος · Ὃν
τρόπον ἐὰν εὑρεθῇ ῥὰξ ἐν τῷ βότ(ρυι) καὶ ἐροῦσιν · Μὴ
320 λυμήνῃ αὐτήν, ὅτι εὐλογία κυρίου ἐστὶν ἐν αὐτῇ, οὕτως
ποιήσω ἕνεκεν τοῦ δου(λεύοντός μοι) · τούτου ἕνεκεν οὐ
μὴ ἀπολέσω πάντας. Ὥσπερ γὰρ φησιν, εἴ τις ἐν βότρυι
μίαν εὕροι πέπειρον ῥᾶ(γα), δι' ἐκείνην παντὸς τοῦ βότρυος
φείδεται, ἵνα τῷ θεῷ τὴν ἀπαρχὴν προσενέγκῃ, οὕτως ἐγὼ

C : 301-303 ὥσπερ — θυμόν ‖ 322-326 ὥσπερ — πάντα

295 αὐτῷ K : ἑαυτῷ C ‖ 297-298 ὁ θεός K : > C ‖ 310 τῷ μέλλοντι
Mö. : τῶν μελλόντων K

295 Lc 7, 39　　297 Lc 18, 11

t-il avec les publicains et avec les pécheurs ? » Tel était,
le pharisien « qui disait en lui-même : si c'était un prophète
il saurait qui est cette femme qui le touche et ce qu'elle
est ». Tel était celui qui priait dans le Temple et disait :
« Je te rends grâces, mon Dieu, parce que je ne suis pas
comme le reste des hommes qui sont injustes, avides,
adultères, ni comme ce publicain. » Puis, pour montrer le
dommage que cause cet aveuglement orgueilleux, il ajoute :
*Ceci est la fumée de mon cœur, un feu brûle en lui tous les
jours.* Tout comme le bois avive la flamme, l'aveuglement
orgueilleux, la vantardise enflamment eux aussi mon cœur.

6. *Voici qu'il est écrit devant moi : Je ne me tairai pas
avant de leur avoir rendu dans leur sein 7. tous leurs péchés
et tous ceux de leurs pères, tout ensemble, dit le Seigneur.*
Puisque, en dépit de toute l'iniquité dans laquelle ils
vivent, ils méprisent tous les autres hommes, comme s'ils
avaient atteint le sommet de la vertu, ils récolteront
le prix de leurs audaces. Et il enseigne que ce n'est pas
seulement dans la vie présente, mais encore dans la vie
future qu'ils subiront leur châtiment ; voilà pourquoi
il a dit : « Et (tous les péchés) de leurs pères, tout ensemble,
dit le Seigneur. » *Eux qui ont brûlé de l'encens sur les
montagnes.* Il dit cela de leurs pères. *Et qui m'ont outragé
sur les collines. Je leur rendrai leurs actions d'abord dans
leur sein.* Il a fait voir le jugement qui aura lieu dans
la vie future.

**3) La raison
de la patience divine**   Puis il indique la raison qui lui a
fait supporter pendant très longtemps
de les voir commettre ainsi l'iniquité :
8. *Ainsi parle le Seigneur : Tout comme si l'on trouve un
grain dans une grappe et si l'on dit : Ne l'abîme pas, parce
que la bénédiction du Seigneur est sur lui, ainsi ferai-je à
cause de mon serviteur : à cause de lui, je ne les détruirai
pas tous.* Si l'on trouve dans une grappe, dit-il, un seul
grain mûr, c'est à cause de lui qu'on épargne toute la
grappe afin de présenter à Dieu les prémices ; de la même

325 ἐπ(αγγειλά)μενος τῷ Ἀβραὰμ ἐν τῷ σπέρματι αὐτοῦ
εὐλογήσειν τὰ ἔθνη πάντα δι' ἐκεῖνο τὸ σπέρμ[α παντὸς]
τοῦ Ἰσραὴλ ἠνεσχόμην παρανομοῦντος, διὰ τοῦτο οὐ
περιεῖδον Αἰγυπτίοις δουλεύοντας, τούτου χάριν αὐτ[οὺς]
τῆς τῶν Βαβυλωνίων ἠλευθέρωσα δυναστείας.

330   ⁹ Καὶ ἐξάξω τὸ ἐξ Ἰακὼβ σπέρμα καὶ ἐξ Ἰούδα, καὶ
κληρονομήσει τὸ ὄρος μου τὸ ἅγιον. Ἄντικρυς ἡμῖν τὸν
προφητευόμενον ὁ προφητικὸς ὑπέδειξ[ε λόγ]ος · τοῦ γὰρ
σπέρματος ἀναμνήσας, δι' οὗ τὴν εὐλογίαν τοῖς ἔθνεσι
δώσειν ὁ θεὸς ἐπηγγείλατο, τοῦ Ἰακὼ[β] ἐμ[νημό]νευσε

335 καὶ τοῦ Ἰούδα. Ἦν γὰρ διὰ τῶν προγόνων καὶ ὑπὸ τοῦ
θεοῦ τῶν προγόνων ὁ Ἰακὼβ εὐλογίαν ἐ[δέξ]ατο, ταύτην
οὔτε τῷ Ῥουβὶμ τῷ πρωτοτόκῳ οὔτε τῷ Συμεὼν τῷ
δευτέρῳ οὔτε τῷ Λευὶ τῷ τρίτῳ, ἐξ οὗ τὸ τῶν ἱερέων
ἐβλάστησε γένος, οὔτε τῷ Ἰωσὴφ τῷ ποθουμένῳ ἀλλὰ τῷ

340 Ἰούδᾳ δέδωκεν · « Οὐκ ἐκλείψει » γὰρ ἔφη « ἄρχων ἐξ
Ἰούδα καὶ ἡγούμενος ἐκ τῶν μηρῶν αὐτοῦ, ἕως ἂν ἔλθῃ
ᾧ ἀπόκειται, καὶ αὐτὸς προσδοκία ἐθνῶν. » Τούτου χάριν
ὁ τῶν ὅλων ἔφη θεός · Καὶ ἐξάξω (τὸ) ἐξ Ἰακὼβ σπέρμα
καὶ ἐξ Ἰούδα, τουτέστι τὴν τῶν ἐθνῶν προσδοκίαν, δι' ἧς

345 εὐλογή(σειν ἐ)πηγγειλάμην πάσας τῆς γῆς τὰς φυλάς.

Εἶτα μετὰ τοῦ δεσπότου Χριστοῦ καὶ τῶν εἰς αὐτὸν
(πεπιστευ)κότων ἀποστόλων καὶ τῶν ἄλλων τῶν τὸ ἐκείνων
διαδεξαμένων κήρυγμα μνημον(εύει · |182 b| Καὶ κληρο-
νο)μήσουσιν οἱ ἐκλεκτοί μου καὶ οἱ δοῦλοί μου καὶ κατοι-

350 κήσουσιν ἐκεῖ.

Ἔπειτα καὶ [τῶν ἐθνῶν προλέγει τὴν] κλῆσιν · ¹⁰ Καὶ
ἔσονται ἐν τῷ δρυμῷ ἐπαύλεις ποιμνίων, καὶ φάραγξ Ἀχὼρ
εἰς (ἀνάπαυσιν) βουκολίων τῷ λαῷ μου οἳ ἐζήτησάν με.

C : 344-348 τουτέστι — μνημονεύει
326 τὰ ἔθνη / πάντα K : ∼ C
325-326 cf. Gen. 22, 18   340 Gen. 49, 10

1. Cette descendance, cette attente des nations, c'est évidemment
le Christ.

manière, parce que j'ai promis à Abraham de bénir dans sa descendance toutes les nations, c'est à cause de cette descendance que j'ai personnellement supporté de voir tout Israël commettre l'iniquité : c'est pourquoi je ne les ai pas regardés avec indifférence être esclaves des Égyptiens, voilà pourquoi je les ai délivrés de la domination babylonienne.

9. *Je ferai sortir une descendance de Jacob et de Juda, et elle héritera de ma montagne sainte.* Le texte prophétique nous a fait entrevoir ouvertement celui qui est l'objet de la prophétie : après avoir évoqué le souvenir de la descendance dont Dieu a promis de se servir pour donner sa bénédiction aux nations, il a fait mention de Jacob et de Juda. Car la bénédiction que Jacob a reçue par l'intermédiaire de ses ancêtres et de la part du Dieu de ses ancêtres, ce n'est pas à Ruben son premier-né, ni à Syméon son deuxième enfant, ni à Lévi son troisième — lui dont est sortie la race des prêtres —, ni à Joseph l'enfant chéri, qu'il l'a donnée, mais à Juda : « Le pouvoir ne sortira pas de Juda, a-t-il dit, ni le bâton de commandement d'entre ses pieds, jusqu'à ce que vienne celui à qui il est réservé, lui qui est aussi l'attente des nations. » Voilà pourquoi le Dieu de l'univers a dit : « Et je ferai sortir une descendance de Jacob et de Juda », c'est-à-dire l'attente des nations dont j'ai promis de me servir pour bénir toutes les tribus de la terre[1].

Puis, en même temps que de notre Maître le Christ, il fait mention à la fois des apôtres qui ont cru en lui et des autres hommes qui leur ont succédé pour transmettre le message qu'ils en ont reçu : *Mes élus (en) hériteront et mes serviteurs eux aussi y habiteront.*

4) L'appel des nations et le châtiment d'Israël

Il prédit ensuite également l'appel des nations : 10. *Elles seront dans la forêt, les étables des troupeaux, et le ravin d'Achor deviendra un lieu où se reposeront les bœufs pour mon peuple qui m'a cherché.*

Δρυμὸν τὰ ἔθνη καλεῖ διὰ τὴν προτέραν ἀ[πιστίαν], ἐπαύλεις
355 δὲ τὰς ἐκκλησίας καλεῖ, ποίμνια δὲ τοὺς ἐν ταύταις ἀθροι-
ζομένους λαούς. Διὰ [δὲ] τῆς Ἀχὼρ φάραγγος αἰνίττεται
τὴν ἐν ταῖς ἐκκλησίαις γινομένην κατάνυξιν · τὸν γὰρ
Ἄχαρ ἢ [καὶ] Ἀχὼρ κεκλοφότα καὶ τὸν περὶ τοῦ ἀναθέματος
παραβεβηκότα νόμον ἔν τινι κατέλ[ευσαν] φάραγγι καὶ διὰ
360 τοῦτο τὸ πάθος πολλῆς ἐνεπλήσθησαν κατανύξεως.

[11] Ὑμεῖς δὲ οἱ ἐγκα(ταλείπο)ντές με καὶ ἐπιλανθανόμενοι
τὸ ὄρος τὸ ἅγιόν μου καὶ ἑτοιμάζοντες τῇ τύχῃ τράπεζαν
καὶ πληροῦντες τῷ δαίμονι κέρασμα, [12] ἐγὼ παραδώσω ὑμᾶς
εἰς μάχαιραν, πάντες σφαγῇ πεσεῖσθε. Πάντα γὰρ δυσσε-
365 βείας μεστά · πρῶτον μὲν τὸ τὸν εὐεργέτην καταλιπεῖν
καὶ τοῦ ἀφιερωμένου (τῷ θε)ῷ καταφρονῆσαι ναοῦ, εἶτα τὸ
ἀντὶ θεοῦ τοῖς δαίμοσι τοῖς ἀντιθέοις δουλεῦσαι καὶ ἀντὶ
(τῆς) τοῦ θεοῦ προνοίας προελέσθαι τὴν τύχην καὶ ταύτην
νομίζειν οἰκονομεῖν τὰ ἀνθρώπεια (πράγ)ματα καὶ ταύτην
370 προσφέρειν τὰ ὑπὸ θεοῦ χορηγούμενα.

Ὅτι ἐκάλεσα ὑμᾶς καὶ οὐχ ὑπηκού(σατε), ἐλάλησα καὶ
παρηκούσατε καὶ ἐποιήσατε τὸ πονηρὸν ἐναντίον ἐμοῦ καὶ
ἃ οὐκ ἐβου(λό)μην ἐξελέξασθε. Ἐκάλεσε μὲν αὐτοὺς καὶ

C : 364-370 πάντα — χορηγούμενα ‖ 373-381 ἐκάλεσε — χάριτος

366 τῷ θεῷ καταφρονῆσαι K : τοῦ θεοῦ καθιερῶσαι Cʳ·⁵⁶⁴ τῷ θεῷ
ἐπιλαθέσθαι C⁹⁰ ‖ 367 ἀντὶ K : +τοῦ C ‖ δουλεῦσαι K : δουλεύετε Cʳ
δουλεύειν C⁹⁰·⁵⁶⁴ ‖ 369 ἀνθρώπεια K : ἀνθρώπινα C ‖ 370 ὑπὸ K :
+τοῦ C

357-360 cf. Jos. 7, 16-26

---

1. Pour Théodoret, la « forêt », réputée stérile, est, au même
titre que le « désert », une manière de désigner les nations païennes
(cf. t. I, SC 276, Introd., p. 83 et index). Selon CYRILLE, c'est une
habitude de l'Écriture que de comparer aux « forêts » les villes, les
régions peuplées et la multitude des nations ; pour lui aussi, le terme
« étables » est une manière de désigner les Églises du Christ (70,
1412 CD).

2. Théodoret mentionne aussi l'histoire d'Achar dans ses Quaest.
in Josuam (N. FERNANDEZ MARCOS - A. SAENS-BALILLOS, Theodoreti

Il appelle « forêt » les nations en raison de leur incrédulité première, il appelle « étables » les églises et « troupeaux » les peuples qui s'y rassemblent[1]. Par « le ravin d'Achor » il fait allusion à la componction qui règne dans les églises : Achar, ou encore Achor, avait commis un vol et enfreint la loi relative à l'anathème ; (aussi les Juifs) le lapidèrent-ils dans un ravin[2] et, à cause de cet événement tragique, furent-ils remplis d'une grande componction.

11. *Mais vous qui m'abandonnez, qui oubliez ma montagne sainte, qui dressez une table à la Fortune et remplissez une coupe pour le démon,* 12. *je vous livrerai à l'épée; tous, vous tomberez par égorgement.* Toutes actions qui sont pleines d'impiété : en premier lieu, le fait d'avoir abandonné leur bienfaiteur et méprisé le Temple consacré à Dieu ; ensuite le fait d'avoir été les serviteurs non pas de Dieu, mais des démons qui sont les adversaires de Dieu ; d'avoir à la Providence préféré la Fortune, de penser que c'est elle qui régit les affaires humaines et que c'est elle qui procure les biens que Dieu dispense.

Car je vous ai appelés et vous n'avez pas répondu; j'ai parlé et vous n'avez pas écouté; vous avez fait le mal devant moi et ce que je ne voulais pas, vous l'avez choisi. Il les a

---

Cyrensis Quaestiones in Octateuchum, Madrid 1979, p. 278, X, 12-20).
Dans sa première homélie sur Ozias, JEAN CHRYSOSTOME commente longuement le sacrilège d'Achar (JEAN CHRYSOSTOME, *Homélies sur Ozias*, SC 277, p. 70 s.) et utilise l'épisode pour inviter son auditoire à adopter des sentiments de contrition et un maintien extérieur plein de retenue (*id.*, p. 78, 49 s.). Il est possible que l'homélie de Chrysostome ait suggéré à Théodoret cette idée de « componction » dont ne fait pas mention le texte de Josué. Le commentaire de CYRILLE évoque aussi l'histoire d'Achor, rappelant comment son nom est lié au ravin, lieu de malédiction (῟Ην οὖν ἄρα εἰς κατάραν ἡ φάραγξ ἡ Ἀχώρ), où eut lieu sa lapidation ; par « ravin d'Achor » sont désignées, selon CYRILLE, les nations jadis vouées à la malédiction (κεκατηραμέναι) et ennemies de Dieu, qui deviendront le lieu de repos pour les brebis spirituelles, rassemblées par le chef des pasteurs, le Christ (70, 1413 A).

διὰ τῶν προφητῶν, καὶ ἀντιτείνοντες δι(ετέλεσ)αν · ἐκάλεσε
375 δὲ αὐτοὺς καὶ ἐνανθρωπήσας · « Ἰησοῦς » γάρ φησιν
« ἔκραξε καὶ εἶπεν · Εἴ τις διψᾷ, ἐρχέ(σθω) πρός με καὶ
πινέτω », καὶ πάλιν · « Δεῦτε πρός με πάντες οἱ κοπιῶντες
καὶ πεφορτισ(μέν)οι, κἀγὼ ἀναπαύσω ὑμᾶς. » Ἀλλὰ τὴν
σωτήριον οὐκ ἐδέξαντο κλῆσιν, τὰς δὲ νομικὰς παρατη(ρή-
380 σεις) καὶ τὰς θυσίας, ἃς οὐκ ἐβούλετο, τῆς δωρουμένης
αὐτοῖς προετίμησαν χάριτος.
   ¹³(Διὰ) τοῦτο τάδε λέγει κύριος · Ἰδοὺ οἱ δουλεύοντές
μοι φάγονται, ὑμεῖς δὲ πεινάσετε · ἰδοὺ (οἱ δο)υλεύοντές μοι
πίονται, ὑμεῖς δὲ διψήσετε · ¹⁴ἰδοὺ οἱ δουλεύοντές μοι
385 ἀγαλλιάσονται ἐν εὐ(φροσύνῃ) καρδία⟨ς⟩, ὑμεῖς δὲ κεκράξετε
διὰ τὸν πόνον τῆς καρδίας ὑμῶν καὶ ἀπὸ συντριβῆς (πνεύματος) ὀλολύξετε. Ἡ τῶν ἐναντίων παράθεσις μείζονα τοῖς
κολαζομένοις τὴν ὀδύνην (ἐργάζεται) · αὐτίκα τοίνυν
Ἰουδαίους οὐχ οὕτως ἡ σφετέρα δυσημερία λυπεῖ, ὅσον
390 ἀνιᾷ τῆς ἐκκλησίας ἡ εὐπραξία.
   ¹⁵Καταλείψετε γὰρ τὸ ὄνομα ὑμῶν εἰς πλησμονὴν (τοῖς
ἐκ)λεκτοῖς μου, ὑμᾶς δὲ ἀνελεῖ κύριος ὁ θεός. Τό · εἰς πλησμονήν, οἱ Τρεῖς Ἑρμηνευταὶ « εἰς (ὅρ)κον » τεθείκασιν.
Εἰώθασι δὲ πολλοὶ λέγειν οὕτως · Μὴ πάθοιμι ἃ ὁ δεῖνα
395 πέπονθεν. Καὶ τ[ῶ]ν Ἑβδομήκοντα δὲ ἡ ἑρμηνεία ἔργῳ
θεωρεῖται · βδελυκτὸν γὰρ καὶ προσκορὲς καὶ αὐτὸ τῶν
Ἰουδαίων τὸ [ὄνομα].
   Τοῖς δὲ δουλεύουσί μοι κληθήσεται ὄνομα καινόν, ¹⁶ὃ
εὐλογηθήσεται ἐπὶ τῆς γῆς. Καὶ ἤδη (τοῦτο) προεῖπε τὸ

C : 387-390 ἡ — εὐπραξία ‖ 399-407 καὶ — μεστή

376 εἶπεν Κ : ἔλεγεν C ‖ 388 ἐργάζεται C⁸⁷⁻⁹⁰ : εἰργάζετο
Cr praeter ⁸⁷⁻⁵⁶⁴

375 Jn 7, 37		377 Matth. 11, 28		379-380 cf. Os. 6, 6 ;
Matth. 9, 13

---

1. Cf. supra, p. 303, n. 1. EUSÈBE fait la même remarque, ce qui
invite à considérer de telles formules comme « proverbiales » : « On a

appelés précisément par l'intermédiaire des prophètes et ils
n'ont pas cessé de résister (à ces appels) ; il les a également
appelés après s'être incarné : « Jésus », dit (l'Écriture),
« éleva la voix et dit : Si quelqu'un a soif, qu'il vienne à
moi et qu'il boive », et encore : « Venez à moi, vous tous
qui peinez et qui ployez sous le fardeau et je vous soulagerai. » Mais ils n'ont pas accueilli l'appel du salut et
ils ont préféré l'observation des prescriptions de la Loi
et les sacrifices que Dieu ne voulait pas, à la grâce dont
il leur faisait présent.

13. *C'est pourquoi, ainsi parle le Seigneur : Voici que
mes serviteurs mangeront, mais vous, vous aurez faim ; voici
que mes serviteurs boiront, mais vous, vous aurez soif ;
14. voici que mes serviteurs exulteront dans la joie du cœur,
mais vous, vous pousserez des cris en raison de la souffrance
de votre cœur et, sous l'effet du brisement de votre esprit, vous
pousserez des hurlements.* La comparaison des contraires
produit chez ceux qui sont châtiés un accroissement de
douleur ; ainsi donc, ce n'est pas tant leur propre malheur
qui chagrine les Juifs, que le bonheur de l'Église qui les
afflige.

15. *Vous laisserez votre nom en satiété pour mes élus, et
le Seigneur vous fera périr.* L'expression « en satiété »,
les trois interprètes l'ont rendue par « en imprécation ».
Or, bien des hommes ont coutume de s'exprimer ainsi :
« Puissé-je ne pas souffrir ce qu'un tel a souffert[1] ! » Quant à
l'interprétation des Septante, elle se vérifie aussi dans
les faits, car à lui seul le nom de « Juif » provoque répulsion
et dégoût[2].

*Mais à mes serviteurs sera donné un nom nouveau 16. qui
sera béni sur la terre.* Il a déjà indiqué précédemment

coutume de jurer par ceux qui ont subi des malheurs terribles :
Puissions-nous vraiment ne pas subir un traitement égal à celui
qu'ils ont subi ! » (*GCS* 396, 11-13).
2. Cf. *supra*, 19, 467-469.

400 ὄνομα. Καινὸν δέ ἐστι καὶ οὐ παλαιόν · μετὰ γὰρ τὴν
ἐπιφάνειαν το(ῦ δεσπότου) Χριστοῦ Χριστιανοὶ προσηγο-
ρεύθησαν οἱ πιστεύσαντες. Ἀντὶ πάσης δὲ τοῦτο προσφέρουσιν εὐφημίας οἱ ἄνθρωποι · (ὅ)ταν γὰρ ἐπαινέσαι
βουληθῶσι, μετὰ τὰς πολλὰς εὐφημίας ἐπιλέγειν εἰώθασιν ·
405 ἀληθῶς Χριστιανός. Καὶ παρακαλοῦντες πάλιν εἰώθασι
λέγειν · Ὡς Χριστιανὸς (ποίησον, ὃ) πρέπει Χριστιανῷ
ποίησον. Οὕτως εὐλογίας καὶ εὐφημίας ἡ προσηγορία μεστή.
(Εὐλογήσουσι) γὰρ (τὸν θεὸν τὸν) ἀληθινόν, τουτέστιν
οἱ τοῦ καινοῦ ὀνόματος ἀξιούμενοι. Καὶ οἱ ὀμνύοντες ἐπὶ
410 τῆς γῆς (ὀμοῦνται τὸν θεὸν) τὸν ἀληθινόν. Ἀπορρίψουσι
γὰρ τῶν εἰδώλων τὴν μνήμην καὶ τὸν ἀληθινὸν θεὸν ἐν
(τῷ στόματι δι)ατελέσουσι περιφέροντες. Ἐπιλήσονται γὰρ
τὴν θλῖψιν αὐτῶν τὴν πρώτην, καὶ (οὐκ ἀναβήσετ)αι αὐτῶν
ἐπὶ τὴν καρδίαν. Θλῖψιν τὴν πλάνην ἐκάλεσεν ὡς πρόξενον
415 συμφορῶν.

17 (Ἔσται γὰρ) ὁ οὐρανὸς καινὸς καὶ ἡ γῆ καινή, καὶ οὐ
μὴ μνησθῶσι τῶν προτέρων, οὐδὲ μὴ ἐπέλθη α(ὐτῶν ἐπὶ τὴν
καρδίαν), 18 ἀλλ' εὐφροσύνην καὶ ἀγαλλίαμα εὑρήσουσιν ἐν
αὐτῇ ὅσα ἐγὼ κτίζω. Τοῦτο καὶ |183 a| ὁ ἀπόστολος ἔφη ·
420 « Εἴ τις ἐν Χριστῷ, καινὴ κτίσις · τὰ ἀρχαῖα παρῆλθεν,
ἰδοὺ γ(έγ)ονε καινὰ τὰ πάντα. » Οὕτω [καὶ] διὰ τοῦ
προφήτου · Εὐφροσύνη φησίν ἐστι καὶ ἀγαλλίαμα ὅσα ἐγὼ
κτίζω. Σωτηρίαν γὰρ αἰώνιον [παρέξουσι] τὰ ὑπ' ἐμοῦ

C : 408-409 τουτέστιν — ἀξιούμενοι ‖ 410-412 ἀπορρίψουσι —
περιφέροντες ‖ 414-415 θλῖψιν — συμφορῶν ‖ 419-421 τοῦτο —
πάντα

403 εὐφημίας C : > Κ ‖ 405-406 ἀληθῶς — λέγειν C : > Κ ‖ 412
περιφέροντες C : προσφέροντες Κ ‖ 417 οὐδὲ μὴ ἐπέλθη e tx. rec. :
σὺ δὲ μὴ ἐπιλάθη Κ

420 II Cor. 5, 17

1. Cf. *supra*, 19, 469-473. Même interprétation chez CYRILLE
(70, 1417 BC).

ce nom ; il est nouveau et non pas ancien : c'est, en effet, après la Manifestation de notre Maître le Christ que les croyants ont reçu le nom de « chrétiens »[1]. C'est le nom que l'on décerne en remplacement de toute espèce d'éloge ; lorsque l'on veut, en effet, louer (quelqu'un), on a coutume d'ajouter après la série des éloges : « (Il est) vraiment chrétien. » Et, au contraire, quand on exhorte, on a coutume de dire : « Agis en chrétien, fais ce qu'il convient de faire à un chrétien » ; à tel point cette appellation est pleine de bénédiction et d'éloge[2] !

Car ils béniront le vrai Dieu, c'est-à-dire ceux qui ont mérité le nom nouveau. *Et ceux qui jurent sur la terre jureront au nom du vrai Dieu.* Car ils banniront le souvenir des idoles, et ne cesseront de porter partout dans leur bouche (le nom) du vrai Dieu. *Car ils oublieront leur tribulation passée et elle ne leur remontera pas au cœur.* Il a appelé « tribulation » l'erreur (des idoles)[3], parce qu'elle était cause de malheurs.

5) Une création nouvelle

17. *Car il y aura un ciel nouveau et une terre nouvelle ; ils ne se souviendront pas du passé et il ne leur reviendra pas au cœur,* 18. *mais ils trouveront un sujet de joie et d'allégresse en elle, dans tout ce que je crée.* C'est ce qu'a dit également l'Apôtre : « Si quelqu'un est dans le Christ, c'est une création nouvelle ; les réalités anciennes ont disparu, voici que tout est devenu nouveau. » Voilà ce qu'il dit aussi par l'intermédiaire du prophète : « Sujet de joie et d'allégresse est tout ce que je crée ». Car ce que j'accomplis procurera

2. C'est aussi le nom de « chrétien » dont on se fait gloire, comme le prouvent l'unique réponse — « Je suis chrétien » — de S. Lucien d'Antioche à ses bourreaux (G. BARDY, *Recherches sur Saint Lucien d'Antioche, op. cit.,* p. 65) ou encore celle du diacre de Vienne, Sanctus, devant le tribunal (EUSÈBE, *H.E.* V, I, 20.39 (*SC* 41).

3. Même interprétation chez EUSÈBE (*GCS* 397, 3-5) et chez CYRILLE (70, 1417 D).

γιγνόμενα · γέγονε δὲ <ὁ> οὐρανὸς καινὸς καὶ ἡ γῆ καινὴ
425 τοῖς πάλαι πλανωμένοις καὶ ταῦτ[α θεο]ποιοῦσιν · ἐπέγνωσαν
γὰρ τὸν τούτων δημιουργὸν καὶ ἔμαθον ὡς οὐ θεοὶ ταῦτα
ἀλλὰ θεοῦ ποιή[ματα]. Καινὰ τοίνυν ἐστὶ τοῖς ἕτερα
ἀνθ' ἑτέρων ὁρῶσιν · παυσαμένης γὰρ τῆς πλάνης ὤφθη τὸ
ποίη[μα] ποίημα καὶ ὁ ποιητὴς ποιητής.
430 Ἰδοὺ ἐγὼ ποιῶ τὴν Ἰερουσαλὴμ ἀγαλλίαμα καὶ τὸν λαόν
μου εὐφρο(σύνην) ¹⁹ καὶ ἀγαλλιάσομαι ἐπὶ Ἰερουσαλὴμ καὶ
εὐφρανθήσομαι ἐπὶ τῷ λαῷ μου, καὶ οὐκέτι οὐ μὴ ἀκ(ουσθῇ)
ἐν αὐτῇ φωνὴ κλαυθμοῦ καὶ φωνὴ κραυγῆς. Περὶ τῆς καινῆς
κτίσεως προθεσπίσας ἀναγκ[αίως] Ἰερουσαλὴμ ἐκείνην
435 ὀνομάζει, περὶ ἧς καὶ ὁ θεῖος ἀπόστολος · « Ἡ δὲ ἄνω
Ἰερουσαλὴμ ἐλευθέρα ἐστίν, ἥτις ἐστὶ μήτηρ πάντων
ἡμῶν », καὶ πάλιν · « Προσεληλύθατε Σιὼν ὄρει καὶ πόλει
θεοῦ ζῶντος, Ἰερουσαλὴμ ἐπουρανίῳ, (καὶ μυριάσιν) ἀγγέλων,
πανηγύρει καὶ ἐκκλησίᾳ πρωτοτόκων ἀπογεγραμμένων ἐν
440 οὐρανοῖς. » Ἐκείνην ἀγαλλίαμα [ποιήσειν λέγει] καὶ τὸν
ἐκείνης λαὸν εὐφροσύνην, ἐκείνην ἐλευθέραν ὀνομάζει
κλαυθμοῦ. Εἰ δὲ μὴ πείθονται [Ἰουδαῖοι], δειξάτωσαν τὴν
αὐτῶν Ἰερουσαλὴμ δακρύων ἀπαλλαγεῖσαν · συμφοραῖς γὰρ
αὕτη παρεδόθη μ[ὲν πολλαῖς], ἐκείνη δὲ μόνη βιοτὴν ἄλυπον
445 ἔχει καὶ δακρύων ἀπηλλαγμένη.
Μαρτυρεῖ δὲ καὶ τὰ [ἑξῆς] τῇδε τῇ διανοίᾳ · ²⁰ Καὶ οὐ
μὴ γένηται ἔτι ἐκεῖ ἄωρος ἡμέραις καὶ πρεσβύτης ὃς οὐκ
(ἐμ)πλήσει τὸν χρόνον αὐτοῦ · ἔσται γὰρ ὁ νέος υἱὸς ἑκατὸν ἐτῶν, ὁ δὲ ἀποθνήσκων ἁμαρ(τωλὸς) υἱὸς ἑκατὸν ἐτῶν

C : 434-437 Ἰερουσαλὴμ — ἡμῶν
434 Ἰερουσαλὴμ C : εἰς K ‖ 435 ἀπόστολος K : +ἔφη C
435 Gal. 4, 26   437 Hébr. 12, 22-23

1. L'interprétation d'Eusèbe est tout à fait comparable (GCS
397, 8-11). Cyrille note que certains interprètes ne rapportent pas
cette prédiction au temps présent, i.e. à ce qui se réalise dans l'Église,
mais à ce qui se produira à la fin du monde (70, 1420 BC).

un salut éternel. D'autre part, le ciel est devenu nouveau, la terre est devenue nouvelle pour ceux qui jadis étaient dans l'erreur et qui les divinisaient : ils ont reconnu le créateur de ces objets et compris qu'ils n'étaient pas des dieux, mais des créations de Dieu. Ils sont donc nouveaux pour des gens qui voient une réalité en remplacer une autre : une fois que l'erreur eut cessé, on regarda en effet l'objet créé comme un objet créé et le créateur comme le créateur[1].

Voici que moi je fais de Jérusalem un sujet d'allégresse et de mon peuple un sujet de joie. 19. *Je serai dans l'allégresse à propos de Jérusalem et je me réjouirai à propos de mon peuple et l'on n'entendra plus en elle la voix des pleurs et la voix des cris.* Puisqu'il vient de faire une prophétie relative à la nouvelle création, il donne nécessairement le nom de Jérusalem à celle dont le divin Apôtre a dit à son tour : « Mais la Jérusalem d'en haut est libre, elle qui est notre mère à tous », et encore : « Vous vous êtes approchés de la montagne de Sion et de la cité du Dieu vivant, de la Jérusalem céleste et de myriades d'anges, réunion festive et assemblée des premiers-nés qui sont inscrits dans les cieux. » Il dit qu'il fera d'elle un sujet d'allégresse et du peuple qui l'habite un sujet de joie, il la déclare libre de pleurs. Si toutefois les Juifs ne sont pas convaincus (de cette interprétation), qu'ils montrent leur Jérusalem délivrée des larmes : cette dernière a été livrée à bien des malheurs, tandis que celle-là est seule à posséder une vie sans chagrin et exempte de larmes[2].

La suite du passage également confirme ce sens : 20. *Il n'y aura plus là d'enfant mort prématurément ni de vieillard qui n'accomplira pas son temps ; car le jeune sera un fils de cent ans et le pécheur en mourant sera un fils de cent ans*

---

2. Selon CYRILLE qui juge la prophétie obscure, Jérusalem ne désignerait pas ici l'antique Jérusalem, mais l'Église formée des Juifs et des nations (70, 1420 D).

450 καὶ ἐπικατάρατος ἔσται. Καὶ τῶν δικαίων καὶ τῶν ἁμαρτωλῶν
ἴσην (ἔχει τὴν) ἡλικίαν · ἀθάνατος γὰρ καὶ ἡ τῶν δικαίων
ἀπόλαυσις καὶ τῶν ἡμαρτηκότων ἡ κόλασις. (Καὶ) τὰς
διαφόρους δὲ ἡλικίας ἐκβάλλει, καὶ τὴν ἄωρον καὶ τὴν
ἔξωρον, τὸν δὲ τέλειον ἀριθμόν, τουτέστι τὸν ἑκατόν,
455 τέθεικεν ἐπὶ τῆς ἀτελευτήτου ζωῆς. Τὸ δέ · υἱὸς ἑκατὸν
ἐτῶν, κατὰ τὸ Ἑβραίων καὶ Σύρων ἰδίωμα τέθεικεν ἀντὶ
τοῦ · ἑκατὸν ἐτῶν.

²¹ Καὶ οἰκοδομήσου(σιν) οἰκίας καὶ αὐτοὶ ἐνοικήσουσι, καὶ
φυτεύσουσιν ἀμπελῶνας καὶ αὐτοὶ φάγονται τὰ γεν(ήματα)
460 αὐτῶν · ²² καὶ οὐ μὴ οἰκοδομήσουσι καὶ ἄλλοι ἐνοικήσουσι,
καὶ οὐ μὴ φυτεύ(σ)ουσι καὶ ἄλλοι φά(γονται). Τροπικῶς
ταῦτα κατὰ τὸ οἰκεῖον ἰδίωμα τέθεικεν, οἰκίας καὶ ἀμπελῶνας
τὴν ἀρετὴν ὀνο(μά)ζων. Οὕτω καὶ ὁ θεῖος ἀπόστολος ·
« Ὁ γὰρ ἐὰν σπείρῃ ἄνθρωπος, τοῦτο καὶ θερίσει · ὁ
465 σπείρων εἰς τὴν σάρκα αὐτοῦ ἐκ τῆς σαρκὸς θερίσει φθοράν,
ὁ (δὲ) σπείρων εἰς τὸ πνεῦμα αὐτοῦ ἐκ τοῦ πνεύματος
αὐτοῦ θερίσει ζωὴν αἰώνιον », καὶ πάλιν · « Ὁ σπείρων
φειδομένως φειδομένως καὶ θερίσει, καὶ ὁ σπείρων ἐπ᾽ εὐλο-
γ(ίαις) ἐπ᾽ εὐλογίαις καὶ θερίσει », καὶ ἑτέρωθι · « Ἕκαστος
470 τὸν ἴδιον μισθὸν λήψεται κατὰ τὸν ἴδιον κόπον. »

Κατὰ γὰρ τὰς ἡμέρας τοῦ ξύλου τῆς ζωῆς ἔσονται αἱ ἡμέραι
τοῦ λαοῦ μου, τὰ ἔργα τῶν πόνων αὐτῶν παλαι(ώ)σουσιν.

Πῶς δύναται ταῦτα προσαρμοσθῆναι τοῖς τὸν θνητὸν τοῦτον

C : 450-457 καὶ² — ἐτῶν ‖ 461-470 τροπικῶς — κόπον ‖ 473-480
πῶς — ζωήν

462 οἰκεῖον Κ : ἴδιον C ‖ 467 αὐτοῦ Κ : > C ‖ 468-469 καὶ² —
θερίσει C : post θερίσει (464) posuit Κ ‖ 473 ταῦτα Κ : τοῦτο C

464 Gal. 6, 7-8   467 II Cor. 9, 6   469 I Cor. 3, 8

---

1. L'interprétation de Théodoret recoupe partiellement à la fois
celle d'Eusèbe (GCS 397, 25-398, 4) dans sa première partie (In Is.,
20, 450-452) et celle de Cyrille (70, 1421 CD) dans la seconde
(In Is., 20, 452-455). Ce dernier voit, toutefois, dans le terme ἄωρος

et il sera maudit. Il tient pour égal l'âge des justes et celui
des pécheurs : car elle est immortelle la jouissance des
justes au même titre que le châtiment des pécheurs. Il
rejette également les différences d'âges, la prime jeunesse
comme la vieillesse, mais le nombre parfait, c'est-à-dire
celui de cent, il l'a appliqué à la vie éternelle[1]. Quant à
l'expression « un fils de cent ans », il l'a employée selon
la façon de s'exprimer propre à l'hébreu et au syriaque
pour dire : cent ans[2].

21. *Ils bâtiront des maisons et ce sont eux qui les habiteront ; ils planteront des vignes et ce sont eux qui en mangeront
les fruits ; 22. ils ne bâtiront pas pour que d'autres habitent
et ils ne planteront pas pour que d'autres mangent.* Il a
employé ces termes de manière figurée, selon la façon
de s'exprimer qui lui est propre, en donnant le nom de
« maisons » et de « vignes » à la vertu. C'est ainsi que
(s'exprime) aussi le divin Apôtre : « Car ce qu'un homme
sème, il le récoltera ; celui qui sème dans sa chair, récoltera
de la chair la corruption ; mais celui qui sème dans son
esprit, récoltera de son esprit la vie éternelle », et encore :
« Celui qui sème chichement moissonnera chichement, et
celui qui sème largement moissonnera largement », et en
un autre passage : « Chacun recevra son propre salaire à
la mesure de son propre labeur. »

*Car à l'égal des jours de l'arbre de vie seront les jours de
mon peuple, les œuvres de leurs peines vieilliront.* Comment
ces termes peuvent-ils s'appliquer à ceux qui traversent

---

une manière de désigner le peuple venu des nations et dans πρεσϐύτης,
le peuple circoncis issu du sang d'Israël ; entre les deux, il n'y aura
aucune différence, puisque tous les hommes sont appelés à la perfection
dans le Christ : « De fait, tous seront parfaits (τέλειοι) et tous accom-
pliront leur temps, c'est-à-dire parviendront ' à l'homme parfait et
à la mesure de l'âge qu'est la plénitude du Christ ' (*Éphés.* 4, 13) »
(70, 1421 C) ; or, de cette perfection, le chiffre cent est, pour CYRILLE,
le signe et le symbole (*ibid.*, 1421 D).

2. Cf. t. I, *SC* 276, Introd., p. 50.

διοδεύουσι βίον ; αἰώνιον γὰρ ὁ προφητικὸς λόγος ὑπισχνεῖται
475 ζωήν. Περὶ γὰρ ἐκείνου τοῦ ξύλου ἔφη ὁ θεός · « Μήποτε
ἐκτείνῃ 'Αδὰμ τὴν χεῖρα αὐτοῦ καὶ φάγῃ ἀπὸ τοῦ ξύλου
τῆς ζωῆς καὶ ζήσεται εἰς τὸν αἰῶνα.» Γέγονε δὲ ἡμῖν
ξύλον ζωῆς ὁ σωτήριος σταυρός · ἐδέξατο γὰρ οἷόν τινα
καρπὸν τὸ ζωοποιὸν σῶμα, εἰς ὃ οἱ τὰς χεῖρας ἐκτείνοντες
480 καὶ τοῦ καρποῦ μεταλαμβάνοντες τὴν αἰώνιον ζῶσι ζωήν.
Οἱ ἐκλεκτοί (μου) ²³ οὐ κοπιάσουσιν εἰς κενὸν οὐδὲ
τεκνοποιήσουσιν εἰς κατάραν, ὅτι σπέρμα εὐλογημένον (ὑ)πὸ
τοῦ (θεοῦ) εἰσι καὶ τὰ ἔγγονα αὐτῶν μετ' αὐτῶν. Οὕτω καὶ
ὁ θεῖος ἀπόστολος ἔφη · « Ὁ κόπος ὑμῶν οὐκ ἔστ(ι κενὸς
485 ἐν) κυρίῳ.» Τέκνα δὲ καὶ ἔγγονα εὐλογημένα τοὺς διὰ τῆς
πίστεως ἀναγεννωμένους καλεῖ, περὶ ὧν καὶ ὁ (θεῖος
ἀπόστολος) ἔφη · « Ἐὰν γὰρ μυρίους παιδαγωγοὺς ἔχητε
ἐν Χριστῷ, ἀλλ' οὐ πολλοὺς πατέρας · ἐν γὰρ Χριστῷ
(Ἰησοῦ διὰ τοῦ |183 b| εὐ)αγγελίου ἐγὼ ὑμᾶς ἐγέννησα.»
490 Καὶ Γαλάταις δὲ γράφων οὕτως ἔφη · « Τεκνία μου οὓς
πάλιν ὠδίνω, ἄχρις οὗ μορφωθῇ Χριστὸς ἐν ὑμῖν.»
²⁴ Καὶ ἔσται πρὶν ἢ κεκρᾶξαι αὐτοὺς ἐγὼ ἐπακούσομαι
αὐτῶν, ἔτι λαλούντων αὐτῶν (ἐρῶ · Τί ἐστιν) ; Οὕτως ἐν
Ἱεροσολύμοις καθειργμένῳ τῷ Παύλῳ ὤφθη ὁ κύριος
495 λέγων · « Θάρσει Παῦλε · ὡς γὰρ διεμαρ(τύρω τὰ) περὶ
ἐμοῦ εἰς Ἱερουσαλήμ, οὕτως σε δεῖ καὶ εἰς Ῥώμην μαρτυ-
ρῆσαι.» Οὕτως ἐν Φιλίπποις ἔσεισε τὰ θε(μέλια τοῦ)
δεσμωτηρίου καὶ διέλυσε τὰ δεσμά, οὕτω τὸν κορυφαῖον
τῶν ἀποστόλων ἐξήγαγε τῆς φυλακῆς, (οὕτως) ἅπαντα τὸν
500 τῶν ἀποστόλων χορὸν καθειργμένον ἀπέλυσεν.

C : 483-489 οὕτω — ἐγέννησα ‖ 493-500 οὕτως — ἀπέλυσεν

476 'Αδὰμ / τὴν χεῖρα αὐτοῦ Κ : ∼ C ‖ 478 ξύλον Κ : +τῆς C ‖
498 διέλυσε Κ : διέσεισε C

475 Gen. 3, 22   484 I Cor. 15, 58   487 I Cor. 4, 15   490
Gal. 4, 19   495 Act. 23, 11   497-498 cf. Act. 16, 26   498-
499 cf. Act. 12, 3-10   499-500 cf. Act. 5, 17-20

1. La métaphore empruntée au théâtre (τὸν κορυφαῖον τῶν
ἀποστόλων / τὸν τῶν ἀποστόλων χορόν) traduit une recherche stylis-

cette vie mortelle ? Car elle est éternelle l'existence que
promet le texte prophétique. C'est de cet arbre que Dieu
a dit : « Qu'Adam n'étende jamais sa main et qu'il ne
mange pas de l'arbre de vie, et qu'il ne vive pas pour
l'éternité. » Mais, pour nous, c'est la croix du salut qui
est devenue arbre de vie : elle a reçu en guise de fruit,
pourrait-on dire, le corps qui donne la vie ; ceux qui
tendent les mains vers lui et qui goûtent de ce fruit vivent
d'une vie éternelle.

*Mes élus 23. ne peineront pas en vain et ils n'engendreront
pas pour la malédiction, parce qu'ils sont une race bénie par
Dieu et leurs descendants avec eux.* De même le divin
Apôtre a dit à son tour : « Votre labeur n'est pas vain
dans le Seigneur. » D'autre part, il appelle « enfants et
descendants bénis (de Dieu) » ceux qui ont été régénérés
grâce à la foi, eux dont le divin Apôtre a dit encore : « Car
même si vous aviez des milliers de pédagogues dans le
Christ, cependant (vous n'avez) pas plusieurs pères ; car
c'est moi qui, par l'Évangile, vous ai engendrés dans le
Christ Jésus. » Dans sa lettre aux Galates également,
il s'est ainsi exprimé : « Mes petits enfants, vous que
j'enfante à nouveau dans la douleur, jusqu'à ce que le
Christ soit formé en vous. »

24. *Et il arrivera qu'avant qu'ils crient, moi je les exauce-
rai ; alors qu'ils parleront encore, je dirai : Qu'y a-t-il ?*
C'est ainsi que le Seigneur est apparu à Paul, alors qu'il
était emprisonné à Jérusalem, et lui dit : « Courage Paul !
De même que tu as rendu témoignage de moi à Jérusalem,
ainsi te faut-il encore rendre témoignage à Rome. » C'est
ainsi qu'à Philippes il a ébranlé les fondations de la prison
et brisé les chaînes, c'est ainsi qu'il a fait sortir le coryphée
des apôtres, c'est ainsi qu'il a délivré le chœur entier des
apôtres qu'on avait emprisonné[1].

---

tique évidente. C'est naturellement l'apôtre Pierre qui est appelé
« le coryphée des apôtres » ; cf. *In Psal.*, 80, 873 C ; 881 A ; *In Dan.*,
81, 1473 A ; *In Zach.*, 81, 1953 C ; *In Ep. S. Pauli, ad Rom.*, 83,

²⁵ Τότε λύκοι καὶ ἄρνες βοσκηθήσονται ἅμα, καὶ λέων
(ὡς βοῦς) φάγεται ἄχυρα. Ταῦτα καὶ ἤδη προείρηκε, τῆς
ἐξ Ἰεσσαὶ ῥάβδου προαγορεύσας τὴν βλάστην. Ὁρῶμεν [δὲ
τ]ῆς προφητείας τὸ τέλος · κατὰ ταὐτὸν γὰρ καὶ ἄρχοντες
505 καὶ ἀρχόμενοι καὶ βασιλεῖς καὶ ὑπήκοοι καὶ σοφοὶ (καὶ
ἰ)διῶται μίαν ἔχουσι τράπεζαν, τὴν διδασκαλίαν τοῦ πνεύματος. Ἄρνας γὰρ ἐκάλεσε τοὺς ἐπιεικείᾳ συζῶντας, (τοὺς)
δὲ τοῦ πλείονος ἐφιεμένους λύκους ὠνόμασε, λέοντα δὲ τὸν
τῆς βασιλείας ἐπειλημμένον, βοῦς (δὲ) τοὺς ἱερωσύνης
510 ἠξιωμένους, ἄχυρα δὲ τὴν βουσὶν ἀφωρισμένην τροφήν,
τουτέστιν · οὐκέτι (σαρκο)βόρος ἔσται ὁ λέων ἀλλὰ τῆς
τῶν βοῶν τροφῆς μεταλήψεται.

Ὄφις δὲ γῆν ὡς ἄρτον. [Ταύ]την γὰρ αὐτῷ τὴν τροφὴν
ἐξ ἀρχῆς ὁ δίκαιος ἀπένειμε δικαστής · « Καὶ ἐπὶ τῷ
515 στήθει καὶ τῇ κοιλίᾳ (πορ)εύσῃ καὶ γῆν φάγῃ πάσας τὰς
ἡμέρας τῆς ζωῆς σου. » Ὄφιν δὲ καλεῖ τὸν κοινὸν τῶν
ἀνθρώπων ἐχθρόν · [τοῦτον] ὑπέβαλε ταῖς ἀρχαίαις ἀραῖς.
Δηλοῖ δὲ καὶ τὰ ἑξῆς · Οὐκ ἀδικήσουσιν οὐδὲ λυμανοῦνται
(ἐπὶ π)αντὶ τῷ ὄρει μου τῷ ἁγίῳ, λέγει κύριος. Ἐπὶ τῆς
520 γῆς γὰρ ἰλυσπώμενος καὶ ὑπὸ τῶν ἁγίων κατα(πατού)μενος
καὶ τῷ ξύλῳ τοῦ σταυροῦ συντριβόμενος πάσης ἰσχύος
ἐστέρηται. Εἰ δὲ κατὰ τὸ ῥητὸν ἔσεσθαι [ταῦ]τα προσμένουσιν Ἰουδαῖοι, εἰπάτωσαν ποῖον ὄφελος ἐντεῦθεν γενήσεται ·
τί γὰρ οἱ ἄνθρωποι κερ[δαν]οῦσι λεόντων μὲν ἄχυρα
525 ἐσθιόντων, τῶν ὄφεων δὲ τὴν γῆν ποιουμένων τροφήν ;

C : 504-512 κατὰ — μεταλήψεται ‖ 519-522 ἐπὶ² — ἐστέρηται
   506 τὴν C : > K ‖ 508 τοῦ C : > K ‖ 510 τὴν C : τοῖς K ‖ ἀφωρισμένην K : ἀφιερωμένην C
   502-503 cf. Is. 11, 6-7   514 Gen. 3, 14

---

224 A ; I ad Cor., id., 324 B ; ad Gal., id., 468 C ; 465 B (Pierre et
Jacques dits κορυφαίους).
   1. Is. 11, 6-7 (In Is., 4, 434-439).
   2. Pour CYRILLE (70, 1428 B), ce verset doit s'entendre soit de
l'union des deux peuples — Israël et les nations — dans la foi, soit

25. *Alors les loups et les agneaux paîtront ensemble, et le lion comme le bœuf mangera de la paille.* C'est une prédiction qu'il a déjà faite précédemment, après avoir annoncé la croissance de la tige de Jessé[1]. Or, nous voyons l'accomplissement de la prophétie : tout à la fois hommes qui commandent et hommes commandés, rois et sujets, savants et ignorants ont une table unique : l'enseignement de l'Esprit[2]. Car il a appelé « agneaux » ceux qui mènent une vie toute de modération, tandis qu'il a donné le nom de « loups » à ceux qui ont une ambition plus haute, celui de « lion » à l'homme qui a obtenu la royauté, celui de « bœufs » aux hommes qui ont été jugés dignes de la prêtrise et celui de « paille » à la nourriture réservée aux bœufs ; ce qui veut dire : le lion ne sera plus carnivore, mais partagera la nourriture des bœufs.

Et le serpent mangera de la terre comme si c'était du pain. C'est cette nourriture que, dès le commencement, le juste juge lui a assignée : « Tu marcheras sur la poitrine et sur le ventre, et tu mangeras de la terre tous les jours de ta vie. » Or, il appelle « serpent » l'ennemi commun des hommes : il l'a soumis aux malédictions faites jadis. C'est ce que fait voir également la suite du passage : *Ils ne commettront pas d'injustice ni de souillure sur toute ma montagne sainte, dit le Seigneur.* Du fait qu'il se traînait à terre, que les saints l'ont foulé aux pieds et que le bois de la croix l'a écrasé, toute force lui a été enlevée. Si toutefois les Juifs s'attendent à voir ces prédictions se réaliser à la lettre, qu'ils disent quel profit naîtra de cette situation : que gagnent les hommes, en effet, à ce que les lions mangent de la paille et à ce que les serpents fassent de la terre leur nourriture[3] ? Mais laissons de

du changement subi par ceux qui, à la manière de bêtes fauves, persécutaient jadis l'Église et qui désormais lui sont unis par le lien de la paix grâce au Christ.

3. En soulignant l'absurdité de l'interprétation littérale, Théodoret justifie *a posteriori* son recours à l'interprétation figurée.

Ἀλλὰ τὴν [τούτω]ν ἄνοιαν καταλιπόντες τῆς ἑρμηνείας
ἐχώμεθα.

66[1] Οὕτως λέγει κύριος · Ὁ οὐρανός μοι θρόνος καὶ (ἡ
γῆ) ὑποπόδιον τῶν ποδῶν μου. Ποῖον τοῦτον οἶκον οἰκο-
530 δομήσετέ μοι ; λέγει κύριος, καὶ ποῖος οὗτος τόπος (τῆς
κα)τοικήσεώς μου ; [2] Πάντα γὰρ ταῦτα ἐποίησεν ἡ χείρ
μου, καὶ ἔστιν ἐμὰ ταῦτα πάντα, λέγει κύριος. Τὴν (τοπι)-
κὴν διὰ τούτων ἐκβάλλει λατρείαν καὶ δείκνυσιν ἑαυτὸν
οὐρανοῦ καὶ γῆς ποιητὴν καὶ τῶν ἄλλων (ἀπ)άντων δημιουρ-
535 γὸν καὶ χειροποιήτου ναοῦ μὴ δεόμενον. Διδάσκει δὲ αὐτοὺς
καὶ τὸ οἰκεῖον μέ[γε]θος, ἕως οἷοί τε μαθεῖν ἦσαν · Εἰ τὸν
οὐρανὸν θρόνον ἔχω, πηλίκον οἶκον οἰκοδομῆσαί μοι δύνασθε ;
[Οὐ τῆς] ὑμετέρας δέομαι συνεργίας ὁ ταῦτα πάντα τεκτη-
νάμενος λόγῳ καὶ οὐ διὰ τὴν ἐμαυτοῦ χρείαν ἀλλὰ διὰ τὴν
540 τῶν ἀνθρώπων εὐεργεσίαν πεποιηκώς.

Εἶτα διδάσκει οἷς ἀρέσκεται · Καὶ ἐπὶ τίνα ἐπιβλέψω
ἀλλ' ἢ ἐπὶ τὸν ταπεινὸν καὶ ἡσύχιον καὶ τρέμοντά μου τοὺς
λόγους ; Οἶκον ἀληθινὸν ἐγὼ καὶ ναὸν ἅγιον τὸν (κατὰ)
τὰς ἐμὰς ἐντολὰς πολιτευόμενον ἔχω, τὸν δεδιότα καὶ
545 τρέμοντα τὴν τῶν ἐμῶν προσταγ(μάτων) παράβασιν, τὸν
πράῳ τρόπῳ καὶ ταπεινῷ φρονήματι χρώμενον.

[3] Ὁ δὲ ἄνομος ὁ θύων μοι (μόσχον) ὡς ὁ τύπτων ἄνδρα,
θυσιάζων πρόβατον ὡς ὁ ἀποκτείνων κύνα, ὁ δὲ ἀναφέρων
σεμί(δαλιν) ὡς αἷμα ὕειον, ὁ διδοὺς λίβανον εἰς μνημόσυνον
550 ὡς βλάσφημος. Τὴν νομικὴν λατρείαν [διὰ τού]των ἐξέβαλε
διδάσκων ὡς ἐκείνων χάριν ἐξ ἀρχῆς ταῦτα νενομοθέτηκεν,

C : 532-535 τὴν — δεόμενον (solum in Cv·⁵⁶⁴·⁵⁶⁵) ‖ 543-546 οἶκον
— χρώμενον

536 οἶοι Mö. : οἶον K

1. Sur ce refus de prolonger la polémique, cf. t. I, SC 276, p. 291,
n. 1.

2. C'est-à-dire, plus clairement, au temple de Jérusalem ; la
remarque s'insère tout naturellement aussi dans le contexte de

côté la déraison de ces gens-là et tenons-nous-en au commentaire[1].

Rejet du culte prévu par la Loi

66, 1. *Ainsi parle le Seigneur: Le ciel est mon trône et la terre, l'escabeau de mes pieds. Quelle est cette maison que vous allez me bâtir? dit le Seigneur, et quel est ce lieu de mon repos? 2. Car tout cela, c'est ma main qui l'a fait et tout cela est à moi, dit le Seigneur.* Il rejette par là le culte circonscrit à un lieu[2], montre que c'est lui le créateur du ciel et de la terre et l'auteur de tout le reste, et qu'il n'a pas besoin d'un temple élevé de main d'homme. Il leur enseigne aussi sa propre grandeur, pendant qu'ils étaient capables de comprendre : si j'ai le ciel pour trône, de quelle grandeur est la maison que vous pouvez me construire ? Je n'ai pas besoin de votre concours, moi qui ai réalisé tout cela par la parole et qui l'ai fait, non pas en raison du besoin que j'en avais, mais en raison de ma bienfaisance à l'égard des hommes.

Puis il enseigne ce à quoi il se plaît : *Sur qui jetterai-je les yeux, sinon sur l'homme humble, paisible et qui tremble à mes paroles?* J'ai quant à moi, pour maison véritable et pour temple saint, l'homme qui se conduit selon mes commandements, qui craint et tremble d'enfreindre mes préceptes, qui fait preuve de douceur de caractère et d'humilité d'esprit.

3. *Mais l'(homme) inique qui me sacrifie un bœuf est comme celui qui frappe (à mort) un homme, celui qui immole une brebis comme celui qui tue un chien, celui qui offre la fleur du froment comme (celui qui offre) du sang de porc, celui qui donne de l'encens en mémoire (de ma divinité) comme un blasphémateur.* Par ces mots il a rejeté le culte prévu par la Loi, en enseignant ceci : c'est à cause d'eux qu'il a dès l'origine établi cette législation, non qu'il prît

polémique anti-juive. Même interprétation chez CYRILLE (70, 1429 B).

οὐ ταῖς θυσίαις ἀ[ρεσκό]μενος ἀλλ' ἐκείνων ὡς ἀσθενῶν
προμηθούμενος. Διὰ τοῦτο τὰ συγκεχωρημένα τοῖς ἀπηγο-
ρευμένοις [συγ]κ[ρ]ίνει · τὸ μὲν γὰρ θύειν μόσχον καὶ
555 θυσιάζειν πρόβατον καὶ προσφέρειν σεμίδαλιν καὶ λιβανωτὸν
[ὑπὸ τοῦ θεοῦ] συνεκεχώρητο πάλαι, τὸ δὲ ἄρχειν χειρῶν
ἀδίκων καὶ βλασφημίᾳ τὴν γλῶτταν μολύνειν πα[ντελῶς]
ἀπηγόρευτο, ὕες δὲ καὶ κύνες ἀκάθαρτα ἐνενόμιστο.
Καὶ αὐτοὶ ἐξελέξαντο τὰς ὁ(δοὺς αὐτ)ῶν καὶ τὰ βδελύγματα
560 αὐτῶν ἃ ἡ ψυχὴ αὐτῶν ἠθέλησεν. Οὐ τοῖς ἐμοῖς ἐπεί-
σθησαν |184 a| λόγοις ἀλλὰ τοῖς οἰκείοις ἠκολούθησαν
λογισμοῖς. ⁴Καί γε ἐγὼ ἐκλέξομαι τὰ ἐμπαίγματα αὐτῶν
καὶ τὰς ἁμαρτίας αὐτῶν ἀνταποδώσω αὐτοῖς, ὅτι ἐκάλεσα
αὐτοὺς καὶ οὐχ ὑπήκουσάν μ(ου), ⟨ἐλάλησα καὶ οὐκ ἤκουσάν
565 μου,⟩ (καὶ) ἐποίησαν τὸ πονηρὸν ἐναντίον ἐμοῦ καὶ ἃ οὐκ
ἐβουλόμην ἐξελέξαντο. ⟨'Επειδή φησιν ἐξελέξαντο⟩ οὐχ
ἅπερ ἐβουλόμ(ην ἀλ)λ' ἅπερ ἠθέλησαν, ἐπάξω κἀγὼ τιμωρίας
αὐτοῖς, ἃς αὐτοὶ μὲν οὐ βούλονται ἐγὼ δὲ δικαίως ἐπο(ίσω).
'Εμπαίγματα γὰρ τὰς τιμωρίας ἐκάλεσεν. 'Εκάλεσα γὰρ
570 αὐτοὺς καὶ οὐχ ὑπήκουσάν μου.
Οὕτω ταῦ[τα] κατὰ τῶν ἀντιλεγόντων προαγορεύσας
πρὸς τοὺς πεπιστευκότας μεταφέρει τὸν λόγον · ⁵**Ἀκού-
(σατε τὸ) ῥῆμα κυρίου οἱ τρέμοντες τὸν λόγον αὐτοῦ,
εἴπατε · Ἀδελφοὶ ἡμῶν, τοῖς μισοῦσιν ὑμᾶς καὶ βδελυσσο-**
575 **μένοις, ἵνα τὸ ὄνομα κυρίου δοξασθῇ καὶ ὀφθῇ ἐν τῇ εὐφροσύνῃ
ὑμῶν, κἀκεῖνοι αἰσχυνθήσονται.** Τοῦτο καὶ ἐν τοῖς ἱεροῖς
εὐαγγελίοις νομοθετεῖ · « Ἀγαπᾶτε τοὺς ἐχθροὺς ὑμῶν,
εὐλογεῖτε τοὺς (διώ)κοντας ὑμᾶς. » Διὰ τοῦτο ὁ μακάριος

C : 560-562 οὐ — λογισμοῖς ‖ 566-569 οὐχ — ἐκάλεσεν ‖ 576-578
τοῦτο — ὑμᾶς

566 ἐπειδή φησιν ἐξελέξαντο coni. Po.

577 Matth. 5, 44 ; Rom. 12, 14

---

1. Cf. t. I, *SC* 276, p. 163 s. et n. 3, et *Thérap.* VII où Théodoret
insiste longuement sur cette pédagogie divine. Développement
similaire chez CYRILLE (70, 1429 D).

plaisir aux sacrifices, mais parce qu'il avait pour eux, étant donné leur faiblesse, des soins prévenants[1]. C'est pourquoi il met en parallèle le permis et le défendu : sacrifier un bœuf, immoler une brebis, offrir de la fleur de froment et de l'encens, c'était, en effet, jadis permis par Dieu, mais prendre l'initiative d'une rixe et souiller sa langue d'un blasphème, c'était absolument défendu ; les porcs et les chiens étaient, d'autre part, considérés comme des animaux impurs.

Eux, ils ont choisi leurs voies et les abominations qu'a désirées leur âme. Ils n'ont pas obéi à mes paroles, mais suivi leurs propres desseins. 4. Eh bien moi, je choisirai donc leurs moqueries et je leur ferai payer leurs péchés, parce que je les ai appelés et qu'ils ne m'ont pas répondu ; je leur ai parlé et ils ne m'ont pas écouté ; ils ont fait le mal devant moi et ce que je ne voulais pas, ils l'ont choisi. Puisqu'ils ont choisi, dit-il, non pas ce que je voulais, mais ce qu'ils ont désiré, je leur infligerai à mon tour des châtiments dont personnellement ils ne veulent pas, mais dont je les frapperai, pour ma part, avec justice. Il a appelé, en effet, « moqueries » les châtiments : « Car je les ai appelés et ils ne m'ont pas répondu. »

L'attitude des croyants à l'égard des incroyants   Telles sont les annonces qu'il a faites contre ceux qui contestaient (ses volontés), avant de changer de propos pour s'adresser à ceux qui ont cru :

5. *Écoutez la parole du Seigneur, vous qui tremblez à sa parole, dites : « Nos frères » à ceux qui vous haïssent et qui vous tiennent en abomination, afin que le nom du Seigneur soit glorifié et qu'il se manifeste dans votre joie, et ceux-là rougiront de honte.* C'est ce qu'il prescrit également dans les saints Évangiles[2] : « Aimez vos ennemis, bénissez ceux qui vous persécutent. » Voilà pourquoi le bienheureux

---

2. Même remarque de la part d'Eusèbe (*GCS* 401, 29-31).

ἔλεγε Παῦλος · « Ηὐχόμην αὐτὸς ἐγὼ ἀνάθεμα εἶναι ἀπὸ
580 τοῦ Χριστοῦ ὑπὲρ τῶν ἀδελφῶν μου τῶν συγγενῶν μου
κατὰ σάρκα, οἵτινές εἰσιν Ἰσραηλῖται.» Διὰ τοῦτο ὁ
μακάριος Στέφανος τοῖς ἀπιστοῦσι διαλεγόμενος ἔλεγεν ·
« Ἄνδρες ἀδελφοὶ καὶ πατέρες ἀκούσατε.» Τοῦτο καὶ διὰ
[τοῦ] προφήτου παρεγγυᾷ τῶν ὅλων ὁ κύριος τοῖς τρέμουσι
585 τὸν λόγον αὐτοῦ, ἀδελφοὺς καλεῖν τοὺς [μισοῦντας] καὶ
βδελυσσομένους, ὥστε δοξασθῆναι τοῦ σωτῆρος τὸ ὄνομα.
Τοῦτο γάρ φησιν ὑμῖν μὲν εὐ[φρο]σύνην ἐκείνοις δὲ προξε-
νήσει αἰσχύνην.

Μετὰ ταῦτα τῆς πόλεως τὴν πολιορκίαν προδιαγ[ράφει] ·
590 [6] Φωνὴ κραυγῆς ἐκ πόλεως, φωνὴ ἐκ ναοῦ, φωνὴ κυρίου
ἀνταποδιδόντος ἀνταπόδοσιν τοῖς ἀν(τι)κειμένοις αὐτῷ.
Τὴν ἐσομένην κατὰ τὸν καιρὸν τῆς ἁλώσεως ὀλολυγὴν ὁ
προφητικὸς δεδήλω(κε λόγος) καὶ τῆς τιμωρίας διδάσκων
τὸ δίκαιον εἶπεν ὅτι τῶν ὅλων ὁ κύριος δίκας πράττεται
595 τοὺς ἀν(τικει)μένους αὐτῷ.

Οὕτω δείξας τῶν Ἰουδαίων τὸν ὄλεθρον τὰς τῆς ἐκκλησίας
ὠδῖνας θ[εσπί]ζει καὶ τὸν ἐν ἀκαρεῖ βλαστήσαντα νέον
λαόν φησιν · [7] Πρὶν τὴν ὠδίνουσαν τεκεῖν καὶ πρὶν ἐλθεῖν
τὸν πόνον τῶν ὠδίνων ἐξέφυγε καὶ ἔτεκεν ἄρσεν. Καὶ τὸ
600 σύντομον τῆς γεννήσεως καὶ τὸ ἰσχυρὸν τοῦ γεννηθέντος
δεδήλωκεν · διὰ γὰρ τοῦ ἄρρενος τὴν ἰσχὺν παρεδήλωσεν.
Εἶτα ἐκπληττόμενός [φησιν] · [8] Τίς ἤκουσε τοιοῦτον ἢ
τίς ἑώρακεν οὕτως ; Εἰ ὤδινε γῆ ἐν ἡμέρᾳ μιᾷ καὶ ἔτεκεν
ἔθνος εἰς (ἅπαξ) ; Ὅτι ὤδινε Σιὼν καὶ ἔτεκε τὰ παιδία αὐτῆς.
605 Ἃ διὰ τῶν λόγων ὁ προφήτης ἐδίδαξεν, ἡ (πεῖρα) δείκνυσιν
ἐναργῶς · τοῦ γὰρ μεγάλου δημηγορήσαντος Πέτρου ὁμοῦ

C : 592-595 τὴν — αὐτῷ ‖ 599-601 καὶ² — παρεδήλωσεν ‖ 605-
610 ἃ — Ἰάκωβος

592 ὀλολυγὴν C : > Κ ‖ 593 δεδήλω.. Κ : προδεδήλωκε C ‖ 594
τῶν ὅλων / ὁ Κ : ∼ C ‖ 605 τῶν Κ : > C

579 Rom. 9, 3-4   583 Act. 7, 2   606-608 cf. Act. 2, 41 ; 4, 4

Paul disait : « Je souhaitais d'être moi-même anathème, séparé du Christ, pour mes frères, ceux de ma race selon la chair, eux qui sont Israélites. » Voilà pourquoi le bienheureux Étienne s'adressait en ces termes aux incrédules : « Vous, frères et pères, écoutez. » C'est ce que le Seigneur de l'univers ordonne aussi par l'intermédiaire de son prophète à ceux qui tremblent à sa parole : appeler « frères » ceux qui les haïssent et les tiennent en abomination, de façon que le nom du Seigneur soit glorifié. Ce nom, dit-il, vous procurera, à vous la joie, à eux la honte.

Le siège de Jérusalem Après cela il dépeint par avance le siège de la ville : 6. *Voix de la clameur qui (vient) de la ville, voix qui vient du Temple; voix du Seigneur qui donne rétribution à ceux qui se dressent contre lui.* Le texte prophétique a bien fait voir le cri de douleur qui se produira au moment de la prise de la ville et, pour enseigner la justice du châtiment, il a dit que le Seigneur de l'univers tire vengeance de ceux qui se dressent contre lui.

Naissance et croissance de l'Église Après avoir ainsi montré la ruine des Juifs, il prophétise les douleurs d'enfantement éprouvées par l'Église et, en ces termes, le peuple nouveau qui en un instant a germé : 7. *Avant que celle qui était dans les douleurs n'enfantât et avant que ne fût arrivée la souffrance des douleurs d'enfantement, elle a été délivrée et elle a enfanté un enfant mâle.* Il a fait voir à la fois la rapidité de l'enfantement et la vigueur de celui qui a été enfanté ; il a, en effet, utilisé le mot « mâle » pour traduire cette vigueur.

Puis frappé d'étonnement, il dit : 8. *Qui a entendu chose semblable ou qui a vu pareil spectacle? Est-ce que la terre a mis au monde en un seul jour et enfanté une nation tout d'une fois? Parce que Sion a mis au monde et enfanté ses enfants.* Ce que le prophète a enseigné par ces mots, l'expérience (des faits) le montre clairement : lorsque le grand Pierre eut publiquement pris la parole, la grâce

τρισχιλίους ή χάρις έγέννησε καὶ πάλιν ἄλλην διδασκαλίαν
προσενεγκόντος πεντακισχιλίους κατὰ ταὐτὸν ἀπ(εκύ)ησεν ·
οὗτοι δὲ « πάντες ζηλωταὶ τοῦ νόμου » ἐτύγχανον, ᾗ φησιν
610 ὁ θεῖος Ἰάκωβος. Ταῦτα διὰ [τῆς] προφητικῆς γλώττης
προηγόρευσεν ὁ τῶν ὅλων θεός, τοῦτο δὲ καὶ διὰ τῶν ἑξῆς
δηλοῖ · ⁹ Ἐγὼ (δὲ) ἔδωκα τὴν προσδοκίαν ταύτην καὶ
ἐγὼ οὐ γεννήσω ; Προεῖπόν φησι καὶ οὐ δώσω τῇ προρ[ρή-
σει] τὸ τέλος ; ἀλλ' ἐγὼ μὲν ταῦτα ποιῶ, οἱ δὲ πονηρίᾳ
615 συζῶντες τοιαύτην ὁρῶντες τὴν θα[υματουρ]γίαν ἐπιμένουσιν
ἀπιστοῦντες.
Καὶ οὐκ ἐμνήσθης μου, λέγει κύριος. Οὐκ ἰδοὺ γεννῶσαν
καὶ στεῖ(ραν ἐγὼ) ἐποίησα ; λέγει κύριος ὁ θεός σου. Σὺ
πάλαι ἐγέννησας προφήτας, ἡ δὲ ἐξ ἐθνῶν ἐκκλησία στεῖρα
620 ἦν (κατ' ἐ)κεῖνον τὸν καιρόν. Νῦν δὲ τοὐναντίον ἐγένετο ·
σὺ μὲν γὰρ ἐπαύσω τοῦ τίκτειν, αὕτη δὲ τῆς πολυπαιδίας
τὴν χάριν ἐδέξατο.
¹⁰ Εὐφράνθητε ἅμα Ἱερουσαλὴμ καὶ πανηγυρίσατε ἐν αὐτῇ
(πάντες) οἱ ἀγαπῶντες αὐτήν, χάρητε ἅμα αὐτῇ χαρᾷ
625 πάντες ὅσοι ἐπενθεῖτε ἐπ' αὐτῇ, ¹¹ ἵνα θηλάσῃ(τε καὶ)
ἐμπλησθῆτε ἀπὸ μαστῶν παρακλήσεως αὐτῆς, ἵνα ἐκθηλά-
σαντες τρυφήσητε ἀπὸ εἰσό(δου δόξης) αὐτῆς. Μετὰ τῶν
ἐξ Ἰουδαίων τοὺς ἐξ ἐθνῶν προσκαλεῖται καὶ παρακ[ε-
λεύεται] κοινωνῆσαι τοῖς ἐκ τούτων σεσωσμένοις τῆς
630 εὐφροσύνης, ὑποσχόμενος διὰ τούτων παρέ[ξειν |184 b|
αὐτοῖς παράκλησιν] · διὰ γὰρ τῶν ἱερῶν ἀποστόλων οἱ ἐξ
ἐθνῶν πεπιστευκότες καὶ ἀνεγεννή[θησαν καὶ] ἐτρά[φ]ησαν.
¹² Ὅτι τάδε λέγει κύριος · Ἰδοὺ ἐγὼ ἐκκλίνω εἰς αὐτοὺς ὡς
ποταμὸς εἰρήνης (καὶ ὡς χ)ειμάρρους ἐπικλύζων δόξαν
635 ἐθνῶν. Ταῦτα περὶ τῶν ἱερῶν ἀποστόλων λέγει, οὓς ἀοιδί(μους
καὶ) πολυθρυλήτους παρὰ πᾶσιν ἀνθρώποις ἀπέφηνεν.

C : 618-622 σὺ — ἐδέξατο ‖ 635-638 ταῦτα — πλημμυροῦντι
611 τῶν² Mδ. : τῆς K ‖ 635 ἱερῶν K : > C
609-610 Act. 21, 20

engendra en un même temps trois mille hommes et, de nouveau, lorsqu'il eut présenté (à la foule) un autre discours d'enseignement, elle mit au monde dans le même instant cinq mille hommes et c'étaient « tous de zélés partisans de la Loi », comme le dit le divin Jacques. Voilà ce que le Dieu de l'univers a annoncé par la bouche du prophète ; il le fait voir encore par la suite du passage : 9. *C'est moi qui ai donné cette attente, et je n'engendrerai pas?* J'ai fait, dit-il, une prédiction, et je ne donnerai pas à ma prédiction son accomplissement ? Eh bien, pour ma part je l'accomplis, mais ce sont ceux qui vivent dans la perversité qui, tout en voyant une telle action miraculeuse, persistent dans leur incrédulité.

Tu ne t'es pas souvenue de moi, dit le Seigneur. Ne vois-tu pas que je t'ai faite féconde et stérile? dit le Seigneur ton Dieu. C'est toi qui as jadis engendré des prophètes, tandis que l'Église venue des nations était stérile à cette époque-là. Mais maintenant, c'est le contraire qui s'est produit : c'est toi qui as cessé d'enfanter, et c'est elle qui a reçu la grâce de la fécondité.

La joie des croyants   10. *Réjouissez-vous avec Jérusalem et organisez une fête en elle, vous tous qui l'aimez! Exultez de joie avec elle, vous tous qui pleuriez sur elle,* 11. *afin que vous soyez allaités et rassasiés à la mamelle de sa consolation, afin qu'après vous être allaités, vous trouviez des délices à l'entrée de sa gloire.* Il invite avec ceux qui viennent de chez les Juifs, ceux qui viennent des nations, et les exhorte à s'associer à la joie de ceux d'entre eux qui ont été sauvés, avec la promesse que, par l'intermédiaire de ces derniers, il leur fournira une consolation : c'est, en effet, aux saints apôtres que les croyants venus des nations doivent d'avoir été régénérés et nourris. 12. *Car ainsi parle le Seigneur: Voici que je fais couler vers eux comme un fleuve de paix et comme un torrent qui déborde, la gloire des nations.* Il dit cela des saints apôtres qu'il a rendus célèbres et illustres auprès de tous les

Τούτων τὸ γέρας καὶ τὸ κλέος ποταμῷ (ἀπείκασε) καὶ
χειμάρρῳ πλημμυροῦντι.

Τὰ παιδία αὐτῶν ἐπ' ὤμων ἀρθήσεται καὶ ἐπὶ γονάτων
640 (παρακλ)ηθήσεται. Ταύτης Κορινθίοις μετέδωκε τῆς τροφῆς
ὁ θεῖος ἀπόστολος λέγων · « Γάλα ὑμᾶς (ἐπότι)σα, οὐ
βρῶμα · οὔπω γὰρ ἐδύνασθε.» Καὶ ἀλλαχοῦ δὲ ἔστιν
ἀκοῦσαι λεγόντων αὐτῶν · « Ὡς (ἀρτιγ)έννητα βρέφη τὸ
λογικὸν ἄδολον γάλα ἐπιποθήσατε.» Οὕτω πάλιν ὁ θεσπέσιος
645 Παῦλος Ἐφεσίους [παρα]καλεῖ λέγων · « Παρακαλῶ ὑμᾶς
ἐγὼ ὁ δέσμιος ἐν κυρίῳ», καὶ Κορινθίοις · « Παρακαλῶ
ὑμᾶς ἀδελφοί, (ἵνα τὸ αὐτ)ὸ λέγητε πάντες », καὶ Ῥωμαίοις·
« Παρακαλῶ οὖν ὑμᾶς ἀδελφοὶ διὰ τῶν οἰκτιρμῶν (τοῦ
θεοῦ) », καὶ πάλιν · « Τὰ σπλάγχνα ἡμῶν ἀνέῳγε πρὸς
650 ὑμᾶς Κορίνθιοι, ἡ καρδία ἡμῶν πεπλά(τυνται), οὐ στενοχω-
ρεῖσθε ἐν ἡμῖν.»

¹³ Ὡς εἴ τινα μήτηρ αὐτοῦ παρακαλέσει, οὕτως κἀγὼ
παρακαλέσω (ὑμᾶς), καὶ ἐν Ἱερουσαλὴμ παρακληθήσεσθε
¹⁴ καὶ ὄψεσθε, καὶ χαρήσεται ὑμῶν ἡ καρδία, καὶ τὰ ὀστᾶ
655 (ὑμ)ῶν ὡς βοτάνη ἀνατελεῖ. Οὐ γὰρ μόνον κατὰ τὸν
παρόντα βίον διὰ τῶν ἐμῶν κηρύκων (παντοί)αν ὑμῖν
προσοίσω παράκλησιν ἀλλὰ κἀν τῇ ἐπουρανίῳ πόλει παντοδαπῆς ὑμᾶς εὐ(φροσύν)ης ἐμπλήσω, τὴν ἀνάστασιν τὴν ἐκ
νεκρῶν δωρούμενος. Ταύτην γὰρ παρεδήλωσε, βοτάνῃ
660 (φυο)μένῃ τῶν ὀστῶν ἀπεικάσας τὴν βλάστην.

Καὶ γνωσθήσεται ἡ χεὶρ κυρίου τοῖς φοβουμένοις
αὐτόν, (καὶ ἀπ)ειλήσει τοῖς ἀπειθοῦσιν. Καὶ διδάσκων τῆς

C : 640-642 ταύτης — ἐδύνασθε ‖ 655-660 οὐ — βλάστην

642 ἐδύνασθε C : ἠδύνασθε K ‖ 651 ἡμῖν : falso ὑμῖν Mö.

641 I Cor. 3, 2   643 I Pierre 2, 2   645 Éphés. 4, 1   646 I
Cor. 1, 10   648 Rom. 12, 1   649 II Cor. 6, 11-12

---

1. Pour CYRILLE, ce « fleuve de paix » et ce « torrent », ce sont le
Christ (70, 1440 C).

2. Pour commenter ce verset, Théodoret joue sur le sens de
παρακαλεῖν qui signifie à la fois « consoler » et « exhorter ». Le

hommes. Il a comparé leur honneur et leur gloire à un fleuve et à un torrent en crue[1].

Leurs enfants seront portés sur les épaules et sur les genoux ils seront consolés. Le divin Apôtre a donné aux Corinthiens d'avoir part à cette nourriture, en disant : « C'est du lait que je vous ai donné à boire, non une nourriture solide : car vous ne pouviez pas encore la supporter. » En un autre passage encore, il est possible d'entendre un des apôtres dire : « Comme des enfants nouveau-nés, désirez le lait spirituel qui n'est pas frelaté. » Ainsi encore, Paul l'inspiré exhorte[2] les Éphésiens en ces termes : « Je vous exhorte, moi le prisonnier dans le Seigneur » ; aux Corinthiens (il déclare) : « Je vous exhorte, frères, à dire tous la même chose », et aux Romains : « Je vous exhorte donc, frères, par la miséricorde de Dieu » ; il déclare encore : « Nous avons devant vous ouvert le fond de nous-mêmes, Corinthiens, nous avons élargi notre cœur, vous n'êtes pas à l'étroit en nous. »

13. *Comme une mère console un de ses enfants, de même je vous consolerai, moi aussi, et dans Jérusalem vous serez consolés ;* 14. *vous verrez (cela) et votre cœur sera dans la joie et vos os lèveront comme l'herbe.* Ce n'est pas seulement durant la vie présente que je vous fournirai, par l'intermédiaire de mes hérauts, une consolation aux formes multiples, mais dans la cité céleste également je vous remplirai de toutes sortes de joies, en vous faisant présent de la résurrection d'entre les morts. C'est elle, en effet, qu'il a laissé entendre, quand il a comparé à l'herbe qui pousse, la croissance des os.

Annonce de la Parousie   *Et la main du Seigneur sera connue de ceux qui le craignent et elle menacera ceux qui (lui) désobéissent.* Et il enseigne la forme (que revêtira) la menace[3], en ces termes :

français ne permet pas de conserver la même ambivalence de sens.

3. Cyrille ici encore note que « main » est une manière de dire « puissance » ou de désigner le Christ (70, 1441 C).

ἀπειλῆς τὸ εἶδός φησιν · ¹⁵ Ἰδοὺ κύριος ὡς πῦρ ἥξει καὶ
(ὡς κα)ταιγὶς τὰ ἄρματα αὐτοῦ ἀποδοῦναι ἐν θυμῷ ἐκδίκησιν
665 αὐτοῦ καὶ ἀποσκορακισμὸν αὐτοῦ (ἐν φλ)ογὶ πυρός. Τὴν
δευτέραν τοῦ κυρίου παρουσίαν διὰ τούτων προλέγει. Ἔοικε
δὲ τούτοις καὶ τὰ ἐν τοῖς ἱεροῖς (εὐαγγ)ελίοις εἰρημένα ·
« Ὄψεσθε » γάρ φησι « τὸν υἱὸν τοῦ ἀνθρώπου ἐρχόμενον
ἐπὶ τῶν νεφελῶν τοῦ οὐρανοῦ μετὰ δυνάμεως (καὶ δό)ξης
670 μετὰ τῶν ἐκλεκτῶν ἀγγέλων », καὶ πάλιν · « Φανήσεται
τὸ σημεῖον τοῦ υἱοῦ τοῦ ἀνθρώπου ἐν τῷ οὐρανῷ, (καὶ
τό)τε κόψονται πᾶσαι αἱ φυλαὶ τῆς γῆς. Σκοτισθήσεται
γὰρ ὁ ἥλιος, καὶ ἡ σελήνη οὐ δώσει τὸ φέγγος αὐτῆς, (καὶ)
οἱ ἀστέρες πεσοῦνται ὡς πίπτει φύλλα ἀπὸ ἀμπέλου. » Τὸν
675 μέντοι ἀποσκορακισμὸν « ἐπιτίμησιν » ἐκάλεσαν οἱ Λοιποί.
¹⁶ Ἐν γὰρ πυρὶ κυρίου κριθήσεται πᾶσα ἡ γῆ καὶ ἐν τῇ
ρομφαίᾳ αὐτοῦ πᾶσα σάρξ. Οὕτω (καὶ) ὁ θεῖος ἀπόστολος
ἔφη · « Ὅτι ἐν πυρὶ ἀποκαλύπτεται, καὶ ἑκάστου τὸ ἔργον
ὁποῖόν ἐστι τὸ πῦρ δοκιμάσει », [καὶ] ἐν τοῖς ἱεροῖς
680 εὐαγγελίοις ὁ κύριος · « Πᾶς γὰρ πυρὶ ἁλι<σ>θήσεται. »
Καὶ γὰρ τὸν χρυσὸν τὸν δόκιμόν τε καὶ κίβδηλον τὸ πῦρ
δοκιμάζει. Ῥομφαίαν δὲ καλεῖ τὴν τιμωρητικὴν ἐνέργειαν.
Οὕτω καὶ [ὁ θεῖ]ος ἔφη Δαυίδ · « Πῦρ ἐναντίον αὐτοῦ
προπορεύσεται καὶ φλογιεῖ κύκλῳ τοὺς ἐχθροὺς αὐτοῦ »,
685 καὶ ὁ [θεσπέσ]ιος Δανιήλ · « Ποταμὸς πυρὸς πορευόμενος
εἷλκεν ἔμπροσθεν αὐτοῦ. »

Πολλοὶ τραυματίαι ἔσονται ὑ(πὸ κυρίου ¹⁷ οἱ) ἁγνιζόμενοι
καὶ καθαριζόμενοι ἐν τοῖς κήποις καὶ ἐν τοῖς προθύροις ·
οἱ ἐσθίοντες κρέας ὕειον (καὶ τὰ) βδελύγματα καὶ τὸν μῦν
690 ἐπὶ τὸ αὐτὸ ἀναλωθήσονται, λέγει κύριος, ¹⁸ καὶ ἐγὼ τὸν
λογισμὸν (αὐ)τῶν καὶ τὰ ἔργα αὐτῶν ἐπίσταμαι καὶ ἀνταποδώσω αὐτοῖς. Τραυματίας καλεῖ τοὺς τῇ πονη(ρίᾳ π)αρα-

---

C : 665-670 τὴν — ἀγγέλων ‖ 677-679 οὕτω — δοκιμάσει ‖ 692-
697 τραυματίας — γεγενημένους

668 Matth. 24, 30 ; I Tim. 5, 21   670 Matth. 24, 30.29 ; cf.
Is. 13, 10 ; 34, 4   678 I Cor. 3, 13   680 Mc 9, 49   683 Ps.
96, 3   685 Dan. 7, 10

15. *Voici que le Seigneur viendra comme le feu, et comme
l'ouragan (viendront) ses chars pour remettre dans la colère
sa punition et son imprécation dans une flamme de feu.*
Il prédit par ces mots la seconde venue du Seigneur[1].
Elles ressemblent également à ces paroles, celles qui ont
été prononcées dans les saints Évangiles : « Vous verrez
le Fils de l'homme, est-il dit, venir sur les nuées du
ciel, avec puissance et gloire, avec les anges élus », et
encore : « Le signe du Fils de l'homme apparaîtra dans
le ciel, et alors toutes les tribus de la terre se frapperont
(la poitrine). Car le soleil s'obscurcira et la lune perdra
son éclat, et les astres tomberont comme tombent les
feuilles de la vigne. » Par ailleurs, le reste des interprètes
a appelé l'imprécation « châtiment ».

16. *Car dans le feu du Seigneur sera jugée toute la terre,
et par son glaive le sera toute chair.* De même le divin
Apôtre a dit à son tour : « Parce qu'il se révélera dans
le feu et que la qualité de l'œuvre de chacun, c'est le feu
qui l'éprouvera », et le Seigneur dans les saints Évangiles :
« Car tous seront salés par le feu. » Et de fait, c'est le feu
qui éprouve l'or, l'or de bon aloi et l'or falsifié. D'autre
part, il appelle « glaive » la mise en œuvre du châtiment.
De même le divin David a également déclaré : « Un feu
devant lui s'avancera et dévorera alentour ses ennemis »,
ainsi que Daniel l'inspiré : « Un fleuve de feu s'avançait
et sortait de devant lui. »

Beaucoup seront blessés par le Seigneur, 17. *ceux qui se
sanctifiaient et se purifiaient dans les jardins et dans les
vestibules ; ceux qui mangeaient de la viande de porc, des
mets abominables et du rat, seront consumés tout ensemble,
dit le Seigneur ;* 18. *moi je connais leur dessein et leurs
œuvres, et je leur donnerai rétribution.* Il appelle « blessés »
ceux qui se livraient à la perversité[2] et « ceux qui se

1. Même interprétation chez Eusèbe (*GCS* 405, 14-16) et chez
Cyrille (70, 1444 AB).
2. Cf. l'interprétation de « boiteux » (*In Is.*, 10, 260-261.431-432).

δεδομένους, ἁγνιζομένους δὲ καὶ καθαριζομένους ἐν κήποις
καὶ ἐν προθύροις (τοὺς ἀπολου)σμοῖς κεχρημένους. Διδάσκει
695 δὲ ὡς καὶ τῆς κατὰ νόμον λατρείας εὐθύνας ἀπαιτή(σει
τοὺς) πρὸ τῆς τοῦ σωτῆρος ἡμῶν ἐνανθρωπήσεως ὑπ' ἐκείνῳ
γεγενημένους. Τούτου χάριν καὶ κρεῶν [ὑείων] καὶ τῶν
ἄλλων τῶν κατὰ τὸν νόμον ἀπηγορευμένων ἐμνήσθη.
Ἀπαιτῶ δὲ αὐτοὺς τούτων [φησὶν εὐθύνας, ἐπει]δὴ τὸν
700 σκοπὸν αὐτῶν ἀκριβῶς ἐπίσταμαι · ὡς γὰρ τῶν ἐμῶν
προσταγμάτων |185 a| καταφρονοῦντες τὰ νενομοθετημένα
παρέβαινον.
Ἰδοὺ συναγαγεῖν ἔρχομαι πάντα τὰ (ἔθνη) καὶ τὰς
γλώσσας, καὶ ἥξουσι καὶ ὄψονται τὴν δόξαν μου, 19 καὶ
705 καταλείψω ἐπ' αὐτῶν σημεῖον. Σαφῶς δεδήλωκεν ὡς οὐ
μόνης τῆς Ἰουδαίων ἕνεκα σωτηρίας ἀνέλαβε τὴν τοῦ
δούλου μορφὴν ἀ(λλὰ) πᾶσι τοῖς ἔθνεσι τὴν σωτηρίαν
ὀρέγων. Σημεῖον δὲ καλεῖ τοῦ σωτηρίου σταυροῦ τὸν τύπον.
Καὶ ἐξαποστ(ελῶ) ἐξ αὐτῶν σεσωσμένους εἰς τὰ ἔθνη · εἰς
710 Θαρσὶς καὶ Φοὺδ καὶ Λοὺδ καὶ Μοσὸχ καὶ Θοβὲλ καὶ εἰ(ς
τὴν) Ἑλλάδα καὶ εἰς τὰς νήσους τὰς πόρρω, αἳ οὐκ ἀκηκόασί
μου τὸ ὄνομα οὐδὲ ἑωράκασί μου τὴν δό(ξαν), καὶ ἀναγγελοῦσι
τὴν δόξαν μου ἐν τοῖς ἔθνεσιν. Τοῖς ἱεροῖς ἀποστόλοις ὁ
δεσπότης ἔφη · « Πορευθέντες μαθητεύσατε πάντα τὰ
715 ἔθνη. » Ἐπ' ἐκείνων ἡ προκειμένη προφητεία τὸ πέρας
ἐδέξατο · ἐκεῖνοι γὰρ ἅπασι τοῖς ἔθνεσι τὸ θεῖον προσήνεγκαν
κήρυγμα. Θαρσὶς δὲ καλεῖ τὴν Καρχηδόνα, τὴν τῆς Λιβύ(ης)
μητρόπολιν, καὶ Φοὺδ αὐτὸ ἅπαν τῶν Λιβύων τὸ ἔθνος,
Λοὺδ δὲ Λυδοὺς καὶ Μοσὸχ Καππα(δόκας) καὶ Θοβὲλ
720 Ἴβηρας, λέγει δὲ καὶ τὴν Ἑλλάδα καὶ τὰς νήσους καὶ διὰ
τούτων πάντα τὰ ἔθνη τὰ μήτε ἐγνωκότα τὸν τῶν ὅλων
θεὸν μήτε πεῖραν αὐτοῦ τῆς δυνάμεως ἐσχηκότα.

C : 705-708 σαφῶς — τύπον (706-707 ἀνέλαβε — μορφὴν >) ‖
713-722 τοῖς² — ἐσχηκότα

721 μήτε Κ : μὴ C

714 Matth. 28, 19

sanctifiaient et se purifiaient dans les jardins et dans les vestibules », ceux qui utilisaient les ablutions. Il enseigne donc qu'il demandera compte aussi du culte selon la Loi à ceux qui ont été soumis à son autorité, avant l'incarnation de notre Sauveur. Voilà pourquoi il a fait mention des viandes de porc et de toutes les autres interdictions prévues par la Loi. Je leur en demande compte, dit-il, puisque je connais exactement le but qu'ils poursuivent : c'était pour mépriser mes commandements qu'ils violaient les prescriptions de la Loi.

Le salut universel   *Voici que je viens rassembler toutes les nations et (toutes) les langues, elles viendront et verront ma gloire, 19. et je laisserai sur elles un signe.* Il a clairement fait voir que ce n'est pas en raison du seul salut des Juifs qu'il a assumé la forme de l'esclave, mais pour offrir le salut à toutes les nations[1]. Il appelle « signe » ce que représente la croix du salut. *Et j'enverrai ceux d'entre eux qui auront été sauvés vers les nations : à Tharsis, à Phoud et à Loud, à Mosoch et à Thobèl, en Grèce et dans les îles lointaines qui n'ont pas entendu mon nom et qui n'ont pas vu ma gloire, et ils annonceront ma gloire parmi les nations.* Le Maître a dit aux saints apôtres : « Allez, enseignez toutes les nations. » C'est à leur époque que la présente prophétie a reçu son accomplissement, puisque ce sont eux qui ont présenté à toutes les nations le message divin. Il appelle « Tharsis » Carthage[2], la capitale de la Libye, et « Phoud » la nation libyenne elle-même dans son ensemble[3], « Loud » les Lydiens, « Mosoch » les Cappadociens et « Thobèl » les Ibères ; il parle aussi de la Grèce et des îles et, à travers elles, de toutes les nations qui ne connaissaient pas le Dieu de l'univers et qui ne possédaient pas la preuve de sa puissance.

1. Même remarque chez Cyrille (70, 1445 AB).

2. Cf. *In Is.*, 7, 9-10 et *supra*, 19, 157-159.

3. Cf. *In Nah.*, 81, 1805 A (Phoud) ; *In Ez.*, 81, 1137 B (Thobèl, Mosoch).

Οὗτοι δέ φησιν [ἄξουσι] τούτους παρ' ἐμοῦ πεμπόμενοι ·
20 ᵡἌξουσι τοὺς ἀδελφοὺς ὑμῶν ἐκ πάντων τῶν ἐθνῶν δῶρον
725 τῷ θεῷ μεθ' ἵππων καὶ ἁρμάτων ἐν λαμπήναις ἡμιόνων μετὰ
σκιαδείων εἰς τὴν ἁγίαν (πόλιν) εἰς Ἱερουσαλήμ, εἶπε κύριος,
ὡς ἂν εἰσενέγκοιεν οἱ υἱοὶ Ἰσραὴλ ἐμοὶ τὰς θυσίας αὐτῶν
μετὰ ψαλμῶν (εἰς) τὸν οἶκον κυρίου · 21 καὶ ἀπ' αὐτῶν
λήψομαί μοι ἱερεῖς καὶ Λευίτας, εἶπε κύριος. Ἀδελφοὺς
730 αὐτῶν κα(λεῖ τοὺς) ἐξ ἐθνῶν πεπιστευκότας διὰ τὸ ὁμοφυὲς
τῆς φύσεως. Ἦσαν δὲ καὶ ἐν τοῖς ἔθνεσιν Ἰουδαῖ(οι, καὶ
ἐξ ἐθν)ῶν πλεῖστος ἐπίστευσεν ὅμιλος. Ἐκ τούτων ἦν
Κρῖσπος ὁ ἀρχισυνάγωγος καὶ Σωσθένης πάλιν ἀρχισυν-
(άγωγος), οἳ τῆς τοῦ θεσπεσίου Παύλου διδασκαλίας
735 ἀπήλαυσαν, καὶ ἄλλοι δὲ μυρίοι ἔν τε Ἀντιοχίᾳ τ(ῆς
Πισιδίας) καὶ Ἰκονίῳ καὶ Λύστροις κἂν ταῖς ἄλλαις
πόλεσιν, οἳ τὴν σωτήριον διδασκαλίαν ἐδέξαντο. [Τούτους]
οἷόν τινα δῶρα τῷ θεῷ τῶν ὅλων προσήνεγκαν οἱ θεῖοι
ἀπόστολοι μετά τινος ἀρρήτου τιμ[ῆς]. Διὰ γὰρ δὴ τῶν
740 ἵππων καὶ τῶν λαμπηνῶν καὶ τῶν σκιαδείων τὴν ἐσομένην
τιμὴν π[αρεδή]λωσεν, ἐπειδὴ ταῦτα παρ' ἀνθρώποις ἐστὶν
ἀξιέραστα. Οὕτω καὶ ὁ θεῖος ἀπόστολος ἔφη ὅτι « εἰς
ἀέρα ἁρπαγησόμεθα ». Καὶ καθάπερ πάλαι ὁ Ἰσραὴλ
τὰς κατὰ νόμον μοι θυσίας προσέφερεν ᾄδων τε καὶ χορεύων,
745 οὕτω μοι τὰ λογικὰ ταῦτα προσοίσουσι θύματα τῆς ἀληθείας
οἱ κήρυκες, ἐξ ὧν κατὰ τόνδε τὸν βίον [ἱερέας] τε καὶ
Λευίτας χειροτονήσω. Τοῦτο δὲ σαφῶς ἔδειξε τήν τε
Ἰουδαίων ἀποβολὴν καὶ τῶν ἐθνῶν τὴν κλῆσιν · οὐκέτι
γὰρ τοὺς ἐκ Λευὶ τὸ γένος κατάγοντας ἱερέας καλεῖ, ἀλλ'
750 ἐκ τῶν πεπιστευκότων [ἐθνῶν] τούτους χειροτονεῖ.

C : 729-737 ἀδελφοὺς — ἐδέξαντο

733 καὶ — ἀρχισυνάγωγος K : > C ‖ 735 τε K : τῇ C

732-735 cf. Act. 18, 8.17   735-737 cf. Act. 13, 43 ; 14, 1.6-7.20-
21   742 I Thess. 4, 17

Ce sont ceux que j'ai envoyés, dit-il, qui les amèneront :
20. *Ils amèneront vos frères de toutes les nations en offrande*
à Dieu avec des chevaux et des chars, sur des chariots à
mulets, avec des ombrelles, vers la cité sainte, vers Jérusalem,
dit le Seigneur, comme les fils d'Israël m'apportaient leurs
sacrifices avec des psaumes dans la maison du Seigneur ;
21. *et, parmi eux, je prendrai pour moi des prêtres et des*
lévites, dit le Seigneur. Il appelle « leurs frères », en raison
de leur identité de nature, ceux qui parmi les nations
ont cru. Il y avait en outre, même au sein des nations,
des Juifs et, parmi les nations, c'est une foule très considé-
rable qui a cru. De ce nombre étaient Crispus, le chef de
synagogue, et Sosthène, également chef de synagogue,
qui bénéficièrent de l'enseignement de Paul l'inspiré, et
des milliers d'autres qui, à Antioche de Pisidie, à Iconium,
à Lystres et dans toutes les autres villes, accueillirent
l'enseignement du salut. Ce sont eux que les divins apôtres
ont offert en présents, pourrait-on dire, au Dieu de l'univers
avec des marques d'honneur indicibles. Par « chevaux,
chariots et ombrelles » il a, en effet, laissé entendre les
marques d'honneur futures, puisque ce sont chez les
hommes choses fort recherchées[1]. De même le divin Apôtre
a dit de son côté : « Nous serons emportés dans l'air. »
Et, tout comme jadis Israël me présentait les sacrifices
prescrits par la Loi avec des chants et des chœurs (de
danse), ainsi les hérauts de la vérité me présenteront-ils
ces offrandes douées de raison, parmi lesquelles je choisirai
pendant cette vie prêtres et lévites. Or, cela a clairement
montré le rejet des Juifs et l'appel des nations : ce ne
sont plus ceux qui font descendre leur race de Lévi qu'il
appelle « prêtres », mais il choisit ces derniers parmi les
nations qui ont cru[2].

---

1. Selon Eusèbe (*GCS* 407, 27-30), il faut entendre par « chevaux
et chars » les puissances angéliques.
2. Même remarque chez Eusèbe (*GCS* 408, 25-30).

²² Ὃν τρόπον γὰρ ὁ οὐρανὸς καινὸς καὶ ἡ γῆ καινὴ ἃ
ἐγὼ ποιῶ μενεῖ ἐναντίον ἐμοῦ, λ(έγει) κύριος, οὕτως στήσεται
τὸ σπέρμα ὑμῶν καὶ τὸ ὄνομα ὑμῶν. Ὥσπερ ἄπασαν τὴν
ὁρωμ(ένην με)ταβαλὼν κτίσιν καινὴν ἀπεργάσομαι, οὕτως
755 ὑμῶν ἀείμνηστον φυλάξω τὸ (γένος, οὐχ ὑ)μῶν δὲ μόνων
ἀλλὰ καὶ τῶν δι᾽ ὑμῶν πεπιστευκότων.

²³ Καὶ ἔσται μῆνα ἐκ μηνὸς καὶ (σάββατον) ἐκ σαββάτου
ἥξει πᾶσα σὰρξ τοῦ προσκυνῆσαι ἐνώπιον ἐμοῦ ἐν Ἱερουσαλήμ,
εἶπε κύριος. Τὴν (ἐν τοῖς) οὐρανοῖς διαγράφων πολιτείαν
760 καὶ τῶν διαφόρων μονῶν ἐμνημόνευσε, περὶ ὧν ὁ (κύριος
εἶπεν) · « Πολλαὶ μοναὶ παρὰ τῷ πατρί μου », τουτέστιν
ἀξιωμάτων διαφοραί. Τούτους λέγει διὰ παντὸς (ἑορ)τά-
ζοντας ἀγάλλεσθαι καὶ χορεύειν · μῆνα γὰρ καὶ σάββατον
τὰς ἑορτὰς ὀνομάζει, ἐν ταύτ(αις γὰρ ἑώρ)ταζον Ἰουδαῖοι ·
765 « Τὰς » γὰρ « νεομηνίας ὑμῶν » φησι « καὶ τὰ σάββατα
καὶ ἡμέραν μεγάλην οὐκ (ἀν)έχομαι. » Περὶ ταύτης τῆς
εὐφροσύνης καὶ ὁ μακάριος ἔφη Δαυὶδ τῆς ἐπουρανίου
μεμνημένος Ἱερουσαλήμ · |185 b| « Ὡς εὐφραινομένων
πάντων ἡ κατοικία ἐν σοί », καί · « Φωνὴ ἀγαλλιάσεως
770 καὶ σωτηρίας ἐν σκηναῖς δικαίων. »

²⁴ Καὶ ἐξελεύσονται καὶ ὄψονται τὰ κῶλα τῶν ἀνθρώπων
τῶν παραβεβηκότων ἐν ἐμοί. Ἔδειξε κἂν τοῖς θείοις εὐαγγελίοις ὡς καὶ ὁ Λάζαρος ἑώρα τοῦ πλουσίου τὴν κόλασιν,
κἀκεῖνος τοῦ Λαζάρου τὴν εὐφροσύνην. (Δι)δάσκει τοίνυν
775 κἀνταῦθα ὡς οἱ τῆς εὐφροσύνης ἐκείνης ἀπολαύοντες
τοὺς κολαζομένους ὁρῶσι τίνοντας (ὧν ἐ)πλημμέλησαν
δίκας, διαφερόντως δὲ τοὺς αὐτὸν τὸν τῆς οἰκουμένης
δεσπότην τῷ ξύλῳ προση(λῶ)σαι τετολμηκότας. Οὕτω
καὶ διὰ τοῦ θεσπεσίου Ζαχαρίου φησίν · « Ὄψονταί με

C : 753-756 ὥσπερ — πεπιστευκότων ‖ 759-764 τὴν — Ἰουδαῖοι
‖ 772-778 ἔδειξε — τετολμηκότας

754 καινὴν C : καὶ καινὴν K ‖ 760 μονῶν K : > C ‖ 772 θείοις
K : ἱεροῖς C ‖ εὐαγγελίοις K : +ὁ κύριος C ‖ 778 τῷ K : > C

761 Jn 14, 2   765 Is. 1, 13   768 Ps. 86, 7 (LXX)   769 Ps.
117, 15   772-774 cf. Lc 16, 19-31   779 Zach. 12, 10

22. *Car, de même que le ciel nouveau et la terre nouvelle que je crée resteront devant moi, dit le Seigneur, ainsi subsisteront votre race et votre nom.* De même que je transformerai toute la création visible et que j'accomplirai une création nouvelle, ainsi garderai-je votre race pour que son souvenir demeure à jamais, et non seulement la vôtre, mais aussi celle des hommes qui grâce à vous ont cru.

23. *Et il arrivera que de mois en mois et de sabbat en sabbat, toute chair viendra se prosterner devant ma face à Jérusalem, dit le Seigneur.* Dans sa description de la cité céleste, il a fait mention également des différentes demeures dont le Seigneur a dit : « Nombreuses sont les demeures auprès de mon Père », c'est-à-dire les différences de rangs. En raison de la fête perpétuelle qu'ils célèbrent, (les élus) sont dans l'allégresse, dit-il, et conduisent des chœurs ; il donne, en effet, le nom de « mois » et de « sabbat » aux fêtes, puisque c'était à leur occasion que les Juifs organisaient des fêtes : « Vos nouvelles lunes, vos sabbats et votre grand jour, dit-il, je ne les supporte pas. » De cette joie le bienheureux David a également parlé en faisant mention de la Jérusalem céleste : « De même que le séjour de tous ceux qui sont dans la joie est en toi », et : « Clameur de joie et de salut sous les tentes des justes. »

24. *Ils sortiront et ils verront les membres des hommes qui se sont révoltés contre moi.* Il a montré dans les divins Évangiles également que Lazare voyait le châtiment de l'homme riche et ce dernier, la félicité de Lazare. Il enseigne donc ici aussi que ceux qui jouissent de cette félicité voient ceux qui sont châtiés payer le prix des fautes qu'ils ont commises, et en particulier ceux qui ont osé clouer au bois le Maître du monde[1]. De même il dit aussi par l'intermédiaire de Zacharie l'inspiré : « Ils me verront

---

1. CYRILLE rapporte le passage à la ruine de Jérusalem par les Romains, mais note que certains veulent l'entendre du jugement dernier et du châtiment éternel des pécheurs (70, 1449 BC).

780 σὺν ᾧ ἐξεκέντησαν », τουτέστι [μεθ' ο]ὓ προσήλωσαν
σώματος · οὐ γὰρ ἐμὲ ἐξεκέντησαν ἀλλ' ὃ ἐνδέδυμαι σῶμα.
Ὁ γὰρ σκώληξ αὐτῶν (οὐ τελ)ευτήσει, καὶ τὸ πῦρ αὐτῶν
οὐ σβεσθήσεται, καὶ ἔσονται εἰς ἱκανὸν ὁρᾶν πάσῃ σαρκί.
Τὸ διηνεκὲς (τῆς τι)μωρίας διὰ τούτων δεδήλωκεν · καὶ
785 γὰρ τὸ πῦρ ἄσβεστον καὶ ὁ σκώληξ ἀτελεύτητος. Ταύτην
(ἠπείλη)σεν ἐκείνοις τὴν τιμωρίαν, οὐκ ἐκείνοις δὲ μόνοις
ἀλλὰ καὶ τοῖς τοὺς θείους αὐτοῦ παραβαίνουσι νόμους.
["Ἵνα τοί]νυν μὴ ταύτης αὐτοῖς κοινωνήσωμεν τῆς
τιμωρίας, φύγωμεν τῆς παρανομίας τὴν κοινωνίαν · [οὕτω]
790 γὰρ τοῦ χοροῦ τῶν εὐφραινομένων ἐσόμεθα.
Ταῦτα κατὰ τὸ μέτρον τῆς δοθείσης ἡμῖν γνώσεως
ἡρ[μηνεύσα]μεν καὶ τὸ προφητικὸν ἀνεπτύξαμεν γράμμα.
Ὑμεῖς δὲ οἱ ἐντυγχάνοντες, εἰ μὲν εὕροιτέ τι [τῶν πό]νων
ἄξιον, τὸν τούτων χορηγὸν ἀνυμνήσατε · εἰ δὲ τῆς ὑποσχέ-
795 σεως ἀποδέουσαν τὴν σα[φήνεια]ν, τὸν σκοπὸν ἀποδεξάμενοι
δότε συγγνώμην καὶ τὸ εὑρισκόμενον συλλέγοντες κέρδος
[ἱκετεί]αν τῶν πόνων ἀμείψασθε, ἵνα σὺν ὑμῖν καὶ ἡμεῖς
τὴν ἀξιάγαστον ἐκείνην καὶ τριπό[θητον ἴ]δωμεν πόλιν ἐν
Χριστῷ Ἰησοῦ τῷ κυρίῳ ἡμῶν, μεθ' οὗ τῷ πατρὶ ἡ δόξα
800 σὺν τῷ παναγίῳ [πνεύματι ν]ῦν καὶ ἀεὶ καὶ εἰς τοὺς αἰῶνας
τῶν αἰώνων. Ἀμήν.

C : 784-787 τὸ — νόμους
787 τοῖς C : > Κ

1. Le texte cité dans l'In Zach., 81, 1945 A est différent ("Οψονται
γάρ, φησί, πρός με, εἰς ὃν ἐξεκέντησαν) et n'entraîne aucune
remarque comparable à celle que nous avons ici. La leçon ἐξεκέντησαν
donnée par Théodoret correspond au texte hébreu et à celui des
versions d'Aquila, de Symmaque et de Théodotion ; c'est, selon
J. Ziegler (Duodecim prophetae, Göttingen, 1967) celle des mss
« lucianiques ». Le texte des LXX ordinairement retenu dit : « ils
ont insulté » au lieu de : « ils ont transpercé » (καὶ ἐπιβλέψονται
πρός με ἀνθ' ὧν κατωρχήσαντο). Quant au σύν (σὺν ᾧ) — version
que donne aussi Aquila —, il semble que ce soit ici encore (cf. supra,

avec ce qu'ils ont transpercé », c'est-à-dire avec le corps qu'ils ont crucifié : car ce n'est pas moi qu'ils ont transpercé, mais le corps que j'ai revêtu[1].

Car leur ver ne mourra pas et leur feu ne s'éteindra pas, et ils seront jusqu'à suffisance un spectacle pour toute chair. Il a fait voir par là la pérennité du châtiment : de fait, le feu est inextinguible et le ver, immortel. Voilà le châtiment dont il les a menacés, et non pas eux seuls, mais aussi ceux qui enfreignent ses lois divines.

Parénèse Afin donc de ne pas partager avec eux ce châtiment, évitons de partager leur iniquité : ainsi ferons-nous partie du chœur de ceux qui sont dans la joie.

Conclusion générale C'est à proportion de la connaissance qui nous a été donnée que nous avons fait ce commentaire et soulevé le voile du texte prophétique. Quant à vous, lecteurs, si vous trouvez quelque chose qui soit à la hauteur de (mes) peines, louez Celui qui en est le dispensateur ; mais, si vous trouvez que la clarté (de mon commentaire) ne répond pas à la promesse (que j'avais faite)[2], prenez en considération le but (de l'entreprise) et accordez-(moi votre) pardon ; recueillez le profit que vous y trouvez et, en échange de mes peines, présentez votre supplication, afin qu'avec vous nous voyions, nous aussi, cette cité digne d'admiration et trois fois désirée, dans le Christ Jésus notre Seigneur[3]. Gloire au Père, en union avec lui, dans l'unité du très saint Esprit, maintenant et toujours, et pour les siècles des siècles. Amen.

---

p. 93, n. 3) une bévue des traducteurs grecs qui ont rendu de la sorte le « éth » hébreu. Théodoret l'a-t-il remarqué ? Admirons en tout cas comment il a su tirer de cette bévue une remarque théologique intéressante et parfaitement orthodoxe (refus de tout théopaschisme).

2. Théodoret renvoie aux dernières lignes de son « hypothésis » (*In Is.*, Y, 25-29) où il fait surtout la promesse d'être concis.

3. Sur cette conclusion, cf. t. I, *SC* 276, Introd., p. 42.

INDICES

Les renvois sont faits aux différentes sections du commentaire, numérotées 1 à 20, par des chiffres en caractères gras, et à la ligne de chaque section. Les lettres grecques Π et Υ renvoient respectivement à la préface (Πρόλογος) et à l'argument ('Υπόθεσις) du commentaire.

I. — INDEX SCRIPTURAIRE

Les références aux allusions scripturaires sont précédées d'un astérisque.

A. Ancien Testament

B. Nouveau Testament

II. — INDEX ANALYTIQUE

124.158-161 ; **18**, 139 ; **19**, 72.538 ; Ascension **1**, 303 ; **2**, 693 ; **9**, 450-451 ; **17**, 124 ; **18**, 139 ; **19**, 72.538.564-565 ; Parousie **Y**, 14-15 ; **4**, 389-392 ; **10**, 411-412 ; **12**, 108-109 ; **16**, 63-65 ; **20**, 665-666.

Christologie Christ issu des Juifs selon la chair **7**, 732-734 ; **8**, 47-49 ; **13**, 236-237 ; **15**, 206-208.293-295.401 ; **17**, 414-415 ; nature humaine assumée **3**, 816-818 ; **4**, 361-364 (union) ; **6**, 204-206 ; **13**, 235-238 ; **14**, 103-107 ; **15**, 276-281.293-294 ; **16**, 25-28 ; **17**, 136-139 ; **19**, 588-589.611-612 ; affirmation du dyophysisme **3**, 393-394 ; **12**, 526-531.559-575 ; **13**, 151-154 ; **15**, 232-240.255-260. 285-289.347-361 ; **16**, 70-80.100-102.116-119 ; **17**, 4-8.59-60.430-434 ; **19**, 316-318.580-581 ; unicité de la personne et dualité des natures **12**, 579-581 ; **14**, 247-250 ; **15**, 240-243 ; passibilité et impassibilité **17**, 56-58.109-115 ; **20**, 779-781 ; consubstantialité du Père et du Fils (contre Arius et Eunomius) **3**, 852-855 ; **7**, 572-576 ; **12**, 567-569.592-598 ; **13**, 167-176.313-317 ; **14**, 30-36.256-268.308-312.339-350.360-373 ; **15**, 123-131.

Concision Π, 37 ; **Y**, 29 ; **2**, 290-291.350-351 ; **6**, 93-94.

Croyants **2**, 428-429.441.602-618 (victimes de la persécution) ; **3**, 791-792 ; **5**, 110-112 ; **9**, 390-394 ; **13**, 426-429 ; **15**, 377-380. 487-489 ; **16**, 224-225.289-291.482-483 ; **20**, 729-730 ; cf. Juifs qui ont cru.

Démons Pouvoir despotique **2**, 134-135 ; **3**, 588-589.795.884 ; **19**, 621 ; les démons et leurs dépouilles **17**, 175-180 ; **19**, 515-516 ; leur nature **3**, 805-806 (ennemis invisibles) ; **5**, 182-189 ; **10**, 348-352 ; à l'origine de la perversité **5**, 20 ; **7**, 116-125 ; **15**, 425-426 ; culte : honorés sur les collines **2**, 672-673 ; **12**, 53-54 ; offrandes aux démons **19**, 78 ; installés dans le cœur de l'homme **4**, 446-447 ; tromperie des démons **4**, 353 ; oracles mensongers **5**, 527-528 ; **12**, 484-485 ; **13**, 321-322 ; **14**, 42-43 ; ruine : victoire du Christ sur les démons **10**, 423-425 ; **17**, 175-180 ; **19**, 591-594 ; **20**, 73-76 ; rendus furieux par l'Incarnation **3**, 814-818 ; déplorent leur stupidité **15**, 507-510 ; redoutent les disciples de la piété **10**, 79-80 ; ruine de leurs sanctuaires **7**, 171-175 ; **10**, 84-91 ; **12**, 643-644 ; cessation des oracles **12**, 486-489 ; culte interdit par la loi **4**, 565-566 ; faux dieux **11**, 277-278 ; **13**, 321-322.335-336.349-350.356-362.

Diable Chef des démons **3**, 793-795 ; **10**, 465-466 ; **19**, 591-594 ; son pouvoir tyrannique **3**, 784-786.790 ; **7**, 548-549 ; **10**, 415-416 ; **12**, 634-635 ; **15**, 488-489.490-494 ; **17**, 473 ; **19**, 338-339.342-343 ; **20**, 35-37 ; le diable et ses « dépouilles » **3**, 524-526.784-786 ; **10**, 26-29 ; **15**, 521-522 ; le maître de l'erreur **5**, 295-300 ; **7**, 453-454. 464-465.473-476 ; détourne les hommes du droit chemin **7**, 670-676 ; ennemi des hommes **20**, 516-517 ; vaincu par le Christ **3**, 820 ;

10, 242 ; **15**, 327-330.471-475 ; **17**, 198-199.240-242 ; **19**, 19.49.56-58.
67-69.77-81.195-198.220-225.242.248-252.428-432.546 ; son bonheur
afflige les Juifs **20**, 388-390 ; victorieuse de l'idolâtrie **2**, 9-12.41-43 ;
12, 478-482.621-626 ; Église et persécutions **7**, 267-270.596-598 ;
12, 284-285 ; **19**, 46-50 ; douleurs d'enfantement de l'Église **20**,
596-598 ; figure de la vie future **19**, 26-28.259-263.276-278 ; Vie de
l'Église : pasteurs et fidèles **13**, 129-134 ; **17**, 320-324 ; **19**, 172-175.
262-263.388-390.498-501 ; offrandes faites au clergé **7**, 176-179 ;
19, 237-244 ; manifestations de la piété **15**, 479-486 ; **20**, 356-357 ;
fêtes en l'honneur du Christ et des martyrs **19**, 143-150 (voir
Pèlerinages) ; églises : leur grand nombre **3**, 92-93 ; **15**, 366-370 (à
l'inverse du Temple) ; leur splendeur **19**, 248-252 ; leur consécration
10, 222-223.

Égypte   Égypte et le Nil **4**, 559-560 ; **6**, 484-486 ; soumise par
divers rois **6**, 133-137 ; Égypte et Rome : soumise à l'époque
d'Auguste **6**, 246-247 ; divisée en sept provinces **4**, 568-570 ; fusion
avec la Syrie **6**, 418-424 ; Égypte et idolâtrie **4**, 558-561 ; **6**, 312-318 ;
ruine du royaume et conversion **4**, 555 ; **6**, 198-199.210-211.339-347.
411-412 ; Sortie d'Égypte **2**, 423-427 ; **4**, 573-574 ; **6**, 450 ; **9**, 210-
212 ; **12**, 354 ; **13**, 81-82.165.205-209.210-212 ; **15**, 64.165-168 ;
16, 48-52.279-281.294-295 ; **17**, 477-478 ; **18**, 233-235 ; **20**, 49-51.
59-69.71-73.83-84.86-90.95-97.152-153.

Esprit-Saint   Venue de l'Esprit **1**, 303 ; **19**, 539 ; grâce de l'Esprit
2, 432-434 ; **12**, 554-556 ; **19**, 449-450 ; agit par les prophètes
(cf. Prophètes) ; adversaires de l'Esprit **7**, 610-617.

Exégèse   A. Exégèse littérale : explication grammaticale **1**, 77-80 ;
2, 300 ; **3**, 68-72.639-640 ; **6**, 378-382 ; **12**, 97-99 ; mode de lecture
et stylistique **2**, 542-543 ; **3**, 427-430.682-685 ; **7**, 32-33 ; **13**, 54 ;
14, 559 ; **16**, 12-14.36.428 ; **17**, 269-270.325-326 ; **19**, 563-570 ;
prosopopée **2**, 584 ; **5**, 251 ; **7**, 41.696 ; **9**, 140-141 ; **14**, 6 ; **15**, 445 ;
16, 7 ; éthopée **6**, 496 ; métonymie **4**, 353-354 ; explication de mots
2, 444 s. 471-472.570 ; **3**, 184-188 ; **5**, 27-32 ; **9**, 58-60 ; **14**, 73-75.
107 ; **16**, 9-10 ; **17**, 342-344 ; étymologie **3**, 308-310.388-389.849-851 ;
5, 27-32.379-384 ; **6**, 351-353.557-559.565-568 ; voir Idiome.
B. Interprétation : possibilité de deux interprétations (littérale et
figurée) **2**, 31-32.166-170 ; **3**, 488-490.580-585 ; **5**, 345-351 ; **10**,
45-48 ; **16**, 276-278 ; **17**, 243-244.484-490 ; **18**, 421-425 ; **19**, 121-123 ;
contre une interprétation vétéro-testamentaire (visant le retour
d'exil et la période post-exilique) **2**, 46-51.65-66 ; **4**, 478-482 ;
7, 163-180 ; **9**, 358-363 ; **12**, 64-70 ; **13**, 217-221 ; **15**, 335-346.
458-460 ; **19**, 61-67.193-195.237-244.532-533.535-540 ; contre une
interprétation judaïsante (visant diverses périodes ou réalités de
l'histoire juive) **6**, 332-339.355-356.371-372.389-392 ; **8**, 131-132 ; **9**,
202-205 ; **10**, 202-205 ; **12**, 520-521.626-630 ; **14**, 241-250.288-299 ;

17, 426-428 ; **19,** 32-34.52-56.61-62.76.185-187.220.228-231.233-234.
382-386.467-469 ; **20,** 442-445.522-525 ; interprétation jugée
erronée **6,** 392-397 ; **9,** 29-32 ; **11,** 28-33.496-512 ; **18,** 89-92 ;
accord avec d'autres commentateurs **8,** 252-257 ; **14,** 389-390 ;
Bible scellée pour les Juifs incrédules **8,** 328-329 ; Juifs toujours
prêts à interpréter la prophétie en leur faveur **19,** 379.

Exil   Déportation et captivité à Babylone **3,** 444-447 ; **7,** 769-770 ;
8, 353-354.459-460 ; **10,** 4 ; **12,** 4-5 ; **13,** 76-77 ; **15,** 48-49.70 ; **16,**
376-378.423-424.434-438 ; retour d'exil : annonce du retour **6,** 449-
452 ; **15,** 48-49.434-435 ; **16,** 247-248.420-421 ; retour **Y,** 18 ;
2, 47.65 ; **5,** 108-110.200-204.214-215 ; **9,** 131-136.194-195 ; **10,** 5-6 ;
12, 365-366 ; **13,** 101-106.166.217-218.425-426 ; **14,** 54.80.122.
125-126.234 ; **15,** 71.168-169 ; **16,** 287.400.440-441.443-444 ; **19,**
62-67 ; période post-exilique **4,** 519-520 ; **5,** 217-219 ; **7,** 163-169 ;
8, 448-450 ; **9,** 168-169 ; **14,** 19-20.236 ; **15,** 178-183.

Ézéchias   Qualités : foi **9,** 342-343 ; piété **4,** 272 ; **5,** 399-401 ;
6, 188 ; justice **11,** 508-509 ; humilité **11,** 151 ; roi admirable et
excellent **5,** 399 ; **7,** 763 ; **11,** 222.239.492-493.588.594 ; orgueil
après la ruine de Sennachérib **11,** 367-370.400-402.407-408 ; tribut
à l'Assyrie **7,** 720-721 ; **11,** 100-101.559 ; réforme cultuelle et lutte
contre l'idolâtrie **4,** 268-272 ; **6,** 188-189 ; **9,** 166-167 ; **11,** 81-87.
413-414 ; figure du Christ **7,** 763-767.

Fins dernières   Fin du monde **7,** 255-260.277.321-322.690-691 ;
10, 266-267 ; **18,** 433 ; **19,** 12-13 ; **20,** 315-316 ; résurrection finale
7, 193.438.623 ; **17,** 352-355 ; **18,** 434-435 ; **19,** 348-349 ; **20,** 655-659 ;
vie future **7,** 280-283 ; **9,** 465-467 ; **10,** 62-63.69-71.477-478.480-482 ;
19, 20-21.24-26.256-259.274-276.281-287.413-414.539-540 ; **20,** 474-
475.759-762.

Idiomes scripturaires   **1,** 140-144 ; **2,** 239-243 ; **4,** 102-103 ; **5,**
25-34.185-189.251-252 ; **6,** 80-81 ; **10,** 348-350 ; **14,** 73-75 ; **17,**
384-385.480-483 ; **20,** 461-463.

Idolâtrie   Diversité de ses formes **14,** 391-397 ; **17,** 92-98 ; divini-
sation de la création **7,** 346 ; **19,** 337 ; les hauts-lieux **2,** 14-17 ;
12, 643-644 ; philosophes auxiliaires de l'erreur **6,** 277-280.286-
288 ; l'erreur des idoles **2,** 196-202 ; **6,** 254-256 ; **7,** 334-339.
453-454 ; **8,** 17 ; **10,** 104 ; **12,** 503.654 ; **13,** 21-24.42-44 ; **14,** 110 ;
19, 330-332 ; **20,** 414-415 ; tromperie des idoles **2,** 18 ; **14,** 314 ;
15, 112-113 ; **20,** 181-182 ; nature des idoles **6,** 65-68 ; **11,** 254 ;
13, 363-367.388-394 ; **14,** 331-334.411-414 ; **18,** 210-214 ; faiblesse et
vanité des idoles **5,** 557-560 ; **6,** 61 ; **11,** 242-244.311.388-390 ;
12, 139-140.191-196.199-200.334-337.437.461-463 ; **13,** 17-18.420 ;
14, 401-405.425-435 ; ignorance et stupidité : des idoles **12,** 461-463.
496-497.499-502 ; de leurs fabricants **12,** 499-502 ; **13,** 344-346.362.
369-372.379 de leurs adorateurs **2,** 130-135 ; **12,** 172-174 ; **13,** 41-44.

273.307.317.327.614-615 ; stérilité **2**, 483-487.513 ; **3**, 494 ; **7**, 778-780 ; **8**, 398 ; **9**, 457 ; **10**, 105-106 ; **11**, 317 ; **12**, 78 ; B. Comportement : idolâtrie **1**, 88-89.401-404 ; **2**, 125-129 ; **3**, 701-705 ; **4**, 304-305 ; **12**, 244-245 ; **13**, 43-44.332-333 ; **16**, 22 ; **18**, 153-156. 169-175.178-182.185.187-190.198-200.218-219.223-224.228 ; **20**, 276-279.280-283.366-370 ; impiété **2**, 280-281.638-639 ; **16**, 16-17 ; **18**, 313.336-338.341-343 ; **19**, 362-363 ; **20**, 273 ; incrédulité **2**, 101 ; **3**, 314.634.645.669-670 ; **7**, 565-566.785-787 ; **8**, 328-329.415-416 ; **10**, 9-10.119-120.175-182.242-243.253 ; **11**, 11 ; **13**, 121-125.144 ; **14**, 358 ; **16**, 34.35-39 ; déicides **Y**, 10.23-24 ; **1**, 39-40.259-263.288-289.322-324.390 ; **2**, 529-532.719-720 ; **6**, 613-614 ; **7**, 561-562. 660-664 ; **10**, 118-120.254 ; **12**, 350 ; **16**, 5-7.23-25.35 ; **17**, 139. 417-418.439-440 ; **18**, 124-125.166-167.268.496-500 ; **19**, 460 ; **20**, 287-288.777-778 ; prétendu zèle pour la Loi **1**, 400 ; **2**, 100. 329-332 ; **7**, 561-564 ; **15**, 16-20 ; **18**, 166-169 ; **20**, 286-290 ; C. Sort : choisis depuis l'origine **1**, 59 ; **13**, 239-241 ; les premiers à bénéficier du message divin **13**, 109-110 ; **18**, 639-647 ; rejetés de la parenté d'Abraham **1**, 185 ; **18**, 142-143 ; privés de la sollicitude divine **2**, 175-177.264-265.512-517.531 ; **3**, 490-494.670 ; **8**, 224-228.305-308 ; **11**, 314-317 ; **12**, 54-58.84-87 ; **16**, 5-7.19.376-378.392-393 ; **17**, 130-131 ; **18**, 327-328.491-492.541-542.569-570 ; **20**, 60-61. 105-106.161-164.195-196.212-214 ; méprisables et méprisés **1**, 176-177.265 ; **2**, 366-368 ; **14**, 279-281.375-376 ; **17**, 501-502 ; **20**, 396-397 ; ruine finale à l'époque romaine **Y**, 22 ; **1**, 133-136.393-394.408 ; **2**, 552-553.557 ; **3**, 179-180.213.648-649 ; **6**, 604-605 ; **13**, 48-50 ; **14**, 290 ; **16**, 3-4.18-19.34-35.392 ; **18**, 304-305 ; **20**, 592.596 ; diaspora **Y**, 15-16 ; **1**, 135-136 ; **8**, 354-355 ; **13**, 68 ; **14**, 289 ; D. Prêtres, Docteurs et chefs : cupidité **2**, 302-307.332-335 ; **17**, 131-135 ; corrompent la loi divine **1**, 327-336 ; **8**, 342-344 ; enseignements insensés **2**, 309-311 ; **8**, 356-358.416-420.424-426 ; **9**, 398-401.406-408 ; **10**, 171 ; **18**, 307-309 ; autorité négligée par le Christ **4**, 380-381 ; cause des malheurs d'Israël **13**, 272-276 ; conduite tortueuse à l'égard du Seigneur **8**, 364-368 ; impiété des chefs au temps de la guerre contre Rome **2**, 235-236 ; E. Juifs qui ont cru : **1**, 168-178 ; **2**, 93 ; **3**, 643-644.660-662 ; **4**, 504-506 ; **7**, 735 ; **8**, 47-49.328-329.450-457 ; **9**, 136-139.163-164 ; **10**, 48-49 ; **12**, 93.276-280.349.373-374.494-495 ; **14**, 382-384 ; **16**, 136-137. 496-499 ; **17**, 23-24.146-149 ; **18**, 245-248.268-270 ; **19**, 370-372 ; **20**, 572.606-611.731-739.

Libre arbitre   **3**, 189-190 ; **12**, 36-37.

Liturgie   Lectures bibliques **6**, 178-179 ; sacrifice de la messe **2**, 473-475 ; **6**, 401 ; eucharistie **10**, 221-222.

Loi   A. Loi naturelle **7**, 214-217.296-298 ; B. Loi mosaïque : donnée par Dieu **2**, 50-51 ; **12**, 167 s. ; **13**, 181-182.325-327.332-333 ;

14, 319-320.322-323.336 ; donnée seulement aux Juifs 7, 424-425 ;
inférieure au NT 4, 287-290 ; enseignement voilé 19, 28-29 ; fonction
2, 113-115 ; 3, 490-491.705-706.709 ; 18, 385-388.474-476 ; prescriptions 1, 269 ; 2, 104-107.111-113 ; 3, 660-662 ; 4, 56-57 ; 6,
372-376 ; 7, 213 ; 9, 493-496 ; 18, 20-21.64-66.352-357.469-474 ;
20, 379-380.553-558.697-698 ; transgressée par les Juifs 2, 99-100.
107 ; 3, 709 ; 18, 453-454 ; 20, 285.694-702 ; abrogation 1, 258 ;
2, 95-96 ; 16, 189-192 ; 17, 404-405 ; 18, 295-296 ; 19, 11-12 ;
20, 532-535.550-551.

Lumière Dieu dispensateur de la lumière 12, 671-672 ; Christ
lumière 7, 565-566 ; 18, 95-96.552-554 ; lumière inaccessible de la
divinité 19, 581 ; lumière de la Providence 2, 721 ; 18, 388 ; de la
Résurrection 17, 158-159 ; de l'Église illuminant les nations 19,
56-58 ; lumière sans mélange préparée pour les saints 7, 552-554 ;
lumière de la connaissance de Dieu 2, 89 ; 3, 76.90-92.765-766.
772-774 ; 4, 525 ; 12, 327-329 ; 13, 23-24 ; 19, 127.343.461 ; lumière
de la vérité opposée aux ténèbres de l'ignorance 2, 201-202 ;
5, 497 ; 8, 404-406 ; 12, 587-589.655-657 ; 15, 363-364 ; 16, 120-121.
200-201 ; 18, 380-382.416 ; 20, 259 ; lumière et états d'âme 9,
191-194 ; 14, 142-149.497-498.

Mèdes et Perses Perses jadis sujets des Assyriens 15, 421 ;
Élamites, immigrants venus de Perse 6, 508.632-634 ; étendue de
l'hégémonie perse 5, 54-60 ; conquête de l'Égypte sous Cambyse
6, 135-136 ; Cyrus, instrument de Dieu 14, 52-54.67-69.77-81.86-89.
109-115.136.225-232 ; 5, 49-51 (Perses) ; expédition contre Babylone
5, 43-47.201-202.331-333 ; 15, 105-106 (cf. Ruine de Babylone) ;
libération des Juifs 5, 201-204.214-215 ; 15, 105-107 (cf. Juifs,
retour d'exil).

Nations Désert privé des prophètes 12, 41-42.422 ; 19, 477-479 ;
Dieu se révèle à elles par Israël 14, 97-99 ; appel et salut des
nations Y, 3-4.13 ; 3, 85-87.766-769 ; 7, 460-461 ; 8, 414-415 ;
12, 77-78 ; 14, 352-353 ; 15, 187.290-291 ; 18, 66-69 ; salut opéré
par l'Incarnation et la prédication des apôtres 1, 176-177 ; 3, 75-76 ;
10, 429-436 ; 12, 327-329 ; 13, 283-284 ; 15, 295-296.521-522 ;
17, 29-32 ; 19, 403-405 ; conversion des nations 2, 41-43 ; 8, 400-402.
406 ; 10, 19-20.96-99.429-436 ; 12, 324-325.436.547-548 ; 13, 3-4.
91-92.127-130.144-145 ; 14, 236.271-275 ; 17, 29-32.35-37.250-254.
493-500 ; 20, 265-266.410-411 ; accèdent à la connaissance de Dieu
4, 457-463.488-490 ; 7, 407-408 ; 9, 390-394 ; 10, 114-117 ; 12,
327-329 ; 14, 359 ; 17, 428-430 ; 18, 630-632 ; 19, 460 ; 20, 424-427.

Nouveau testament (message évangélique, kérygme) 2, 51-56.
83-87.101.311 ; 4, 282-283.287-290.294.455 ; 5, 110-112 ; 7, 424-
427.803 ; 9, 174 ; 10, 54 ; 12, 45-47 ; 15, 92-93.321-324.364 ; 16,
198-200.210-211.

III. — TABLEAUX CHRONOLOGIQUES

ÉPOQUE DE LA DOMINATION ASSYRIENNE

	JUDA (capitale Jérusalem)	In Is.	ISRAËL ou Royaume des 10 tribus (capitale Samarie)	In Is.	ASSYRIE	In Is.
	Vers 931 SCHISME : cf. *In Is.*, **3**, 415-422. 639-642 ; **4**, 98-100. 518-519					
	Josaphat 870-848		Achab 874-853		Salmanasar III 858-824	
	Joram 848-841					
800	Ozias 781-740 Rétablit son autorité jusqu'à Elat	**3**, 9-12	Jéroboam II 783-743			
750	Joatham 740-736	**3**, 6-7. 24-25 225-226	Menahem 743-738		Téglat-Phalasar III 745-727 745-740 Rétablit son autorité aux frontières (Babylone, Médie, Syrie) Surnom de Poulou à Babylone	**3**, 304 (Phoua)
					738 Tribut de Raçôn et de Ménahem	
	Achaz 736-716		Peqah (= Phakée) 737-732		737-735 Campagnes en Médie et en Arménie	
	Premiers revers contre Péqah	**3**, 226-251	Campagne contre Achaz		734 Campagne de Philistie	

Juda	Réf.	Israël	Réf.	Assyrie	Réf.
Appel à Téglat-Phalasar contre Péqah à Raçôn	3, 251-253 ; 9, 387-388	Siège de Jérusalem avec Raçon (= Rasin) de Damas	3, 256-258	Démembrement du royaume d'Israël. Déportation de la population	6, 38-45. 94-102. 152-153. 168
				733-732 Campagne contre Damas ; exécution de Raçon ; annexion de son territoire	3, 304-305. 527-528. 536-538 ; 6, 13-15. 152-153. 168
Tribut à Téglat-Phalasar	11, 99-100			Tributs de Moab, Ascalon, Gaza, Edom, Achaz	11, 99-100
		Osée 732-724			
		732 Royaume réduit au territoire de la tribu d'Éphraïm		Salmanasar V 726-722	3, 303. 305-306 ; 4, 269-271 ; 8, 32-36
				726-724 Lutte contre Israël et la Phénicie	
		727 Refus de payer le tribut. Alliance avec l'Égypte et Tyr		724 Siège de Tyr et de Samarie ; meurt au cours du siège	
		725 Prisonnier de Salmanasar		Sargon II 721-705	(ignoré de Théodoret ?)
		721 Prise de Samarie Fin du royaume d'Israël		721 Prise de Samarie ; déportation des habitants. Lutte contre Mardouk-apal-iddina	
				720 Insurrection en Syrie soutenue par l'Égypte Victoire sur les Égyptiens à Raphia	6, 473-475

JUDA (capitale Jérusalem)	*In Is.*		ASSYRIE	*In Is.*
Ézéchias 716-687 Réforme religieuse	**7**, 763-765 ; **11**, 81-87		713-711 Insurrection en Philistie Prise d'Ashdod par le tartan	**6**, 456-459
Ambassade de Mérodak-Baladan (?) Refus d'acquitter le tribut (?)	**11**, 100-101		**Sennachérib 704-681** Révolte de Mardouk-apal-iddina à Babylone	
Grands travaux à Jérusalem			Révolte du sud-ouest de l'empire : Phénicie, Philistie, Juda, Moab, Édom	
700			701 Soumission de la Phénicie, d'Edom, de Moab	**3**, 303. 306 ; **4**, 269-271 ; **8**, 33-36 ; **11**, 18-19. 182
			Siège d'Eqrôn ; victoire d'Eltéqé	
			Siège de Lakish	
			Prise de 46 villes de Juda	**3**, 442-444 ; **11**, 19. 183
			Jérusalem cernée par un corps d'observation Tribut d'Ezéchias	**2**, 223-224 ; **3**, 428-430 ; **4**, 143 ; **7**, 695 ; **8**, 286-287

Demande de reddition de Jérusalem par le grand échanson (rab-chaqé)	11, 20-25. 107-122	
Son départ	4, 143-145. 317-320 ; 5, 511 ; 7, 695-696 ; 8, 221-222. 285-292 ; 9, 209-210 ; 339-341 ; 10, 2-3	
Épidémie (?)		
690 Menace de Tirhaqa et retraite de Sennachérib après la prise de Lakish	11, 204-206	
Révolte en Babylonie		
681 Assassiné par ses fils	11, 383-390	
Asarhadon (= Nakhordan) 680-669		
Assurbanipal 668-621	11, 395-397	(ignoré de Théodoret) ?

Manassé 687-642

650

ÉPOQUE DE LA DOMINATION BABYLONIENNE

	JUDA		BABYLONE		ÉGYPTE		MÉDIE-PERSE
		In Is.		*In Is.*		*In Is.*	
650							Cyaxare
	Josias 640-609		Nabopolassar 625-605		Néko (Nékao) 609-593		
	Réforme religieuse		612 Prise de Ninive avec Cyaxare le Mède				
	609 Tué à Megguido en s'opposant à l'avance de Néko	**3**, 440 ; **6**, 388	609 Repousse Néko venu au secours de l'Assyrie		Attaque contre Babylone	**6**, 439-442	
			606 Met fin à l'empire assyrien		Campagne contre Juda	**3**, 439-442 **6**, 336-339	
	Joachaz 609	**3**, 440-441 ; **6**, 337-338					
	Captif de Néko						
	Joiaqim 609-598		Nabuchodonosor 604-562				
	602 Révolte		605 Bat Néko à Karkémish	**6**, 134-135. 442-444			
	Refus d'acquitter le tribut						
			Marche sur Jérusalem				
600	Joiakîn (Jechonias) 598		Siège de Jérusalem à l'époque de Joiakîn	**16**, 385-391			
			Déportation				

Égypte		Babylone — Jérusalem		
Psammétique II 593-588		589 Siège de Jérusalem	**8**, 463-467 ; **9**, 283-284. 388-390 ; **18**, 217	Reddition à Nabuchodonosor Déportation à Babylone **Sédécias 598-587** 589 Révolte de Sédécias
Hophra 588-566	7, 2-3	587 Suspension du siège (révolte d'Hophra) Reprise du siège 588/7 Siège de Tyr (13 ans)		
	5, 236-239 ; **8**, 458-461 ; **9**, 5-7 ; **14**, 501-503 ; **15**, 413-414 ; **20**, 158-160	587 Juin/juillet. Prise de Jérusalem Août. Destruction du Temple et de la ville par Nébuzaradan Déportation Godolias gouverneur		587 Sédécias prisonnier de Nabuchodonosor
587 Révolte contre Babylone	**8**, 461-463	Sept./oct. Assassinat de Godolias		Fuite en Égypte d'habitants de Jérusalem (Jérémie)
		582/1 Nouvelle déportation	**13**, 48	Déportation
Amasis 566-526	**8**, 489-491 ; **9**, 302-305	568/7 Campagne contre Amasis Nabonide 555-538 Lutte contre Édom	**7**, 769-770 ; **12**, 4-5 ; **13**, 76-77. 166. 288-290 ; **15**, 48-49. 70	Captivité à Babylone
Cyrus				

550

DOMINATION PERSE

	JUDA	In Is.	EMPIRE PERSE	In Is.
550	Exil à Babylone		Cyrus 558-529	
			555 Révolte de Cyrus contre son suzerain Astyage	
			549 Cyrus, roi des Mèdes et des Perses	3, 456-457 ; 5, 55-56 ; 14, 53-54. 233
			546 Prise de Sardes (Crésus)	
			539 Prise de Babylone	3, 457-459 ; 5, 43-47. 331-333 ; 6, 494-495. 499 ; 9, 197-198 ; 13, 98-99. 193-197 ; 14, 55-56. 77-79. 466-467. 499 ; 15, 101-103 ; 16, 385 ; 19, 42-44
	Zorobabel (Josué)			
	Chef du peuple lors du retour d'exil	4, 479-481 ; 5, 108-110 ; 9, 133. 361 ; 15, 180-183. 335-339	538 Édit de Cyrus : libération des Juifs et retour d'exil	5, 200-204 ; 12, 364-366 ; 13, 101-103. 425-426 ; 14, 80-81. 114-115 ; 15, 49. 73-75 ; 19, 164-165
				5, 214-215 ; 9, 131-132. 194-195 ; 10, 5 ; 14, 54. 234. 450-451 ; 15, 168-169 ; 16, 247-248. 287
			537 Fondation du Second Temple	9, 132-136 ; 14, 55. 80-81. 234 ; 19, 16-17
			Cambyse 529-522	
	520-515 Construction du Second Temple		Conquête de l'Égypte	5, 56-57 ; 6, 135-136

500

450

Néhémie-Esdras
Reconstruction de Jérusa- **9,** 134-136 ;
lem et du Temple **19,** 167-170

Darius I 522-486
Organisation de l'Empire perse
Reconstruction de Jérusalem **5,** 57-58
490 Marathon **19,** 16-17. 166-167

Xerxès I 486-465
480 Expédition contre la Grèce **5,** 58-59
Salamine

Artaxerxès I Longue-main 465-423
Révoltes en Égypte et en Syrie

LA DOMINATION ROMAINE D'OCTAVE A HADRIEN

LA JUDÉE	In Is.	ROME	In Is.
Hérode le Grand 37-4 av. J.-C.		**Octave Auguste 27 av. - 14 ap. J.-C.**	
Construction de l'Antonia		31 Actium	
20 Début de le reconstruction du Temple		30 Égypte province romaine	**4**, 568-570 ; **6**, 246-247. 299-300. 327-329
7-6 (?) Naissance de Jésus		27 Octave proclamé Auguste	
		Époque de la Pax Romana	**2**, 69-74. 79-87
		Tibère 14-37	
		Caligula 37-41	
		Claude 41-54	
		Néron 54-68	
67-68 Jean de Gischala et les zélotes, maîtres de Jérusalem	**2**, 232-239	**Vespasien 69-79**	
69 Simon Bargiora Les sicaires à Jérusalem		Confie à Titus le siège de Jérusalem	**3**, 198-201

70 Siège de Jérusalem	2, 578-581 ; 6, 653-657	70 Siège et ruine de Jérusalem	1, 133-134. 164-167 ; **3**, 176-180. 201-203 ; **6**, 603-605 ; **10**, 260-261 ; **13**, 48-50 ; **16**, 3-5. 126. 391-394 ; **18**, 71-75 ; **20**, 159. 592-593
Déportation		Incendie et ruine du Temple	
Vers 78 *La Guerre des Juifs* de Flavius Josèphe			**10**, 261-263 ; **16**, 4-5 ; **19**, 233-234 ; **20**, 243-245
		Titus **79-81**	
		Domitien **81-96**	
		Nerva **96-98**	
		Trajan **98-117**	
		Hadrien **117-118**	
		130 Décide de reconstruire Jérusalem sous le nom d'Aelia Capitolina	
132-135 **Simon Ben Koséba**	**3**, 207	132 Seconde révolte juive	
Seconde révolte juive		134 Prise de Jérusalem	
La Judée devient province de Syro-Palestine	**1**, 217-219	135 Reconstruction d'Aelia ; le Temple est transformé en sanctuaire de Zeus et d'Hadrien	**3**, 207-211 ; **19**, 170-172 (?). 228-230
Jérusalem interdite aux Juifs			

100

13

IV. — INDEX DES NOMS PROPRES

Cet index ne comporte pas la référence aux termes Ἰερουσαλήμ, Ἰσραήλ, Σαβαώθ, quand ils appartiennent aux versets d'Isaïe cités par Théodoret. En revanche, leur reprise dans le commentaire ou leur présence dans une citation biblique sont toujours notées. Le caractère italique signale l'appartenance du mot au texte scripturaire.

Αὔγουστος   2, 81 ; 6, 245.
246.

Ἀφράδ   4, *180*.

Ἀφρική   7, 8 ; 19, 159.

Ἀχαάβ   9, 61.

Ἄχαζ   1, *4* ; 3, 224.226.*264.*
269.*321.331.*504.553 ; 4, 260 ;
5, *385.*388.397 ; 6, 15.16 ; 9,
387 ; 11, 58.99.*427.431.*434.

Ἄχαρ   20, 358.

Ἀχώρ   20, *352.*358.

Βαβυλών   Υ, 18 ; 2, 47.65 ;
4, *169.494.*520 ; 5, *2.*4.7.12.
45.83.*147.*170.204.*225.* 341.
378 ; 6, 451.490.492.497.529.
531.*546.*555 ; 7, 104.121.163 ;
8, 253.354.449 ; 9, *77.* 131.
168 ; 11, 397.*562.568* ; 12, 65 ;
13, 113.*191.*218.272.288 ; 14,
55.64.461.*463.*492 ; 15, *101.*
*158.*168.174.337.459; 16, 248;
19, 194.

Βαβυλωνία   13, 77.

Βαβυλώνιος (ὁ = βασιλεύς)   5,
232 ; 8, 490 ; 10, 407.

Βαβυλώνιοι (οἱ)   Υ, 18 ; 1.
132 ; 2, 687 ; 3, 458 ; 5, 26,
38.201.220.229.242.255.358.
368.413 ; 6, 3 ; 9, 21.198.303 ;
10, 297 ; 11, 9.525.533.*571.*
579 ; 12, 5.363 ; 13, 48.98.
102.166.193.425 ; 14, 79.92.
114.457 ; 15, 74.91.102.106.
176.413.419 ; 16, 324.385.
390.395 ; 19, 43.220 ; 20, 158.
329.

Βαλαάμ   5, 529 ; 7, 454.

Βαλαδάν   11, 526.

Βαλτάσαρ   5, 334.

Βαραχίας   3, *500.*

Βαρούχ   9, *75.*

Βαρνάβας   4, 526.

Βασάν   2, *155.*

αἱ Βασιλεῖαι   3, 439.501.567 ;
4, 269 ; 5, 517 ; 6, 442 ; 7,
765 ; 11, 5.72 ; 19, 94.

Βεελζεβούλ   18, 161.

Βεελφεγώρ   7, 458.

Βήλ   14, *387.*389.

Βοσόρ   19, *562.*572.

Βύβλινος   6, *117.*118.

Γαβαών   4, 332 ; 8, *178* ;
11, 66.

Γαβαωνίτης   8, 182.

Γαβίρ   4, *335.*

Γαβριήλ   3, 511 ; 15, 210.

Γαλάτης   4, 540 ; 20, 490.

Γαλιλαία   3, *742.*744.767 ; 8,
36.*38* ; 10, *106.*109.*110.*112.
176.

Γαλιλαῖος   3, *747.*

Γαλίμ   4, *334.*

Γαυά   4, *181.*

Γεδεών   3, 797 ; 4, 315.

Γεφά   19, 90.112.

Γηφά   19, *85.*

Γοδολίας   8, 462.

Γοζάν   4, *178.*

Γόμορρα (τά)   1, *159.*160.
177.*180* ; 5, *149.*151 ; 10, *191.*

Γομορρηνός   1, 182.

Γώγ   7, 166 ; 18, 89.

Δαγών   14, 388.

Δαιδανίμ   6, *584.*

Δαμασκηνός   6, 4.102.

Δαμασκός   Υ, 20 ; 3, *297* (2).
298.299.527.*531.*536.544.560;
4, 5.170; 6, *2.12.23.*25.39.109.
144.152.168.193.197 ; 8, 6.

Δανιήλ   3, 45 ; 5, 286 ; 6,
242.521 ; 15, 175 ; (ὁ θεσπέσιος) 5, 336 ; 14, 527 ; 18, 47 ;
20, 685 ; (ὁ θειότατος) 2, 231 ;
5, 334 ; (ὁ μακάριος) 18, 79.

Δαρεῖος   5, 57.58 ; 19, 16.
166.

Δαυίδ   Υ, 7 ; 1, 320 ; 2, 211 ;
3, 335.*336.864.*867.872 ; 4,
369.476.*864* ; 5, *515.519* ; 6,
*646.*649.*708.709.*716.717 ; 8,
243.251;11,*359.*361.365.366.
*418.*497 ; 12, 318.573 ; 15,
234 (2) ; 17, *12.409.*409 ; 20,
230 ; (ὁ μακάριος) 1, 240 ; 2,
115.464 ; 4, 321.407 ; 6, 99 ;
7, 526 ; 8, 347 ; 9, 367 ; 10,
284.299 ; 11, 440.485 ; 12,
255.261.263.265;16,341.398.
465 ; 17, 172.478 ; 19, 155.
373.447.576 ; 20, 223.767 ;
(ὁ θεῖος) 6, 812 ; 11, 408 ; 19,
509 ; 20, 683 ; (ὁ θειότατος)
7, 307 ; (ὁ θεσπέσιος) 1, 231 ;
19, 101.
Δαυιτικός   3, 355.357.420.
543 ; 4, 6 ; 8, 121.145.492 ;
17, 414.
Δεβών   5, *437.*438.
Διαθήκη (ἡ Καινή)   9, 177.

Ἑβδομήκοντα (οἱ), cf. Index V.
Ἑβραικός   9, 270 (ἡ Ἑρμηνεία τῶν Ἑβραϊκῶν Ὀνομά-
των) ; 19, 136.
Ἑβραῖος (ἐπίθετον)   5, 380.
Ἑβραῖος (ὄνομα)   2, 612 ; 4,
103 ; 6, 354.357 ; 8, 491 ;
10, 176 ; 11, 108.114.382 ;
15, 288 ; 19, 440 ; 20, 456.
Ἑβραῖος (ὁ = ἡ Ἑβραϊκὴ γραφή)
cf. Index V.
Ἑβραΐς   6, 354.
Ἐδώμ   6, 558 ; 10, *300* ;
19, *561.570* (2).571.577.
Ἐζεκίας   1,4.14.320 ; 2, 224 ;
3, 328 ; 4, 172.182.190.208.
268.272 ; 5, 400.516 ; 6, 189.
701 ; 7, 721.763 ; 8, 132 ;
9, 39.167.213.342.358.360 ;
11, *3.*34.*51.*81.*82.100.*122.*

*123.125.157.*185.207.261.329.
364.369.398.*403.*405.436.497.
*522.*527.*541.545.*561.*581* ; 12,
6.
Ἔζρας   9, 134.
Ἐλάμ   6, *505.*508.
Ἐλαμίτης   4, *495* ; 6, *502.*
*632.*632.
Ἐλεηλά   5, 448.543.
Ἐλιακίμ   6, *700* ; 11, 26.27.
114.144.
Ἐλίμ   5, *474.*
Ἐλισάβετ   12, 137.
Ἐλισσαῖος   Π, 32.
Ἑλλάς (ἐπίθετον)   3, 368.717 ;
5, 208.
Ἑλλάς (ὄνομα)   5, 59 ; 20,
*711.*720.
Ἕλλην   4, *34.*36.38 ; 10, 77 ;
14, 376 ; 15, *320* ; 17, 94.
Ἑλληνικός   10, 170.
Ἐλύμας   4, 527.
Ἐμμανουήλ   3, 268.*347.*350.
388.402.406.496.536.554.*573.*
601.851 ; 4, 358 ; 6, 428.433.
Ἐξαπλοῦν (τὸ), cf. Index V.
Ἐπικούρειος   4, 442.
Ἑρμηνεία τῶν Ἑβραϊκῶν Ὀνο-
μάτων (ἡ)   9, 270.
Ἐρυθρὰ Θάλαττ(σσ)α (ἡ)   5,
540 ; 13, 82 ; 15, 525 ; 16, 49.
280 ; 20, 83.
Ἐσεβών   5, 542.
Ἕσπερος   10, 354.
Εὐαῖος   6, 71.
Εὐνόμιος   7, 572 ; 13, 170.
314 ; 14, 30.257.267.360.
Εὐρώπη   5, 371 ; 18, 85.
Εὐφράτης   5, 347.
Ἐφέσιος   20, 645.
Ἔφεσος   4, 530.
Ἐφραίμ   3, *289.302.307.414.*
*417.*425.427.430.641 ; 4, *20.*

Μακεδών   6, 136.355 ; 20, 159.

Μαλαχίας   14, 160 ; 15, 179.

Μανασσῆς   4, *101*(2) ; 11, 59.

Μᾶρκος   6, 396 (μακάριος) ; 12, 35 (θειότατος),

Μαρόδαχος   11, 396.

Μαροδέχ   11, 526.

Μασσηφά   11, 66.

Μαχμάς   4, 332.

Μελχισεδέκ   6, 352.

Μέμφις   6, *301*.

Μηδαβά   5, *441*.442.

Μῆδος   3, 457 ; 5, 44.45.50. *139*.292.332.*337* ; 6, 498.*506*. 509.

Μισαήλ   13, 86 ; 18, 48.

Μιχαίας   3, 44 ; 9, 61.

Μοσόχ   20, *710*.719.

Μωάβ   4, *538*.550 ; 5, *479*. *507*.521.*522*.*531*.*548*.*550*.553. *555*.*560*.*564* ; 7, *457*.458 ; 8, *246*.247.

Μωαβίτης   1, 20 ; 2, 77 ; 4, 547 ; 5, 430.434.439.503 ; 6, 3 ; 8, 254.268.285.

Μωαβῖτις   5, *431*(2).*441*.*450*. *451*.*473* ; 7, *450* ; 8, 242.244.

Μωσαϊκός   7, 297 ; 13, 207.

Μωσῆς   12, 318 (Κ) ; 20, *48*.

Μωυσῆς   3,44.375 ; 7, 213 ; 12, 451 ; 13, 151.205 ; 17, 236 ; 18, 354 ; 20, 49.54.73. 80 ; (ὁ μακάριος) 2, 446 ; 5, 165.375 ; 12, 254.259 ; 13, 141.187 ; 19, 507 ; 20, 126 ; (ὁ μέγας) 1, 16.424 ; 4, 125. 315 ; 9, 213 ; 19, 556.

Ναβαῦ   5, *440*.

Ναβεώθ   19, *88*.112.

Ναβουζαρδάν   8, 461.

Ναβουχοδονόσορ   1, 132 ; 2, 228 ; 3, 444.467 ; 5, 6.331.

359 ; 6, 134.443.522 ; 7, 770 ; 9, 6 ; 12, 214 ; 14, 92.135 ; 16, 386.

Ναυή   8, 180.

Ναχορδάν   11, 395.

Νεβρώδ   7, 105.

Νεβώ   14, *388*.

Νεεμίας   9, 134 ; 19, 168.

Νεμερήξ   5, *467*.

Νέρων   3, 199.

Νεσερέχ   11, *393*.

Νεφθαλίμ   3, 740.748 ; 8, *38*.

Νεχαώ   3, 439 ; 6, 440.

Νηρίας   9, *75*.

Νινευή   5, 3.5 ; 11, 384.

Νόμος   2, 483 ; 6, 372 ; 7, 521.

Νῶε   7, 461 ; 17, *287*.

Ξέρξης   5, 58.

Ὀζίας   1, *3*.14 ; 2, 3 ; 3, 2.5.7.9.85.105.117.223.503.

Ὀνίας   6, 371.390.

Οὐεσπασιανός   3, 198.

Οὐρίας ὁ Σαμαίου   2, 231.

Οὐρίας (ἱερεύς)   3, *500*.501 ; 6, *539*.541.

Παλαιστίνη   1, 57 ; 2, 77. 481 ; 4, 27 ; 5, 381.

Παλαιστῖνος   5, 163.

Παραλειπόμενα   3, 234.502. 568 ; 5, 518 ; 6, 441 ; 7, 764 ; 11, 73.368.402.

Παραλία   4, 325.

Παῦλος   4, 526 ; 20, 494 ; (ὁ μακάριος) 1, 309 ; 2, 402 ; 3, *620*.633.674 ; 4, 442.500. 529.540 ; 7, 317.598.683 ; 9, 509 ; 12, 301.577 ; 16, 486 ; 17, 248.331 ; 18, 272.293. 407 ; 20, *495*.579 ; (ὁ θεσπέσιος) 1, 308 ; 4, 506 ; 14, 292 ; 20, 645.734 ; (ὁ θεῖος) 2, 38 ;

10, 40 ; 12, 376 ; 19, 22 ;
(ὁ θειότατος) 9, 402 ; 17, 148.
Πέρσης   3, 457 ; 5, 44.46.54.
332.*337* ; 6, 136.498.*503* ; 15,
384.385.420.
Περσικός   6, 509.633.
Πέτρα   10, 330 ; 12, *618*.620.
Πέτρος   3, 623.751 ; 10, 36 ;
20, 606 ; (μακάριος) 14, 295 ;
17, 142.
Πιλᾶτος   16, 95 ; 18, 500.
Πλειάς   10, 354.
Πράξεις   4, 497.

Ῥαασίν   3, *549* ; 6, 429.
Ῥαμά   4, *332*.
Ῥασίν   4, 260.
Ῥασήν   3, 294.*297*.
Ῥαφές   4, *179*.
Ῥαψάκης   11, 21.34.62.83.
158.*174*.200.
Ῥεμμών   5, *477*.
Ῥινοκορούρων   7, *789*.
Ῥομελίας   3, 230.*288*.*290*.
307.312.*549*.
Ῥουβίμ   20, 337.
Ῥωμαϊκός   2, 141.165.222 ;
3, 94.648 ; 6, 241.328 ; 8,
227 ; 16, 126 ; 17, 130 ; 18, 84.
Ῥωμαῖος   Υ, 17 ; 1, 134.
164.218 ; 2, 70.232.686.694 ;
3, 179.203 ; 4, 569 ; 6, 604.
635 ; 10, 256.260 ; 13, 49.
133 (2) ; 14, 290 ; 16, 5.19.
392.497 ; 17, 181 ; 18, 72 ;
19, 171.229 ; 20, 159.647.
Ῥώμη   3, *621* ; 20, *496*.

Σαβά   13, 90 ; 19, *85*.92.94.
109.
Σαβαΐμ   14, *239*.242.272.
Σαβαμά   5, 542.
Σαβαώθ   1, 349 ; 3, *71* ; 14,
490 ; 15, *22*.
Σαβέλλιος   15, 121.

Σαλμανάσαρ   3, 303.305 ; 4,
270 ; 8, 32.
Σαμαίας   2, 231.
Σαμάρεια   3, 308.310.311.
312.*531*.537.545.560 ; 4, *21*.
142.*170*.*184*.*185* ; 11, 137.
Σαμαρίτης   1, 92 ; 6, 75.633 ;
18, 161.*645*.
Σαούλ   4, *333*.
Σαρακηνός   5, 161.163.
Σάρρα   15, *149*.*156* ; 16, 140.
147.*149*.152.*156*.*164*.168.
Σατάν   7, *400*.
Σεβαστή   3, 310.
Σεδεκίας   16, 389.
Σεν(ν)αχηρίμ   2, 223 ; 3, 303.
306.443 ; 4, 172.271 ; 5, 5.
360 ; 6, 178.333 ; 7, 768 ; 8,
33.285 ; 11, *3*.16.18.237.263 ;
12, 214 ; 16, 265.
Σεφαρίμ   4, *181*.
Σηγώρ   5, *451*.458.
Σήθ   7, *457*.460.461.
Σηίρ   6, *565*.565.567.
Σιδών   7, *28*.28.32.*33*.38.*81*.
83.84.*85*.87.91.
Σιλωάμ   3, *548*.553.
Σινά   2, 51.
Σιών   1, *138*.140.143.*315*.
379 ; 2, *44*.50.60 (2).*340*.*343*.
389.*402*.*406*.*418* ; 3, *684*.*689* ;
4, *30*.*194*.*297*.*341*.*601*.603 ;
5, *423*.425.*485* ; 6, *183*.604.
626 ; 7, *340*.341.*343*.*385*.*813* ;
8, *129*.*284* ; 9, *129*.*314*.*345*.
347.*352*.355.*374*.381 ; 10, *45*.
46.*127*.129.186.*187*.192.*319*.
319.384.*472*.*474* ; 11, *267*.
269.*346*.348 ; 12, *95*.489 ; 14,
458 ; 15, *399*.404 (2) ; 16, *172*.
192.*284*.*329*.*408*.*409*.411.*419*.
455.459.*462*.464.*466*.467 ; 18,
153.*638* ; 19, *133*.137.*140*.
150.*226*.231.*350*.362.370.*456*.

V. — INDEX DES VERSIONS BIBLIQUES

οἱ Τρεῖς ('Ερμηνευταί)   2, 246 ; 3, 593.663.686.719 (= Α'Σ'Θ') ;
10, 54 (= Θ'Σ'Α'). 94 ; 11, 95.333.392 ; 12, 246 (= Σ'Α'Θ'). 338 ;
13, 179 ; 14, 221.226.563 ; 15, 170.250.288.308 ; 17, 62.129 ; 18,
604 ; 19, 359.374.418.445.616 ; 20, 393.

οἱ Ἄλλοι ('Ερμηνευταί)   3, 104.647.685.716 ; 4, 16.36 ; 7, 790 ;
10, 30.342 ; 12, 308.526 ; 14, 118 ; 17, 117 ; 20, 240.

οἱ Λοιποί ('Ερμηνευταί)   4, 27.131.187.215 ; 5, 189 ; 7, 11.706 ; 8,
62.115 ; 12, 476 ; 13, 89.200.228.409 ; 15, 302 ; 17, 194.273
(= Α'Θ'Σ') ; 18, 441 ; 20, 675.

VI. — INDEX DES VERSETS D'ISAÏE CITÉS PAR AQUILA (A'), SYMMAQUE (Σ') ET THÉODOTION (Θ')

L'absence de tiret entre les initiales indique que les interprètes donnent la même leçon ; sa présence, une leçon différente. La barre verticale signale que la version des interprètes ne concerne pas la même partie du verset d'Isaïe.

VII. — INDEX DES MOTS GRECS

Cet index, sélectif, ne fait apparaître ni les verbes d'état du type εἰμί, γίγνομαι, ni les verbes déclaratifs comme λέγω, προλέγω, φημί, ni d'ordinaire les verbes d'opinion (οἶμαι) ou les verbes d'action comme καλέω, ποιέω. Il laisse également de côté tous les mots-outils (articles, prépositions, conjonctions), nombre d'adverbes et de termes aussi fréquents que ἄνθρωπος, λόγος, υἱός, sauf quand ils présentent un intérêt particulier. Les mots ici retenus le sont essentiellement en fonction de leur intérêt théologique ou spirituel et de leur importance pour la connaissance de l'exégèse de Théodoret. Un tel choix est nécessairement subjectif. Un relevé complet — à l'exception des verbes εἰμί, γίγνομαι, γιγνώσκω, καλέω λέγω, ποιέω, et des mots-outils — a néanmoins été effectué ; on pourra le consulter à l'Institut des Sources Chrétiennes. Certains mots font l'objet d'un classement analytique ; nous espérons faciliter ainsi l'utilisation de cet index.

Sigles et indications :

Les chiffres en italique indiquent que le mot appartient au texte scripturaire.

On lira de la sorte les abréviations suivantes :

— παντ. = πανταχοῦ *(passim)* ;
— πρϐ. = παράϐαλλε *(cf.)*.

405 ; **9**, 127 ; **10**, 115 ; **11**, 311 ; **12**, 235.238.242.601.613.654 ; **15**, 86 ; **17**, 429.438 ; **19**, 337.567 ; **20**, 260.

ἄγνοια   **2**, 202 ; **5**, 432.498 ; **12**, 88.330.497.588.656.658 ; **13**, 325 ; **14**, 120 ; **16**, 201 ; **17**, 79 ; **19**, 514.

ἀγνωμοσύνη   **18**, 239.

ἀγρεύω   **2**, 625 ; **7**, 476 ; **13**, 42 ; **17**, 344.

ἄδεια   **10**, 380 ; **15**, 382.

ἀδεῶς   **2**, 86.619 ; **3**, 491.624 ; **5**, 67.97 ; **9**, 485 ; **10**, 366.377 ; **11**, 57.130 ; **16**, 414 ; **18**, 454 ; **20**, 147.289.

ἀδικέω   **1**, *279*.333 ; **2**, *327*.657 ; **4**, *259* ; **6**, *518*.527 ; **7**, *81*.89.90. *371*.375.*382*.383 ; **9**, 508 ; **16**, *397* ; **18**, 510 ; **19**, 262 ; **20**, *518*.

ἀδίκημα   **18**, *18.571*.

ἀδικία   **1**, *230* ; **2**, 536 ; **7**, 92 ; **10**, *139.142*.319 ; **13**, *249* ; **15**, 494 ; **18**, 23.*134*.302.*365*.367.*496* ; **19**, *254*.257.*416*.

ἄδικος   **2**, 335.645 ; **4**, *67*.111 ; **8**, *422* ; **9**, *410*.412 ; **10**, *141*.145 ; **12**, *499* ; **14**, 324 ; **17**, *337* ; **18**, 136.*302*.375.404.405.497.*529.575*. 582.600 ; **20**, *298*.557.

ἀδίκως   **2**, 653 ; **4**, 56 ; **15**, *490*.493.500 ; **19**, 602 ; **20**, 190.

ἀδολεσχία   **11**, 462 ; **18**, 558.

ἀδοξία   **4**, 234 ; **17**, 55.

ἄδυτος   **14**, 316 ; **15**, 113 ; **20**, 156.

ἀθάνατος   **3**, 810 ; **14**, 414 ; **17**, 159 ; **19**, 25 ; **20**, 451.

ἀθλητής (οἱ γενναῖοι)   **5**, 290 ; **6**, 527 ; (τῆς ἀληθείας) **12**, 392.

ἀθυμέω   **7**, *380*.383 ; **14**, 10.

ἀθυμία   **6**, 512 ; **9**, 196 ; **15**, 79 ; **19**, 349.

ἀθῷος   **17**, 141.161 ; **18**, 22.

αἴνεσις   **1**, *239* ; **4**, *582.587* ; **10**, *479* ; **13**, *33*.33 ; **16**, *188.285* ; **18**, 295 ; **19**, *130.131.266*.268 ; **20**, *3.9*.

αἰνιγματωδῶς   **15**, 387.

αἰνίττομαι   **2**, 52.354.673.686 ; **3**, 8.66.68.104.179.451 ; **4**, 605 ; **5**, 167.178.419.460 ; **6**, 127.241.278 ; **7**, 108.368.377.454.519.561.587 ; **8**, 79.105.237.349.431 ; **9**, 55.493 ; **10**, 30.105.389 ; **14**, 475 ; **15**, 41.174 ; **17**, 381 ; **18**, 78.349.434 ; **19**, 354 ; **20**, 270.356.

αἵρεσις   **3**, 403 ; **8**, 70.

αἱρετικός   **14**, 312.

αἴσθησις   **1**, 42 ; **3**, 177 ; **6**, 361 ; **8**, 292 ; **9**, 107 ; **20**, 133.

αἰσθητήριον   **10**, 142.

αἰσθητής   **18**, 430.431.475.

αἰσθητός   **16**, 459.

αἰσχύνη   **2**, 186.271 ; **6**, *275.470* ; **7**, *260* ; **8**, *482.486* ; **10**, 185 ; **12**, 368 ; **13**, *2* ; **14**, *278*.280.375.*478.529* ; **16**, *90* ; **17**, *259* ; **19**, 48. *399* ; **20**, 588.

αἴτησις   **9**, 178 ; **11**, 265.590.

ἀντίχριστος   4, 399.
ἀντωνυμία   1, 78.
ἀνυδρία   15, 374.
ἄνυδρος   1, 414 ; 10, *439*.449 ; 12, *424*.430 ; 13, *217.233*.[283].284.
   299 ; 16, 148.
ἀνυμνέω   2, 600 ; 5, 578 ; 7, 500 ; 18, 660 ; 19, 244.262.500.622 ;
   20, 794.
ἀνώλεθρος   16, 245.
ἀνωφελής   11, 587 ; 13, *332.338.343*.
ἀξία   2, 129 ; 3, 13 ; 4, 365 ; 6, 682 ; 8, 236 ; 15, 237.277 ; 16, 309.
   442 ; 19, 302.
ἀξιάγαστος   11, 82 ; 13, 214 ; 20, 798.
ἀξιέραστος   7, 525 ; 8, 40 ; 20, 742.
ἄξιος   1, *188*.364 ; 2, 196.252 ; 3, 272 ; 4, 478 ; 7, 85.327 ; 11, 83.
   119.154.166.537 ; 12, 16.227 ; 19, 286 ; 20, 200.794.
ἀξιόχρεως   11, 371.381.
ἀξιόω   1, 48.305.311.313.398 ; 3, 18.120.479.486 ; 4, 429.509;
   5, 310 ; 7, 753 ; 8, 435 ; 9, 126 ; 10, *81*.425 ; 12, 355.657.665 ; 13,
   24.123 ; 14, 113.382 ; 15, 154.304.395.489.522.529 ; 16, 485 ; 17,
   87 ; 18, 248.291.312.326.332 ; 19, 180.354 ; 20. 24.32.236.409.510.
ἀξίωμα   1, 59 ; 7, 194 ; 20, 762.
ἀξίως   14, 515.
ἀοίδιμος   6, 684 ; 18, 52 ; 20, 244.635.
ἀοίκητος   5, 172 ; 7, 240 ; 10, 335 ; 12, 625.
ἀόρατος   1, 353 ; 2, 432 ; 3, 47.59.805 ; 6, 548 ; 7, 742 ; 9, 340 ;
   14, *91*.
ἀοράτως   11, 538.
ἀπαγορεύω   1, 118.206 ; 2, 105.112.113 ; 8, 133 ; 9, 44.177 ; 14,
   322 ; 17, 399.439 ; 18, 375.407 ; 20, 553.558.698.
ἀπαθής   17, 110.
ἀπαθῶς   2, 227 ; 11, 32.
ἀπαλλαγή   3, 122.125 ; 5, 409 ; 6, 199 ; 9, 466 ; 14, 131 ; 15, 428 ;
   16, 415.421 ; 17, 258 ; 20, 212.
ἀπαλλάττω   1, 202 ; 2, 430 ; 3, 623 ; 4, *164*.272.387.423 ; 5, 233.
   344.407.427 ; 6, 71.340.455 ; 7, 387.604.731 ; 8, 77.99.169 ; 9, 226.
   467 ; 10, 116.457.469.480 ; 11, 468.481 ; 12, 49.102.330.657 ;
   13, 226.426 ; 14, 493.495.561 ; 15, 64.92.107.166.338.489 ; 16, 49.
   506 ; 17, 473 ; 18, 464 ; 19, 26.259.261.343.408.514.621 ; 20, 443.
   445.
ἀπαρχή   2, 306.*326* ; 15, 279.473 ; 19, 118 ; 20, 324.
ἀπατάω   4, *173.191* ; 8, *293*.309 ; 9, *262* ; 11, *122.208* ; 16, *268*.
ἀπάτη   3, 806 ; 7, 475 ; 8, 290.302 ; 12, 655 ; 14, 314 ; 17, 304.
ἀπατηλός   8, 425 (λόγος).
ἀπείθεια   2, 337 ; 3, 171 ; 4, 140 ; 9, 78 ; 12, 92 ; 15, 273.290.

ἀπειθής   6, 238 ; 8, 318.466 ; 9, *42* ; 15, 59.433.

ἀπεικάζω   1, 377.411.414 ; 2, 619.662.710 ; 3, 214.562 ; 4, 227.
419 ; 5, 152.279.344.484.567 ; 6, 94.148.262.310 ; 7, 34.608 ; 8, 22.
268.269.277 ; 9, 18.92 ; 10, 186 ; 12, 210.227 ; 18, 513 ; 19, 180 ;
20, 202.637.660.

ἀπειλέω   1, 22.295.376 ; 2, 299.337.348.552.557 ; 3, 355.421.542.
562 ; 4, 32.154.199 ; 5, 471 ; 6, 687 ; 8, 145.202.265 ; 9, 292 ; 11,
327 ; 12, 12.472 ; 14, 154 ; 15, 373 ; 17, 422 ; 18, 77.302.309 ; 19,
344 ; 20, *662*.786.

ἀπειλή   1, 345 ; 2, 658 ; 3, 616 ; 4, 140 ; 8, 117 ; 9, 97 ; 10, 418 ;
11, 272 ; 12, 7.14 ; 15, 28 ; 17, *288* ; 18, 9 ; 20, 663.

ἄπειρος   12, 175.187 ; 16, 244 ; 17, 285.

ἀπερίγραφος   12, 146 (θεός).

ἀπερίληπτος   12, 146 (θεός).

ἀπερινόητος   17, 120.

ἀπεριόριστος   3, 879 ; 12, 179.187.

ἀπήνεια   14, 509.

ἀπηνής   18, 487.

ἀπιστέω   2, 94.637 ; 3, 323.645.669.738 ; 6, 234 ; 7, 430.559.655 ;
8, 328.415 ; 12, 276.375 ; 14, 277.280.386 ; 15, 29.*58*.111.322 ;
16, 136.169 ; 17, 39 ; 20, 582.616.

ἀπιστία   3, 167.314.634 ; 6, 82.232 ; 7, 786 ; 8, 105 ; 10, *9*.119.
243.253 ; 11, 11 ; 12, 652 ; 13, 122 ; 14, 280.358.375 ; 15, 247.324 ;
16, *157*.510 ; 17, 34 ; 20, 354.

ἄπιστος   6, 79 ; 9, 137 ; 12, 51 ; 16, 483.

ἀπλανής   13, 221 ; 16, 511 ; 19, 278.

ἀπλανῶς   10, 462.

ἀποβολή   10, 7 ; 20, 748.

ἀπόγνωσις   9, 227.

ἀποκάλυψις   18, 14.

ἀπόκρισις   9, 142 ; 19, 569.583.

ἀπόλαυσις   1, 292 ; 7, 429 ; 9, 175 ; 15, 364 ; 16, 454 ; 20, 452.

ἀπολαύω   1, 175.201.415 ; 2, 74.98.265.357.367.427.432.483.701 ;
3, 10.270.492.773.776.890 ; 4, 262.357.616 ; 5, 401.492.547 ; 7,
77.216.254.331 ; 8, 225.411.455 ; 9, 527 ; 10, 70.368.487 ; 11, 131.
436.461 ; 12, 57.306.328.626.671 ; 13, 30.46.95.185.284.377.392.
422.432 ; 14, 162.299.573.580 ; 15, 141.168.174.531 ; 16, 281.321 ;
17, 297.338.367 ; 18, 270.328.483.492.566.659 ; 19, 181.277.527.620.
624 ; 20, 67.735.775.

ἀπολογέω   3, 131.134.

ἀπολογία   12, 250 ; 13, 268.

ἀπολουσμός   20, 694.

ἀπονοία   11, 508.

ἄπονος   17, 348.

άρμόζω   6, 175.389.

άρμόττω   Π, 15 ; 4, 594 ; 5, 110.297 ; 7, 758 ; 8, 450 ; 10, 203.266 ;
   12, 85.367.381.520 ; 13, 254 (τὸ ἁρμόττον) ; 14, 288 ; 15, 458 ; 16,
   450.457 ; 19, 11.35.36.62.76.177. 233.

άρνέομαι   6, 35 ; 12, 669 ; 14, 290 ; 15, *16* ; 19, 196.

ἄρνησις   8, 349.351.

ἄροτρον   2, *62* ; 9, 453 (προφητικὸν).

ἄρρητος   1, 81 (ἔλεος) ; 9, 327 (δύναμις) ; 11, 143 (βλασφημία) ;
   12, 178 (δύναμις).213 (πρόνοια) ; 19, 276 (φῶς).573 (κάλλος) ; 20, 40
   (ἀγαθότης).739 (τιμή).

άρρωστία   11, 399.510.527.

ἄρρωστος   17, 90.

άρτιλαλέω   10, 435.

άρχέτυπον   19, 20.30.

άρχιερεύς   2, 333 ; 3, 16 ; 8, 416 ; 9, *402*.496 ; 16, 92 ; 17, 132.

άρχισυνάγωγος   20, 733 (2).

άσάλευτος   10, 151.206 (τὸ).

ἄσβεστος   10, 121 (πῦρ) ; 13, 430 (μνήμη) ; 18, 50 (κλέος) ; 20, 785
   (πῦρ).

άσέβεια   1, 44 ; 2, 41.125.136.280.639 ; 3, 246 ; 4, 462.556 ; 5, 397.
   433 ; 6, 34.82.199.228.229.262.287.313 ; 7, 87.92.792 ; 8, 389 ; 9,
   239.414 ; 10, 131.260 ; 11, 109.113 ; 12, 501 ; 13, 49 ; 14, 307.360.
   557.572 ; 16, 17.380 ; 17, 93.151.253.256.446 ; 18, 78.188.207.579.
   638 ; 19, 363.378.397 ; 20, 273.

άσεβέω   6, 313 ; 13, 341 ; 18, *572*.

άσεβής   2, *654* ; 4, *398.403* ; 5, *93* ; 6, *100* ; 7, 335.*366.547.552
   636* ; 10, *128.310* ; 15, *183*.184 ; 17, *441*.

άσθένεια   1, 199.204 ; 3, 166 (φυσική) ; 7, *403*.560 ; 8, 292 ; 10, 168
   (ἡ σωματικὴ τῶν κηρύκων ἀσθ.) ; 11, 43.45 ; 16, 168 ; ἀσθ. τοῦ θεοῦ
   7, 745 ; 9, 241 ; 15, 84 ; 16, 38.438 ; 20, 169 ; ἀσθ. τῶν εἰδώλων
   5, 558 ; 6, 61 ; 11, 311 ; 12, 192.336.437 ; 13, 18.420 ; 14, 404.425 ;
   τῶν καλουμένων θεῶν 11, 244.

άσθενέω   3, *274* ; 8, *176.262* ; 9, *384* ; 11, 479 ; 13, *355*.

άσθενής   5, 532 ; 6, 126 ; 12, [200].*385* ; 18, 487.514 ; 20, 552.

άσκητής   9, 488.

άστέρισκος   2, 205 ; 7, 391 ; 12, 309 ; 16, 319 ; 18, 623.

ἄσυλος   9, 476.

άσύνετος   τὸ — 8, 319 ; 15, 56.

άσύνθετος   3, 47 ; 12, 143.

άσφάλεια   2, 378 ; 3, *652*.656 ; 5, 554 ; 6, *146*.575 ; 7, 111.333.701 ;
   10, *364*.367 ; 12, 201.*262*.

άσφαλής   6, 657.

άσχημάτιστος   3, 47 ; 12, 142 ; 13, 367.

άσώματος   5, 182 ; 12, 142.

βασιλεία   2,   3.67.71.132.479 ;   3,   7.25.222.301.*302*.441.561.640 ;
4, 26.519 ; 5, 248.396 ; 6, *23*.24 ; 8, 9.16 ; 9, 39 ; 10, *274* (2).408 ;
11, 395.512 ; 14, 519 ; 15, 452 ; 19, *475*.481 ; 20, 509 ; — τῆς
Αἰγύπτου 4, 568 ; 6, 198.246.247.411.413 ; ἡ αἰώνιος — 3, 868 ;
16, *144* ; 17, 372 ; ἡ — τῶν βαβυλωνίων 3, 458 ; 5, 232.238.239.322.
324.332.*337*.360 ; 14, 466.473.475 (2).*498*.499 ; 16, [401] ; — τῆς
γῆς 7, *144.319*.326 ; 11, *227.256* ; ἡ Δαυιτικὴ — 3, 355.420.543.*864* ;
8, 121.146 ; 11, 499 ; ἡ τοῦ θεοῦ — 7, 345.*360* ; 9, *180* ; 10, 240 ;
16, 458 (καὶ σωτῆρος ἡμῶν) ; (= τοῦ Κύρου) 5, 202 ; 14, 54.111.233 ;
ἡ τῶν οὐρανῶν — 7, *374*.379 ; 12, *117*.608 (ἐν οὐρανοῖς) ; 15, 530 ;
19, 482 ; ἡ Ῥωμαϊκὴ — 3, 200 ; 6, 241.328.
βασίλειος (τὰ —)   5, 3 ; 6, 29 ; 11, 397.
βασιλικός   5, 6.240 ; 6, 300 ; 7, 65.*521* ; 11, 148.384.590 ; 14, 473 ;
19, 169.242.
βασιλικῶς   4, 390.
βασκανία   Y, 10.
βδελυγμία   12, 467.
βδελυκτός   20, 396.
βδελυρία   3, 854.
βέβαιος   3, 671 ; 9, 468 ; 10, 242 ; 17, 297.
βεβαιόω   1, 39 ; 3, 324 ; 4, 474 ; 15, 432.
βεβαίως   7, 506.
βεβαίωσις   6, 439 ; 12, 62 ; 14, 52 ; 18, 480.
βίος   3, 753 ; 7, 168.316 ; 13, 231 ; (= ἤθη) 2, 567.644 ; 3, 701 ;
4, 308 ; 7, 23.55.141.727 ; 9, 138.466.527 ; 13, 223.431 ; 17, 505 ;
ὁ ἀνάξιος — 18, 338 ; ὁ ἀνιαρός — 18, 555 ; ὁ ἔννομος — 18, 387 ;
ὁ θνητὸς — 20, 474 ; ὁ μέλλων — 7, 474 ; 10, 480 (ἄλυπος) ; 19, 21.26
(ἄλυπος).257 (2).275.282.303.414 ; 20, 315 ; ὅδε ὁ — 3, 533 ; 11, 446 ;
19, 28 ; 20, 746 ; ὁ παράνομος — 18, 93.491.570 ; ὁ παρών — 5, 577 ;
7, 194 ; 9, 480 ; 10, 410 ; 14, 579 ; 19, 197.307 ; 20, 310.656 ; τὸ
πέρας τοῦ — 10, 213 ; 11, 439 ; 19, 223 ; τό τέλος τοῦ — 5, 312.
βιοτή   19, 344 (ἡ μέλλουσα) ; 20, 444 (ἄλυπος καὶ δακρύων ἀπηλλαγμένη).
βλάβη   2, 312 ; 4, 333 ; 6, 286 ; 8, 380 ; 9, 151 ; 18, 517 ; 20, 300.
βλαβερός   6, 229 ; 7, 141.
βλακεία   11, 30.
βλαστάνω   Y, 7 ; 2, 36 ; 7, *729.732*.777 ; 8, 227 ; 10, 358 ; 17, *460* ;
19, 295 ; 20, 339.597 ; (κατὰ σάρκα) 4, 369 ; 7, 734 ; 8, 48 ; 12, 529 ;
14, 248 ; 15, 401.
βλαστέω   16, 141.
βλάστη   4, 484 ; 20, 503.660.
βλάστημα   19, *287*.
βλαστός   19, *289.290*.
βλάσφημα   8, 262.

416 INDEX DES MOTS GRECS

γνώμη   Π, 7 ; 1, 62.205 ; 2, 346 ; 3, 151.156.614 ; 6, 77.309 ; 8, 71.
   106.467 ; 9, 78 ; 10, 15 ; 11, 58.307 ; 15, 56.63 ; 17, 305 ; 18, 101.114.
   453.519 ; 19, 282.

γνῶσις   3, 178 ; 10, [125].199 ; 12, 457.462.658 ; 14, 238 (τῆς τοῦ
   μονογενοῦς θεολογίας) ; 20, 791 ; ἡ θεία — 10, 180 ; 12, 657 ; ἡ τῶν
   θείων — 3, 320 ; πνεῦμα τῆς — 4, 372 ; 19, 325.

γόης   14, 550.561.

γοητεία   14, 543.

γράμμα   τὸ προφητικὸν — 20, 792 ; τὰ — 4, 208 ; 8, 313.316.318.
   323 (προφητικὰ).327 (τῆς εὐσεβείας).400 ; 11, 223.527 ; 18, 406.

γραμματεῖον   18, 203.

γραμματεύς   10, 169 ; οἱ γρ. καὶ Φαρισαῖοι — 2, 334 ; 4, 380.382 ;
   8, 357.364.417 ; 9, 399 ; 17, 132.134.

γραμματικός   10, 165.

γραφή   ἡ θεία — 2, 150.240 ; 3, 368.372 ; 4, 589 (αἱ) ; 5, 27.251 ;
   10, 353.403 ; 11, 239.508 ; 13, 169 ; 14, 73 ; 17, 385.480 ; 18, 29.
   549 ; (= ἡ θεία) 2, 239 ; 4, 214 ; 5, [335] ; 8, 336 ; 9, 378.446 ; 10,
   442 ; 12, 419 ; 17, 189 ; 19, 136 (Ἑβραϊκὴ).314.

γυμνασία   7, 389.

γυμνός   Υ, 26 ; 3, 120.797 ; 6, 461.466.470 ; 9, 432 ; 14, 479 ;
   17, 220 ; 18, 374.

γυμνόω   Π, 39 ; 1, 412.421 ; 2, 176.514.531 ; 3, 94.221.294.441.
   460.806 ; 4, 161.211 ; 5, 99.150 ; 6, 474.500 ; 7, 71.111 ; 10, 263 ;
   11, 58.298.315 ; 12, 224 ; 13, 69 ; 14, 472 ; 15, 499 ; 16, 6.19.378.393 ;
   20, 162.196.197.213.274.

δαδουχέω   2, 425 ; 3, 710 ; 13, 23.

δαιμόνιον   5, 181 ; 7, 116.119.120 ; 10, 360 ; 20, 276.

δαιμονάω   1, 92 ; 18, 161.

δαίμων   1, 404 ; 2, 134.673 ; 3, 588.794.884 ; 4, 353.385.446.565 ;
   5, 183.527 ; 7, 122.124.172.484 ; 8, 266 ; 10, 80.85.86.350.368.424.
   469 ; 12, 53 ; 15, 426.507 ; 17, 176.177.197 ; 18, 97.155.162 (2).
   172.180.199.223 ; 19, 78.515 ; 20, 74.277.283.363.367.

δέησις   1, 256 ; 9, 142 ; 11, 421.

δειλία   4, 136 ; 5, 65.452.454 ; 8, 265 ; 11, 195.197.

δεινός   (τὰ —) 1, 392 ; 2, 299.447 ; 7, 396 ; 8, 115.169.496.

δεισιδαιμονία   18, 169.

δέος   Π, 14 (2) ; 2, 549.693 ; 3, 61.64.261 ; 5, 16.69.77.79.128.421 ;
   6, 174.328.500 ; 10, 130 ; 11, 100 ; 16, 299.

δεσμέω   12, 337.

δέσμιος   20, 646.

δεσμός   (τὰ δεσμά) 3, 623 ; 4, 133 ; 8, 190.192 ; 12, 583.589 ; 15,
   334.342 ; 16, 418.420.421 ; 18, 367 ; 20, 498.

δεσμωτήριον   7, 321.328 ; 20, 498.

418   INDEX DES MOTS GRECS

591.596.597 ; 9, *111*.503.506.*510* ; 10, 78 ; 12, 284.*299*.305 (2).
369 ; 13, 211 ; 16, *135.238* ; 17, 25 ; 19, 48.402 ; 20, 72.*578*.

δόγμα   1, 328 ; 2, 87.604 ; 6, 280.281.287.316 ; 7, 504 ; 10, 143.226
11, *405* ; 12, 646 ; 17, 254.505 ; 18, 154.

δογματικός   18, 6.

δορυάλωτος   2, 626 ; 3, 202.248.447 ; 5, 203 ; 6, 73.337.475.693 ; 7, 56.
103.114 ; 8, 460 ; 11, 579 ; 14, 503 ; 15, 78 ; 16, 419 ; 19, 63.619.

δοτήρ   11, 518.598.

δουλεία   2, 424 ; 3, 64.589.791 ; 5, *223*.364 ; 6, 71.141.450.455 ;
7, 205 ; 8, 265 ; 10, 257 ; 12, 365 ; 13, 27.166.426 ; 14, 131.134.139.
471.*499* ; 15, 64.76.85.107.488 ; 16, 49.444 ; 17, 201 ; 18, 194.234 ;
19, 44.196.*412*.561.621 ; 20, 214.

δουλεύω   1, *226* ; 2, 183.567 ; 3, 702 ; 5, 218.*224* ; 6, 137.140.*416*.
443 ; 10, 415 ; 11, 579 ; 13, *245*.404 ; 14, 110.290 ; 15, 280.322 ;
16, 19 ; 17, 30.*155*.162 ; 18, *54*.118.155.180.190.200.228 ; 19, *110*.
191.195 (2).332.602 ; 20, 163.*321*.328.367.*382*.*383*.*384*.*398*.

δουλικός   11, 325 ; 14, 467 ; 15, 236.

δοῦλος   3, *240*.391 ; 4, 362 ; 5, *217* ; 7, 203 ; 11, *92*.98 ; 12, *526* ;
13, *19.21* ; 14, *240*.242 ; 15, *162.231*.235.236.238 (2).*262*.276.278.
279.287.*288*.*309*.*316* ; 16, 26.118 ; 18, *55* ; 20, *149.349*.707.

δουλόω   4, 561 ; 15, 492.

δρυμός   4, *80*.82.83.*243*.245 ; 6, *578*.581 ; 7, *763* ; 8, *388*.396.398 ;
9, *449*.457.*482*.482 ; 10, 195 ; 11, *287* ; 13, 371 ; 17, *472* ; 18, *83*.
88 ; 20, *352*.354.

δυάς   13, 155 ; 14, 255.

δύναμις   Y, 29 ; 1, 352 ; 2, 111.114.173 ; 3, 531 ; 4, 166.430.455 ;
7, 41.62.103.208.*406*.430 (τῆς χάριτος).*467* (τοῦ ἐχθροῦ).*682* (τοῦ
ἐχθροῦ) ; 8, 194 ; 9, 242 ; 11, 89.597 ; 12, 458.459.462 ; 13, 208 ;
15, *16*.255.*467* ; 18, 521 ; 19, *184*.185 ; αἱ ἀόρατοι — 1, 353 ; 3, 59 ;
6, 548 ; 5, 20 (πονηραί) ; αἱ ἐπουράνιοι (-νιαι) — 14, 13.152 ; 15, 24 ;
17, 485 ; 19, 568 ; αἱ — τῶν οὐρανῶν 10, *279.283* ; ἡ θεία — 12, 174.
205 ; 16, 205 ; 18, 636 ; ὁ θεὸς τῶν δυνάμεων 6, *671* ; 12, *630* ; ὁ κύριος
τῶν δυνάμεων 1, *350* ; 3, *688* ; 8, *234* ; 11, 228 ; 14, *224.486* ; δ. (τοῦ
θεοῦ) Π, 17 ; 1, 356 ; 2, 722 ; 3, *512* (τοῦ ὑψίστου) ; 5, 90 ; 7, *403* ;
8, 185 ; 9, 251.310.312.318.328 ; 11, 245.280.299.553 ; 12, 128.139
(Θεοῦ Λόγου).179.216.252 ; 13, 421 ; 14, [211].460 ; 15, 86 ; 16, 66.
166.205.217.307.331.443.477.478 ; 17, 26.32.39.499 ; 19, 45.50.525.
611 ; 20, 114.173.*669*.722.

δυναστεία   2, *116*.168 ; 4, 152.380 ; 5, 266 ; 7, 333 ; 8, 269.277 ;
11, 280 ; 12, 80.82.224.354 ; 14, 88 ; τῶν βαβυλωνίων — 9, 199 ;
14, 79.494 ; 15, 92.106 ; 19, 43 ; 20, 329 ; τῶν δαιμόνων — 3, 796.
884 ; 15, 507 ; 17, 474 (τοῦ διαβόλου).

δυνάστης   1, *346*.354 ; 2, *652* ; 4, *57* ; 7, *511* ; 15, *518*.524.

δυσκολία   3, 645 ; 12, 49 ; 19, 542 ; 20, 94.

δυσμενής 1, 357 ; 3, 806 ; 4, 91 ; 6, 50.157.648 ; 20, 172.
δυσμενῶς 6, 561.
δυσσέβεια 1, 25.262.401 ; 4, 46 ; 5, 59.95 ; 6, 281.315 ; 7, 109;
9, 107 ; 15, 65.177 ; 18, 313 ; 19, 384 ; 20, 364.
δυσσεβέω 4, 150 ; 20, 50.
δυσσεβής 2, 236.333.433.599 ; 3, 227.249 ; 4, 14.188 ; 5, 26.91.388 ;
6, 231 ; 7, 107.388 ; 9, 78.157 ; 11, 144.222.383 ; 12, 224.310.502 ;
20, 157.158.
δυσσεβῶς 7, 159.
δωρέω 3, 330 ; 4, 291 ; 7, 610 ; 8, 304 ; 11, 254 ; 13, 219 ; 14, 141.
232.285 ; 15, 75 ; 17, 206 ; 18, 138 ; 19, 209.307.342 ; 20, 380.659.
δωροδοκία 10, 144.
δῶρον 1, *227.338* ; 2, *654*.706.*708* ; 6, *170*.177.191.*400*.401 ; 7,
165.176 ; 10, *140* ; 11, *404*.505.516.526.559 ; 13, *245* ; 14, *220.224* ;
15, 485 ; 18, 301 ; 19, 81.*89.108.109*.[114].116.[129].*156*.242.245.
624 ; 20, *724*.738.

ἔγγονον 11, 592 ; 19, *422*.423 ; 20, *483*.485.
ἔγγραφος 9, 37.
ἐγρήγορσις 8, 290.
ἔγκλημα 18, 126.
ἐγκρατεία 12, 659.
ἑδραῖος 20, 25.
εἶδος 9, 504 ; 12, 154.172.195.304 ; 16, 20 ; 17, *17.46.49* (2).*50*.
55.329.480 ; 18, 211.493.615 ; 19, 403.581 ; 20, 663.
εἰδωλολατρεία 4, 303.
εἴδωλον 1, 89.201.*396*.402 (2) ; 2, 15.187.206 (προσκύνησις) ;
3, 717.731 ; 4, *186*.352.565 ; 5, 439 ; 6, 67.264 (προσκύνησις).270 ;
7, 459.762 ; 8, 17 (μανία) ; 9, *159*.165 ; 10, 98.104 (τυραννίς).456 ;
11, 61 (κατάλυσις).71.79.*248*.250.392 ; 12, 140 (τὸ μάταιον).*169*.173.
447.449.466.471 (κατάλυσις).479 (ἐξαπάτη).482.*496*.500 (τὸ ἀναίσ-
θητον).644 ; 13, 8.44.243.415.[420] ; 14, 314 (ἀπάτη).318.*323*.331
(φύσις).387 (ὄλεθρος).389.392.502 ; 15, *46*.50.112 ; 16, 22 ; 17, 94 ;
18, *164*.170.174.210.213.243 ; 20, 182.411 ; ἀσθένεια τῶν — 6, 61 ;
11, 311 ; 12, 192.199 (τὸ ἀσθενές).437 ; 13, 18 ; 14, 425 ; δουλεία
τῶν — 17, 201 ; 18, 194 ; δουλεύω 17, 30 ; 18, 189.228 ; 19, 332 ;
θεραπεία τῶν — 1, 261 ; 2, 11 ; 8, 476 ; 15, 427 ; 18, 219 ; πλάνη
τῶν — 4, 350.561 ; 7, 459.767 ; 8, 450 ; 10, 84 ; 11, 413 ;12, 393.
635 ; 13, 41 ; 14, 110 ; 19, 261.
εἴκασμα 14, 396.
εἰκότως 1, 50.126.182.398.418 ; 3, 30.258.575.638.828 ; 4, 27.227 ;
5, 484 ; 6, 197.513.573 ; 7, 212 ; 8, 308 ; 9, 214 ; 11, 14.183.239.
252.327 ; 12, 350 ; 13, 78.262.395 ; 14, 12.119.182.284 ; 15, 89.148 ;
18, 214.445.635 ; 20, 6.13.

ἐπιθύμημα 7, *694* ; 9, *433.441*.
ἐπιθυμία 7, *524* ; 11, 500.
ἐπιείκεια 12, 523 ; 20, 507.
ἐπικουρέω 4, 124 ; 14, 560 ; 16, 364.
ἐπικουρία 2, 720 ; 4, 264 ; 5, 41.48.125.389 ; 6, 391.453 ; 9, 480 ;
  11, 40.152.271 ; 14, 111 ; 16, 310 ; 18, 224.
ἐπίκουρος 3, 705 ; 5, 510 ; 6, 102.144 ; 8, 6.28 ; 14, 316.567 ;
  18, 419.
ἐπιμέλεια 1, 48.67.153 ; 2, 97.304.484.486 ; 13, 24 ; 18, 570 ;
  20, 213.267.270.
ἐπιμελέομαι 18, 20.263.
ἐπιμελῶς 6, 707 ; 19, 506.
ἐπίνοια 11, 295.
ἐπισημαίνω 6, 16 ; 11, 61.
ἐπίσημος 2, 225 ; 6, 141 ; 8, 245 ; 9, 119.121.123 ; 11, 371 ; 13, 96 ;
  19, 428.
ἐπιστομίζω 14, 184.
ἐπιστρατεύω 1, 132.164 ; 2, 224 ; 3, 199 ; 4, 233 ; 5, 44 ; 6, 15.336 ;
  8, 182.*283*.489 ; 9, 304.*313* ; 11, 134 ; 16, 5.496.
ἐπιστροφή 9, 148 ; 13, 7.91 ; 14, 236.
ἐπιτωθάζω 1, 91 ; 2, 146 ; 5, 260.486 ; 6, 574 ; 20, 245.
ἐπιφαίνω 2, 721 ; 5, 90 ; 9, 311 ; 12, 478.593 ; 16, 465 ; 19, 368.
ἐπιφάνεια 3, 109 (θεία) ; 4, *401* ; 8, 154 ; 10, 318.420 (ἡ προτέρα
  ἐπ.) ; 20, 170 ; ἡ δεσποτικὴ — Υ, 5 ; 3, 76.139.371 ; 7, 549 ; 8, 324 ;
  ἡ τοῦ σωτῆρος — Υ, 15 ; 2, 18.69.195.428 ; 6, 359 (θεοῦ καὶ σωτῆρος) ;
  7, 672.758 ; 9, 352.495 ; 20, 401 (τοῦ δεσπότου Χριστοῦ).
ἐπιφοιτάω 1, 372 ; 9, 450 ; 13, 295.
ἐπιφοίτησις 1, 303 ; 19, 539.
ἐπονείδιστος 8, 489 ; 13, 275.
ἐποπτεύω 20, 108.
ἐπουράνιος 3, 60 (ὑμνῳδία) ; 7, 502 (πύλαι) ; 10, 157 (= βασιλεύς) ;
  20, 657 (πόλις) ; — δυνάμεις 14, 13.152 ; 15, 23 ; 17, 485 ; 19, 567 ;
  Ἰερουσαλήμ — 2, *403* ; 7, 342.*344* ; 10, *475* ; 19, *141* ; 20, *438*.767 ;
  Σιών — 7, 387.395 ; 10, 473.
ἐποψία 7, 306.310.
ἐπωνυμία 3, 209.
ἐρανίζω Π, 5 ; 6, 68 ; 18, 212.
ἔρανος (ἐξ ἐράνου) 7, 793 ; 12, 194 ; 13, 356 ; 14, 430 ; 19, 170.
ἐραστής 16, 138.
ἐράω 15, 228.
ἐργασία Π, 11 ; 1, 276.*417* ; 8, 377 ; 12, *456* ; 14, 185 ; 18, 19.26.
  468 ; 19, *419*.
ἐργάτης 3, *781*.782 ; 12, 110 ; 18, 600.
ἐρευνάω 8, 89 ; 16, 10.

ἐρημία 1, 16 ; 1, 138.407.411 ; 2, 338.383.553.557 ; 3, 177.213.471.
473.479.481.487 ; 4, 160 ; 5, 151.167.179.193.196.240.341.536 ;
6, 23.69.605 ; 7, 124.129.147.235.239.785 ; 9, 439 ; 10, 5.204.325.
327.365.376.381 ; 15, 453 ; 16, 4.18.365 ; 19, *192.234*.

ἔρημος 1, *127*.146 ; 2, 371.376.*504* ; 3, 220.670 ; 4, 83 ; 5, 170.
307.485.491.508 ; 6, 26.*491*.492.494 ; 7, 106.775 ; 9, 5.445 ; 10, 329.
339 ; 12, 57 ; 15, 340 ; 16, *43*.184.377.470 ; 17, 211 ; 18, 502.541 ;
19, *381* ; 20, 51.61.106.156.*231* (2).237.238 (2) ; τὰ ἔρημα 2, 625 ;
10, *393* ; 14, *59* ; 15, *437* ; 16, *173.174*.176.*468* ; 19, 113 ; ἡ ἔρημος
1, 56 ; 2, *554.602* ; 3, *174* ; 4, *610* ; 5, *82*.540 ; 6, *495* (2) ; 9, *2.5.449*.
452.*460*.461 ; 10, 107.194.*342*.384.*385.386*.387.395.398.*437* ; 12,
27.38.421.422.429.436.*616* ; 13, *216*.220.*233* ; 15, *163*.167.176.
334.441 ; 16, *47* ; 17, *210.212.213.214*.230 ; 18, *429* ; 19, 180.206.
379.*380*.*477*.477 ; 20, *91*.92.153.

ἐρημόω 1, *128* ; 3, *172* ; 4, *553* : 7, *94*.108.*184.231* ; 10, *82.332*.334 ;
11, *247.287* ; 12, *640* ; 14, *63* ; 15, *423* ; 16, *275* ; 17, *235* ; 19, *192*.

ἐρήμωσις 1, *171* ; 7, *652* ; 16, *356.502*.

ἐριστικός 18, 452.462.

ἐριστικῶς 3, 188.

ἑρμηνεία Π, 2.31.43 ; Υ, 27 ; 1, 32 ; 2, 352.476 ; 3, 104.385.678.
850 ; 4, 18.482 ; 6, 356 ; 7, 117 ; 8, 156 ; 9, 58 ; 10, 58.484 ; 14, 36 ;
15, 328 ; 20, 395.526.

ἑρμηνευτής πρβ. οἱ Ἄλλοι, οἱ Λοιποί, οἱ Τρεῖς ; 6, 392 (τινὲς τῶν ἑρ.) ;
οἱ Ἄλλοι — 3, 685.716 ; 4, 16.36 ; 7, 790 ; 10, 30.342 ; 14, 118 ;
οἱ Λοιποί — 4, 188 ; 5, 189 ; 7, 11 ; 8, 62.116 ; 12, 476 ; 13, 90 ;
18, 442 ; οἱ Τρεῖς — 10, 54 ; 11, 95 ; 15, 170.250.289 ; 18, 604 ; 19,
445.616 ; 20, 393.

ἑρμηνεύω Π, 34 ; 1, 87.350 ; 2, 246.448.476.521.571.627 ; 3, 102.
278.339.349.363.372.416.593.663.720.821 849.851 ; 4, 37.131.305 ;
5, 73.208.306.336.501 ; 6, 119.184.351.681.724 ; 7, 112.116.120.
156.246.585.705 ; 8, 2.66.102.150 ; 9, 117.265.268.271.281.374.518 ;
10, 94.173.193.230.406 ; 11, 334.346.393 ; 12, 4.246.427.444 ;
13, 199.228 ; 14, 156.221.484.434.525.564 ; 15, 264.302.308.450.
517 ; 17, 62.273 ; 18, 111.197.344.409 ; 19, 136.265.310.353.419.
578 ; 20, 8.191.241.792.

ἔρως 17, 313 ; 19, 575.

ἐρώτησις 2, 498 ; 7, 99 ; 8, 365 ; 16, 428 ; 19, 564 (εἰς —).568 ;
κατ᾽ ἐρώτησιν 2, 542 ; 13, 54 ; 14, 559 ; 16, 14.36 ; 17, 270.

ἐσχατιά 3, 582 ; 12, 70 ; 15, 191.

ἔσχατος Π, 13 (τιμωρία) ; 3, *572* ; 4, 228 (ἀλογία) ; 8, 131 (ἄνοια) ;
12, *443* ; 14, *351*.572 (ἀσέβεια) ; 15, *161.292*.299 ; 16, 4 (ἐρημία) ;
19, 330 (πτωχεία).*535*.536 ; αἱ — ἡμέραι 2, *7.20.22.27* ; 13, 291 ;
— ὄλεθρος 1, 133 ; 4, 154 ; — πανωλεθρία Υ, 22 ; 16, 34 ; — πενία

ἴασις   Y, 9 ; 6, *409*.412 ; 17, 90 ;18, 300.389.
ἰατρεία   17, 89 ; 18, 265.
ἰατρικός   11, 516.
ἰατρός   4, 105 ; 7, *581* ; 9, 152 ; 11, 406 ; 17, 89.
ἰδέα   10, 367 ; 17, 312.
ἰδιότης   15, 126.
ἰδίωμα   2, 240 ; 4, 103 ; 5, 27 ; 20, 456.462.
ἰδιώτης   20, 506.
ἱερατικός   6, 681.716.
ἱερεῖον   17, 398 ; 18, 471.
ἱερεύς   1, 110.111.327 ; 2, 303 ; 3, 15.17.*500*.501 ; 6, 270.691.718 ;
   7, 164.175.177.*189*.196 ; 8, *56*.61 ; 9, 456 ; 11, 154 ; 12, *3*.11.481 ;
   13, 134.274 ; 15, 181 ; 18, 469 ; 19, *391* ; 20, 156.338.*729*.[746].
   749.
ἱερόν (τὸ)   20, 297.
ἱερός   πρβ. ἀπόστολος, ζεῦγος, εὐαγγέλιον, σκεῦος ; 1, 377 (προφῆται) ;
   3, 624 (λαός) ; 4, 427 (τραπέζα) ; 6, 397 (θρόνος) ; 14, 577 (ἄγκυρα).
ἱερωσύνη   3, 12.17 ; 6, 719.735 ; 20, 509.
ἱκετεία   10, 8 ; 11, 188.225.261.264.413.470.593 ; 20, 103.252.
   797.
ἱκετεύω   3, 587 ; 6, 390 ; 10, 88 ; 11, 151.177.
ἱκετηρία   12, 6.
ἴνδαλμα   14, 394.
ἱστορέω   2, 237 ; 6, 654 ; 18, 305.
ἱστορία   2, 291.533.579 ; 3, 235.439 ; 4, 497 ; 6, 18.201.654.701.
   737 ; 8, 179.276 ; 9, 31.32 ; 11, 5.14.73.368.402 ; 14, 244 ; 15, 354 ;
   16, 29.91.393 ; 17, 11.101 ; 19, 94.

καθαίρεσις   16, 385.
καθαίρω   2, *508* ; 3, 750 ; 8, *217*.
καθαρίζω   17, *140* ; 18, *248* ; 20, *688*.693.
καθαρός   1, *268.360* ; 4, *502* ; 5, *319* (2) ; 9, 495 ; 10, *454* ; 13, 431 ;
   14, *533* ; 17, 83 ; 18, 416 ; 20, *292*.
καθαρότης   10, 391.
κάθαρσις   1, 375 ; 2, 408.410.
καθαρτήριος   9, 499.
καθολικός   6, 383.
καθολικῶς   1, 250 ; 7, 366 ; 14, 390.
καθόλου   2, 296.311 ; 7, 734 ; 19, 10.
καινός   3, 344.497.540.541 (2).759.*861* ; 6, 608 ; 7, *471* ; 12, *395*.
   [*600*].601.604 (2).*606* ; 13, *213* ; 14, 125 ; 15, *53*.368 (λειτουργία) ;
   16, 198 (νόμος) ; 17, 88 ; 20, *421*.427 ; πρβ. διαθήκη, κτίσις ; — ὄνομα

κληρονομέω   2, *118* ; 5, *330* ; 6, *105* ; 7, *359* ; 10, *375* ; 15, *333* ;
17, *171.235.*250.*371* ; 18, *244* ; 19, *280.*285.*406* ; 20, *150.331.348.*
κληρονομία   6, *104.448.*455 ; 14, *500* ; 15, *334* ; 17, *174.368* ; 19,
407.413 ; 20, *150.*
κληρονόμος   15, 8.
κλῆρος   3, 749 ; 10, *373* ; 18, *176.*182 ; 20, 153.
κλῆσις   1, 311 ; 12, 287.411 ; σωτήριος 13, [241] ; 20, 379 ; ἡ τῶν
ἐθνῶν — 3, 87.768 ; 11, 12 ; 14, 352 ; 15, 201 ; 20, 351.748.
κοινός   2, 709 ; 8, 362 ; 15, 293 ; 18, 25 (= βέβηλος),27.31 ; 20, 516
(ἐχθρός = διάβολος) ; κοινῇ 5, 129 ; 6, 480.
κοινωνέω   1, 162 ; 3, 107.*679* ; 4, 15.68 (2).428 ; 5, 384 ; 6, 31 ;
11, 190.191 ; 13, *339.*341 ; 19, 127 ; 20, 629.788.
κοινωνία   2, 726 ; 4, 602 ; 12, 329 ; 14, 9.151 ; 15, 185.396 ; 18, 215 ;
20, 789.
κοινωνός   1, *337* ; 2, *616* ; 3, 846 ; 6, 541.
κολάζω   1, 423 ; 3, 187.329 ; 7, 199.329.582 ; 8, 216 ; 9, 218.296 ;
11, 168 ; 15, 44 ; 16, 343 ; 18, 624 ; 20, 124.250.388.776.
κόλασις   7, *260.*327 ; 18, 621 ; 20, 452.773.
κόρος   1, 252 ; 2, 539 ; 9, 150 ; 18, 106.225.
κορυφαῖος   20, 498.
κράτος   2, 71.174.184.691 ; 3, 602.681 ; 4, 153 ; 5, 70 ; 6, 704 ;
7, 365 ; 11, 382 ; 12, *236.*633.676 ; 14, 512 ; 15, 103 ; 17, 31 ; 20, 37.
κρίσις   παντ.
κριτής   1, *362* ; 2, 320.489.549 ; 5, 573 ; 6, 741 ; 9, *127* ; 10, *236* ;
12, 25.447 ; 13, 268 ; ὁ δίκαιος — Π, 6 ; 2, 600 ; 6, 741 ; 8, 432 ; 16,
102 ; 18, 599 ; 20, *17.*
κτίσις   1, 33 ; 5, 116 ; 7, 335.336.346 ; 8, 404 ; 12, 146.176.233.
552 ; 13, 37 ; 14, 9.62.151.210 ; 15, 99.396 ; 19, 337.*411* ; ἡ καινὴ —
3, *860* ; 20, *420.*433.754.
κτίσμα   12, 568.
κτίστης   13, *199.*
κυβερνάω   5, 576 ; 7, 435 ; 12, 204.
κυβερνήτης   4, 536.
κύησις   4, 363 ; 18, 505.
κύριος   παντ. ; τῶν ὅλων ὁ — 2, 320 ; 3, 592 ; 5, 426 ; 7, 440 ; 15,
194.323 (τῶν ἀπάντων) ; 16, 191 ; 18, 320 ; 20, 584.594.
κυριότης   14, 310.
κυρίως   2, 573 ; 5, 327.497 ; 7, 757 ; 8, 450 ; κυρίως καὶ ἀληθῶς
7, 192 ; 12, 366 ; 13, 107.426 ; 16, 450.
κώλυμα   19, 542 ; 20, 93.
κωλύω   2, 164.242 ; 4, 565 ; 6, 642 ; 8, *50.*50 ; 11, 82.366 ; 13, *111.*
κωμῳδέω   1, 93 ; 2, 125.644 ; 5, 443.533 ; 12, 192.497 ; 13, 363 ;
14, 314.425.516.

λύσις   1, 258 ; 5, 454 ; 8, 100 ; 12, 30 ; 15, 363 ; 16, 424 ; 17, 155.
λυτήριος   9, 498.
λύττα   Υ, 10 ; 11, 126.207.
λυττάω   2, 530 ; 3, 814 ; 5, 238 ; 12, 538 ; 18, 128.
λύτρωσις   14, 25 ; 19, 601.
λυτρωτής   14, 486.

μαγγανεία   14, 315.
μάγος   3, 525.
μάθησις   7, 546.
μαθητεύω   3, 769.786 ; 4, 598 ; 7, 419 ; 9, 407 ; 10, 447 ; 20, 714.
μαθητής   10, 225 ; 14, 294 ; 16, 82 ; 17, 166.
μαῖα   17, 204.
μαίνω   3, 814 ; 4, 97 ; 5, 335 ; 7, 513 ; 8, 125 ; 11, 205 ; 16, 267.
μακαρίζω   2, 307.316 ; 4, 61 ; 7, 373.377 ; 9, 354.
μακάριος   2, 310 ; 7, 373.378 ; 9, 128.352.491.507 ; 10, 487 (ζωή) ;
    12, 34 (οἱ τρεῖς μ. εὐαγγελισταί) ; 18, 16 ; πρβ. Δαυίδ, Μωυσῆς, κτλ.
μακαρισμός   18, 20.
μακροθυμέω   20, 112.140.146.248.
μακροθυμία   4, 118 ; 7, 331 ; 8, 225 ; 10, 255 ; 11, 126.238 ; 12,
    639 ; 16, 97 ; 18, 257 ; 20, 123.128.136.
μανία   4, 386 (τῶν δαιμόνων) ; 8, 16 (τῶν εἰδώλων) ; 10, 254 (τοῦ
    σταυροῦ) ; 11, 213.243 ; 12, 540 ; κατὰ τοῦ δεσπότου Υ, 23 ; 16, 35 ;
    κατὰ τοῦ κυρίου, σωτῆρος, ἐμοῦ 1, 263 ; 2, 532.719 ; 6, 614 ; 7, 662 ;
    τῶν αἱρετικῶν — 14, 257.312.[360].
μανικός   4, 190 ; 11, 179 ; 12, 522.
μαντεύω   14, 43.
μαντεία   5, 526 ; 14, 39.
μαντεῖον   6, 235 ; 12, 488.
μαντικός   Π, 23.
μαρτυρέω   2, 329.454 ; 3, 692 (ἡ ἔκβασις) ; 4, 269 ; 7, 216.563 ; 9,
    254 ; 10, 197.335 (τὰ ὁρώμενα) ; 11, 509 ; 12, 486 (τὸ τέλος).523.532.
    536.570 ; 13, 149.150.158.159.179 ; 18, 46 ; 20, 24.446.496 ; τῶν
    εὐαγγελίων ἡ ἱστορία 6, 201 ; 9, 371 (ἡ συγγραφή) ; 15, 353 ; 16, 28 ;
    τὰ πράγματα 6, 209 ; 7, 179 (τῶν πρ. θεωρία) ; 8, 325 ; 12, 324 (τῶν
    πρ. ἡ πεῖρα) ; 13, 307 ; 14, 279 ; 16, 394 ; 18, 245.548 ; 19, 429.
μαρτυρία   1, 31.37.38.41.44 ; 3, 364.505.635.674 ; 4, 286.552 ;
    8, 342 ; 9, 37.376 ; 12, 512 ; 13, 158 ; 14, 8 ; 19, 590.
μαρτύριον   3, 653 ; 9, 28.35 ; 17, 416.419.
μάρτυς   1, 16.35 ; 2, 195 ; 3, 499.539.745 ; 6, 542 ; 7, 170 ; 8, 418 ;
    10, 49.86.211 ; 12, 21.367 ; 13, 85 (2).139.145.146.148.154.160.
    182.328.334 ; 14, 246.369 ; 16, 180 ; 17, 244.420 ; 19, 117.145.
μαστιγέω   2, 682 ; 9, 503 ; 10, 87 ; 20, 129.

μάταιος   1, *220* ; 2, *190* ; 6, *607* ; 8, 170.*232.280* ; 9, *15.23.101.*
*108.*244.*295.404* ; 10, 100.*118* ; 12, 140.463.*499* ; 13, *333* ; 14, *321.*
546 ; 15, *244* ; 18, *502.*504.*509.*

μεγαλαυχέω   10, 488 ; 15, 17 ; 18, 40.

μεγαλειότης   12, 181 (θεία).

μεγαλοπρέπεια   2, 729 ; 8, 499 ; 9, 530 ; 11, 599 ; 12, 676 ; 17, 122.
508.

μεγαλοφροσύνη   10, 31.

μέγεθος   1, 379.383 ; 6, 664 ; 13, 260 ; 19, 4 ; 20, 536.

μέλος   1, 116 ; 5, 546 ; 15, 493 ; 17, 179.

μελῳδία   8, 492 (Δαυιτική).

μεστός   11, 48 ; 12, 467.485 ; 20, 365.407.

μεταβολή   1, 319 ; 2, 83.129.355 ; 3, 175 ; 4, 336 ; 5, 226 (2).279.
372.466 ; 6, 9.357.424.518 ; 7, 158.727 ; 8, 14 ; 9, *258.*386.423.
457 ; 10, 109 ; 12, 231.436 ; 13, [145].232 ; 14, 237.307.411.511.
538.*562.*563 ; 17, 494.501 ; 18, 290 ; 19, 81.399.

μετάληψις   18, 420.483.

μεταμέλεια   1, 286.391 ; 2, 633 ; 3, 161 ; 8, 306 ; 14, 417 ; 15, 28 ;
18, 289.342.562.

μετάνοια   1, *188.368* ; 4, 71 ; 7, 708.724.728 ; 9, 98.101.146 ; 17,
146 ; 18, 288.

μετάρσιος   10, 39 (οἱ — τὴν διάνοιαν) ; — φρόνημα 10, 445 ; 12, 51 ;
τὸ — τοῦ φρονήματος 3, 66.

μετάστασις   6, 300.

μετασχηματίζω   10, 368.

μεταφορά   2, 681.

μετοικίζω   6, 633.

μέτοικος   1, 266.

μετουσία   3, 124 ; 6, 265.

μηνύω   3, 61.80.82.122 ; 6, 334 ; 10, 398 ; 12, 109.525.604 ; 16,
454 ; 19, 564.

μητρόπολις   1, 11.*378* ; 3, 203.298 ; 5, 435 ; 6, 31.422 ; 7, 8 ; 10,
330 ; 11, 294 ; 12, 621 ; 13, 68 ; 19, 159.204 ; 20, 718.

μηχανή   6, 236.291.646 ; 11, 466 ; 17, 366.

μηχάνημα   2, 163 ; 11, 433 ; 18, 527.

μιαιφονία   1, 262.288 ; 20, 287.

μιαίφονος   2, 236 ; 7, 662.

μίμησις   2, 725 ; 4, 307 ; 9, 334 ; 19, 30.

μισθός   4, 64 ; 7, *151* ; 12, *107.*109 ; 16, *240* ; 18, 19 (2).396 ;
19, 420.*547.*552.553 ; 20, *470.*

μισθόω   8, 8 ; 14, *420.*431.

μισθωτής   5, *563.*567 ; 6, *592.*

μισθωτός   8, *5.6.27.*

μῖσος   6, 563 ; 10, 139 ; 18, 560.

19, 53 ; 20, 695.698.744 ; ὁ παλαιός — 2, 50 ; 18, 68 ; ὁ καινός —
16, 199 ; (= νεὰ διαθήκη) 2, 54 ; 10, 60.

νοσέω   1, 116 ; 2, 337.539.593 ; 9, 8 ; 12, 652 ; 13, 337 ; 15, 121.

νόσος   1, 116 ; 2, 363 (2).591 ; 3, *824* ; 4, 106 ; 8, 61 ; 9, 151 ; 11,
406.412.458.502 ; 13, 67 ; 17, *70*.

νυκτερίς   2, *190*.198 ; 14, 395.

νύμφη   6, *227* ; 15, *220.432* ; 19, *442*.443.465.482.*492*.493.498.
578.

νυμφικός   19, 481.

νυμφίος   1, 322 ; 17, 228.266 ; 19, *442*.444 (3).459.*491*.

νύσσα   10, 486.

ξένος   6, 125 ; 10, 448 ; 11, 450.531 ; 13, 206.219 ; 15, 167 ; 19, 398.

ξηραίνω   5, 467 ; 6, 249.*258.261* ; 7, 393.774.777 ; 11, *312* ; 12, *74.
76*.81.86.*222.410.640.641.642*.645 ; 13, *344* ; 14, 63 ; 16, *43.46*.56.
300.

ξηρός   1, 413 ; 4, *74*.76 ; 5, 487 ; 11, *313* ; 12, 649 ; 18, *38*.

ξύλινος   12, 464.

ξύλον   3, *275*.286.*450* ; 4, 28.*222*.223.224 ; 5, *244* ; 9, *279* (2).282 ;
10, 358 ; 12, 182.*188*.192.390 ; 13, 8.363.389 (2).416 ; 14, *4*.19.*328*.
332.426.428 ; 17, *336.472*.476.485 ; 18, *38*.132.*437*.472 ; 19, 203.
247 ; 20, 302 ; — τῆς ζωῆς   16, 186 ; 20, *471*.475.*476*.478 ;
— τοῦ σταυροῦ/= σταυρός 7, 678 ; 17, *77*.139 ; 18, 167 ; 19, 79 (τοῦ
σωτηρίου στ.) ; 20, 288.521.778.

ὁδεύω   3, 383 ; 7, 523 ; 8, 239 ; 9, 56.103 ; 10, 135.462 ; 12, 613.
655.672 ; 13, 39 ; 14, 577 ; 16, 511 ; 18, 114.588 ; 19, 278.

ὁδός   παντ. ; ἡ θεία — 10, 135 ; 11, 70 ; 18, 112.

οἰκεῖος   1, 328.335.356 ; 2, 114.176.*255*.299 ; 3, 189.209.271.831 ;
4, 88.97.152.166 ; 5, 475 ; 6, 158 ; 7, 109.476.560.680 ; 8, 187.194.
292 ; 9, 127.309.316.*353* ; 11, 298.479 ; 12, 7 ; 13, 121.128 ; 14, 210 ;
15, 254.272.436.492 ; 16, 97.309 ; 17, 80.500 ; 18, *374*.561 ; 19,
45.525 (2) ; 20, 170.462.536.561.

οἰκειότης   2, 300 ; 11, 268 ; 16, 382.

οἰκειόω   4, 31 ; 17, 58.79.

οἰκέτης   Π, 11 ; 2, 682.692 ; 3, 751 ; 4, 427 ; 6, 672 ; 7, 198 ; 11, *94*.
102.326.327 ; 16, 92 ; 20, 141.

οἴκησις   19, 66.

οἰκητήριον   10, 39.43. 294.

οἰκήτωρ   1, 161.322.380 ; 2, 376 ; 3, 205.765 ; 5, 158.428.570 ;
6, 27.493.706 ; 7, 35.107.235.240 ; 9, 490 ; 10, 337.359.376 ; 14, 65 ;
15, 441 ; 16, 414 ; 19, 363.

οἰκιστής   11, 353 ; 19, 557 ; 20, 236.

οἰκοδομέω   2, *439.460* ; 4, *23.169.450* ; 5, *438*.440 ; 6, *382*.657 ;
7, *366* ; 10, *208*.222 ; 14, *59.71*.80.*218.223* ; 15, *419*.420.423 ;
17, 318.*328* ; 18, *428* ; 19, *163*.165.*380* ; 20, *458.460.529*.537.

οἰκοδομή   10, 346.

οἰκοδόμημα   1, 379 ; 19, 536.

οἰκοδομία   2, 49 ; 7, 123 ; 8, 154 ; 9, 135 ; 11, 65.68 ; 14, 55.126.
234 ; 15, 414.416 ; 17, 330 ; 18, 430.432.434 ; 19, 17.169.249 ; 20,
90.

οἰκοδομικός   8, 159.

οἰκοδόμος   18, *441*.445.

οἰκονομέω   1, 321 ; 18, 280 ; 20, 369.

οἰκονομία   3, 885 ; 4, 414.484 ; 6, 298.*696*.704 ; 7, 428 ; 8, 309 ;
10, 127 ; 15, 230.345.361 ; 18, 376.

οἰκονομικῶς   15, 356.

οἰκουμένη   1, *236*.266 ; 2, 35.67.76.*82*.552 ; 3, 585.598.695.800 ;
4, 204.209.*285*.462.486.497.602 ; 5, *52.82*.83.*93*.237.293.*307.367* ;
6, 176.342.379 ; 7, 65.*144.183*.207.*730*.732.736.767.796.*805* ; 8, 148.
354 ; 9, 164.380 ; 10, 46.206.*269*.431.438.461 ; 11, *220.227*.231.
247.256.348.350 ; 12, 47.70.282.290.303.623.624 ; 13, 108 ; 14, 289.
516 ; 15, 340.385 ; 16, *62*.207.209.452 ; 17, 21.241 ; 18, 553.634 ;
19, 69.*106*.377.454.*484*.489.546 ; 20, 258.777.

οἴκτιστος   5, 411 (θάνατος).

οἶκτος   10, 424.

οἰνοφλυγία   2, 560 ; 18, 117.

ὄλεθρος   1, 133 ; 2, 619 ; 3, 208 ; 4, 32.154.199 ; 5, 8.142.229.242.
340.362.466.483.511 ; 6, 168.472.491.687 ; 7, 476.591.642.655.691.
696.712 ; 8, 272.291.300 ; 9, 115.252.275 ; 10, 3.358 ; 11, 14.272.
531 ; 13, 39 ; 14, 387.398.531.575 ; 18, 510 ; 20, 596.

ὀλοθρεύω   20, 132.

ὀλοφύρομαι   1, 113.318 ; 2, 128 ; 5, 447 ; 6, 272.663 ; 9, 435 ; 10, 9.
87 ; 12, 132 ; 16, 432.

ὀλόφυρσις   7, 208.

ὁμολογέω   7, 39 ; 8, 419 ; 12, 567 ; 13, 265.267.329 ; 14, 244 ;
17, 150.

ὁμολογία   8, 351.

ὁμόνοια   4, 520 ; 6, 228.230 ; 10, 20.

ὁμοούσιος   13, 314 ; 14, 345 ; τὸ — 14, 339.368.

ὄνησις   5, 372 ; 6, 286 ; 8, 95 ; 15, 248 ; 20, 267.

ὀνησιφόρος   4, 387 ; 6, 230 ; 11, 584 ; 17, 103.

ὄνομα   παντ. ; τὸ θεῖον — 7, 271 ; 15, 18.

ὀνοσκελίς   5, 187 ; 10, 351.

ὀπτασία   3, 29.

ὀπτικός   τὸ — τῆς διανοίας 1, 7 ; 3, 147 ; 12, 585.652.

ὄργανον 1, 203 ; 2, 72 ; 3, 458 ; 5, 552 ; 6, 163.465 ; 8, 159 ; 13, 358.366 ; 17, 350.
ὄσφρησις 6, 362.
οὐράνιος 3, 326 ; 15, 484 ; 19, 335.
οὐσία 2, 603 ; 5, 253 ; 6, 67 ; 7, 575 ; 12, 195.597 ; 14, 342 ; 16, 175.
ὄψις 3, 42.50.87 ; 6, 361 ; 15, *39*.

παγιδεύω 8, 366.
παθεινός 18, *286*.287.
πάθημα 2, *615* ; 3, *680* ; 4, 386 ; 19, 404.
παθητός 17, 110.
πάθος 2, 360.593.700 ; 3, 152.157 ; 5, 97.152 ; 6, 309 ; 20, 241.360 ; (= — τοῦ Χριστοῦ) Υ, 11 ; 4, 486.489 ; 6, 343 (τὸ σωτήριον) ; 17, 4 (τὸ δεσποτικὸν).14.47.57.58.65.68.102.104.107.112.114.115.184.196. 198 ; 19, 537 ; 20, 271 (τὸ σωτήριον).
παιδαγωγός 20, 487.
παιδεία 1, 201 ; 2, 558 ; 3, 19.23.282.*822* (2).*829*.*835* ; 4, 298.301. 310 ; 7, *594* ; 11, 572 ; 12, *22*.24 ; 14, 173 ; 16, *68*.*70*.80 ; 17, *84*. 87 ; 18, 607 ; 20, 137.
παίδευμα 10, 216 ; 13, 110.
παιδεύω 8, *214*.215.492 ; 9, 177 ; 13, 74 ; 14, *407*.409.505 ; 17, 86 ; 18, 608 ; 20, 141.147.
παιδοποιέω 9, 355.
παιδοποιΐα 11, 500.511.
παλαιός 1, 265 ; 4, 520 ; 5, 12.187 (οἱ).569 ; 6, 70 ; 7, 47.172 (οἱ) ; 8, 276 (ἱστορίαι) ; 12, 352 ; 15, *45*.366 (λατρεία) ; 20, 64.118 (οἱ — πρόγονοι).400 ; — διαθήκη πρβ. διαθήκη ; — Ἰερουσαλήμ 10, 203 ; 19, 36.137 (Σιών).185.237 ; — νόμος 2, 50 ; 18, 67.
παλιγγενεσία 1, 274 ; 2, 411.
πανάγιος πρβ. βάπτισμα, πνεῦμα.
πανηγυρικός 2, 444.
πανήγυρις 9, 260 ; 10, 482 ; 20, *439*.
πανοπλία 2, 702 ; 7, 684 ; 15, 492.499.
πανουργία 11, 54.
παντελής 5, 177 (ἡσυχία) ; 16, 314 (τιμωρία) ; ἡ — ἐρημία Υ, 16 ; 2, 553 ; 3, 479 ; 5, 151 ; 10, 205 ; ἡ — κατάλυσις 3, 452 ; 7, 337.692 ; ὁ — ὄλεθρος 3, 208 ; 5, 142.340.
παντελῶς 1, 253 ; 3, 648 ; 5, 397 ; 6, 35.247.598 ; 9, 95 ; 10, 333 ; 13, 69 ; 14, 322.505 ; 16, 5.392 ; 19, 593 ; 20, 154.557.
παντοδαπός Υ, 9 (θαυματουργία) ; 2, 350.357 ; 7, 98 (κακά) ; 18, 266 ; 19, 465 ; 20, 657 ; ἐξαπάτη 5, 188 ; 20, 182 ; εὐεργεσία 1, 51 ; 9, 422 ; 13, 421 ; καρποί 1, 58 ; 11, 133.339 ; πρόνοια 2, 512 ; 12, 355 ; 20, 31 ; ἐπιμέλεια 20, 267 ; προμήθεια 1, 48 ; 20, 161 ; συμφορά 6, 153 ; 8, 477 ; τιμωρία 1, 22.115.260.

292.300.405 ; 15, *116*,122.*131.224.350* ; 16, *79* ; 17, *275.277*.304
(πνεύματα) ; 18, *274.363.649* ; 19, *308.321.324* (2).*325* (2).*326*.327.
352.358.*359*.361 ; 20, *97.386*.466 (2) ; τὸ ἅγιον — 1, *371*.432 ; 2,
416.728 ; 3, *511* ; 4, 359 ; 7, *420*.819 ; 10, *34*.397 ; 15, *37*.128 ; 19,
209.537 ; 20, *38.43.53* ; τὸ θεῖον — 1, 8.303 ; τὸ πανάγιον — Π, 40 ;
1, 371 ; 3, 516.616.892 ; 4, 361.507.531.619 ; 5, 552.579 ; 7, 613 ;
8, 370.408.474 ; 9, 530 ; 10, 390.490 (παν. καὶ ἀγαθὸν) ; 12, 278.
555.676 ; 13, 435 ; 14, 581 ; 15, 118 ; 16, 513 ; 17, 51.209.509 ;
19, 316.449.625 ; 20, 68.800 ; Πνεῦμα 2, *438* ; 3, 636 ; 7, 538.610.
611.615.616 ; 13, *297* ; 15, 120 (τὸ — πρόσωπον).130 ; 20, 506 ;
χάρις τοῦ Π. 3, 757 ; 4, 507 ; 7, 455 ; 10, 463 ; 13, 289.296 ; 18, 656.
πνευματικός   2, 432.519 ; 7, 3.272 ; 8, 384 ; 10, 192.196 ; 17, 252.
403 ; 18, 308.431.475 ; 19, 148.266.397.
πνευματικῶς   18, 615 ; 19, 231.
ποδηγέω   3, 631.706.709 ; 4, 516.554.577 ; 6, 189 ; 11, 554 ; 12,
653.672 ; 16, 507 ; 19, 54.58.147 ; 20, 100.
ποδηγία   12, 670.
ποδηγός   3, 644 ; 10, 463.
ποθεινός   18, 380.381.
ποίημα   8, *372* ; 20, 427.429 (2).
ποίησις   17, 351.
ποιητής   1, 88 ; 4, 490 ; 5, 116 ; 7, 482 ; 8, 375.405 ; 9, 8 ; 11, 386 ;
12, 206.217 ; 14, 60.189.198.303 ; 20, 260.429 (2).534 ; τῶν ἀπάντων
— 11, 305 ; 14, 250 ; τῶν ὅλων — 3, 411 ; 10, 117 ; 14, 183.
ποιητικός   9, 393 ; 12, 648 (ἕλη).
ποινή   5, 60 ; δικαία 10, 305 ; 11, 388.
ποιότης   1, 334 ; 4, 460 ; 7, 679 ; 16, 292.
πολιορκέω   1, 140 ; 2, 228 ; 3, 201.445 ; 4, *101*.276.299 ; 5, 361 ;
6, 13.*505*.509.642 ; 7, 3, *700*.707 ; 9, 387 ; 10, 261 ; 11, 19.22.183.
202.336 ; 16, 369 ; 18, 232.*593*.
πολιορκητής   20, *35*.
πολιορκία   2, 223.396 ; 3, 198.258 ; 4, 144.324 ; 5, 412 ; 7, 53.695.
730 ; 8, 248 ; 9, 243 ; 11, 200 ; 14, 133 ; 16, 4.506 ; 18, 71.75 ;
19, 44 ; 20, 589.
πόλις   παντ.
πολιτεία   7, 377 (ἀποστολικὴ).501 (εὐσεβὴς) ; 14, 570.577 ; 19, 10.
27 (ἐκκλησιαστικὴ).308 (ἡ μέλλουσα) ; νομικὴ 2, 335 ; 5, 210 ; 20,
287 (ἔννομος) ; ἐν οὐρανοῖς 19, 21 ; 20, 759 ; 4, 397 (οὐράνιος) ; 19,
139 (τῶν οὐρανῶν).
πολίτευμα   17, 309.
πολιτεύω   2, 100 ; 3, 491.662.761 ; 7, 159.280 ; 9, 486 ; 10, 350 ;
11, 68 ; 15, 140 ; 18, 67 ; 20, 544.
πολυθεΐα   7, 453 ; 12, 245.
πολύθεος   6, 210.254 ; 7, 335 ; 18, 178.

πολυθρύλητος   1, 245 ; 5, 362 ; 6, 34 ; 7, 65 ; 13, 68.97.276 ; 18, 131 ; 19, 73 ; 20, 243.636.

πολυκαρπία   7, 234.

πολύκαρπος   8, 391.

πολύμορφος   3, 46.

πολυπαιδία   17, 199.206 ; 18, 39 ; 20, 621.

πονηρία   1, 97.*270.275*.420 ; 2, 297.725 ; 3, 174.*395,397* ; 4, 68. 107 (2) ; 5, 402 ; 6, 739 ; 7, 123 ; 8, 308 ; 9, 16.423 ; 11, 44.46 ; 14, 524.*528* ; 15, 268 ; 16, *77* ; 18, 107.325.*530*.595 ; 20, 42.614.692.

πονηρός   1, *85*.95.99.273.420 ; 2, *283.295*.641 (2).644 ; 3, *289*.401. 591.613 ; 4, *67* ; 5, 20.*328* ; 6, 89 ; 7, *58.381.385*.484 ; 8, *171.484* ; 9, 19.*295.409* ; 10, *464* ; 11, 198.327 ; 12, 243 ; 16, *239* ; 17, *128*. 133 ; 18, *108* ; 20, *372.565*.

πρᾶγμα   Π, 15 ; 1, 28 ; 3, 522 ; 4. 336.396 ; 5, 225.252.253.426. 466.487.558 ; 6, 209 ; 7, 180.*349*.351.361.365.540 ; 8, 175.*191*. 325 ; 10, 109 ; 12, 324.533 ; 13, 308.329 ; 14, 279.539 ; 15, 115 ; 16, 394 ; 17, 428.498 ; 18, 246.399.400.548 ; 19, *24*.25.27.429 ; 20, 179.369.

πραγματεύομαι   1, 91 ; 3, 175.178.818.886 ; 10, 212 ; 20, 41.

πραγματικός   9, 350 (προφητεία).

προαγορευτικός   7, 590.

προαγορευτικῶς   10, 392.

προαγορεύω   Υ, 15.19 ; 2, 441 ; 3, 139.269.393.452.495.506.738 ; 4, 7.60.142.294.343.508 ; 5, 199 ; 6, 102.194.198.224.371.376.427. 491 ; 7, 277.455.737.768 ; 8, 3 ; 9, 207 ; 10, 131.383 ; 11, 7.12 ; 12, 4.91.282.314.319.599 ; 13, 144 ; 14, 150 ; 15, 27.48.187.362 ; 16, 76.249 ; 17, 145 ; 18, 7.75 ; 19, 281 ; 20, 5.503.571.611.

πρόγνωσις   1, 6 ; 7, 535.

προγονικός   6, 562 ; 18, 483 ; 19, 64.

πρόγονος   1, 96.100 ; 3, 642 ; 7, 23 ; 12, 572 ; 13, 201 ; 16, 139 ; 20, 118 (οἱ παλαιοί).151.163.335.336.

προδηλόω   παντ.

προδιαγράφω   2, 472.702 ; 3, 123 ; 11, 214 ; 20, 589.

προδιατυπόω   3, 123.

προερμηνεύω   3, 5.581 ; 8, 112 ; 9, 458.

προθεσπίζω   2, 55.88.141 ; 3, 5.386.474.574.767 ; 4, 342 ; 5, 5 ; 6, 555.619 ; 7, 183.407 ; 8, 3.147.414 ; 9, 351 ; 10, 2 ; 12, 77 ; 13, 4 ; 14, 52.233.320.461 ; 15, 113.325.364 ; 17, 33.198.435 ; 18, [5] ; 19, 15.210.433 ; 20, 4.434.

προθυμία   2, 700 ; 9, 146.147 ; 11, 169 ; 19, 431.

προθύμως   4, 280 ; 8, 204.402 ; 17, 37.

προλέγω   παντ.

15

371.*382*.393.394 ; 14, 99.248.*253*.271.283.394.396.*421*.434 ; 15, *326*.
329.*477* ; 17, 418.430 ; 18, 635 ; 19, 71.*109*.187.*218*.220.221.
460 ; 20, *758*.

προσκύνησις   2, 207 ; 3, 526 ; 4, 490 ; 6, 265 ; 19, 186.225.

πρόσταγμα   7, *210.533*.543 ; 15, 143 ; 20, 545.701 ; τὸ θεῖον — 9,
221 ; 20, 86.

προστασία   2, 208.384.

προσφέρω   παντ.

πρόσωπον   1, *106* ; 2, *120.139.180.192.327* ; 3, *53*.61.*405.668* ;
4, *54*.55.*57*.187.238 ; 5, *71*.77.79.*507*.574 ; 6, *101.209.326.431* ;
7, *145.184.438* ; 8, *200.439* ; 9, *230.338*.415 ; 10, *370* ; 11, *53.91* ;
15, *476* ; 16, *89.94.98*.292.*303.351* ; 17, *61.63.283*.447 ; 18, *134.
249.277.282*.290.*425.490* ; 19, *548* ; 20, *85.173.209* ; πρόσωπον τοῦ
θεοῦ, τοῦ υἱοῦ, τοῦ πνεύματος 14, 255 (δυὰς).266 (ἐν).363 (υἱοῦ) ;
15, 120 (θεοῦ, πνεύματος) ; ἐκ προσώπου 6, 496.529 ; 13, 413 ; 14,
361 ; 15, 206.245 ; 16, 272 ; 17, 172 ; 19, 434.551 ; 20, 143.

προσωποποιέω   7, 41.

προσωποποιία   2, 584 ; 5, 251 ; 7, 696 ; 9, 140 ; 14, 6 ; 15, 445 ;
16, 7.

προτυπόω   6, 712.

προφανῶς   2, 269 ; 3, 343 ; 8, 182 ; 15, 79 ; 18, 594.

πρόφασις   2, 335 ; 3, 368 ; 11, 257.482.496.554.557 ; 20, 46.

προφητεία   Π, 22.34.42 ; Υ, 1 ; 1, 13.314 ; 2, 4.20.40.170.182.429.
638.639 ; 3, 9.31.353.489.527.643.835 ; 4, 425.474.480.552 ; 5, 6.
110.196.286.334.347.386.543.552 ; 6, 18.169.196.201.242.244.356.
424.434.463.556.564.674.738 ; 7, 138.169.179.186.693.760 ; 8, 88.
132.204.330.397.450 ; 9, 32.33.350 ; 10, 48.76.203.266.335.483 ;
11, 7.15 ; 12, 521 ; 13, 131.174.248.308 ; 14, 245.260 ; 15, 111.177.
186.321.483 ; 16, 96.450 ; 17, 229.345.490 ; 18, 151.348.423.455 ;
19, 33.34.56.230.249.310.313.558 ; 20, 504.715.

προφητεύω   9, 363 ; 13, *293* ; 16, *93* ; 17, *19* ; 20, 332.

προφήτης   Π, 2.35 ; 1, 23.28.142 (2).191.209.225.297.377.429 ; 2,
26.88.*218*.225.229.519.536.540.*611* ; 3, 5.8.27.29.*49*.121.129.131.150
(2).181.211.223.233.245.263.267.334.341.386.491.502.519.540.568.
575.583.615.666.758.823 ; 4, 41.*58*.59.373.403.475.508.531 ; 5, 529.
561 ; 6, 5.7.8.250.339.426.428.432.457.473.529.550.564.619 ; 7, 4.
57.118.128.272.291.347.360.407.469.531.537.*541*.590.601.630.638.
656.718.755 ; 8, *56*.61.85.86.117.120.228.241.*297*.331.337.345.370.
437.465.474 ; 9, 24.33.45.*47*.64.73.79.131.141.456.526 ; 10, 3.172 ;
11, 6.24.152.186.187 (2).188.214 (2).371 (2).399.416.[513].540.556.
562.565 ; 12, 22.*39*.65.119.251.319.379.454 ; 13, 23.140.152.291 ;
14, 47.156.159.362 ; 15, 38.117 ; 16, 25.75.272.359 ; 17, 15.36.79.216.
225.*249* ; 18, 202.307.320 ; 19, 160.315.479.549.557.564 ; 20, 102.
143.200.252.261.266.*295*.374.422.584.605.619 ; οἱ ἅγιοι — 14, 15 ;

7, 562.678 ; 10, 254 ; 12, 69 ; 15, *311.317.*469.510 ; 16, 179.206 ;
17, 18.57 ; 18, 121 ; 19, 72.537 ; 20, 271.521 ; ὁ σωτήριος — 1, 134 ;
4, 606 ; 15, 465 ; 19, 80 ; 20, 478.708.

σταυρόω   2, *332.534* ; 10, 119 ; 12, 350 ; 15, *319* ; 16, 6.61.96 ;
17, 65.66.187.417 ; 18, 124.268.270 ; 19, 460.

στερέω   1, 43.66.265 ; 3, 215.287.493 ; 4, 327 ; 6, 517 ; 7, 580.715.
787 ; 10, 365 ; 14, 346.466 ; 15, 403 ; 18, 570 ; 20, 105.198.522.

στέρησις   2, 339 ; 14, 519 ; 15, 452.

στερνόμαντις   3, 703 ; 6, 236.

συγγένεια   1, 162.185 ; 2, 274 ; 3, 247.335 ; 4, 368 ; 5, 383 ; 6,
580 ; 7, 105 ; 11, 419.*448* ; 12, 574.576 ; 14, 4 ; 18, 141.379.

συγγνώμη   7, 787 ; 13, 266 ; 14, 537 (2) ; 16, 24 ; 17, 440.445 ;
18, 274 ; 20, 796.

συγγραφή   9, 372 ; 12, 35.

συγγράφω   2, 581 ; 3, 225.540 ; 4, 112 ; 6, 654 ; 11, 74.

σύλληψις   3, 386.507.511.574 ; 4, 359 ; 6, 205.

σύλλογος   10, 457 (θεῖος) ; 14, 291 (τῶν εὐσεϐῶν) ; τῆς ἐκκλησίας —
10, 453.469.

σύμϐολον   4, 514 (τοῦ σταυροῦ) ; 7, 414 (τῶν τῆς θεογνωσίας
μυστηρίων).

συμμαχία   3, 252.257.492 ; 4, 261 ; 5, *508.*559 ; 6, 62.110.479 ;
9, 388 ; 11, 537 ; 16, 405.

σύμμαχος   4, 42 ; 8, 253 ; 11, 372.

συμμορία   19, 303.

συμφορά   3, 711 ; 5, 344.499 ; 6, 8.32.77.149.153.313.495.627.664 ;
7, 45.66 ; 8, 242.448.477 ; 10, 298 ; 13, 273 ; 14, *535.*561 ; 15, 27.
32 ; 16, 134.499.506 ; 18, 387.415 ; 19, 618 ; 20, 212.415.443.

συμφωνέω   5, 10 ; 7, 417.422 ; 8, 112 ; 13, 200.

συμφωνία   3, 370 ; 4, 4 ; 10, 59.

σύμφωνος   3, 104.365.715 ; 12, 292.

συμφώνως   2, 246 ; 3, 686.

συναγωγή   6, *258.*637 ; 7, 320.796 ; 8, 331 ; 11, *288* ; 18, *73.*76 ;
19, 311.

συναρμόζω   4, 187 ; 6, 24.738 ; 12, 339.

συνήθεια   4, 213 ; 10, 348.

συνήθης   1, 70 ; 7, 720 ; 9, 193 ; 14, 543 ; 20, 136.268.

συνήθως   3, 383 ; 17, 126 ; 19, 527 ; 20, 290.

συνθήκη   Υ, 25 ; 8, *167.472* ; 12, 315 ; 15, 301.*301* ; 17, 292.413.

συνομολογέω   7, 812 ; 13, 170.

συντέλεια   7, 187.255.277.322.690 ; 10, 266.272 ; 16, 63 ; 18, 433.
658 ; 19, 12.

συντομία   Π, 37 ; Υ, 29.

σύντομος   4, 282.289.323 ; 14, 488 ; 20, 600.

συντόμως   Υ, 28 ; 8, 272.

σύστασις 7, 793.
σύστημα 10, 185.
συσταυρόω 17, 188.
σφραγίς 3, 661 ; 8, 322.325.330.
σχῆμα 2, *344*.348 ; 3, 42.46.60 ; 5, 185 ; 6, 462.473 ; 7, 194.316.
591 ; 11, 80.146.155 ; 17, 325 (τὸ τροπικὸν) ; 18, 362.584 ; 19, 434.
σχηματίζω 3, 50 ; 11, 409 ; 12, 98 ; 16, 428 ; 19, 563.
σῴζω παντ.
σῶμα 1, 6.111.112 ; 2, 167.*436* ; 3, 21.116.124.144.146.810 ;
9, *179* ; 10, 142.214.316.429 ; 11, 407.452.453 ; 12, *101*.280 ; 13,
374 ; 15, 486 ; 16, *154.236* ; 17, 57 ; 18, 424.478.536 ; 20, 479.
781 (2).
σωματικός 3, 330 ; 4, 559 ; 9, 175 ; 10, 167 ; 13, 377 ; 14, 216 ;
18, 463.
σωματικῶς 4, *375*.
σωτήρ Υ, 8.14 ; 1, 40.401 ; 2, 17.69.80.146.195.268.428.530 ; 3,
74.79.367.693.746 ; 4, 279.*580.583* ; 6, *76*.191.343.359 ; 7, 672.
678.758 ; 8, 365.420.451 ; 9, 137.162.351.377.390.*398*.451.494 ;
10, 29.*237*.420.429 ; 11, 10 ; 12, 31.54.108.[523].548.675 ; 13, 169.
171.173.174 ; 14, *270*.275.*338*.340 (2).343.347 (2).348.580 ; 15, 462.
510 ; 16, 289.458.464.507 ; 17, 498.503 ; 18, 99.174.496.635.640 ;
19, 39.181.224.428.*547*.552 ; 20, 292.586.696.
σωτηρία Υ, 4.13 ; 1, 91.118.169.175.267.305.313.318.340.392 ;
2, *212* ; 3, 161.169.318.404.407.705.767.818 ; 4, 88.280.290.291.
343 (2).509.616 ; 6, 57.129.195.554.578.630.646 ; 7, 254.427.*443*.
445.461.473.*606*.609.612.616.736.769 ; 8, *135*.*235*.236.305.411.415.
455 ; 9, 46.107.227.228 ; 10, *62*.241.256.420 ; 11, 12.257.329.*347*.348.
354.366.370.401.436.444.446.461.480.*489*.506 ; 12, 8.78.92.133.282 ;
13, 109 ; 14, 153.*286*.299.305.381.383.*454*.455.457.*458*.459.*569*.
573.574 ; 15, 187.291.*202*.299.304.312.*332*.346.395.487.522.528 ; 16,
244.281.313.*455*.479 ; 17, 151.439 ; 18, [7].13.68.270.*565*.618.620 ;
19, 267.367.404.461.585 ; 20, 5.12.*21*.32.41.45.423.706.707.*770*.
σωτήριος 2, 86 (δόγματα) ; 3, 587 (ἥττα) ; 7, *492* (τεῖχος).731
(καρπός) ; 10, 226 (τὰ σ. δογμάτων ῥεῖθρα) ; 13, 285 (νάματα) ;
15, 178 (πόμα).379 (πηγαί) ; 16, *202* (φῶς) ; 18, 620 (κόλασις) ;
19, 464 (περιβολή) ; 20, 737 (διδασκαλία) ; τὸ σωτήριον 4, *589*.589 ;
10, *187* ; 11, *445* ; 12, *62*.67 ; 16, *219.233* ; 18, *3.610* ; 19, *86.263*.
436.437.440.*457.582* ; σ. γέννησις 2, 81 ; 6, 428 ; πρβ. βάπτισμα,
κήρυγμα, κλῆσις, πάθος, σταυρός.
σωφρονέω 14, 68.
σωφροσύνη 12, 659.

τάξις 2, 433 ; 14, 214.467 ; 17, 4.
ταπεινός 2, *144.328* ; 4, *385* ; 5, *423* ; 7, *380.510.512* ; 9, *410* ;

τριάς   3, 69.70 ; 7, 575 ; 13, 317 ; 14, 34.
τριπόθητος   15, 470 (τόποι) ; 17, 391 (ὕδωρ) ; 20, 798 (πόλις).
τρισάθλιος   9, 507 ; 11, 107 ; 19, 197.
τρισμακάριος   19, 393.
τροπικός   8, 85 (διδασκαλία τῶν προφητῶν) ; 17, 325 (σχῆμα).
τροπικῶς   Υ, 26 ; 2, 166.479.521 ; 3, 488 ; 4, 418 ; 5, 168.249.468 ;
     6, 160.727 ; 8, 392 ; 9, 203.454 ; 10, 293 ; 11, 288 ; 15, 227 ; 17,
     329.484 ; 18, 420.616 ; 19, 528 ; 20, 461.
τροφεύς   1, 67 ; 18, 99.
τροφή   Π, 5 ; 1, 53 ; 2, 364 ; 3, 472 ; 7, 161 ; 9, 282 ; 11, 250 ; 13,
     360.373.390 ; 16, 131 ; 17, 401 ; 18, 377.472 ; 20, 510.512.513.525.
     640 ; ἡ θεία — 9, 408 ; 15, 378 ; ἡ μυστική — 10, 221.
τρόφιμος   2, 187 ; 3, 226 ; 6, 229 ; 7, 503.523 ; 10, 80 ; 15, 370 ;
     16, 52 ; 17, 251 ; 18, 312.
τρυφή   4, 437 ; 6, 683 ; 7, 232 ; 8, 58 ; 11, 30 ; 16, *174* ; 18, 118.
τυπικῶς   12, 363 ; 16, 447 ; 20, 71 (ὡς).
τύπος   1, 385 (σταυροῦ δεσποτικοῦ) ; 5, 297 (κατὰ τύπον) ; 12, 531 ;
     19, 19 (τῆς ἀληθείας) ; 20, 80.708 (τοῦ σωτηρίου σταυροῦ) ; ἐν τύπῳ
     7, 759 ; 8, 267 ; 9, 166 ; 19, 259.277.
τυραννίς   ἡ τοῦ διαβόλου — 3, 785 ; 7, 548 ; 10, 416 ; 12, 634 ; 15,
     509 (= τῶν δαιμόνων) ; 17, 473 ; 19, 342 ; τῶν εἰδώλων 10, 104.
τύραννος   4, 533 ; 12, 304 ; 15, 491 ; 19, 338 ; 20, 37.
τυρεύω   3, 590 ; 18, 496.
τῦφος   2, 345 ; 4, 200 ; 5, 281 ; 7, 146 ; 9, 401 ; 14, 516 ; 18, 34 ;
     20, 300.302.

ὑγεία   3, 330.862 ; 11, 515.523.528.
ὑγιής   1, *121* ; 3, 146.751 ; 17, 504.
ὑγιῶς   1, 7.
ὑετός   2, *422*.430.512.520 ; 6, 205 (γαμικὸς) ; 7, 633.780 ; 9, *170*.
     424 ; 13, 376 ; 14, *155*.158 ; 15, *377* ; 17, 45 (γαμικὸς).*458*.464 ;
     19, *103*.
υἱοθεσία   1, 59 ; 20, 24.
υἱός   παντ.
ὕλη   1, 332 ; 2, 662 ; 4, *236* ; 6, 67 ; 12, 151 ; 14, 427.428 ; 18, 213.
ὑμνέω   3, 72.*676* ; 4, *591.599*.603 ; 7, 86.*245*.254.271.*349*.511 ;
     9, 394 ; 10, 436 ; 11, 480 ; 12, *605*.608.615.628 ; 13, 227 ; 15, 313.
     528 ; 16, 193.
ὕμνος   3, 66 ; 4, 583 ; 6, 179 ; 7, 347.446.638 ; 9, 139 ; 11, 436.
     462 ; 12, 604.*606* ; 13, 34 ; 16, 192 ; 19, 268.
ὑμνῳδία   3, 60 ; 8, 457 ; 11, 492 ; 18, 474.
ὑπερβολή   1, 124.254 ; 2, 197.639 ; 3, 722.732 ; 4, 136 ; 5, 167 ;
     6, 310 ; 7, 224.*405* ; 9, 251 ; 10, 130 ; 11, 48.127.147.168 ; 12, 176.
     386 ; 13, 379 ; 14, 196 ; 15, 151.408 ; 17, 476.

612 (ἦν ἀνέλαβε) ; 20, 218 ; ἡ τῶν ἀνθρώπων — 2, 208 ; 3, 190.398 ;
7, 215.233.464.635 ; 8, 385 ; 9, 205 ; 12, 79.178 ; 13, 236 ; 15, 294 ;
17, 279.355 ; 19, 331 ; 20, 76.

φυτόν   1, 412 ; 6, 66.83 ; 7, 224 ; 12, 429 ; 15, 340 (θεῖα) ; 19,
375.378.

φυτουργός   1, 147 ; 2, 485 ; 7, 698 ; 19, 293.

φωνή   παντ.

φῶς   παντ. ; τὸ θεῖον — 3 94.765 ; 19, 343.

φωτίζω   Π, 38 ; 1, 8 ; 2, 43.*614* ; 7, 538 ; 15, 296.297.344 ; 18,
553 ; 19, *2* (2).*271*.278.

χαλεπός   1, 262 ; 2, 630.631 ; 6, *125*.127.501 ; 7, 303.304 ; 8, 60.97 ;
16, 370.375.380 ; 18, 302.

χαλεπότης   11, 458.

χαρακτήρ   8, 401 (ὁ προφητικὸς) ; 13, 370.

χάρις   παντ. ; ἡ θεία — 2, 531 ; 3, 369 ; 10, 263 ; 11, 494 ; 12, 431 ;
20, 99.106.

χάρισμα   4, 376 ; 10, 192 ; 12, 417 ; 19, 450.

χειροποίητος   2, 133.*178* ; 4, 185 ; 5, 556 ; 6, 66.*208.547* ; 9, *332* ;
14, *421* ; 20, 535 (ναός).

χειροτονέω   2, 242 ; 4, 529 ; 5, 22 ; 14, 78.115 ; 17, 182 ; 20, 747.750.

χειροτονία   18, *402*.405.

χορηγέω   1, 53 ; 2, 425 ; 4, 239 ; 12, 576.673 ; 13, 373.429 ; 16,
130 ; 17, 465 ; 18, 377.388.389 ; 19, 397 ; 20, 370.

χορηγία   1, 282 ; 13, 376 ; 15, 380 ; 20, 187.

χορηγός   Π, 21 ; 1, 69.72 ; 7, 43 ; 10, 164.241 ; 11, 310.463 ; 12,
504 ; 14, 112 ; 16, 480 ; 18, 660 ; 20, 794.

χορός   7, 499 (τῶν εὐσεβῶν).692 (τῶν ἁγίων) ; 9, 242 ; 20, 790 ;
ἀποστολικὸς — 3, 690 ; 7, 387 ; 8, 44 ; 12, 97 ; τῶν ἀποστόλων —
3, 739 ; 4, 594 ; 8, 39 (ὁ ἱερὸς χ.) ; 14, 293 ; 20, 500.

χρεία   1, 57.341 ; 2, 359.425 ; 3, 83.470.473 ; 5, *140*.162 ; 6, 114 ;
7, 161.384 ; 8, 250 ; 11, 37 ; 13, 373 ; 14, 74.139 ; 16, 322 ; 19, 251 ;
20, 539.

χρήζω   13, 360 ; 19, 275.

χρῆμα   5, 140 ; 15, 73 ; 19, 169.

χρηματίζω   12, 85.414 ; 13, 78 ; 14, 298 ; 15, 154.157 ; 16, 433 ;
17, 125 ; 19, 346.364 ; 20, 120.152.164.230.235.

χρήσιμος   12, 154 ; 18, 607.

χρησμολογία   Π, 24 ; 3, 26.

χρησμολόγος   6, 297.

χρηστήριον   12, 485.

χρίσις   19, 329.

χρῖσμα   19, 354 (μυστικὸν).

χριστός   14, *72.73.77.77*.107 ; 19, *365*.

ERRATA DES DEUX PREMIERS TOMES

TOME I (SC 276)

p. 23, n. 1, l. 5 : *au lieu de* : admonestationes, *lire* : adnotationes.

p. 45, n. 1 : *lire* 9, 270.

p. 58, n. 2, l. 3 : *au lieu de* 14, 16, *lire* 14, 6.

p. 62, n. 3, -d) : *au lieu de* (20, 164-172), *lire* (19, 164-172).

p. 71, n. 3, l. 5 : *au lieu de* (*PG* 53, 528-529), *lire* (53, 328-329).

p. 90, l. 12 : *au lieu de* Chalcédoine (453), *lire* Chalcédoine (451).

p. 131, Eusèbe, *H.E.* : *au lieu de* t. 1, *SC* 31, Paris (réimpression) 1965, *lire* : *SC* 31, Paris (réimpression) 1964).

p. 147, l. 7 : *lire* pourvu.

p. 175, l. 14-15 : *au lieu de* la venue du Saint-Esprit, *lire* la venue de l'Esprit divin.

p. 191, l. 12-13 : *au lieu de* je répandrai de mon Esprit, *lire* je répandrai une part de mon Esprit.

p. 253, l. 8 : *lire* Saint-Esprit.

p. 266, n. 1, l. 3 : après la parenthèse *ajouter* : et Cyrille, 70, 173 C.

p. 276, app. script. : *ajouter* 236 II Chr. 28, 9-11.

p. 277, dernière ligne : *au lieu de* les Allophyles leurs frontaliers, *lire* les Allophyles, leurs frontaliers.

p. 291, l. 15 : *au lieu de* : il s'écartera, *lire* : il s'écarte.

TOME II (SC 295)

p. 76, l. 136 : *lire* τιμωρίαις.

p. 105, l. 11 : *au lieu de* Remnôn, *lire* Remmôn.

p. 111, l. 17 : *au lieu de* les événements, *lire* les faits.

p. 158, l. 601 : *au lieu de* εὐξήθησαν, *lire* ηὐξήθησαν, et *ajouter* dans l'apparat critique : 601 ηὐξήθησαν correxi : εὐξήθησαν Mö.

p. 365, l. 25 : *au lieu de* : le royaume du monde, *lire* : le royaume de la terre.

TABLE DES MATIÈRES

SOURCES CHRÉTIENNES

LISTE COMPLÈTE DE TOUS LES VOLUMES PARUS

N. B. — L'ordre suivant est celui de la date de parution (nᵒ 1 en 1942)
et il n'est pas tenu compte ici du classement en séries : grecque, latine,
byzantine, orientale, textes monastiques d'Occident ; et série annexe :
textes para-chrétiens.

Sauf indication contraire, chaque volume comporte le texte original,
grec ou latin, souvent avec un apparat critique inédit.

La mention *bis* indique une seconde édition. Quand cette seconde édition
ne diffère de la première que par de menues corrections et des *Addenda
et Corrigenda* ajoutés en appendice, la date est accompagnée de la mention « réimpression avec supplément ».

1. GRÉGOIRE DE NYSSE : **Vie de Moïse.** J. Daniélou (3ᵉ édition) (1968).

2 bis. CLÉMENT D'ALEXANDRIE : **Protreptique.** C. Mondésert, A. Plassart
(réimpression de la 2ᵉ éd., 1976).

3 bis. ATHÉNAGORE : **Supplique au sujet des chrétiens.** *En préparation.*

4 bis. NICOLAS CABASILAS : **Explication de la divine Liturgie.** S. Salaville,
R. Bornert, J. Gouillard, P. Périchon (1967).

5. DIADOQUE DE PHOTICÉ : **Œuvres spirituelles.** É. des Places (réimpr. de la
2ᵉ éd., avec suppl., 1966).

6 bis. GRÉGOIRE DE NYSSE : **La création de l'homme.** *En préparation.*

7 bis. ORIGÈNE : **Hom. sur la Genèse.** H. de Lubac, L. Doutreleau (1976).

8. NICÉTAS STÉTHATOS : **Le paradis spirituel.** *Remplacé par le nᵒ 81.*

9 bis. MAXIME LE CONFESSEUR : **Centuries sur la charité.** *En préparation.*

10. IGNACE D'ANTIOCHE : **Lettres — Lettres et Martyre** de POLYCARPE DE
SMYRNE. P.-Th. Camelot (4ᵉ édition) (1969).

11 bis. HIPPOLYTE DE ROME : **La Tradition apostolique.** B. Botte (1968).

12 bis. JEAN MOSCHUS : **Le Pré spirituel.** *En préparation.*

13. JEAN CHRYSOSTOME : **Lettres à Olympias.** A.-M. Malingrey. Trad. seule
(1947).

13 bis. 2ᵉ édition avec le texte grec et la **Vie anonyme d'Olympias** (1968).

14. HIPPOLYTE DE ROME : **Commentaire sur Daniel.** G. Bardy, M. Lefèvre.
Trad. seule (1947).
2ᵉ édition avec le texte grec. *En préparation.*

15 bis. ATHANASE D'ALEXANDRIE : **Lettres à Sérapion.** J. Lebon. *En prép.*

16 bis. ORIGÈNE : **Hom. sur l'Exode.** H. de Lubac, J. Fortier. *En prép.*

17. BASILE DE CÉSARÉE : **Sur le Saint-Esprit.** B. Pruche. Trad. seule (1947).

17 bis. 2ᵉ édition avec le texte grec (1968).

18 bis. ATHANASE D'ALEXANDRIE : **Discours contre les païens.** P. Th. Camelot
(1977).

19 bis. HILAIRE DE POITIERS : **Traité des Mystères.** P. Brisson (réimpression,
avec supplément, 1967).

20. THÉOPHILE D'ANTIOCHE : **Trois livres à Autolycus.** G. Bardy, J. Sender.
Trad. seule (1948).
2ᵉ édition avec le texte grec. *En préparation.*

21. ÉTHÉRIE : **Journal de voyage.** H. Pétré. *Remplacé par le nᵒ 296.*

22 bis. LÉON LE GRAND : **Sermons 1-19.** J. Leclercq, R. Dolle (1964).

23. CLÉMENT D'ALEXANDRIE : **Extraits de Théodote.** F. Sagnard (réimpr., 1970).

24 bis. PTOLÉMÉE : **Lettre à Flora**. G. Quispel (1966).

25 bis. AMBROISE DE MILAN : **Des Sacrements. Des Mystères. Explication du Symbole**. B. Botte (réimpr. de la 2ᵉ éd., 1980).

26 bis. BASILE DE CÉSARÉE : **Homélies sur l'Hexaéméron**. S. Giet (réimpr. avec suppl., 1968).

27 bis. **Homélies Pascales**, t. I. P. Nautin. *En préparation.*

28 bis. JEAN CHRYSOSTOME : **Sur l'incompréhensibilité de Dieu**. J. Daniélou, A.-M. Malingrey, R. Flacelière (1970).

29 bis. ORIGÈNE : **Homélies sur les Nombres**. A. Méhat. *En préparation.*

30 bis. CLÉMENT D'ALEXANDRIE : **Stromate I**. *En préparation.*

31. EUSÈBE DE CÉSARÉE : **Histoire ecclésiastique, t. I. Livres I-IV**. G. Bardy (réimpression, 1964).

32 bis. GRÉGOIRE LE GRAND : **Morales sur Job, t. I. Livres I-II**. R. Gillet, A. de Gaudemaris (1975).

33 bis. **A Diognète**. H. I. Marrou (réimpr. avec suppl., 1965).

34. IRÉNÉE DE LYON : **Contre les hérésies, livre III**. F. Sagnard. *Remplacé par les nᵒˢ 210 et 211.*

35 bis. TERTULLIEN : **Traité du baptême**. F. Refoulé. *En préparation.*

36 bis. **Homélies Pascales, t. II**. P. Nautin. *En préparation.*

37 bis. ORIGÈNE : **Homélies sur le Cantique**. O. Rousseau (1966).

38 bis. CLÉMENT D'ALEXANDRIE : **Stromate II**. *En préparation.*

39 bis. LACTANCE : **De la mort des persécuteurs**. 2 vol. *En préparation.*

40. THÉODORET DE CYR : **Correspondance, t. I**. Y. Azéma (1955).

41. EUSÈBE DE CÉSARÉE : **Histoire ecclésiastique, t. II. Livres V-VII**. G. Bardy (réimpression, 1965).

42. JEAN CASSIEN : **Conférences, t. I**. E. Pichery (réimpression, 1966).

43 bis. JÉRÔME : **Sur Jonas**. *En préparation.*

44. PHILOXÈNE DE MABBOUG : **Homélies**. E. Lemoine. Trad. seule (1956).

45. AMBROISE DE MILAN : **Sur S. Luc, t. I**. G. Tissot (réimpr. avec suppl., 1971).

46 bis. TERTULLIEN : **De la prescription contre les hérétiques**. *En préparation.*

47. PHILON D'ALEXANDRIE : **La migration d'Abraham**. *Epuisé.* Voir série « Les Œuvres de Philon ».

48. **Homélies Pascales, t. III**. F. Floëri et P. Nautin (1957).

49 bis. LÉON LE GRAND : **Sermons 20-37**. R. Dolle (1969).

50 bis. JEAN CHRYSOSTOME : **Huit Catéchèses baptismales inédites**. A. Wenger (réimpr. avec suppl., 1970).

51 bis. SYMÉON LE NOUVEAU THÉOLOGIEN : **Chapitres théologiques, gnostiques et pratiques**. J. Darrouzès et L. Neyrand (1980).

52 bis. AMBROISE DE MILAN : **Sur S. Luc, t. II**. G. Tissot (réimpr. avec suppl., 1976).

53 bis. HERMAS : **Le Pasteur**. R. Joly (réimpr. avec suppl., 1968).

54. JEAN CASSIEN : **Conférences, t. II**. E. Pichery (réimpression, 1966).

55. EUSÈBE DE CÉSARÉE : **Histoire ecclésiastique, t. III. Livres VIII-X**. G. Bardy (réimpression, 1984).

56. ATHANASE D'ALEXANDRIE : **Deux apologies**. J. Szymusiak (1958).

57. THÉODORET DE CYR : **Thérapeutique des maladies helléniques**. 2 volumes. P. Canivet (1958).

58 bis. DENYS L'ARÉOPAGITE : **La hiérarchie céleste**. G. Heil, R. Roques, M. de Gandillac (réimpr. avec suppl., 1970).

59. **Trois antiques rituels du baptême**. A. Salles. Trad. seule. *Epuisé.*

60. AELRED DE RIEVAULX : **Quand Jésus eut douze ans**. A. Hoste, J. Dubois (1958).

61 bis. GUILLAUME DE SAINT-THIERRY : **Traité de la contemplation de Dieu**. J. Hourlier (réimpression, 1977).

62. IRÉNÉE DE LYON : **Démonstration de la prédication apostolique**. L. Froidevaux. Nouvelle trad. sur l'arménien. Trad. seule (réimpr. 1971).

63. RICHARD DE SAINT-VICTOR : **La Trinité**. G. Salet (1959).

102. **Id.** — Tome II (1964).

103. Jean Chrysostome : **Lettre d'exil.** A.-M. Malingrey (1964).

104. Syméon le Nouveau Théologien : **Catéchèses.** B. Krivochéine, J. Paramelle. Tome II. Catéchèses 6-22 (1964).

105. **La Règle du Maître.** A. de Vogüé. Tome I. Introd. et chap. 1-10 (1964).

106. **Id.** — Tome II. Chap. 11-95 (1964).

107. **Id.** — Tome III. Concordance et Index orthographique. J.-M. Clément, J. Neufville, D. Demeslay (1965).

108. Clément d'Alexandrie : **Le Pédagogue,** tome II. Cl. Mondésert, H. I. Marrou (1965).

109. Jean Cassien : **Institutions cénobitiques.** J.-C. Guy (1965).

110. Romanos le Mélode : **Hymnes.** J. Grosdidier de Matons. **Tome II.** Hymnes IX-XX (1965).

111. Théodoret de Cyr : **Correspondance,** t. III. Y. Azéma (1965).

112. Constance de Lyon : **Vie de S. Germain d'Auxerre.** R. Borius (1965).

113. Syméon le Nouveau Théologien : **Catéchèses.** B. Krivochéine. J. Paramelle. Tome III. Catéchèses 23-34, Actions de grâces 1-2 (1965).

114. Romanos le Mélode : **Hymnes.** J. Grosdidier de Matons. Tome III. Hymnes XXI-XXXI (1965).

115. Manuel II Paléologue : **Entretien avec un musulman.** A. Th. Khoury (1966).

116. Augustin d'Hippone : **Sermons pour la Pâque.** S. Poque (1966).

117. Jean Chrysostome : **A Théodore.** J. Dumortier (1966).

118. Anselme de Havelberg : **Dialogues,** livre I. G. Salet (1966).

119. Grégoire de Nysse : **Traité de la Virginité.** M. Aubineau (1966).

120. Origène : **Commentaire sur S. Jean.** C. Blanc. Tome I. Livres I-V (1966).

121. Éphrem de Nisibe : **Commentaire de l'Évangile concordant ou Diatessaron.** L. Leloir. Trad. seule (1966).

122. Syméon le Nouveau Théologien : **Traités théologiques et éthiques.** J. Darrouzès. Tome I. Théol. 1-3, Éth. 1-3 (1966).

123. Méliton de Sardes : **Sur la Pâque (et fragments).** O. Perler (1966).

124. **Expositio totius mundi et gentium.** J. Rougé (1966).

125. Jean Chrysostome : **La Virginité.** H. Musurillo, B. Grillet (1966).

126. Cyrille de Jérusalem : **Catéchèses mystagogiques.** A. Piédagnel, P. Paris (1966).

127. Gertrude d'Helfta : **Œuvres spirituelles.** Tome I. **Les Exercices.** J. Hourlier, A. Schmitt (1967).

128. Romanos le Mélode : **Hymnes.** J. Grosdidier de Matons. Tome IV. Hymnes XXXII-XLV (1967).

129. Syméon le Nouveau Théologien : **Traités théologiques et éthiques.** J. Darrouzès. Tome II. Éth. 4-15 (1967).

130. Isaac de l'Étoile : **Sermons.** A. Hoste, G. Salet. Tome I. Introduction et Sermons 1-17 (1967).

131. Rupert de Deutz : **Les œuvres du Saint-Esprit.** J. Gribomont, É. de Solms. Tome I. Livres I et II (1967).

132. Origène : **Contre Celse.** M. Borret. Tome I. Livres I et II (1967).

133. Sulpice Sévère : **Vie de S. Martin.** J. Fontaine. Tome I. Introduction, texte et traduction (1967).

134. **Id.** — Tome II. Commentaire (1968).

135. **Id.** — Tome III. Commentaire (suite), Index (1969).

136. Origène : **Contre Celse.** M. Borret. Tome II. Livres III et IV (1968).

137. Éphrem de Nisibe : **Hymnes sur le Paradis.** F. Graffin, R. Lavenant. Trad. seule (1968).

138. Jean Chrysostome : **A une jeune veuve. Sur le mariage unique.** B. Grillet, G. H. Ettlinger (1968).

139. Gertrude d'Helfta : **Œuvres spirituelles.** Tome II. **Le Héraut.** Livres I et II. P. Doyère (1968).

176. SALVIEN DE MARSEILLE : Œuvres. Tome I. G. Lagarrigue (1971).

177. CALLINICOS : Vie d'Hypatios. G. J. M. Bartelink (1971).

178. GRÉGOIRE DE NYSSE : Vie de sainte Macrine. P. Maraval (1971).

179. AMBROISE DE MILAN : La pénitence. R. Gryson (1971).

180. JEAN SCOT : Commentaire sur l'évangile de Jean. É. Jeauneau (1972).

181. La Règle de S. Benoît. Tome I. Introduction et Chapitres I-VII. A. de Vogüé et J. Neufville (1972).

182. Id. — Tome II. Chapitres VIII-LXXIII, Tables et concordance. A. de Vogüé et J. Neufville (1972).

183. Id. — Tome III. Étude de la tradition manuscrite. J. Neufville (1972).

184. Id. — Tome IV. Commentaire (I-III). A. de Vogüé (1971).

185. Id. — Tome V. Commentaire (IV-VI). A. de Vogüé (1971).

186. Id. — Tome VI. Commentaire (VII-IX), Index. A. de Vogüé (1971).

187. HÉSYCHIUS DE JÉRUSALEM, BASILE DE SÉLEUCIE, JEAN DE BÉRYTE, PSEUDO-CHRYSOSTOME, LÉONCE DE CONSTANTINOPLE : Homélies pascales. M. Aubineau (1972).

188. JEAN CHRYSOSTOME : Sur la vaine gloire et l'éducation des enfants. A.-M. Malingrey (1972).

189. La chaîne palestinienne sur le psaume 118. Tome I. Introduction, texte critique et traduction. M. Harl (1972).

190. Id. — Tome II. Catalogue des fragments, Notes et Index. M. Harl (1972).

191. PIERRE DAMIEN : Lettre sur la toute-puissance divine. A. Cantin (1972).

192. JULIEN DE VÉZELAY : Sermons. Tome I. Introduction et Sermons 1-16. D. Vorreux (1972).

193. Id. — Tome II. Sermons 17-27, Index. D. Vorreux (1972).

194. Actes de la Conférence de Carthage en 411. Tome I. Introduction. S. Lancel (1972).

195. Id. — Tome II. Texte et traduction de la Capitulation et des Actes de la première séance. S. Lancel (1972).

196. SYMÉON LE NOUVEAU THÉOLOGIEN : Hymnes. J. Koder, J. Paramelle, L. Neyrand. Tome III. Hymnes XLI-LVIII, Index (1973).

197. COSMAS INDICOPLEUSTÈS : Topographie chrétienne, t. III. Livres VI-XII, Index. W. Wolska-Conus (1973).

198. Livre (cathare) des deux principes. Ch. Thouzellier (1973).

199. ATHANASE D'ALEXANDRIE : Sur l'incarnation du Verbe. C. Kannengiesser (1973).

200. LÉON LE GRAND : Sermons 65-98, Éloge de S. Léon, Index. R. Dolle (1973).

201. Évangile de Pierre. M.-G. Mara (1973).

202. GUERRIC D'IGNY : Sermons. Tome II. J. Morson, H. Costello, P. Deseille (1973).

203. NERSÈS SNORHALI : Jésus, Fils unique du Père. I. Kéchichian. Trad. seule (1973).

204. LACTANCE : Institutions divines, livre V. Tome I. Introd., texte et trad. P. Monat (1973).

205. Id. — Tome II. Commentaire et index. P. Monat (1973).

206. EUSÈBE DE CÉSARÉE : Préparation évangélique, livre I. J. Sirinelli, É. des Places (1974).

207. ISAAC DE L'ÉTOILE : Sermons. A. Hoste, G. Salet, G. Raciti. Tome II. Sermons 18-39 (1974).

208. GRÉGOIRE DE NAZIANZE : Lettres théologiques. P. Gallay (1974).

209. PAULIN DE PELLA : Poème d'action de grâces et Prière. C. Moussy (1974).

210. IRÉNÉE DE LYON : Contre les hérésies, livre III. A. Rousseau, L. Doutreleau. Tome I. Introduction, notes justificatives et tables (1974).

211. Id. — Tome II. Texte et traduction (1974).

212. GRÉGOIRE LE GRAND : Morales sur Job. L. XI-XIV. A. Bocognano (1974).

213. LACTANCE : L'ouvrage du Dieu créateur. Tome I. Introduction, texte critique et traduction. M. Perrin (1974).

214. Id. — Tome II. Commentaire et index. M. Perrin (1974).

Hors série :

SOUS PRESSE

PROCHAINES PUBLICATIONS

JÉRÔME : **Sur Jonas** (2 tomes). Y.-M. Duval.
TERTULLIEN : **Exhortation à la chasteté.** C. Moreschini et J.-C. Fredouille.
Conciles mérovingiens. J. Gaudemet et B. Basdevant.
TERTULLIEN : **Du mariage unique.**
GRÉGOIRE LE GRAND : **Homélies sur Ézéchiel.** Tome I.
Les Constitutions apostoliques. Tome I.
ISAAC DE L'ÉTOILE : **Sermons.** Tome III.
ORIGÈNE : **Homélies sur l'Exode.**

SOURCES CHRÉTIENNES

(1-315)

IMPRIMERIE A. BONTEMPS

LIMOGES (FRANCE)

Registre des travaux :

Éditeur n° 7906 - Imprimeur n° 1598-83

Dépôt légal : Septembre 1984

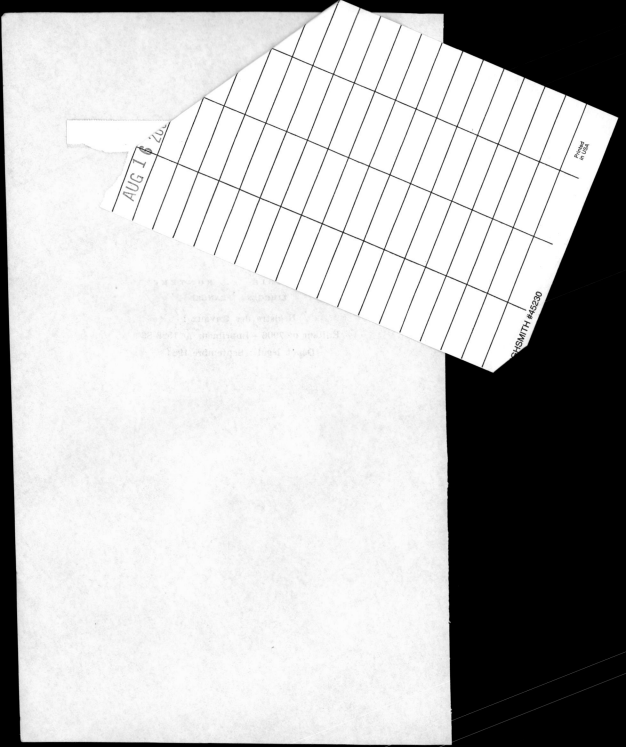